S0-AEQ-693

ullstein

Das Buch

Nach dem frühen Verlust ihrer geliebten Mutter sind die Schwestern Winona, Aurora und Vivi Ann auf sich allein gestellt. Ihr Vater Henry kümmert sich nur um die Pferdefarm und vernachlässigt seine Töchter. Einzig die jüngste der Schwestern, Vivi Ann, scheint einen Zugang zu seinem Herzen gefunden zu haben, während vor allem Winona vergeblich um seine Zuneigung kämpft. Doch die Schwestern halten zusammen wie Pech und Schwefel. Bis eines Tages die schöne Vivi Ann eine flüchtige Beziehung mit dem Tierarzt Luke eingeht, für den Winona tiefe Gefühle hegt. Alte Wunden brechen auf: Erneut hat Vivi Ann scheinbar spielend das Herz eines Menschen erobert, dessen Liebe Winona verwehrt blieb. Blind vor Eifersucht, setzt Winona alles daran, diese Beziehung zu zerstören. Erst Jahre später führt ein Schicksalsschlag die Schwestern wieder zusammen, und Winona bekommt die Chance, ihren Verrat an der Familie wiedergutzumachen ...

Die Autorin

Kristin Hannah, Jahrgang 1960, hat zahlreiche Bestseller veröffentlicht und wurde mit vielen Preisen ausgezeichnet. Sie lebt mit ihrem Mann und ihrem Sohn in einer kleinen Stadt in der Nähe von Seattle, Washington.

Von Kristin Hannah sind in unserem Hause
bereits erschienen:
An fernen Küsten
Ein Garten im Winter
Immer für dich da
Was wir aus Liebe tun
Wer dem Glück vertraut
Wer zu lieben wagt
Wohin das Herz uns trägt

Kristin Hannah

Das Geheimnis der Schwestern

Roman

Aus dem Amerikanischen
von Marie Rahn

Ullstein

Besuchen Sie uns im Internet:
www.ullstein-taschenbuch.de

Deutsche Erstausgabe im Ullstein Taschenbuch
1. Auflage September 2012
2. Auflage 2012

Published by Arrangement with Kristin Hannah
Titel der amerikanischen Originalausgabe:
True Colors (St. Martin's Press, New York)
Umschlaggestaltung: ZERO Werbeagentur, München
Titelabbildung: © Tom Hallman
Satz: LVD GmbH, Berlin
Gesetzt aus der Sabon
Papier: Pamo Super von Arctic Paper Mochenwangen GmbH
Druck und Bindearbeiten: CPI – Ebner & Spiegel, Ulm
Printed in Germany
ISBN 978-3-548-28370-8

Für die Frauen, die sich unserer Familie
angeschlossen haben und unser Leben bereichern:
Debra Edwards John und Julie Gorset John.
Für zwei Freundinnen: Julie Williams und
Andrea Schmidt. Mitten im größten Chaos bringt
ihr mich zum Lachen, dafür danke ich euch.
Und wie immer für Benjamin und Tucker,
ohne die ich nie so viel über das Leben, die
Liebe und das Glück erfahren hätte.

Prolog

1979

Die fünfzehnjährige Winona Grey starrte hinaus auf die Ranch am Hood Canal, die seit vier Generationen im Besitz ihrer Familie war, und suchte nach Hinweisen für Veränderungen. Große Verluste sollten Spuren hinterlassen – Gras sollte verdorren, dunkle Wolken sich zusammenziehen oder ein Baum von einem Blitz gespalten werden. Irgendetwas sollte ein Zeichen setzen.

Vom Fenster ihres Zimmers aus konnte sie einen Großteil des Weidelandes überblicken. An der hinteren Grenze ihres Besitzes standen mehrere Gruppen riesiger Zedern, deren filigranes Geäst sich zur Erde neigte; auf den sanft geschwungenen Weiden trabten Pferde an den Koppelzäunen entlang und trampelten das grüne Gras in den schlammigen Boden. Im Wäldchen auf dem Hügel verbarg sich das kleine Cottage, das ihr Urgroßvater bei der Urbarmachung des Landes gebaut hatte.

Alles wirkte ganz normal, aber Winona wusste es besser. Ein paar Jahre zuvor war nicht weit entfernt ein Kind im eisigen Wasser des Hood Canal ertrunken, und monatelang war in der gesamten Region der Washington Coast nur davon die Rede gewesen. Ihre Mutter hatte sich mit Winona hingesetzt und sie vor den heimtückischen, unsichtbaren Unterströmungen gewarnt, die einen selbst in flachem Wasser hinunterziehen konnten, aber jetzt wusste sie, dass unter der Oberfläche des ganz normalen Lebens andere Gefahren lauerten.

Sie wandte sich vom Fenster ab und ging hinunter. Seit

dem Vortag kam ihr das Haus zu groß und zu still vor. Ihre Schwester Aurora kauerte auf dem blau-gelb karierten Sofa und las. Sie war vierzehn, spindeldürr und knochig, und befand sich in dem heiklen Stadium zwischen Kindheit und Erwachsensein. Sie hatte ein kleines, spitzes Kinn und glatte dunkelbraune Haare, die sie lang und mit einem Mittelscheitel trug.

»Du bist früh wach, Sprout«, bemerkte Winona.

Aurora sah auf. »Ich konnte nicht schlafen.«

»Ja, ich auch nicht.«

»Vivi Ann ist in der Küche. Vor ein paar Minuten habe ich sie weinen hören, aber …« Aurora zuckte mit den mageren Schultern. »Ich weiß nicht, was ich ihr sagen soll.«

Aurora hatte ein ausgeprägtes Bedürfnis nach Ruhe und Frieden. Das wusste Winona, sie war die Streitschlichterin der Familie, die immer versuchte, Harmonie herzustellen und alles in Ordnung zu bringen. Kein Wunder, dass sie so verletzlich wirkte. Jetzt konnte sie niemanden mit schönen Worten trösten. »Ich seh mal nach ihr«, erklärte Winona.

Ihre zwölfjährige Schwester saß an dem gelben Resopaltisch und sah sich ein Bild an.

»Hey, Bean«, sagte Winona und wuschelte ihr durchs Haar.

»Hey, Pea.«

»Was machst du da?«

»Ich male ein Bild von uns dreien.« Sie hielt inne und blickte zu ihr auf. Ihr langes weizenblondes Haar war zerzaust und ihre grünen Augen vom Weinen gerötet. Trotzdem wirkte sie makellos schön wie ein Porzellanpüppchen. »Mom kann das doch vom Himmel aus sehen, oder?«

Winona wusste nicht, was sie darauf antworten sollte. Früher war ihr der Glaube so natürlich und selbstverständlich vorgekommen wie das Atmen, aber das war vorbei. Der Krebs hatte ihre Familie heimgesucht und in so viele Teile gespalten, dass es unmöglich schien, jemals wieder eine Einheit zu werden. »Natürlich«, antwortete sie dumpf. »Wir hängen es an den Kühlschrank.«

Sie wandte sich zum Gehen, merkte aber augenblicklich, dass das ein Fehler war. Denn alles in der Küche erinnerte sie an ihre Mutter – die blaugelben Baumwollvorhänge, der Mountain-Mama-Magnet an der Kühlschranktür, die Schale mit den Muscheln auf dem Fensterbrett. *Komm schon, Winnie, gehen wir auf Schatzsuche zum Strand …*

Wie oft hatte Winona in diesem Sommer ihre Mutter vertröstet? Sie hatte keine Zeit gehabt, um etwas mit ihr zu unternehmen, war auch zu cool gewesen, um den Strand nach schönen, glatten Scherben zwischen den zerbrochenen Austernschalen und dem trocknenden Seetang abzusuchen.

Dieser Gedanke trieb sie zum Gefrierschrank. Sie zog die Tür auf und entdeckte einen riesigen Becher Eis. Das würde ihr jetzt auch nicht helfen, trotzdem konnte sie nicht widerstehen.

Sie holte sich einen Löffel, lehnte sich gegen die Küchentheke und fing an zu essen. Durch das Fenster konnte sie die Schottereinfahrt vor dem Farmhaus und den schwedenroten baufälligen Offenstall auf der Lichtung sehen. Dort oben schob sich der blaue verbeulte Truck ihres Dads rückwärts an ihren rostigen Pferdetrailer. Dann stieg ihr Vater aus und ging zur Anhängerkupplung.

»Jetzt sag nicht, er will zum Rodeo«, murmelte Winona.

»Natürlich«, erwiderte Vivi Ann und malte weiter an ihrem Bild. »Er ist schon ganz früh aufgestanden, um alles vorzubereiten.«

»Er will zum Rodeo? Das soll wohl ein Witz sein!«, bemerkte Aurora, die in die Küche gekommen war und sich zu Winona ans Fenster gesellte. »Aber … wie kann er nur?«

Winona wusste, sie sollte jetzt die Rolle ihrer Mutter übernehmen und erklären, warum es in Ordnung war, dass ihr

Dad schon einen Tag nach der Beerdigung seiner Frau weitermachte wie bisher. Aber eine derartige Lüge brachte sie nicht über die Lippen, nicht mal, um ihren Schwestern Schmerz zu ersparen. Vielleicht war es ja gar keine Lüge – vielleicht verhielten sich Erwachsene so, vielleicht machten sie einfach weiter – aber die Vorstellung war noch furchterregender und noch schwerer auszusprechen. Das darauf folgende Schweigen setzte Winona zu; sie wusste nicht, was sie sagen, wie sie es erträglicher machen sollte, dabei war doch genau das ihre Aufgabe. Als Älteste sollte sie sich um ihre Geschwister kümmern.

»Warum holt er denn Clem von der Weide?«, fragte Aurora, nahm Winona den Löffel aus der Hand und bediente sich an der Eiscreme.

Vivi Ann gab einen Laut von sich, der halb Schluchzen, halb Schrei war, stürzte zur Tür und riss sie so heftig auf, dass sie gegen die Wand schlug.

»Er verkauft Moms Pferd«, stieß Winona hervor. Sie war wütend, dass sie das nicht vorausgesehen hatte.

»Das kann er doch nicht machen«, entrüstete sich Aurora und sah Winona um Bestätigung heischend an. »Oder?«

Winona konnte ihr nicht geben, was sie suchte. Stattdessen rannte sie Vivi Ann nach. Als sie den Rangierplatz am Stall erreichte, kam sie außer Atem neben Vivi Ann zum Stehen.

Da war ihr Vater und hielt Clem an der Longe. Die Sonne schien auf seinen speckigen Cowboyhut und wurde von der handtellergroßen silbernen Gürtelschnalle reflektiert. Sein markantes Gesicht erinnerte sie an die hiesigen Berge: Flächen aus Granit und schattige Klüfte. Hart und schroff.

»Du darfst Moms Pferd nicht verkaufen«, sagte sie keuchend.

»Willst du mir sagen, was ich darf und was nicht, Winona?«, gab er zurück, und sein Blick blieb kurz an dem Eisbecher haften.

Winona spürte, wie sie rot wurde. Sie musste all ihren Mut zusammennehmen, um ihm zu widersprechen, aber es blieb ihr keine Wahl. Sonst war kein anderer mehr da. »Sie liebt ... sie hat dieses Pferd geliebt.«

»Wir haben kein Geld für ein Pferd, das nicht geritten wird.«

»Ich werde es reiten«, erklärte Winona.

»Du?«

»Ich strenge mich noch mehr an. Ich werde meine Angst überwinden.«

»Haben wir überhaupt einen Sattel in deiner Größe?«

Peinliche Stille folgte darauf, so dass Winona vorstürzte und ihrem Vater die Longe entriss. Aber sie bewegte sich zu schnell oder zu ruckartig – Clementine jedenfalls scheute und scherte zur Seite aus. Winona spürte, wie das Seil brennend in ihre Handfläche schnitt, und verlor fast das Gleichgewicht.

Da war Vivi Ann plötzlich neben ihr und brachte Clementine mit einem Wort und einer Berührung unter Kontrolle. »Alles in Ordnung?«, flüsterte sie Winona zu, als das Pferd wieder ruhig war.

Winona aber schämte sich so, dass sie kein Wort herausbrachte. Sie spürte, dass ihr Vater auf sie zukam, hörte, wie seine Cowboystiefel sich in den Schlamm gruben. Langsam drehten sich Vivi Ann und sie zu ihm um.

»Du hast kein Gespür für Pferde, Winona«, sagte er. Das hatte sie schon ihr ganzes Leben von ihm gehört. Für einen Cowboy gab es keine vernichtendere Bemerkung.

»Ich weiß, aber –«

Er hörte ihr gar nicht zu, sondern sah nur Vivi Ann an. Irgendetwas schien zwischen ihnen vorzugehen, als würde eine Botschaft übermittelt werden, die Winona nicht verstand. »Sie ist ein lebhaftes Tier und noch jung. Damit kann nicht jeder umgehen«, bemerkte ihr Vater.

»Ich aber schon«, erwiderte Vivi Ann.

Das stimmte, und Winona wusste es. Trotz ihrer zwölf Jahre war Vivi Ann furchtloser und tapferer, als Winona je sein würde.

Plötzlich erfasste Winona Neid. Sie wusste, das war falsch – sogar gemein –, aber sie wollte, dass ihr Vater Vivi Ann missachtete, dass er seine schönste Tochter mit seiner ganzen Missbilligung strafte.

Doch er erklärte: »Deine Mama wäre stolz auf dich«, und übergab Vivi Ann die zerschlissene blaue Longe.

Wie aus der Ferne sah Winona sie gemeinsam weggehen. Sie redete sich ein, dass es ihr nichts ausmachte, Hauptsache, Clem würde nicht verkauft, aber das tröstete sie kaum.

Dann hörte sie, wie Aurora, nun, da das Drama vorbei war, den Hügel heraufkam und sich zu ihr gesellte. »Alles klar?«

»Ja, alles klar.«

»Hauptsache, Clem wird nicht verkauft.«

»Genau«, sagte Winona und wünschte, es wäre wahr. »Was kümmert es mich, wer das Pferd reitet?«

»So ist es.«

Aber als Winona Jahre später auf die Zeit unmittelbar nach dem Tod ihrer Mutter zurückblickte, erkannte sie, wie eine einzige Handlung – die Übergabe einer Longe – alles verändert hatte. Von da an war Eifersucht ein ständiger stummer, aber gefährlicher Begleiter ihres Lebens. Doch niemand konnte sie sehen. Zumindest damals nicht.

Teil 1

Vorher

Was ist Leidenschaft? Eindeutig die Entwicklung zu einer Persönlichkeit ... In der Leidenschaft suchen Körper und Geist ihren Ausdruck ... Je extremer und prägnanter diese Leidenschaft ist, desto unerträglicher scheint das Leben ohne sie. Wenn Leidenschaft also stirbt oder unterdrückt wird, sterben wir mit, erst ein Teil von uns und bald darauf unweigerlich unsere ganze Persönlichkeit.

John Boorman, Filmregisseur

Eins

1992

Der Tag, auf den Vivi Ann so lange gewartet hatte – der 25. Januar –, schien für lange Zeit in weiter Ferne zu liegen. Als er schließlich doch kam, wachte sie noch früher auf als sonst. Lange bevor es hell wurde, stand sie auf. In ihrem kalten dunklen Zimmer streifte sie sich ihren gefütterten Overall und eine Wollmütze über. Dann nahm sie ein Paar alter, lederner Arbeitshandschuhe, stieg in ihre riesigen Gummistiefel und ging hinaus.

Eigentlich hätte sie die Pferde nicht füttern müssen. Das war Aufgabe des frisch eingestellten Rancharbeiters. Aber da sie vor lauter Aufregung nicht mehr schlafen konnte, wollte sie sich nützlich machen.

Der Mond schien nicht, daher sah Vivi Ann nur den gespenstisch silbrigen Hauch ihres Atems, aber wenn sie eines kannte, dann das Land ihres Vaters.

Water's Edge.

Über hundert Jahre zuvor hatte ihr Urgroßvater dieses Fleckchen Erde urbar gemacht und den nahe gelegenen Ort Oyster Shores gegründet. Mochten andere Männer Orte gewählt haben, die zugänglicher und leichter zu bewirtschaften waren – Abelard Grey nicht. Er hatte die gefährlichen Ebenen überquert, um hierherzugelangen, hatte einen Sohn an die Indianer und einen an die Influenza verloren, und doch war er immer weiter nach Westen gezogen, weil ihn der Traum von diesem wilden abgeschiedenen Fleckchen Erde des Evergreen State lockte. Das Land, für das er sich entschied, einhundertfünfundzwanzig Hektar zwischen dem relativ warmen blauen Wasser des Hood Canal und einer baumbestandenen Hügellandschaft, war atemberaubend schön.

Vivi Ann ging die kleine Anhöhe hinauf zu der Stallanlage, die sie zehn Jahre zuvor gebaut hatten. Unter einem hohen Holzdach befand sich ein umzäunter Reitplatz, der auf beiden Seiten von zwölf Pferdeboxen flankiert wurde. Als sie die riesige Schiebetür öffnete und die Oberlichter mit einem dezenten Klicken angingen, wurden die Pferde sofort unruhig und wieherten, um ihr mitzuteilen, dass sie Hunger hatten. In der nächsten Stunde holte Vivi Ann Heu von den im Offenstall gestapelten Ballen und schob es mit einer rostigen Schubkarre über den unebenen Estrich der Boxengänge. An der letzten Box hing ein maßgefertigtes Holzschild mit dem selten benutzten offiziellen Namen ihrer Stute: Clementine's Blue Ribbon.

»Hallo, mein Mädchen«, sagte sie, entriegelte die Holztür und schob sie zur Seite.

Clem wieherte leise, kam zu ihr und stibitzte sich ein bisschen Heu aus der Schubkarre.

Vivi Ann warf zwei Armvoll davon in die eiserne Futtertraufe und schloss hinter sich die Boxentür. Während Clem fraß, stand Vivi Ann neben ihr und strich ihr über den seidig weichen Hals.

»Bist du bereit fürs Rodeo, mein Mädchen?«

Als Antwort schmiegte sich die große Stute so eng an sie, dass Vivi Ann fast das Gleichgewicht verlor.

In den Jahren nach dem Tod ihrer Mutter waren Vivi Ann und Clementine unzertrennlich geworden. Eine Zeitlang, als ihr Vater aufgehört hatte zu reden und stattdessen angefangen hatte zu trinken und als Winona und Aurora nur mit der Highschool beschäftigt waren, hatte Vivi Ann die meiste Zeit mit ihrem Pferd verbracht. Manchmal, wenn Trauer und Einsamkeit sie zu überwältigen drohten, war sie aus ihrem Zimmer geschlüpft und zum Stall gerannt und hatte sich auf den mit Holzspänen bedeckten Boden von Clems Box schlafen gelegt. Selbst als Vivi Ann älter und in der Schule beliebter wurde, betrachtete sie die Stute weiterhin als ihre beste Freundin. Ihre größten Geheimnisse hatte sie nur hier, in der süß duftenden letzten Box des Ostflügels, preisgegeben.

Jetzt tätschelte sie Clem ein letztes Mal den Hals und verließ den Stall. Als sie das Farmhaus erreichte, erhellte eine verschwommene karamellfarbene Sonne den anthrazitgrauen Winterhimmel. Von ihrem Aussichtspunkt konnte sie das stahlgraue Wasser des Kanals und die schroffen, schneebedeckten Gipfel der fernen Berge sehen.

Als sie in das düstere Haus trat, hörte sie das verräterische Knacken der Bodendielen und wusste, ihr Vater war aufgestanden. Sie ging in die Küche, deckte den Tisch für drei und machte Frühstück. Kaum hatte sie einen Teller Pfannkuchen zum Warmhalten in den Ofen geschoben, hörte sie, wie ihr Vater ins Esszimmer kam. Sie goss einen Becher Kaffee ein, gab Zucker hinein und ging damit zu ihrem Dad.

Er nahm den Becher, ohne von seiner *Western Horseman* aufzublicken.

Einen Augenblick stand sie nur da und fragte sich, womit sie ein Gespräch beginnen sollte.

Er trug seine übliche Arbeitskluft: kariertes Flanellhemd, abgetragene Wrangler mit riesiger silberner Gürtelschnalle und Lederhandschuhe, die im Gürtel steckten – genau wie jeden Morgen. Und doch war etwas anders als sonst: ein paar Falten und Furchen, die ihn älter als sonst aussehen ließen.

Die Jahre seit Mutters Tod hatten Spuren bei ihm hinterlassen, so dass seine Züge schärfer wirkten und Schatten zeigten, wo keine hingehörten: in seinen Augen und auf den darunterliegenden Tränensäcken. Sein Rücken war krumm; unvermeidlich bei einem Hufschmied, behauptete er, das natürliche Resultat vieler Jahre, in denen er sich über Pferdehufe gebeugt hatte, um sie zu beschlagen. Aber der Verlust seiner Frau hatte sein Übriges getan, davon war Vivi Ann überzeugt. Das Gewicht unerwarteter Einsamkeit hatte ihn genauso geformt wie das ewige Bücken bei der Arbeit. Aufrecht stand er nur noch in der Öffentlichkeit, und sie wusste, wie viel es ihn kostete, den Anschein zu erwecken, er sei vom Leben nicht gebeugt worden.

Jetzt saß er am Tisch und las Zeitung, während Vivi Ann das Frühstück bereitete und auftrug.

»Clem hat diesen Monat ein paar umwerfende Proberennen geliefert«, sagte sie und nahm ihrem Vater gegenüber Platz. »Ich glaube, wir haben wirklich eine Chance, das Rodeo in Texas zu gewinnen.«

»Wo ist das Toastbrot?«

»Ich hab Pfannkuchen gemacht.«

»Zu Rührei gehört Toast. Das weißt du doch.«

»Dann iss es mit den Bratkartoffeln. Wir haben kein Brot mehr.«

Ihr Dad seufzte schwer, offenkundig war er gereizt. Vielsagend blickte er auf den leeren Platz am Tisch. »Hast du Travis heute Morgen schon gesehen?«

Vivi Ann warf einen Blick aus dem Fenster. Aber ihr Rancharbeiter war nirgendwo zu sehen. Auch kein laufender Traktor oder eine Schubkarre neben dem Stall. »Ich hab die Pferde schon gefüttert. Wahrscheinlich repariert er den Zaun.«

»Mit dem hast du auch wieder 'ne Niete gezogen. Wenn du nicht jedes kranke Pferd im Umkreis retten würdest, bräuchten wir gar keine Hilfe. Eigentlich können wir uns gar keine leisten.«

»Apropos Geld, Dad ... Ich brauche dreihundert Dollar für das Rodeo diese Woche, und die Kaffeedose ist leer.«

Ihr Vater reagierte nicht.

»Dad?«

»Ich brauchte das Geld für das Heu.«

»Etwa alles?«

»Die Steuern waren auch fällig.«

»Dann haben wir ein Problem«, erwiderte Vivi Ann und runzelte die Stirn. Es war nichts Neues, dass das Geld knapp war, aber zum ersten Mal machte es sich wirklich bemerkbar. Plötzlich verstand sie, warum Winona ständig lamentierte, man müsse Geld für die Steuern zurücklegen. Sie blickte kurz zu ihrem Vater. Er saß vornübergebeugt da, die Ellbogen auf den Tisch gestützt. Ihre Schwestern hätten das als ungehobelt angesehen, aber Vivi Ann war sich sicher, den wahren Grund zu kennen. »Tut dir dein Rücken wieder weh?«

Er antwortete nicht, ignorierte die Frage einfach.

Sie stand auf, ging in die Küche, holte ihm Schmerztabletten und legte sie auf den Tisch.

Seine breite, schwielige Hand schloss sich um die Schachtel.

»Ich finde schon einen Weg, um das Geld zu besorgen, Dad. Und ich werde diese Woche gewinnen. Vielleicht sogar zweitausend Dollar. Mach dir keine Sorgen.«

Das restliche Frühstück verlief schweigend, während er die Zeitung las. Als er damit fertig war, stand er auf, griff nach dem speckigen Cowboyhut aus braunem Filz, der an einem Haken an der Tür hing, und sagte: »Mach mich stolz.«

»Das werde ich. Bye, Dad.«

Nachdem er gegangen war, saß Vivi Ann nur da und spürte, wie Unruhe sie beschlich.

Einen Großteil ihres Lebens hatte sie sich treiben lassen wie ein Blatt in der Strömung. Zwar hatte sie ein paarmal versucht, die Richtung zu ändern, aber jeder Versuch – wie zum Beispiel das staatliche College – hatte rasch damit geendet, dass sie wieder nach Hause zurückkehrte.

Ihr gefiel das Leben hier, so einfach war das. Ihr gefiel es, mit den Pferden zu arbeiten und ihre Kenntnisse an staunende Mädchen weiterzugeben, die sie wegen ihrer Reitkünste bewunderten. Ihr gefiel es, dass alle im Ort sie kannten und sie und ihre Familie respektierten. Und ihr gefiel sogar das Wetter. Viele Leute beklagten sich über die endlosen grauen Tage von November bis April, aber ihr machte das nichts aus. Ohne Regen kein Regenbogen, das war ihr Motto, seit sie mit zwölf am Grab ihrer Mutter gestanden und versucht hatte, irgendeinen Sinn in ihrem Tod zu sehen. Das Leben ist kurz, hatte sie zu sich gesagt, also kommt es darauf an, Spaß zu haben.

Aber jetzt war es Zeit, erwachsen zu werden. Jetzt brauchte Water's Edge *sie* – und nicht wie früher sie *Water's Edge*. Nur wusste sie nicht genau, was sie verändern sollte. Sie war zwar weder besonders organisiert noch geschäftstüchtig, aber doch schlauer, als viele glaubten. Sie musste nur mal darüber nachdenken.

Zunächst würde sie sich aber dreihundert Dollar von einer ihrer Schwestern leihen.

Sie würde ihnen sagen, es sei eine gute Investition.

Winona hatte gern das Sagen. Ganz gleich wo und wie. Und zwar nicht nur von der Seitenlinie. Im College hatte ihr ein einziges Seminar »Verfassungsrecht« für die Vision ihrer Zukunft genügt. Jetzt, mit siebenundzwanzig, führte sie das Leben, das sie sich schon immer gewünscht hatte. Natürlich war es noch nicht perfekt (sie war nicht verheiratet, hatte keine Beziehung, keine Kinder und kämpfte immer noch mit ihrem Gewicht), aber fast. Sie war bei weitem die erfolgreichste Anwältin in Oyster Shores. Man hielt sie allgemein für fair, klug und hartnäckig. Es hieß, es wäre besser, sie sich nicht zum Feind zu machen. Ihr Ruf war Winona fast genauso wichtig wie ihre Ausbildung. Mochten ihr Vater und Vivi Ann alles für ihr Stück Land tun, sie, Winona, hatte breiter gefächerte Interessen. Für sie zählten die Gemeinde und die Menschen, die dort wohnten. Ihr machte es nichts aus, dass Vivi Ann das schöne Herz des Orts war; Winona wollte der Kopf sein.

Sie streckte die Hand aus und drückte einen Knopf auf der Gegensprechanlage. »Der Gemeinderat wird in zehn Minuten da sein, Lisa. Sorgen Sie dafür, dass wir genug Kaffee haben.«

Ihre Sekretärin antwortete prompt: »Schon erledigt.«

»Gut.« Winona wandte sich wieder dem kleinen Stapel Unterlagen vor sich zu. Er bestand aus ein paar Umweltgutachten, einem Bebauungsvorschlag und einem Immobilienkaufvertrag, den sie aufgesetzt hatte.

Damit konnte Water's Edge gerettet werden.

Obwohl das vielleicht ein wenig übertrieben war, schließlich stand die Ranch nicht gerade am Rande des Ruins. Sie ähnelte eher einem der ausgemergelten Klepper, die Vivi Ann ständig retten musste: Sie schleppte sich so gerade dahin. Jeden Monat brachten ihr Dad und Vivi Ann kaum genug Geld auf, um die Ranch zu halten, und die Steuern stiegen immer weiter. Diese abgelegene Ecke des Staates war noch nicht von Yuppies entdeckt worden, die heruntergekommene Ufergrundstücke in bare Münze verwandelten, aber das war nur noch eine Frage der Zeit. Eines Tages würde ein Bauunternehmer erkennen, dass ihr verschlafenes Städtchen an einem atemberaubend schönen Küstenstreifen mit Blick auf die alpenähnlichen Olympic Mountains stand, und wenn das geschähe, säße ihr Dad plötzlich auf einhundertfünfundzwanzig Hektar höchst begehrten Landes. Durch die hohen Steuern würde er entweder verkaufen müssen oder seinen Besitz verlieren, und obwohl dies unvermeidlich war, schien es außer ihr niemand zu bemerken. Dabei geschah das bereits überall im ganzen Staat.

Sie machte sich ein paar Notizen auf ihrem Block, Stichwörter, die ihr helfen sollten, ihn zu überreden. Vor allem musste er begreifen, dass die Sache wichtig war und sie eine Möglichkeit gefunden hatte, ihm zu helfen, ihn zu schützen. Wesentlich war auch, dass sie und kein anderer das Problem gelöst hatte. Vielleicht wäre ihr Vater dann endlich stolz auf sie.

Die Gegensprechanlage summte. »Sie sind jetzt da, Winona.«

»Bringen Sie sie in den Konferenzraum.« Winona schob die Unterlagen in einen Ordner und griff nach ihrem blauen Blazer. Als sie ihn anzog, bemerkte sie, dass er über der Brust spannte. Sie seufzte und machte sich auf den Weg zum Konferenzraum.

Ihre Kanzlei befand sich im unteren Stockwerk eines großen viktorianischen Hauses auf einem Eckgrundstück der Ortsmitte von Oyster Shores. Sie hatte es einige Jahre zuvor gekauft und Stück für Stück renoviert. Mittlerweile war die gesamte untere Etage fertig. Schließlich musste sie ihren Klienten einen entsprechenden Rahmen bieten. Im nächsten Jahr würde sie mit dem Wohnbereich in den oberen Etagen anfangen. Sie hatte schon fast genug Geld dafür gespart.

Im Flur blieb sie lange genug vor dem Spiegel stehen, um ihr Erscheinungsbild zu prüfen: ein rundliches, hübsches Gesicht, dunkelbraune Augen unter geschwungenen schwarzen Brauen, volle Lippen, Schultern, um die sie ein NFL-Lineman beneidet hätte, und genug Busen für drei Frauen. Ihre langen schwarzen Haare – ihr einziger Pluspunkt – hatte sie aus dem Gesicht gekämmt und mit einem blau-weißen Tüllgummi gebändigt.

Sie zwang sich zu lächeln, ging weiter und betrat den ehemaligen Wintergarten. Deckenhohe Fenster und zwei antike Flügeltüren nahmen die gesamte hintere Wand ein. Durch die rechteckigen Scheiben sah man ihren Garten, in dem jetzt die Farbe Braun vorherrschte; abgeschlossen wurde die Aussicht von den Backstein- und Holzfassaden der Front Street. Ein langer Eichentisch dominierte die Mitte des Zimmers. Dort saßen die Mitglieder des Stadtrates von Oyster Shores, inklusive ihrem Vater, der streng genommen zwar nicht dazugehörte, doch zu jedem Treffen eingeladen wurde.

Winona nahm ihren üblichen Platz am Kopfende ein. »Wie kann ich Ihnen heute helfen?«

Ken Otter, der neben ihr sitzende Zahnarzt des Ortes, lächelte strahlend – wie immer. Er war sein eigener Werbeträger. »Wir wollten die Vorgänge im Reservat besprechen.«

Schon wieder das Reservat. »Ich habe Ihnen doch schon gesagt, dass es keine Möglichkeit gibt, das zu verhindern. Ich meine –«

»Aber hier geht's um ein *Kasino*«, warf Myrtle Michaelian ein und wurde schon bei der Vorstellung rot. »Dann haben wir es demnächst mit Prostitution zu tun. Die Indianer sind doch –«

»Stopp«, sagte Winona entschieden. Sie sah sich in der Runde um und bedachte jeden Einzelnen am Tisch mit einem längeren Blick, bevor sie weitersprach. »Erstens bezeichnet man sie korrekt als amerikanische Ureinwohner, und zweitens haben Sie kein Recht, sie am Bau eines Kasinos zu hindern. Wenn Sie dagegen angehen wollen, werden Sie eine Menge Geld verschwenden, aber nicht gewinnen.«

Die Diskussion ging noch ein bisschen weiter, aber die in Aussicht gestellte Geldverschwendung hatte allen den Wind aus den Segeln genommen. Am Ende erstarb ihr Widerstand wie ein Motor ohne Treibstoff, und schließlich standen alle auf und dankten Winona, ihnen geholfen und Ausgaben erspart zu haben.

»Dad?«, sagte sie. »Könntest du noch einen Moment bleiben?«

»Ich muss in einer Dreiviertelstunde in Shelton sein.«

»Dauert nicht lange.«

Er nickte kurz – eigentlich hob er nur kaum merklich das Kinn – und blieb dann mit verschränkten Armen stehen, während die Ratsmitglieder sich verabschiedeten. Als alle gegangen waren, wandte sich Winona wieder zu ihrem Platz am Kopfende des Tischs, setzte sich und schlug den Ordner auf. Sie warf einen kurzen Blick auf die Unterlagen und empfand unwillkürlich Stolz. Es war ein guter Plan.

»Es geht um Water's Edge«, begann sie und blickte endlich auf. Sie machte sich nicht die Mühe, ihm einen Platz anzubieten. Diese Lektion hatte sie gelernt: Henry Grey entschied ganz allein, wann und wohin er sich bewegte. Sollte jemand etwas anderes versuchen, stand er immer als der Dumme da. Ohne Ausnahme.

Jetzt knurrte Dad etwas. Sie nahm nicht an, dass es ein Wort war.

»Ich weiß, dass du momentan knapp bei Kasse bist, aber in Water's Edge muss etliches repariert werden. Die Zäune sind in einem schlechten Zustand, der Offenstall fängt an abzusacken. Und wenn wir im Parkbereich davor keine Drainage anlegen und Kies daraufgeben, wird irgendwann noch mal jemand im Schlamm versinken. Von den Steuern will ich gar nicht erst reden.« Sie schob den Bebauungsplan zu ihm. »Wir könnten zehn Hektar Land an der Straße verkaufen – Bill Deacon ist bereit, dir auf der Stelle fünfundfünfzigtausend Dollar dafür zu bezahlen –, oder wir könnten das Ganze in Parzellen von zwei Hektar einteilen und den Preis verdoppeln. In beiden Fällen könnten wir genug Geld verdienen, so dass du die nächsten Jahre problemlos über die Runden kämst. Du bist es doch bestimmt auch leid, täglich sieben Pferde zu beschlagen, oder?« Sie lächelte ihn an. »Also, die perfekte Lösung, findest du nicht? Schließlich siehst du das betreffende Stück Land kaum. Es würde dir nicht fehlen und –«

Ihr Vater marschierte einfach aus dem Zimmer und knallte die Tür hinter sich zu.

Winona zuckte zusammen. Warum hatte sie sich nur falschen Hoffnungen hingegeben? Wieder einmal. Sie starrte kopfschüttelnd auf die geschlossene Tür und fragte sich, warum eine kluge Frau immer wieder denselben Fehler machte und hoffte, es würde doch funktionieren. Es war einfach idiotisch von ihr, immer noch die Anerkennung ihres Vaters anzustreben.

»Du bist nicht ganz richtig im Kopf«, murmelte sie. »Und erbärmlich.«

Als die Gegensprechanlage laut summte, schrak sie auf.

»Luke Connelly ist auf Leitung eins, Winona.«

Sie drückte auf den roten Knopf. »Sagten Sie ›Luke Connelly‹?«

»Ja. Auf Leitung eins.«

Bevor Winona ans Telefon ging, holte sie zur Beruhigung tief Luft. »Winona Grey«, meldete sie sich dann.

»Hey, Win, hier spricht Luke Connelly. Erinnerst du dich an mich?«

»Aber natürlich. Wie ist es in Montana?«

»Augenblicklich kalt und verschneit, aber ich bin gar nicht dort, sondern hier, in Oyster Shores. Ich möchte dich sehen.«

Ihr stockte der Atem. »Wirklich?«

»Alle sagen, du seist die beste Anwältin der Stadt – und das überrascht mich nicht. Ich wollte mich in die Tierarztpraxis von Doc Moorman einkaufen und mit dir die Bedingungen durchsprechen. Könntest du dir das vorstellen?«

»Ach, du brauchst einen Anwalt.« Sie unterdrückte ihre Enttäuschung. »Ja natürlich.«

»Könntest du morgen zu mir nach Hause kommen? Ich stecke knietief in Arbeit. Die letzten Mieter haben nur Chaos hinterlassen. Also, was meinst du? Wir könnten zusammen ein Bierchen trinken. Ganz wie in alten Zeiten.«

»Gegen vier? Ich hab gehört, das ist die rechte Zeit für ein Miller-Bier.«

»Bestens. Ich kann es kaum erwarten, dich wiederzusehen, Winona.«

Langsam legte sie den Hörer auf; es war, als wäre die Luft plötzlich flüssig geworden, so dass sie sich wie unter Wasser bewegte. *Ich kann es kaum erwarten, dich wiederzusehen.* Sie stand auf, verließ den Konferenzraum und ging zur Eingangshalle, wo Lisa an einem antiken Esstisch saß und auf ihrer großen, grünen IBM-Selectric-Schreibmaschine einen Brief tippte.

»Ich bin außer Haus«, sagte Winona. »Ein Notfall. In einer Stunde bin ich wieder da.«

»Ich lege den Termin mit Ursula um.«

»Gut.«

Winona verließ ihre Kanzlei und ging zwei Blöcke weiter bis zur makellos gepflegten Backsteinvilla ihrer Schwester.

Dort öffnete sie die naturbelassene Holztür zu Auroras Garten, ging zur Waschküche und klopfte an die Tür.

Es dauerte eine ganze Weile, bis Aurora öffnete. Sie wirkte gestresst und hatte ihre vierjährigen Zwillinge, einen Jungen und ein Mädchen, auf dem Arm. »Du hast Vivi Ann knapp verpasst. Sie hat sich von mir dreihundert Dollar fürs Rodeo geliehen. Behauptete, es wäre eine Investition.«

»Ohne die Miene zu verziehen?«

Aurora lächelte. »Du kennst doch Vivi. Ihr fliegt eben alles zu.«

Winona verdrehte die Augen, obwohl beide wussten, dass dies den Tatsachen entsprach. Ihre jüngste Schwester schien einen Stammplatz an der Sonne zu haben. »Wollte sie nach Texas?«

»Ja, sie ist gerade los. Ich hoffe nur, die alte Kiste schafft es bis dahin.«

»Sollte sie den Geist aufgeben, trifft Vivi Ann bestimmt Tom Cruise in der Werkstatt.« Winona schob sich an ihrer Schwester vorbei und betrat die kleine, vollgestopfte Waschküche, in der jede freie Fläche mit Stapeln zusammengelegter

Wäsche bedeckt war. »Könnten wir zur Abwechslung mal über mich reden?«

»Los, Kinder«, sagte Aurora hinter ihr. »Tante Winona ist heute in Stimmung. Haltet Abstand, man weiß nie, wann sie explodiert.«

»Sehr komisch.«

Aurora brachte Ricky und Jane nach oben und legte sie hin oder setzte sie vor den Fernseher – was Mütter am Nachmittag mit Vierjährigen eben machten. Nach einer Viertelstunde war sie wieder unten im Wohnzimmer, wo Winona auf sie wartete.

»Also, was ist los?«, fragte sie. Sie trug eine enge schwarze Jeans, Slipper und eine kastenförmige Jacke mit großen Schulterpolstern. Ihr glattes braunes Haar hatte sie zu einem französischen Zopf gebunden. Ein Pony ragte wie eine kleine Markise über ihre Stirn.

Nun, da Aurora so direkt fragte, widerstrebte es Winona plötzlich, den wahren Grund ihres Überraschungsbesuchs preiszugeben. Um Zeit zu gewinnen, sagte sie: »Ich hab Dad heute gesagt, er solle die zehn Hektar an der Straße verkaufen oder sie in kleine Baugrundstücke aufteilen und dann verkaufen.«

»Was soll ich sagen? Du hast die Lernkurve eines Lemmings.«

»Water's Edge geht den Bach runter. Warum hätte sich Vivi Ann sonst das Startgeld leihen müssen? Und hast du bemerkt, wie runtergekommen alles aussieht?«

Aurora setzte sich auf ihr neues grau-violettes Sofa. »Du kannst diesem Mann doch nicht sagen, er solle sein Land verkaufen, Win! Eher würde er sein Sperma verkaufen.«

»Es sind doch nur ein paar Hektar, die er nicht mal sehen kann. Dadurch hätte er finanzielle Sicherheit.«

Aurora lehnte sich zurück und trommelte mit ihren langen roten Fingernägeln auf den glänzenden Mahagonitisch neben sich. »Du weißt doch, dass du bei so etwas vorher mit Vivi oder mir reden solltest.«

»Aber ich –«

»Ich weiß. Du meinst, du wärst schlauer als wir, und es läge in deiner Verantwortung, dich um uns zu kümmern, weil du die Älteste bist, aber ganz ehrlich, Winona: Wenn du dir etwas in den Kopf gesetzt hast, siehst du den Wald vor lauter Bäumen nicht.«

»Ich wollte doch nur helfen.« Winona setzte sich auf den lachsfarbenen Steinboden vor dem Kamin. Kurz darauf stand sie wieder auf und ging zum Fenster. Von dort aus konnte sie Auroras kinderfreundlichen Garten und die Häuser dahinter sehen.

Aurora runzelte die Stirn. »So nervös warst du nicht mehr, seit Tony Gibson das Wochenende mit dir verbringen wollte.«

»Wir haben doch geschworen, nicht mehr darüber zu sprechen.«

»Du hast das geschworen. Ich jedenfalls werde niemals das Bild aus dem Kopf bekommen, wie er nackt bis auf einen Damenschlüpfer dastand.«

Jetzt hielt es Winona nicht mehr aus. »Luke Connelly hat mich heute angerufen«, stieß sie hervor.

»Wow! Besuch aus der Vergangenheit. Als Letztes habe ich von ihm gehört, dass er Tiermedizin studieren wollte.«

»Jetzt ist er wieder da und plant, sich in Doc Moormans Klinik einzukaufen. Ich soll mir für ihn die Verträge ansehen.«

»Er will also einen beruflichen Rat von dir?«

»Das hat er jedenfalls gesagt.« Winona holte tief Luft und drehte sich endlich zu ihrer Schwester um. »Und dass er sich freut, mich wiederzusehen.«

»Weiß er, dass du mal in ihn verknallt warst?«

Verknallt. Ein ziemlich unzureichendes Wort für das, was sie empfunden hatte, aber das würde sie Aurora ganz sicher nicht auf die Nase binden. Stattdessen sagte sie: »Ich treffe mich morgen um vier mit ihm. Ich will gut aussehen, also, könntest du mir vielleicht dabei helfen? Ich weiß, eine kaum zu bewältigende Aufgabe, aber –«

»Na klar«, sagte Aurora, ohne die Miene zu verziehen.

»Was ist?«, fragte Winona. »Was siehst du mich so komisch an?«

»Ich will ja nichts sagen. Oder doch, ich will mal eine Frage stellen: Es geht doch um Luke, oder? Nur um Luke.«

»Was meinst du damit?«

»Dad war schon immer auf das Land der Connellys scharf. Du brauchst gar nicht so zu tun, als wüsstest du das nicht. Und er mochte Luke.«

»Meinst du etwa, ich würde mit jemandem ausgehen, um Dads Anerkennung zu bekommen?«

»Manchmal denke ich, du würdest fast alles dafür tun.«

Winona zwang sich zu lachen, aber es wirkte nicht überzeugend. Manchmal fragte sie sich auch, wie weit sie gehen würde, um die Anerkennung ihres Vaters zu bekommen. »Das ganze Gespräch ist absurd, weil ich fett bin. Luke würde gar nicht mit mir ausgehen wollen. Er wollte es auch früher nicht.«

Aurora warf ihr einen vertrauten, traurigen Blick zu. »Weißt du, was mich an dir immer wieder erstaunt, Win?«

»Mein scharfer Verstand?«

»Deine verzerrte Wahrnehmung deines Erscheinungsbilds.«

»Das sagt die Richtige. Eine ehemalige Cheerleaderin.« Winona stieß sich vom Fensterbrett ab. »Kommst du morgen um drei zu mir?«

»Ich werde da sein.«

»Ach, und erzähl niemandem davon, Aurora. Vor allem Vivi Ann nicht. Meine alberne Schwärmerei ist längst vorbei. Ich möchte nicht, dass jemand auf falsche Gedanken kommt.

Wahrscheinlich ist Luke sowieso längst verheiratet und hat drei Kinder.«

»Deine Geheimnisse waren bei mir immer schon gut aufgehoben, Win.«

Am nächsten Tag stand Winona nachmittags vor dem großen Spiegel in ihrem Schlafzimmer. Für eine Frau ihrer Statur war die derzeitige Mode nicht geschaffen: Schulterpolster, Röhrenjeans mit hoch angesetztem Bund und Cowboystiefel schmeichelten ihr eher nicht.

Aurora hatte ihr Bestes gegeben, und Winona war ihr auch dankbar, aber manche Bemühungen waren einfach von vornherein zum Scheitern verurteilt, und der Versuch, sie schlank wirken zu lassen, gehörte dazu. Sie kickte sich die Stiefel von den Füßen und hörte mit seltsamer Befriedigung, wie sie dumpf gegen die Wand schlugen. Dann schlüpfte sie in ihre bequemen flachen Schuhe.

»Er denkt bestimmt, ich hätte seit seiner Abreise nur noch gefressen.«

Während der ganzen Fahrt versicherte sie sich immer wieder, es ginge nur um ein geschäftliches Treffen mit einem früheren Bekannten, von dem sie lange nichts mehr gehört hatte. Auf gar keinen Fall durfte sie die Vergangenheit mit der Gegenwart verwechseln. Ihre kindische Schwärmerei war nicht ernst genug gewesen, um anzudauern.

Sie fuhr am Hood Canal entlang, vorbei an den Touristenläden, die das Ufer säumten, und bog dann am Ende der Innenstadt nach links. Hier war die Grundstücksgrenze von Water's Edge. Ihr fiel wieder auf, wie reparaturbedürftig die Zäune wirkten. Das erinnerte sie an das gestrige Treffen mit ihrem Vater. Auf dem Highway fuhr sie eine Viertelmeile Richtung Süden und bog dann auf Lukes Land ab. Der Besitz der Connellys grenzte an den der Greys, war aber Jahre nicht bewohnt worden; das Gras hier war selbst im Winter hoch und struppig. Innerhalb weniger Jahre hatten sich Erlen wie Unkraut ausgebreitet und trugen ihr Übriges zum ungepflegten Erscheinungsbild der Weiden bei. Das alte Haus, ein L-förmiges Anwesen aus den Siebzigern, schrie nach einem frischen Anstrich, und der Garten war zugewuchert. Wacholder, Rhododendren und Azaleen breiteten sich ungezügelt aus.

Winona hielt neben Lukes großem Pick-up und stellte den Motor aus. Er wird dir nur die Papiere geben und sagen, wie schön es ist, dass man sich nach all der Zeit mal wiedersieht. Und dann stellt er dir seine Frau und seine Kinder vor, dachte sie. Sie holte tief Luft und stieg aus dem Wagen.

Das Gras vom Parkplatz bis zur Haustür war braun und nass. Sie hinterließ Fußspuren, die sich sofort mit schlammigem Wasser füllten.

An der Haustür fuhr sie sich durch die Haare, die Aurora so kunstvoll frisiert hatte. Dann klopfte sie.

Fast unmittelbar darauf öffnete er – und sofort wusste sie, dass sie in Schwierigkeiten war.

In der Highschool war er schon groß gewesen, aber schlaksig und unbeholfen. Das war jetzt vorbei. Er war hochgewachsen und hatte breite Schultern und schmale Hüften, wie jemand, der ins Fitnessstudio ging. Seine Haare waren immer noch dicht und braun, bildeten einen perfekten Kontrast zu seinen grünen Augen. »Win«, sagte er. Und da war es: sein atemberaubendes Lächeln.

»L-Luke«, stammelte sie. »Ich wollte wegen der Papiere …«

Er zog sie an sich und barg sie in einer Umarmung, die sie fast schon vergessen hatte.

»Meinst du vielleicht, ich würde zulassen, dass meine beste Freundin von der Highschool nur kurz Papiere abholt und dann wieder geht?«

Er nahm ihre Hand und führte sie durchs Haus. Als sie das Zimmer betrat, das sich in den vergangenen Jahren kaum verändert hatte, fühlte sie sich wie in einer Zeitmaschine. Unter ihren Füßen befand sich immer noch der alte dunkelorangefarbene Teppich, dasselbe braun-gold-orange karierte Sofa stand an der Wand, und auf den Beistelltischchen spendeten immer noch die bernsteinfarbenen Glaslampen mit den perlenbesetzten Schaltern Licht.

»Jetzt fehlt nur noch das Schwarzlicht«, bemerkte Luke grinsend, öffnete den avocadogrünen Kühlschrank und holte zwei Bier heraus. »Es riecht ziemlich muffig hier drinnen. Ich glaube, die früheren Mieter haben geraucht. Bist du einverstanden, wenn wir uns nach draußen setzen?«

»Wäre ja nicht das erste Mal.« Sie folgte ihm auf die große Betonterrasse, die eine Seite des Hauses einnahm. Links davon rostete ein Grill vor sich hin, und in den Blumenkästen am Geländer ließen Dutzende verwelkter Geranien die Köpfe hängen. Aber nichts davon schmälerte die Aussicht. Wie in Water's Edge konnte man über den Canal blicken – der an diesem späten Nachmittag glatt und silbrig dalag –, bis zu der gezackten, schneebedeckten Silhouette der Olympic-Mountain-Gebirgskette. Zwischen den Grundstücken sorgte ein dichtes Wäldchen für Privatsphäre. Sie setzten sich auf die Hollywoodschaukel, die früher Winonas absoluter Lieblingsplatz gewesen war.

»Wir fangen wohl am besten mit den Eckdaten an«, sagte Luke, machte sein Bier auf und lehnte sich zurück, um einen Schluck zu trinken. »Nach unserem Umzug nach Montana hab ich an der WSU studiert, um Tierarzt zu werden. Für große Tiere. Wo hast du studiert?«

»An der UW. Grund- und Hauptstudium.«

»Ich dachte, du würdest durchbrennen und dir die Welt angucken. Ich war überrascht, als ich hörte, du seist zurück.«

»Ich wurde zu Hause gebraucht. Was ist mit dir? Warst du je in Australien?«

»Nein. Zu viele Studiendarlehen.«

»Ich weiß, was du meinst.« Sie lachte, doch als sie aufhörte, trat unbehagliches Schweigen ein. »Hast du geheiratet?«, fragte sie leise.

»Nein. Du?«

»Nein.«

»Warst du je verliebt?«

Unwillkürlich drehte sie sich zu ihm. »Nein. Du?«

Er schüttelte den Kopf. »Ich schätze, ich habe einfach nicht die Richtige getroffen.«

Winona lehnte sich zurück und blickte wieder zu den Bergen. »Deine Mom fand es bestimmt schrecklich, dass du weggezogen bist.«

»Ach was. Caroline ist alleinerziehende Mutter von vier Kindern. Damit hat Mom genug zu tun. Außerdem wusste sie, dass ich unruhig war.«

»Unruhig?«

»Irgendwann muss man sich auf die Suche nach seinem eigenen Leben machen.« Er trank noch einen Schluck Bier. »Wie geht's deinen Schwestern?«

»Gut. Aurora hat vor ein paar Jahren ihren Mann Richard kennengelernt – er ist Arzt –, und sie haben jetzt vierjährige Zwillinge. Ricky und Janie. Ich glaube, es geht ihnen gut, aber bei Aurora weiß man das nie so genau. Sie will immer alle glücklich machen, daher sagt sie so gut wie nie, wenn sie etwas stört. Und Vivi Ann ist noch ganz die Alte: spontan und eigensinnig. Sie handelt erst und denkt später nach.«

»Im Vergleich zu dir denkt doch keiner genug nach.«

Winona musste unwillkürlich lachen. »Was soll ich sagen? Ich bin immer die Schlaueste von allen.«

Sie verfielen in freundschaftliches Schweigen, starrten über die ungepflegte Weide und tranken ihr Bier. Dann sagte Luke leise: »Ich glaube, ich habe Vivi Ann gestern an der Tankstelle gesehen.«

Winona hörte etwas in seiner Stimme, das sie alarmierte.

»Sie wollte nach Texas fahren. Am Wochenende verdient sie eine Menge Geld mit Rodeos. Und trifft dort eine Menge gutaussehender Cowboys.«

»Kein Wunder. Sie ist umwerfend«, erwiderte er.

Das hatte Winona schon von allen Männern in ihrem Leben gehört; normalerweise folgte auf diese Feststellung: *Meinst du, sie würde mit mir ausgehen?* Sie erstarrte und zog die Fühler zurück, die sie albernerweise ausgestreckt hatte. »Stell dich hinten an«, murmelte sie kaum hörbar.

Was hatte sie sich denn gedacht? Für Winona sah Luke einfach viel zu gut aus; es war gefährlich, auch nur das Geringste zu erwarten. Vor allem jetzt, da er gesehen hatte, wie hinreißend Vivi Ann war.

»Es ist schön, wieder hier zu sein«, sagte er und stieß sie mit der Schulter an, so wie früher, als sie noch Kinder und beste Freunde waren. Und auf einmal kippten ihre Schutzwälle um und brachen auseinander.

»Ja«, erwiderte sie, wagte aber nicht, ihn anzusehen. »Schön, dass du wieder hier bist.«

Zwei

Obwohl Winona sich den gesamten nächsten Tag einredete, er würde nicht anrufen, blickte sie immer wieder sehnsüchtig zum Telefon und schrak auf, wenn es klingelte.

Ein Tag.

Ein Tag war erst vergangen, seit sie mit ihrem besten Freund aus Jugendzeiten auf einer Hollywoodschaukel gesessen und den Abend auf der Veranda genossen hatte. Natürlich würde er nicht so schnell anrufen. Oder überhaupt. Schließlich war sie fett wie eine Kuh. Wieso sollte ein attraktiver Mann wie Luke Connelly mit ihr ausgehen wollen?

»Konzentrier dich, Winona«, sagte sie sich und sah auf den Vertrag, den er ihr am Abend zuvor mitgegeben hatte. Sie hatte sich unzählige Notizen gemacht – Fragen, die sie mit ihm durchsprechen wollte, und Warnungen, wo er seine Interessen wahren musste. Zusätzlich zu ihrem juristischen Urteil hatte sie ein paar Anmerkungen dazu gemacht, was eine Partnerschaft mit Woody Moorman mit sich bringen würde; der Mann war ein stadtbekannter Trinker und hatte über die Jahre viele Kunden verloren.

Nachdem sie den gesamten Vertrag durchgesehen hatte, klappte sie die Connelly-Akte zu und öffnete die zum Smithson-Fall. Die nächsten Stunden konzentrierte sie sich ganz auf ihre Arbeit, bis sie um fünf Uhr schließlich die Kanzlei verließ und nach oben ging.

Normalerweise genoss sie es, die Abendnachrichten zu sehen, aber heute war sie unruhig, weil sie die ganze Zeit unbewusst darauf wartete, dass das Telefon klingelte. Als sie es schließlich nicht mehr aushielt, zog sie sich Jeans, einen weißen Rollkragenpullover und eine lange, schwarze Weste an.

Ein kurzer Blick aus dem Fenster zeigte ihr, dass es einer der seltenen Januarabende mit einem wolkenlosen dunkelvioletten Himmel war.

Sie räumte ihre Sachen zusammen und beschloss, einen Spaziergang nach Water's Edge zu unternehmen. Vielleicht bekäme sie durch die frische Luft einen klaren Kopf, und etwas Bewegung konnte sie auch, weiß Gott, gebrauchen. Von hier bis zu ihrem Elternhaus war es nicht weit.

Zufrieden mit ihrem Entschluss (alles war besser als Fernsehen), machte sie sich auf den Weg zur Main Street.

Oyster Shores war wie so viele Küstenstädtchen im westlichen Washington T-förmig angelegt. Das eine Ortsende bestand aus vier Straßenblöcken, die sich am Ufer des Hood Canal erstreckten. Dort befanden sich die Touristenläden: der Kajakverleih, die Eisdiele, das Fischrestaurant und mehrere Souvenirshops. Im Radius zwischen Canal und Highway hatte Winona fast ihre gesamte Kindheit verbracht. Als Halbwüchsige war sie oft in der Bücherei gewesen und hatte Nancy Drew und Laura Ingalls Wilder gelesen; im Grey Park hatte sie Fuß- und Softball spielen gelernt; an warmen Sommertagen waren sie und ihre Schwestern oft zum King's Market gegangen, um sich Süßigkeiten zu kaufen.

Obwohl sie all das schon eine Million Mal gesehen hatte, blieb sie doch am Shore Drive stehen, um die spektakuläre Aussicht zu genießen. An anderen Orten der Welt, die nicht so ungezähmt und wild waren wie dieser hier, war ein Kanal eine schmale Wasserstraße ohne große Strömung, die man bequem mit Flachbooten befahren konnte. Aber der Hood Canal war ein breiter, strömungsreicher Seitenarm des Puget Sound, der fünfzig Meilen ins Landesinnere ragte und der einzige echte amerikanische Fjord jenseits von Alaska war.

Winona wandte sich nach links und wanderte aus der Stadt. Als sie am Waves-Restaurant vorbeikam, gingen die Straßenlaternen an und warfen ihr anheimelndes goldenes Licht auf die grauen Bürgersteige und die schwarz asphaltierten Straßen. In der kalten Jahreszeit waren nur wenige Boote und noch weniger Touristen zu sehen, und die Straßen wirkten still und sogar etwas verlassen. Der nixenförmige Windsack am Fahnenmast vor dem *Bed & Breakfast Canal House* hing schlaff herab. Im Juni wimmelte es auf diesen Straßen von Sommergästen, die alle Parkplätze besetzten und sich am Anleger des Beachparks nach vorn schummelten, aber jetzt war alles ruhig. Die Stadt gehörte den dreizehnhundert Menschen, die hier zu Hause waren.

Die Einfahrt zur Ranch wurde von einem rustikalen Holzschild angezeigt, das Winonas Urgroßvater 1881 selbst geschnitzt hatte. Sie bog dort auf die lange, sanft geschwungene Schotterzufahrt ein. Zu beiden Seiten befanden sich Weiden, die notdürftig von einem alten Zaun geschützt wurden. Den Zufahrtsweg säumten zwei Gräben mit braunem Brackwasser. Schwarze glitschige Ahornblätter und zahlreiche Schlaglöcher mit schmutzigem Regenwasser verlangten dringend nach Abhilfe.

Warum wollte ihr Vater nicht einsehen, dass sie ihm helfen konnte? Sie wollte schon – ein weiteres Mal – das demütigende Treffen mit ihm im Kopf durchgehen, als sie Lukes Truck sah.

Sie blieb stehen und ließ ihren Blick schweifen.

Da waren sie, Luke und ihr Vater. Sie saßen auf der Veranda und unterhielten sich wie alte Freunde. Sie ging den matschigen Weg am Stall vorbei und dann hinunter zum Farmhaus.

Als sie sich ihnen näherte, lachte Luke gerade über etwas, was Dad gesagt hatte.

Winona sah ihren Vater lächeln. Ein Anblick, der sie abrupt

innehalten ließ. Es war, als wäre das Meer plötzlich rot oder der Mond grün geworden. »Hallo, ihr beiden«, sagte sie und trat auf die unterste Stufe der Veranda. Das alte Holz knarzte unter ihrem Gewicht und rief ihr sofort in Erinnerung, dass sie zu dick war und die Treppe repariert werden musste.

Luke streckte die Hand aus, legte den Arm um sie und zog sie halb an sich. Leicht benommen löste sie sich sofort wieder von ihm. »Wäre Winona nicht gewesen«, sagte Luke zu ihrem Dad, »dann hätte ich niemals Tierarzt werden können. Sie hat einen Großteil meiner Hausaufgaben in der Highschool übernommen.«

»Ja, schlau ist sie, so viel steht fest. Jetzt hat sie sich in den Kopf gesetzt, das Land meiner Väter zu verkaufen.«

Winona konnte nicht glauben, dass er das vor Luke zur Sprache brachte. »Ich hab nur versucht, für deine Zukunft zu sorgen.«

Ihr Dad ignorierte sie und sah Luke an. »Als Abelard Wales verließ, hatte er genau vierzehn Dollar in der Tasche.«

»Komm schon, Dad. Die alten Geschichten will doch keiner hören –«

»Und Elijah hat im Krieg ein Bein verloren, und als er zurückkam, war seine Frau tot, sein Sohn lag im Sterben, und das Land war zu feucht, um irgendwas anzubauen. Aber er schaffte es trotzdem, das Land durch die Wirtschaftskrise zu kriegen, ohne auch nur einen Hektar zu verkaufen. Er hinterließ seinem Sohn jeden verdammten Zentimeter seines Erbes.«

»Das waren andere Zeiten, Dad. Das weißt du auch. Uns ist es egal, ob du uns das Land unverändert vererbst.«

»Genau die Antwort, die ich von dir erwartet hätte.«

»So hab ich das nicht gemeint. Ich wollte damit sagen, dass wir um dein Wohl besorgt sind. Nur das ist wichtig.«

»Du begreifst einfach nicht, wie sehr mir und Vivi Ann das Land am Herzen liegt. Du hast es einfach nicht in dir.«

Wie leicht er sie von der Herde trennte und aussonderte.

»Jedenfalls sieht alles großartig aus, Henry«, unterbrach Luke das darauf folgende unbehagliche Schweigen. »Genau wie ich es in Erinnerung hatte. Ich wollte dir auch danken, dass du den Zaun instand gehalten hast. Und dir etwas dafür bezahlen. Irgendwie haben Mom und ich vergessen, uns darum zu kümmern.«

Dad nickte. »Von dir würde ich keinen Penny nehmen, mein Sohn. Reine Nachbarschaftshilfe.«

Mein Sohn.

Wie ihr Vater Luke so beiläufig in die Familie integrierte, schmerzte, als würde man seine Hand ins Spülwasser stecken und sich an einem scharfen Messer schneiden. Den Schnitt bemerkte man erst, wenn man die Hand wieder herauszog und den Blutstropfen sah.

»Außerdem hat Vivi Ann das meiste hier in Schuss gehalten, sie und die verschiedenen Hilfsarbeiter, die sie aufgetrieben hat. Sie hat ihr ganzes Herzblut in dieses Land gesteckt.« Ihr Vater sah Winona an, als er das sagte.

»Ich hab gehört, sie ist eine gute Rodeoreiterin.«

»Die beste im ganzen Land«, erklärte Dad.

»Das überrascht mich kaum. Ich glaube, immer wenn ich sie zu Gesicht bekam, saß sie auf dem Rücken von Donnas Pferd und ritt mit Überschallgeschwindigkeit.«

»Allerdings«, sagte Dad. »Sie und Clem sind ein gutes Team.«

Winona verkniff sich jeglichen Kommentar, während ihr Dad sich über Vivi Ann erging: welch eine großartige Reiterin sie sei, wie alle um ihre Hilfe bäten, wie die Männer bei ihr Schlange stünden, sie aber noch nicht den Richtigen gefunden habe.

Schließlich hielt sie es nicht mehr aus. Sie unterbrach ihn einfach und sagte: »Ich geh mal wieder. Ich wollte nur kurz vorbeikommen, um –«

»Ach, nein, geh noch nicht«, bat Luke und fasste sie am Arm. »Ich wollte dich und Henry in der Stadt zum Essen einladen.«

»Ich kann nicht«, sagte Dad. »Ich treffe mich im Eagles mit ein paar Kumpels. Aber danke.«

Luke wandte sich zu ihr. »Winona?«

Denk dir nichts dabei. Schließlich hat er Dad auch eingeladen. An diesen Gedanken klammerte sie sich, doch als sie zu ihm aufsah, löste er sich in Luft auf und wurde vom schlimmsten aller Gefühle ersetzt: Hoffnung.

»Ja, gern.«

»Wohin?«, fragte er.

»Das Waves ist gut. An der Ecke First Street und Shore Drive.«

»Dann mal los.« Luke drückte ihrem Dad die Hand. »Danke noch mal für alles, Henry. Und vergiss nicht: Falls du je meine Weide brauchst, sag einfach Bescheid.«

Henry nickte, ging ins Haus und schloss entschieden die Tür.

»Arschloch«, murmelte Winona.

Luke sah sie grinsend an. »Früher hast du ihn Scheißkerl genannt.«

»Ich habe meinen Wortschatz erweitert. Wenn du also noch ein paar Ausdrücke hören willst …« Lächelnd ging sie über den Vorplatz zum Beifahrersitz seines großen Wagens. Kaum sprang der Motor an, tönte auch schon »Stairway to Heaven« laut aus den Boxen.

Sie sah ihn an und wusste, dass er an dasselbe dachte wie sie: sie beide auf der Schulfete, unter einer silbernen Discokugel tanzend (oder zumindest bei dem Versuch).

»Wir haben der angesagten Clique mal gezeigt, wie man tanzt, oder nicht?«, fragte er.

Sie spürte, wie ein Lächeln sie überkam. Irgendwie hatte sie in der Aufregung über seine Rückkehr vergessen, wie sie in jenem Jahr nach dem Tod ihrer Mutter zusammengekommen waren: die dicke, stille Fünfzehnjährige, die in ihrer eigenen Welt gelebt hatte, und der ungelenke Junge mit den Pickeln, der seinen Vater fast zehn Jahre zuvor bei einem Bootsunfall verloren hatte. *Es wird irgendwann besser.* Dieser Satz war das Erste gewesen, was sie wirklich bewusst von ihm wahrgenommen hatte. Vorher war er nur der Sohn der besten Freundin ihrer Mutter gewesen.

Danach hatte sich fast zwei Jahre lang nahezu alles, was er gesagt hatte, als richtig erwiesen. Dann war er weggezogen, ohne sie je geküsst zu haben, und hatte nicht mehr angerufen. Sie hatten sich eine Zeitlang geschrieben, doch das hatte auch irgendwann aufgehört.

Jetzt hielt er vor dem Restaurant und parkte am Bordstein. Ein Scheinwerfer neben dem Eingang beleuchtete einen Garten voller Gartenzwerge, die im Sommer niedlich wirkten, aber jetzt, an diesem Winterabend, seltsam makaber. Sie ging voran in die viktorianische Villa, die zu einem Restaurant umfunktioniert worden war. An diesem Abend waren sie die einzigen Gäste unter sechzig. Sie wurden zu einem Ecktisch mit Blick auf den Canal geführt. Unter ihnen erstreckte sich ein ausgeblichener Wellenbrecher vor einem grauen Strand, der mit Streifen zerbrochener Austernschalen und bronzefarbenem Tang bedeckt war. Auf dem Anleger des Restaurants lagen dicht aneinandergedrängt ein paar Robben.

Es dauerte nicht lange, da kamen ihre Drinks: für ihn ein Bier, für sie eine Margarita.

»Auf alte Freunde«, sagte er.

»Auf alte Freunde.«

»Hattest du schon Zeit, dir den Vertrag anzusehen?«

»Ja. Als deine Anwältin muss ich dir sagen, dass alles in Ordnung zu sein scheint. Ich würde ein paar Änderungen vorschlagen, aber nichts Großes.« Sie sah ihn über den Tisch hinweg an und senkte die Stimme. »Aber als deine Freundin muss ich dir sagen, dass Moorman nicht den besten Ruf hat. Er kämpft schon seit Jahren mit einem ernsten Alkoholproblem; das heißt, eigentlich kämpft er nicht, sondern ergibt sich meist sofort. Vor ein paar Jahren hat er einen jungen Tierarzt zum Partner gemacht, und es heißt, er hätte ihn fast ruiniert.«

»Im Ernst?«

»Ehrlich gesagt, Luke, glaube ich, es wäre besser, du würdest deine eigene Praxis eröffnen. Die Leute hier würden dich mit offenen Armen empfangen. Du könntest die Praxis in deinem Haus einrichten und euren Stall mit den vier Boxen wieder auf Vordermann bringen. In ein paar Jahren wärest du dann vielleicht in der Lage, ganz neue Praxisräume zu bauen.«

Luke lehnte sich zurück. »Sehr enttäuschend.«

»Tut mir leid. Du hast mich um meine Meinung gebeten.«

»Das muss dir nicht leidtun. Ich habe immer deinen scharfen Verstand geliebt. Und ich weiß, dass ich dir vertrauen kann. Also danke.«

Aber sie hatte nach dem Wort *geliebt* nicht mehr zugehört.

Vivi Ann wartete hinter der Schutzwand darauf, dass sie an die Reihe kam. Weitere vierzehn Mädchen und Frauen, die es unter die ersten fünfzehn geschafft hatten, warteten mit ihr, alle zu Pferd. Durch die Lautsprecher dröhnten die Zeiten und Ränge, angefangen mit der schlechtesten Zeit, dann aufsteigend bis zur besten. Sie war jetzt schon fast eine Woche in Texas, und es war eines der besten Rodeos ihres ganzen Lebens gewesen.

Sie strich ihrer Stute über den schweißnassen Hals. »Hey, mein Mädchen«, sagte sie. »Bist du bereit zum Sieg?«

Sie spürte, dass Clems Herz wie ein Vorschlaghammer schlug. Sie war bereit.

Als Vivi Ann kurz darauf ihren Namen aus den riesigen schwarzen Lautsprechern dröhnen hörte, schoss ihr ein solcher Adrenalinstoß durchs Blut, dass sie vollkommen auf den Augenblick konzentriert war.

Sie schob ihren Hut tief in die Stirn. Clem tänzelte und sprang zum Gatter. Vivi Ann zog die Zügel an und hielt das Pferd zurück, bis sie genau in der richtigen Position für das erste Fass waren.

Dann lockerte sie die Zügel, und los ging's, mit gesenkten Köpfen, so schnell in die Arena, dass alles um sie herum nur ein undeutliches Gewirr aus Farben und Geräuschen war. Vivi Ann sah nur die drei Fässer, die in einem leuchtend gelben Dreieck aufgestellt waren und auf sie warteten. Den ganzen Weg durch das Dreieck und um die Tonnen herum trat sie Clem in die Flanken und trieb sie an. Die Sekunden verflogen beängstigend schnell, aber für Vivi Ann verging alles wie in Zeitlupe – wie Clem sich um das erste Fass wand, dann um das zweite, und anschließend rasten sie zum dritten, schlängelten sich geschickt darum herum und galoppierten durch die Arena zurück. Als sie am Timer vorbei waren, zog Vivi Ann sanft die Zügel an und bremste Clem zu einem munteren Trab.

Als sie ihre Zeit durch die Lautsprecher hörte, grinste sie und lachte dann.

14.09.

Das würde schwer zu schlagen sein. Sie versuchte, im Kopf auszurechnen, ob sie in der Durchschnittswertung vorn lag, aber das war zu schwierig. Sie hatte bereits eine von zwei Vorrunden gewonnen. Deshalb hatten nur noch wenige Mitstreiterinnen überhaupt die Chance, sie zu schlagen, und auch das war unwahrscheinlich. Denn sie hatte gerade fast eine neue Arena-Rekordzeit geschafft.

»Gute Arbeit, Clem«, sagte sie und tätschelte der Stute den Hals. Sie saß ab und führte das Pferd zurück zum Anhänger. Dort gab sie Clem einen Eimer Wasser und etwas mit Melasse angereicherten Hafer, sattelte sie dann ab und band sie an dem alten, rostigen Pferdetransporter fest.

Lächelnd ging, nein, rannte sie zu den Tribünen. Ein paar der Reiterinnen waren bereits da, hauptsächlich die, die es nicht unter die besten fünfzehn geschafft hatten. Pam. Red. Amy.

»Guter Ritt, Vivi«, sagte Holly Bruhn und rutschte zur Seite, um ihr Platz zu machen.

Vivi Ann lächelte. »Für ein altes Mädchen war Clem ziemlich schnell, was?«

»Allerdings.« Holly griff in die Kühltasche neben sich und holte ein kaltes Bier hervor. »Hier. Aber du darfst es nur trinken, wenn deine Zeit nicht unterboten wird.«

»Ha!« Vivi Ann nahm das Bier und setzte es an die Lippen.

Holly gab ihr noch einen Zettel. »Das ist für dich.«

Vivi Ann sah ihn sich an. Es war ein ganz normaler Flyer, wie sie ihn schon mindestens hundertmal in ihrem Leben gesehen hatte. Eine Liste von Barrel-Racing-Rodeos. Neu war nur, dass es sich um eine an den Wochenenden stattfindende Serie handelte, an deren Ende der Gewinner hohe Preise bekam.

»Wir wollten es mal mit einer Winterserie versuchen«, sagte Holly. »Da unsere Arena jetzt betriebsbereit ist, müssen wir für Einkünfte sorgen. Es wäre schön, wenn du mitmachen könntest. Sag's auch deinen Freundinnen von der Jugendgruppe weiter.«

Plötzlich war sie da: die zündende Idee. So naheliegend und ausgereift, dass Vivi Ann überrascht war, nicht schon früher darauf gekommen zu sein. »Wie viele haben sich schon angemeldet?«

»Bis jetzt ungefähr neunzig. Hier siehst du die Tabelle mit den verschiedenen Gebühren. Außerdem gibt es noch Sparten für Kinder. Um einen Preis gewinnen zu können, muss man mindestens auf vier der acht Rodeos geritten sein. Um dich zu qualifizieren, müsstest du also bei den nächsten unbedingt teilnehmen – weil du so spät einsteigst.«

»Bei euch gibt es für die einzelnen Rodeos und für die Gesamtwertung Preise?«

Holly nickte. »Preisgeld für die einzelnen, Sachpreise am Schluss.«

»Und Team-Penning und -Roping macht ihr auch noch?«

»Jeden Freitag. Es läuft zwar nur schleppend an – weil die Arena erst noch bekannt werden muss –, aber jede Woche kommen mehr.«

Von da an konnte Vivi Ann kaum noch an etwas anderes denken. Selbst als sie an diesem Nachmittag den Sattel und das Preisgeld in Empfang nahm, die sie gewonnen hatte, war sie so abgelenkt, dass sie kaum etwas sagte. Statt mit ihren Freundinnen in die nächste Kneipe zum Linedance zu gehen, verlud sie Clem in den Anhänger und fuhr heim. Auf der langen Fahrt von Texas nach Hause hörte sie Garth Brooks und prüfte dabei die Idee von allen Seiten, um mögliche Schwächen zu finden. Aber sie fand keine. Endlich hatte sie die Lösung für das gefunden, was ihr Vater brauchte.

Sie hatte sie gefunden. Das befriedigte sie am meisten, wenn sie darüber nachdachte.

Sie wusste genau, was die anderen über sie dachten. Sogar ihre Schwestern, die sie doch liebten, betrachteten sie nur als hübsches Ding, das zwar begnadet reiten konnte, aber nicht besonders lebenstüchtig war.

Jetzt endlich konnte sie allen beweisen, dass sie nicht nur ein hübsches Gesicht hatte.

Dieser Gedanke, diese Hoffnung begleitete sie auf der ganzen langen Fahrt nach Hause. Als sie schließlich Samstagnacht in den Zufahrtsweg nach Water's Edge einbog, hatte sie all ihre Ideen gesammelt und so geordnet, dass sie sie ihrer Familie präsentieren konnte.

Sie konnte es kaum abwarten. Sie würden alle so stolz auf sie sein.

Sie fuhr zum Rangierplatz am Stall, machte den Motor aus, stieg vom Fahrersitz und ging zur Tür des Anhängers.

»Hey, Clemmie«, sagte sie und klopfte der Stute auf ihr kräftiges Hinterteil. »Bist du auch so müde?«

Clem drehte sich um und stupste sie leise wiehernd mit dem Kopf an.

Vivi Ann befestigte die Longe an Clems Nylonhalfter und zog sie aus dem Anhänger. »Jetzt brauchst du nicht mehr in den Stall«, sagte sie, führte sie auf die Weide und löste die Longe. Nach einem weiteren Schlag auf Clems Hinterteil sah sie zu, wie sie davonschoss. Sekunden später rollte sich die Stute im Gras.

Vivi Ann sparte sich das Ausfegen des Anhängers für den nächsten Tag auf, schloss die Tür und ging zum Haus. Erst da fiel ihr auf, dass das Tor zum Stall offen stand.

Als sie hineinging, um zu prüfen, ob alles in Ordnung war, traf sie auf ein Chaos. Die Boxen waren nicht ausgemistet, und mehrere Pferde hatten kein Wasser.

Vivi Ann fluchte leise und ging über den Schotterweg zu dem alten Cottage ihrer Großeltern. Es wurde seit Jahren als Unterkunft für die Männer genutzt, die ihr auf der Ranch halfen.

Sie klopfte mehrmals, und als sie keine Antwort bekam, trat sie einfach ein.

Drinnen war es noch chaotischer als im Stall. In der winzigen Küche stapelte sich schmutziges Geschirr, und in den Töpfen schimmelten Essensreste. Überall standen leere Pizzaschachteln und Bierdosen, Sessel und Sofa waren mit Kleiderhaufen bedeckt.

Sie hörte jemanden im Schlafzimmer schnarchen. Sie eilte durch den kleinen Wohnbereich, stieß die Schlafzimmertür auf und machte Licht.

Travis lag, vollständig angezogen, quer auf dem Messingbett. Er hatte nicht mal seine Cowboystiefel ausgezogen, daher war die Tagesdecke ihrer Großmutter dreckverschmiert.

»Travis«, fauchte sie. »Wach auf.«

Sie musste noch mehrmals laut seinen Namen rufen, bis er sich zur Seite rollte und sie mit seinen blutunterlaufenen Augen trüb anstarrte.

»Hey, Vivi.« Er fuhr sich mit der Hand über den Kopf, so dass sein kurzgeschorenes Haar stachlig abstand. Seine Wangen waren bleich, und unter seinen Augen zeigten sich dunkle Ringe. Vivi Ann hegte nicht den geringsten Zweifel, dass er ein mindestens zweitägiges Saufgelage hinter sich hatte.

»Die Boxen sind total verdreckt, Travis, und die Pferde haben kein Wasser. Hast du sie heute überhaupt schon gefüttert?«

Travis setzte sich mühsam auf. »Tut mir leid. Ich hab nur ... Sally hat einen anderen.« Er wirkte, als wollte er anfangen zu weinen, worauf Vivi Anns Zorn verflog. Sie setzte sich zu ihm aufs Bett. Travis und Sally waren seit der Highschool ein Paar gewesen.

»Vielleicht kannst du sie zurückgewinnen«, sagte sie.

»Glaub ich nicht. Sie ... liebt mich einfach nicht mehr.«

Vivi Ann wusste nicht, was sie sagen sollte. Sie hatte einfach keine Ahnung von der großen Liebe; allerdings glaubte sie daran. »Wir sind doch noch jung, Travis. Du wirst schon eine andere finden.«

»Fünfundzwanzig ist doch nicht mehr jung, Vivi! Außerdem will ich keine andere. Was soll ich bloß machen?«

Vivi Ann zerfloss vor Mitleid. Sie wusste, was sie jetzt eigentlich tun sollte, was Dad oder Winona tun würden. Aber sie war eben nicht so, sie konnte nicht zu ihm sagen, er solle sich zusammenreißen und wieder an die Arbeit gehen. Sie hatte schon früh gelernt, dass ein gebrochenes Herz behutsam behandelt werden musste. Das war eine Lektion, die jedes mutterlose Mädchen lernte. »Ich kümmere mich heute um die Pferde, aber ich möchte, dass du morgen jede Box gründlich ausmistest, klar? Im Offenstall ist frisches Sägemehl. Kann ich mich auf dich verlassen?«

»Na klar, Vivi«, versprach er und ließ sich wieder aufs Bett sinken. »Danke.«

Sie wusste, dass sie sich nicht auf ihn verlassen konnte, aber was sollte sie sonst machen? Seufzend verließ sie das Cottage und löschte hinter sich das Licht. Auf dem Rückweg zum Stall kämpfte sie gegen die Woge der Müdigkeit, die sie zu überwältigen drohte. Da fing es an zu regnen.

»Na, super.«

Sie schlug den Kragen ihrer Jacke hoch, zog den Kopf ein und rannte die restliche Strecke.

Am ersten Sonntag jeden Monats gingen die Greys zu Fuß in die Kirche. Das war eine Tradition, die schon vor Generationen begründet worden war. Damals war es nicht anders möglich gewesen, weil im Winter die Straßen durch Regen und Schnee unpassierbar wurden. Jetzt hielt die Familie freiwillig daran fest. Bei Regen und Sonnenschein trafen sich alle am späten Morgen im Farmhaus und gingen gemeinsam in die Stadt. Für ihren Vater war es wichtig, ja entscheidend, dass die Greys in der Stadt respektiert wurden und ihr Anteil an der Gründung von Oyster Shores nicht in Vergessenheit geriet. Daher betraten sie einmal im Monat die Kirche, um die Einwohner daran zu erinnern, dass ihre Familie auch erschienen war, als die Straßen für Pferdewagen unpassierbar waren.

An diesem ersten Sonntag im Februar stand Vivi Ann eine Stunde früher auf als sonst, um die Pferde zu füttern, damit ihr Dad nichts von Travis' Ausfall bemerkte. Sie wollte sich nicht seine Klagen über ihre mangelnde Menschenkenntnis anhören. Nicht heute.

Denn heute wollte sie ihn mit ihrem perfekten Plan überraschen.

Nach Erledigung ihrer Pflichten kehrte sie ins Haus zurück, duschte und zog sich für die Kirche an. Als sie in einem weißen geschnürten Rock mit Bluse, breitem Gürtel und ihren guten Cowboystiefeln nach unten kam, hatte sich die ganze Familie bereits auf der Veranda versammelt.

Aurora und Richard standen zusammen und versuchten, die Zwillinge von ihren üblichen Verwüstungen abzuhalten, während Winona am Geländer lehnte und hinauf zu den hübschen Windspielen aus Glas und Treibholz blickte, die ihre Mutter angefertigt hatte.

Ihr Vater trat auf den Vorplatz und prüfte wie üblich das Wetter. »Na, dann mal los.«

Sie nahmen ihre übliche Aufstellung ein, ihr Dad ganz vorn mit mindestens drei Metern Abstand zu den anderen, weil er zu schnell ging. Richard und die Kinder versuchten, mit ihm Schritt zu halten. Die Mädchen bildeten das Schlusslicht und hielten sich, wie schon ihr ganzes Leben, dicht beieinander.

»Wie ich sehe, schlägt Dad sein übliches Marschtempo an«, bemerkte Winona.

»Ich werde nie begreifen, warum ich mit dem Wagen zur Farm fahre, um dann zur Kirche zurückzulaufen«, erwiderte Aurora. Diese Klage wiederholte sich, mit wenigen Variationen, jeden Monat. »Wie war das Rodeo?«

»Großartig. Ich hab den Sattel und fünfzehnhundert Dollar gewonnen.«

»Schön für dich«, meinte Winona. »Das Geld könnt ihr ja weiß Gott brauchen.«

Vivi Ann lächelte bei der Vorstellung, welch ein Triumph es würde, wenn sie ihren Geschäftsplan vorstellte. Zum ersten Mal würde Winona aufgehen, wie klug ihre jüngste Schwester wirklich war. »Ist was Interessantes passiert, während ich weg war?«

Für den Bruchteil einer Sekunde stockte das Gespräch. Dann sagte Aurora: »Luke Connelly ist wieder da.«

»Der Junge von nebenan? War er nicht mit euch in der Schule?« Vivi Ann versuchte, ein Bild von ihm vor ihrem inneren Auge zu beschwören, aber es gelang ihr nicht. »Was will er denn hier?«

»Er ist Tierarzt«, antwortete Aurora. »Winona –«

»Berät ihn«, schaltete Winona sich ein.

Vivi Ann runzelte die Stirn. Sie hatte das merkwürdige Gefühl, als wüssten ihre Schwestern mehr als sie. Sie sah sie abwechselnd an, zuckte dann aber mit den Schultern. Sie hatte im Moment zu viel im Kopf, um jedes Wort auf unterschwellige Bedeutungen abzuklopfen. »Ich erinnere mich kaum noch an ihn. Sieht er gut aus?«

»Diese Frage ist typisch für dich«, erwiderte Winona spröde.

Aber für den Rest des Weges unterhielten sie sich angeregt. Mehr als einmal wäre Vivi Ann am liebsten mit ihrer Idee herausgeplatzt, aber in einem seltsamen Anflug von Zurückhaltung entschied sie sich, lieber zu warten.

Nach dem Gottesdienst gingen sie wie üblich in den Gemeindesaal im Untergeschoss, um sich bei Kaffee und Kuchen unter Freunde und Bekannte zu mischen. Gesprächsthema Nummer eins war natürlich Luke Connellys Rückkehr. Sein unerwartetes Auftauchen führte zu einer Menge Geschichten über die alten Zeiten, als Vivi Anns und Lukes Mütter noch die hübschesten Frauen der ganzen Stadt waren. Normalerweise war Vivi Ann begierig, solche Geschichten zu hören – jede Erwähnung ihrer Mutter war etwas ganz Besonderes –, aber an diesem Tag war sie zu abgelenkt, um sich zu entspannen und die Gespräche zu genießen. Außerdem war Luke nicht in der Kirche erschienen, daher verlor sie rasch das Interesse.

Etwas schneller als üblich trieb sie ihre Familie zusammen und drängte sie, nach Hause zu gehen. »Bevor es anfängt zu regnen«, sagte sie, und das reichte. Sie waren oft genug im Regen nach Hause gegangen, um zu wissen, wie unangenehm das war.

In ihrer alten Formation marschierten sie durch den Ort und bogen dann in ihre Zufahrt ein. Zu beiden Seiten erstreckten sich die eingezäunten grünen Weiden. Am Ende der Auffahrt stand ihr schönes gelbes Farmhaus, das von einer weißen Veranda umgeben war. Dahinter lagen, grau in grau vom Nebel verhüllt, der Kanal und die fernen Berge.

Clementine wieherte, als sie Vivi Ann sah, und kam auf sie zugaloppiert.

Vivi Ann raffte ihren Rock und schlüpfte zwischen den Latten des Koppelzauns hindurch.

»Nicht schon wieder«, rief Winona ihr nach.

Lachend schwang sich Vivi Ann auf Clems breiten Rücken. Ohne Zügel oder Zaumzeug hatte sie zwar eigentlich keine Kontrolle über das Pferd, aber sie vertraute ihm völlig. Sie drückte ihre Fersen in Clems Flanken, und das Pferd raste los, über die grüne Weide zum Haus. Vivi Ann klammerte sich an Clems Mähne. Sie ritten so schnell, dass ihre Augen tränten; Haarsträhnen schlugen ihr ins Gesicht.

Das liebte sie. Jeden Augenblick konnte Clem sie abwerfen oder so plötzlich stehen bleiben oder kehrtmachen, dass sie sich nicht mehr halten konnte.

Als sie sich dem Haus näherten, flüsterte sie: »Ho, mein Mädchen. Ho«, und strich ihr über das weiche Fell.

Als die Familie schließlich eintrudelte, begrüßte sie Vivi Ann auf der Veranda.

»Du bist mir vielleicht ein Vorbild«, sagte Aurora. »Ich hoffe, du hörst auf damit, wenn Janie Reitstunden nimmt.«

»Sie sollte längst angefangen haben«, erwiderte Vivi Ann. »Als Mom uns das Reiten beigebracht hat, waren wir drei, schon vergessen?«

»Du warst drei«, korrigierte Aurora sie. »Du Wunderkind. Ich war fünf und Winona –«

»Davon wollen wir erst gar nicht anfangen«, unterbrach sie Winona.

Lachend gingen sie ins Haus und machten sich an die Arbeit. Vivi Ann ging vor in die Küche, Winona folgte ihr, um ihr zur Hand zu gehen – normalerweise, um Gemüse zu schnippeln und Salat zu machen –, während Aurora den Tisch deckte. Die Kinder verzogen sich nach oben, um Videos zu gucken, während ihr Vater und Richard schweigend im Fernsehzimmer saßen, Bier tranken und Sportsendungen sahen.

Die nächsten zwei Stunden bereiteten die Mädchen redend, scherzend und lachend das Essen zu. Als der Rinderbraten fertig war, hatten sie bereits eine Flasche Chardonnay geleert und eine zweite geöffnet.

Das Sonntagsessen begann wie immer mit einem Tischgebet, das ihr Dad sprach. Danach unterhielten sie sich zwanglos. Vivi Ann versuchte, auf eine Gesprächspause zu warten, um ihre Idee vorzubringen, aber jetzt, da sie endlich bei Tisch waren, konnte sie nicht länger warten. Ihre Begeisterung ging mit ihr durch.

Also platzte sie einfach damit heraus: »Ich hab mir etwas ausgedacht. Eine Möglichkeit, hier mit der Ranch Geld zu verdienen.«

Alle merkten auf.

Winona runzelte die Stirn. Offenbar war sie gerade mitten in einer Erzählung gewesen, aber Vivi Ann hatte das nicht mitbekommen.

»In Texas war ich ziemlich oft mit Holly und Gerald Bruhn zusammen. Wisst ihr, die beiden, die in Hood River eine große Rodeo-Arena gebaut haben. Jedenfalls hat Holly für die Wintersaison eine Reihe Barrel-Racing-Rodeos ins Leben gerufen. Acht Wochen in Folge, immer samstags. Es gibt Geld und Preise.«

»Da gewinnst du doch immer«, meinte Aurora.

»Nein«, sagte Vivi Ann, »darauf wollte ich nicht hinaus. Ich möchte das Gleiche hier in Water's Edge veranstalten.«

Ihr Vater zuckte mit den Schultern. »Könnte funktionieren.«

Vivi Ann grinste, weil er sie ermutigte. »Falls ja, könnten wir auch Team-Pennings und -Ropings veranstalten. Holly meinte, letzte Woche hätten sie über vierhundert Teams beim Roping gehabt.«

Jetzt hatte sie die ungeteilte Aufmerksamkeit ihres Vaters. »Das kostet aber einiges.«

»Ich hab mich mal kundig gemacht. Wahrscheinlich bräuchten wir nur etwa einhunderttausend Dollar.«

Winona lachte. »Ach, mehr nicht?«

Vivi Ann war überrascht und auch ein klein wenig verletzt. »Wir könnten doch einen Kredit aufnehmen. Eine Hypothek aufs Haus.«

Das brachte alle zum Schweigen.

»Eine Hypothek hatten wir noch nie«, sagte ihr Dad.

»Die Zeiten ändern sich, Dad«, entgegnete Vivi Ann. »Ich glaube wirklich, dass das ein Erfolg werden könnte. Wir bräuchten nur ein paar Bullen, eine Pistenraupe, einen neuen Traktor und –«

»Das ist doch ein Witz, oder?«, fragte Winona. Sie lächelte nicht.

»Ich hab es weiß Gott satt, jeden Tag Pferde zu beschlagen und mir ständig Sorgen um die Steuern zu machen«, warf ihr Dad ein. »Und da Luke Connelly jetzt zurück ist, können wir seine Weiden mitbenutzen und die Bullen dort halten. So bräuchten wir auch keinen großen Transporter.«

Winona verdrehte übertrieben die Augen. »Aber wenn du die Hypothek nicht zurückzahlen kannst, verlierst du den Besitz. Das ist dir doch wohl klar, oder?«

»Ich bin nicht blöd.«

»Das habe ich auch nicht gesagt«, erwiderte Winona. »Aber das ist doch verrückt. Du kannst doch nicht –«

»Willst du mir schon wieder sagen, was ich zu tun und zu

lassen habe, Winona?«, unterbrach er sie. Dann stand er auf und ging ins Arbeitszimmer, wo er die Tür fest hinter sich zudrückte.

Vivi Ann wandte sich zu Winona. »Ganz schön mies von dir. Dabei bist du bloß sauer, weil es nicht *deine* Idee war. Diesmal ist Miss Oberschlau einfach nichts eingefallen.«

»Und was ist, wenn du es in den Sand setzt, Vivi? Was passiert, wenn keiner kommt und Dad tausend Dollar pro Monat auftreiben muss, um die Hypothek zurückzuzahlen? Wirst du dann dastehen und zusehen, wie er sein Land verliert, sein Ein und Alles?«

»Und was, wenn er es verliert?«, gab Vivi Ann zurück. Sie war entschlossen, keinen Zentimeter nachzugeben.

»Genau wie mit Clem«, murmelte Winona. Vivi Ann hatte keine Ahnung, was ihre Schwester damit meinte.

»Du bist doch bloß neidisch, dass ich die Idee hatte«, wiederholte sie.

»Ja, ich bin neidisch auf deinen scharfen Verstand«, versetzte Winona.

»Kommt schon, ihr zwei«, schaltete Aurora sich ein. »Damit wollen wir doch gar nicht erst anfangen.« Sie blickte sie abwechselnd an. »Es ist eine gute Idee. Könnten wir jetzt darüber nachdenken, wie wir sie erfolgreich umsetzen?«

Drei

In den vergangenen vierundzwanzig Stunden hatte Vivi Ann einen ganzen Collegeblock mit Ideen vollgeschrieben. Es war ganz gleich, dass ihr Vater noch nicht sein Einverständnis gegeben hatte. Sie war sich sicher, am Ende seine Zustimmung zu bekommen. Genau wie die von Winona, wenn sie sich erst mal abregen und vergessen würde, dass es nicht ihre eigene Idee gewesen war.

»Vivi Ann? Hörst du überhaupt zu?«

Sie blickte von ihren Notizen auf.

Zehn eifrige Gesichter waren ihr zugewandt. Die Mädchen der Jugendgruppe hatten sich im Wohnzimmer ausgebreitet – auf dem Sofa, neben dem Wagenradtisch, auf dem Fußboden. Sie waren zwischen neun und sechzehn Jahre alt und teilten ihre Leidenschaft für Pferde.

In der nächsten Stunde unterhielten sich die Mädchen über ihre Pferde, über das Turnier und den Workshop im Barrel-Racing, den Vivi Ann in der folgenden Woche geben wollte. Sie redeten, lachten und bestürmten sie noch mit Fragen, als Vivi Ann hörte, wie der erste Wagen vorgefahren kam. Das Licht der Scheinwerfer glitt an dem Küchenfenster vorbei und war dann wieder verschwunden.

»O nein«, jammerte eine, als es an der Tür klingelte. »Wir werden schon abgeholt. Sag, wir haben noch zu tun, Vivi Ann.«

Aber als Vivi Ann zur Tür ging und sie öffnete, sah sie zu ihrer Überraschung einen Fremden auf der Veranda stehen.

Er war groß und schlank und hatte dichtes, ordentlich gekämmtes braunes Haar. Er sah gut aus, wenn auch etwas spießig mit seinem gelben Poloshirt und der gebügelten Khakihose. »Kann ich Ihnen helfen?«, fragte sie laut, um das Geplapper im Wohnzimmer zu übertönen.

Überraschenderweise nahm der Mann sie einfach in seine Arme, hob sie hoch und drückte sie fest an sich. Erst als er sagte: »Erinnerst du dich nicht an mich?«, klickte es bei ihr.

»Luke Connelly«, sagte sie, während er sie wieder absetzte. »Zurück aus der Wildnis Montanas.«

Er lächelte. »Ich wusste, wenn ich dich hochhebe, erinnerst du dich.«

Darauf fiel ihr nichts Passendes ein. War ihr irgendetwas Wichtiges entgangen? »Schön, dich wiederzusehen.«

»Finde ich auch.« Er spähte über ihre Schulter hinweg zu den kichernden Mädchen. »Dein Dad ist wohl nicht zu Hause, wie?«

»Du hast ihn leider verpasst. Allerdings wären die Mädchen meiner Jugendgruppe begeistert, sich mit einem echten Tierarzt unterhalten zu können.« Sie drehte sich zu ihnen um. »Stimmt's, Mädels?«

Lauter Jubel war die Antwort.

Luke gesellte sich ungezwungen zu ihnen und nahm alle für sich ein, als er erzählte, wie Pferdezucht funktionierte und wie wichtig es war, sich ein Pferd sorgfältig auszusuchen. Geduldig beantwortete er ihre Fragen, bis die Mütter der Mädchen eintrudelten.

Um neun Uhr trat wieder Ruhe im Haus ein. Vivi Ann holte zwei Bier aus dem Kühlschrank, gab ihm eins und sagte: »Du hast dich tapfer geschlagen.«

»Aber du bist ihr Idol.«

»Ich weiß. Toll, nicht wahr?«

Sie setzten sich aufs Sofa und legten die Füße auf den Sofatisch. Im Kamin knackte ein Holzscheit und fiel funkensprühend durch den Rost.

»Eigentlich erinnerst du dich nicht an mich, oder?«, fragte er. »Als ich dir letzte Woche an der Tankstelle zuwinkte, hast du nicht reagiert.«

»Natürlich erinnere ich mich noch an dich, aber ich hatte kein festes Bild im Kopf. Du warst der Nachbarjunge, der Sohn der besten Freundin meiner Mutter. Ich hatte nie mit dir zu tun, weil ich zu sehr mit meinen Pferden beschäftigt war. Als du wegzogst, war ich – wie alt? – vierzehn?«

»Ungefähr. Ich weiß nur, dass du jedes Mal, wenn ich dich sah, auf diesem kleinen Pony gesessen hast und wie der Teufel geritten bist. Und später war es ... das Pferd deiner Mutter.«

»Ich verbringe immer noch die meiste Zeit auf Clem und versuche, die Schallmauer zu durchbrechen.«

»Wieso bist du nicht fürs College weggezogen, wie deine Schwestern?«

Sie lachte. »Aber ich war doch weg. Nur bin ich sofort wieder zurückgekommen. Ich hatte zu viel Bier, zu viele Jungs und zu wenig Bücher. Außerdem hat Dad mich gebraucht.«

Er trank einen Schluck von seinem Bier. »Meine Mom hatte sich schon gedacht, dass du hier bist; sie hat sogar geahnt, dass du eine Jugendgruppe hast.«

»Wie denn das?«

»Sie meinte, du seist wie Donna. Eine Seele von Mensch.«

»Das ist nett von ihr. Ich erinnere mich nicht mehr so gut an Mom. Das bedaure ich sehr. Was wolltest du eigentlich von meinem Vater?«

»Henry hat mir eine Nachricht hinterlassen. Er wollte mit mir besprechen, ob er meine Weide nutzen kann. Weißt du, worum es dabei geht?«

Daraufhin erzählte ihm Vivi Ann von ihrer Idee, Water's Edge mit Barrel-Racing-Rodeos und Team-Roping-Jackpots zu retten. Als sie fertig war, sah sie ihn erwartungsvoll an.

»Was genau ist ein Jackpot?«

»Das Gleiche wie ein Rodeo, nur ist es ein einzelnes Event, und die Teams haben mehr Möglichkeiten, teilzunehmen. Es gibt verschiedene Runden, und man kann in unterschiedlichen Kombinationen antreten, so dass fünfzig Teilnehmer über zweihundert Teams bilden können. Dadurch hat jeder mehr Chancen, zu gewinnen.«

»Klingt wie eine gute Idee.«

»Finde ich auch, aber die Voraussetzungen müssen stimmen. Dazu braucht man Geld, das Dad allerdings nicht hat. Ich wollte erst mal versuchsweise mit dem Barrel-Racing-Rodeo anfangen.«

»Tja, da ich Tierarzt und neu in der Stadt bin, könnte ich etwas Werbung gebrauchen. Wie wäre es also mit kostenloser Tierarztbehandlung für den Gewinner? Das ist gut und gerne hundertfünfzig Dollar wert.«

Bis jetzt war es Vivi Ann nie in den Sinn gekommen, sich durch Sponsoren unterstützen zu lassen, aber kaum hörte sie Lukes Vorschlag, kam ihr die Möglichkeit sehr naheliegend vor. Zusätzlich zu den Geldpreisen konnte sie sich Gutscheine von verschiedenen ansässigen Händlern besorgen: zum Beispiel für Futtermittel, Sattel und anderen Reitsportbedarf. »Ich würde sagen, diese Idee ist ein Eis wert. Komm.« Sie nahm seine Hand und zog ihn in die Küche.

»Eis und Bier? Passt das denn zusammen?«

»Eis passt zu allem. Und dank Winona haben wir auch alle Geschmacksrichtungen.« Sie öffnete den Eisschrank und präsentierte mindestens sieben Familienpackungen Eiscreme.

Er prüfte sie und sagte dann: »Schokolade-Kirsch.«

»Sehr gut.« Sie holte sein und ihr Lieblingseis heraus und füllte zwei Schälchen damit. Dann gingen sie zurück ins Wohnzimmer.

»Ich hatte recht. Jetzt schmeckt das Bier nicht mehr.«

Sie grinste ihn an. »Keine Sorge. Das Eis ist doch gleich aufgegessen.«

»Trinkst du dann noch ein Bier mit mir?«

»Es könnten auch zwei sein, Doc.«

Obwohl Winona die ganze nächste Woche wie gewohnt mit Klienten sprach und Verträge prüfte, dachte sie gleichzeitig unentwegt über die Zukunft von Water's Edge nach. Zwar hätte sie Vivi Anns Idee sehr gern rundweg abgelehnt, doch das konnte sie nicht. Sie konnte sie aber auch nicht begrüßen, zumal es sie ärgerte, dass nicht *sie* diese Idee gehabt hatte. Schließlich bot sie sich in mehr als einer Hinsicht an. Doch am Ende eines langen Arbeitstages gab sie auf und fuhr zur Ranch.

Sie klopfte kurz und betrat das Haus. In der Küche brannte Licht; auch im Wohnzimmer warf eine Lampe ihr Licht auf das Karosofa und den Wagenradtisch. Sie ging über die gewachsten Eichendielen bis zu dem ovalen blauen Flickenteppich, der schon ihr ganzes Leben dort gelegen hatte. »Dad?«

Sie hörte Eiswürfel klirren und sah ihn in seinem Arbeitszimmer. Er starrte auf den Garten und den dunkelvioletten Kanal dahinter. Sie hatte damit gerechnet, ihn dort zu finden; es war sein Lieblingsplatz, wenn er unglücklich war. Ein ganzes Jahr nach Moms Tod schien er dort praktisch festgewachsen zu sein. Nur Vivi Ann, die nie Angst davor gehabt hatte, einfach seine Hand zu fassen und daran zu ziehen, hatte ihn von dort weglotsen können.

»Dad?«, fragte sie noch einmal.

Ihr Vater trank einen Schluck von seinem Bourbon und sagte, ohne sich umzudrehen: »Willst du mir wieder mal sagen, was ich mit meinem eigenen Land anfangen soll?«

Da erkannte sie, dass sie verloren hatte. Er hatte sich für Vivi Ann entschieden – wieder mal. Typisch. Jetzt musste Winona sich entscheiden, ob sie mitspielen oder außen vor bleiben wollte. Das war einfach. »Ich hab Geld auf der Bank. Wahrscheinlich wird es für die Bullen und einen größeren Traktor reichen. Die Schutzwände für die Bullen dürften sich auf die Materialkosten beschränken. Wir haben viele Freunde, die uns nur zu gerne beim Bau behilflich sein würden.«

Langsam drehte er sich zu ihr um. »Ich soll Geld von dir nehmen?«

Sie wusste nicht, ob er gerührt oder gekränkt war. Oder gar beides. »Water's Edge ist unser aller Zuhause, Dad.«

Sie wartete auf eine Antwort, auf irgendeine Reaktion von ihm, aber er stand einfach nur da. Zum tausendsten Mal in ihrem Leben wünschte sie sich, ihn besser zu kennen. »Zumindest kann ich Hilfe beisteuern, mich zum Beispiel um die Finanzen kümmern und die Rechnungen bezahlen. Ich könnte mich auch um die Mitarbeiter kümmern. Ich kenne niemanden, der so katastrophale Personalentscheidungen trifft wie Vivi Ann. Dieser Travis Kitt ist doch ein Witz ... und die Leute in der Stadt reden schon darüber, wie dumm es war, ihn einzustellen.«

»Ach, das sagen sie also?«

Winona nickte. »Was das Geld betrifft –«

Er sah sie hart an; in seinem Blick lag etwas Finsteres, was alles Mögliche bedeuten konnte – Groll, Traurigkeit, Zorn. Sie wusste es nicht, sie hatte seine Miene nie deuten können. Eigentlich wäre es Aufgabe ihrer Mutter gewesen, das Verhalten ihres Vaters zu erklären und in einen Kontext zu setzen. Doch ohne sie waren sie alle ins kalte Wasser geworfen worden, und Winona hatte es am schlimmsten getroffen. Bevor sie sich wappnen konnte, zog sich ihr vor Beklemmung der Magen zusammen. Sie konnte sich nicht gegen den Gedanken wehren, dass es falsch gewesen war, ihm Geld anzubieten.

»Ich nehme kein Geld von meiner Tochter an.«

»Aber –«

»Du kannst mit Luke reden. Wir dürfen die Bullen auf

seinem Land halten. Frag, was er dafür haben will. Und stell jemanden ein, der was von Pferden versteht und nicht sofort wieder verschwindet.«

Noch bevor sie etwas darauf antworten konnte, ging er einfach weg und ließ sie stehen.

Er hatte ihr nicht mal für ihr Angebot gedankt.

An einem kalten grauen Tag eine Woche später setzte sich Winona ans Kopfende des Esszimmertischs, an den Platz, der früher ihrer Mutter gehört hatte. Aurora setzte sich an die linke Tischseite und Vivi Ann an die rechte.

Ihr Vater saß bereits am anderen Ende. Sein Gesicht war noch staubverschmiert von der Arbeit, und sein Haar klebte ihm wegen des Huts, der jetzt an einem Haken an der Haustür hing, feucht und platt an der Stirn. Nur Winona, die ständig nach geringsten Veränderungen oder Emotionen im Gesicht ihres Vaters suchte, bemerkte, wie durchdringend sein Blick war. Sie war nicht sicher, ob Vivi Anns Plan ihn wirklich überzeugt hatte; aber nun, da er sich entschieden und dies auch verlautbart hatte, würde er keinen Rückzieher mehr machen. Winona blieb nichts anderes übrig, als ihn und das Land zu schützen, so gut sie konnte.

»Okay«, sagte sie. »Ich habe die Kreditunterlagen und die Finanzen geprüft. Die gute Nachricht ist, dass das Ganze weniger kostet als ursprünglich angenommen. Insgesamt sollte ein Darlehen von fünfzigtausend reichen.« Sie schob ihrem Vater die Unterlagen zu. »Das Land hier ist die Sicherheit für den Kredit. Wenn die monatlichen Rückzahlungen nicht pünktlich geleistet werden, behält sich die Bank das Recht vor, vorzeitig den Kredit zu kündigen und die Gesamtrückzahlung zu fordern. Sollte die nicht erfolgen, droht die Zwangsvollstreckung.«

Da niemand etwas darauf sagte, schob Winona ein weiteres Blatt Papier zu ihm hinüber. »Das sind die Einkünfte, die du und Vivi Ann jeden Monat erzielen müssen, um über die Runden zu kommen. Wenn ihr wollt, kann ich mich im ersten Jahr oder auch länger um die Finanzen kümmern. Zum Beispiel die Rechnungen zahlen und die Ausgaben überwachen. Natürlich kann ich auch eine Vollzeitkraft einstellen, die euch hier hilft.« Sie sah erst Vivi Ann und dann ihren Vater vielsagend an. »Ich werde dafür sorgen, dass er nicht gleich wieder verschwindet.«

»Gott sei Dank«, sagte Vivi Ann lachend. »Wir wissen ja, dass ich für Mitarbeiter kein Händchen habe.«

Dad murmelte etwas Unverständliches und stand auf. Ohne sie nur eines Blickes zu würdigen, ging er in sein Arbeitszimmer und schloss die Tür hinter sich.

Winona saß da und ärgerte sich wieder einmal über sich selbst, weil sie etwas von ihm erwartet hatte. Zumindest ein bisschen Dankbarkeit.

»Mach dir um Dad keine Gedanken«, erklärte Aurora. »Du hast tolle Vorarbeit geleistet. Das wissen wir zu schätzen, nicht wahr, Vivi?«

»Allerdings, tolle Arbeit. Wirklich«, bestätigte Vivi Ann. »Er hat bloß Angst. Ich finde, wir könnten das mit einem Eis feiern.« Sie stand auf und eilte in die Küche. Dort holte sie ihr Lieblingseis und ging hinaus auf die Veranda.

Winona und Aurora taten es ihr gleich. Aurora nahm ihre Lieblingssorte – Praline-Sahne – und zwei Löffel.

Aber Winonas Lieblingssorte war nicht da, deshalb wählte sie Trüffel-Nuss und gesellte sich zu ihren Schwestern. Im Laufe der Jahre hatten sie schon unzählige Male auf der Veranda Eis gegessen und geplaudert. »Hey, wer hat mein Schoko-Kirsch-Eis gegessen?«, wollte sie wissen.

»Luke Connelly«, antwortete Vivi Ann. »Er ist neulich vorbeigekommen. Ich hab ihn nicht mal erkannt, so hat er sich verändert. Er sieht viel besser aus, als ich ihn in Erinnerung hatte.«

Aurora warf Winona einen scharfen Blick zu.

»Was wollte er denn?«, fragte Winona und bemühte sich um einen beiläufigen Ton.

»Dad besuchen. Der arme Kerl platzte mitten in meine Jugendgruppe und musste sich mit den Mädels unterhalten. Aber er war ziemlich cool.« Vivi Ann aß noch etwas von ihrem Eis und fügte dann hinzu: »Er wollte mit mir ausgehen.«

Winona wusste, dass sie jetzt so hätte tun sollen, als wäre alles in Ordnung. So wie immer bei Vivi Ann, aber dieses Mal schaffte sie es einfach nicht. »Ich muss los. Morgen ist ein wichtiger Tag in der Kanzlei ... Viele Verträge anzuhören. Das heißt: zu lesen. Zu lesen, meinte ich.«

»Für mich ist es auch Zeit«, sagte Aurora. Sie legte einen Arm um Winonas Schultern und führte sie die Veranda hinunter zu ihren Fahrzeugen. Falls Vivi Ann etwas an ihrem Verhalten auffiel, sagte sie nichts darüber; stattdessen rief sie ihnen einen Abschiedsgruß nach und brachte die Eisbecher wieder zurück ins Haus.

Kaum war die Tür hinter ihr zugefallen, wandte Aurora sich an Winona. »Sagst du es ihr, oder soll ich das übernehmen?«

»Was denn?«

»Jetzt spiel nicht die Ahnungslose. Du musst Vivi Ann sagen, dass du dich für Luke interessierst.«

»Damit ich noch erbärmlicher dastehe? Nein, danke. Ich *wusste*, dass er sich nicht für mich interessiert. Wieso bloß hatte ich etwas anderes gehofft? Wer nimmt schon die Dicke, wenn Michelle Pfeiffer direkt danebensteht?«

»Sprich mit Vivi Ann. Sie wird die Verabredung absagen und keine neue treffen.«

Winona schmeckte fast, wie demütigend dieses Gespräch war; es war gleichzeitig bitter und sauer, wie eine verdorbene Limette. »Auf keinen Fall. Außerdem verschleißt Vivi Ann Männer wie ich Post-it-Zettel. Luke ist viel zu ruhig für sie;

du weißt doch, dass sie abenteuerliche Typen bevorzugt. Also wird es nicht lange halten.«

»Darauf kannst du dich nicht verlassen. Du musst es ihr sagen.«

»Nein. Und versprich mir, dass du ihr auch nichts sagst. Ich würde mich zu Tode schämen, wenn Luke etwas davon mitbekäme. Offensichtlich empfindet er für mich nicht so wie ich für ihn.« Als Aurora sie unschlüssig ansah, wiederholte Winona: »Versprich es mir.« Sie wusste, dass Aurora nicht leichtfertig Versprechen abgab und sie niemals brach.

»Also gut, ich werde nichts sagen. Es ist dein Leben, und du bist erwachsen ... aber du machst einen Riesenfehler. Du hattest schon immer einen Minderwertigkeitskomplex gegenüber Vivi Ann. Der könnte jetzt zu einem ernsten Problem werden. Und es ist auch nicht fair, weil Vivi Ann keine Ahnung hat. Wenn sie Bescheid wüsste, würde sie dir niemals weh tun wollen.«

»Versprich es mir.«

»Ich habe ein ganz schlechtes Gefühl dabei, Win.«

»Versprich es.«

»Ach, verdammt! Na gut, ich verspreche es. Ich werde auch kein Wort mehr darüber verlieren. Nur noch mal sagen, dass ich ein ganz schlechtes Gefühl habe. Du machst einen Fehler.«

»Gott sei Dank hast du ihr noch nichts gesagt«, erwiderte Winona grimmig. »Und jetzt lass uns heimfahren.«

Ende Februar, Anfang März regnete es in Oyster Shores ununterbrochen. Die Weiden standen unter Wasser, die Pferde trotteten durch braunen Morast. Über Nacht bildeten sich silbrige Bächlein, die durch die Gräben neben dem Zufahrtsweg strömten. Die mickrigen lilafarbenen Krokusse, die kühn ihren Kopf durch die schlammige Erde steckten, wurden rasch vom Regen niedergedrückt.

Das Wetter entsprach Winonas Stimmung. Natürlich nicht ganz: Die hundertprozentige Entsprechung wären dicke dunkle Wolken gewesen, die sich für einen aufziehenden Sturm zusammenzögen. Dennoch fühlte sie sich darin so heimisch, dass sie den Regen vermisste, als im April der Himmel zum ersten Mal seit Monaten aufriss und die fahle Sonne aus ihrem Versteck herauskam. Ihr strahlendes Licht war für Winona ein Ärgernis.

Die schönen Pflaumenbäume auf der Viewcrest fingen an zu blühen, und in ihrem Garten regte sich überall neues Leben. Tulpen begannen zu blühen, die ersten Knospen an der Linde, goldgelbe Narzissen. Ein täglicher Hinweis auf den Wechsel der Jahreszeiten: Der stahlgraue Winter wich dem hellen, sonnigen Frühling. Normalerweise liebte Winona die Zeit der Blumen, wenn rosafarbene Blüten wie winzige Zuckerwattestückchen durch den Garten wehten und die Erde bedeckten, aber dieses Jahr war die Zeit nicht ihr Freund. Dieses Jahr maß sich die Zeit an den Tagen, die Vivi Ann mit Luke verbrachte.

Sie waren mittlerweile fast drei Monate zusammen, und wenn Winona nachts in ihrem einsamen Bett lag, ertappte sie sich manchmal dabei, dass sie sie als Tage zählte, die Vivi Ann ihr gestohlen hatte. Samstagabende beim Tanz in der Outlaw Tavern mit Luke; die Sonntage nach der Kirche; gemeinsame Abende mit Dad im Haus. Winona war weder dumm noch verrückt. Sie wusste genau, dass diese eingebildeten Stunden niemals ihr gehört hatten und Vivi Ann ihr folglich nichts wegnahm. Dennoch fühlte sie sich betrogen. Jeden Morgen wachte sie auf und dachte: *Heute macht sie Schluss mit ihm*, und dann beschwor sie Zukunftsszenarien herauf: wie Winona ihn trösten, wie sie seine Hand halten und ihn reden lassen würde, bis er sich schließlich ihr zuwenden, die Wahrheit erkennen und alles gut werden würde.

Und jeden Abend, wenn sie wieder allein ins Bett ging, dachte sie: *Dann eben morgen.*

Nur eine tiefe, absolute Überzeugung hielt sie aufrecht: Vivi Ann liebte Luke nicht. Für ihre schöne, leichtsinnige Schwester war eine Affäre mit Luke nur Spaß, ein Zeitvertreib.

Winona musste lediglich ihre Gefühle verbergen und auf das unvermeidliche Ende der Affäre warten.

An diesem Samstagabend zog sie sich besonders sorgfältig für das letzte Barrel-Racing-Rodeo an: schwarze Jeans, weiße Tunika, mehrreihige Kette aus bunten Steinen und schwarze Cowboystiefel. Sie drehte ihr Haar auf und fixierte es mit Festiger, schminkte sich aufwendig und fuhr dann zur Ranch.

Die gesamte Zufahrt war mit Trucks und Anhängern vollgestellt. Aus der überdachten Reitarena drang goldenes Licht; sie sah Schatten durch den Lichtstrahl sich hin und her bewegen. Vivi Anns letztes Barrel-Racing-Rodeo schien ein Erfolg zu sein.

Sie fand einen freien Parkplatz, ging dann zur Arena und sah hinein. Auf einer Seite der Arena bildeten die neuen Boxen und Schutzwände ein Karomuster aus Holz, und die erhöhte Schiedsrichterkabine war fast fertig. In der Arena saßen mindestens zweiundzwanzig Frauen und Mädchen auf ihren Pferden. Eine ritt rasend schnell um das erste von drei Fässern; sie trieb das Pferd mit den Fersen an und rief laut: *Ha!* Die anderen warteten, dass sie an die Reihe kamen.

Vivi Ann befand sich in der Mitte des Ganzen und dirigierte das Chaos wie eine wunderschöne, strahlende Zirkusdirektorin. Die Mädchen hingen an ihren Lippen und verehrten sie wie einen Filmstar, weil sie wusste, wie man ein Pferd unter vierzehn Sekunden um drei Fässer treiben konnte.

Vivi Ann sah Winona und winkte.

Winona winkte zurück, sah sich aber schon nach Luke um. Als sie sich vergewissert hatte, dass er nicht in der Arena war, ging sie zum Farmhaus, trat ein und rief laut: »Hey, Dad.«

»Ich bin im Arbeitszimmer«, antwortete Luke.

Lächelnd ging sie zu ihm.

»Hallo«, sagte er und stand sofort auf. »Du hast deinen Dad knapp verpasst.«

Sie lächelte strahlend. *Gott sei Dank.* »Nicht so schlimm. Ich wollte die Rechnungen abholen.«

»Zum Arbeiten ist es doch viel zu spät«, meinte Luke. »Außerdem ist Samstagabend. Was würdest du zu einem Bier sagen?«

»Wollen wir ins Outlaw?«

»Ich hab Vivi Ann gesagt, ich würde warten, bis sie fertig ist. Könnten wir uns daher lieber auf die Veranda setzen?«

»Natürlich«, sagte sie und zwang sich weiterzulächeln.

Sie holte das Bier und einen wärmeren Mantel und folgte ihm hinaus. Die Luft an diesem Spätfrühlingsabend war kühl, nicht kalt, und frisch. Unten schlug die steigende Flut gegen die Uferbegrenzung und spritzte auf das feuchte Gras. Auf dem verwitterten weißen Geländer erinnerte sie eine Sammlung Muscheln an die vielen Uferspaziergänge, die sie als Kinder unternommen hatten.

Jetzt setzten sie sich nebeneinander und plauderten unbeschwert, wie nur alte Freunde es können. Luke erzählte ihr, dass er an diesem Tag bei der Geburt eines Fohlens geholfen hatte und eine Wunde hatte nähen müssen. Sie revanchierte sich mit der witzigen Geschichte über einen Klienten, der einen jungen Wolf für seinen Sohn kaufen wollte und nicht begriff, wieso ein Tier aus der Gegend als exotisch angesehen wurde und daher nicht in Wohnungen gehalten werden durfte.

Je länger sie sich unterhielten, desto mehr löste sich Winonas innere Anspannung. Wenn sie mit Luke zusammen war, fiel es ihr leichter, an eine gemeinsame Zukunft mit ihm zu glauben. Selbst ihr Groll gegenüber Vivi Ann nahm auf ein vertretbares Maß ab. In Lukes Gegenwart fühlte sie sich wie ein Stück Butter, das langsam seine Form verlor. »Du hast gesagt, du wärest wieder zurückgekommen, weil du unruhig gewesen wärest«, sagte Winona mit leichtem Zögern. Sie wollte nicht aufdringlich erscheinen, sehnte sich aber danach, alles über ihn zu erfahren. »Wonach suchst du denn?«

Er zuckte mit den Schultern. »Meine Schwester hält mich für zu romantisch. Sie meint, das würde noch mal mein Untergang sein. Ich weiß nicht. Ich wollte nur was anderes. Mein ganzes Leben habe ich Geschichten darüber gehört, wie mein Dad dieses Land hier fand und mit eigenen Händen urbar gemacht hat. Ich wollte auch so etwas tun.«

»An deinen Dad kann ich mich kaum noch erinnern«, sagte Winona. »Ich weiß nur noch, dass er riesig war und eine Stimme wie ein Grizzlybär hatte. Wenn er rief, hatte ich immer Angst.«

Luke lehnte sich zurück. »Hab ich dir je erzählt, dass ich nicht mehr reden wollte, als er starb?«

»Nein.«

»Ein Jahr hab ich nicht mehr gesprochen. Das war im dritten Schuljahr. Ich weiß, dass alle besorgt waren – meine Mom hat mich ständig zum Arzt geschleift, damit er irgendwelche Tests an mir vornehmen konnte, und sie hat die ganze Zeit geweint – aber ich fand meine Stimme einfach nicht mehr.«

»Und dann?«

»Ich schätze, ich bin drüber hinweggekommen. Eines Tages blickte ich meine Mom über den Esstisch hinweg an und sagte: ›Gibst du mir mal bitte die Tomaten?‹«

Sie schaute ihn an und erinnerte sich, wie sehr der Verlust eines Elternteils schmerzen konnte. Ihr tat es leid um den kleinen Jungen, der er gewesen war, und am liebsten hätte sie die Hand ausgestreckt und ihn berührt; vielleicht auch gesagt, wie ähnlich sie sich seien. Stattdessen wandte sie den Kopf ab, damit er nicht die Sehnsucht in ihrem Blick sah. »Was hat Vivi Ann gesagt, als du ihr von deinem Dad erzählt hast?«

»Ach, Vivi und ich reden nicht über solche Dinge.«

»Warum nicht?«

»Du weißt doch, wie sie ist. Sie will einfach nur Spaß haben. Das liebe ich auch so an ihr. Es gibt schon genug ernste Menschen.«

Winona fühlte sich zurückgesetzt, auch wenn er das nicht beabsichtigt hatte. Hier saß sie, direkt neben ihm, und hörte sich seine Geheimnisse an. Und nicht mal jetzt sah er sie wirklich.

Männer interessierten sich nur für das Aussehen einer Frau. Es war ihr Fehler, dass sie mehr von ihm erwartet hatte.

»Darf ich dir ein Geheimnis verraten?«, fragte er.

Die Ironie des Ganzen war ihr nur zu deutlich bewusst. Trotzdem lächelte sie nicht. »Natürlich. Geheimnisse sind bei einem Anwalt gut aufgehoben.«

Er griff in seine Manteltasche und holte eine kleine blaue Samtschatulle hervor.

Winona wusste nicht, wie sie die Kraft aufbrachte, die Hand auszustrecken und die Schatulle zu nehmen. Ihr Herz klopfte so laut, dass sie nicht mal mehr die Wellen am Kanal hörte. Langsam öffnete sie den Deckel. Auf dem blauen Samt lag ein Diamantring, der im Mondlicht wie ein winziger Stern am Himmel funkelte. Einen schrecklichen Moment lang glaubte sie, sie müsste sich übergeben.

»Ich will sie um ihre Hand bitten«, sagte er.

»Aber … ihr seid doch erst drei Monate zusammen …«

»Ich bin achtundzwanzig, Win. Alt genug, um zu wissen, was ich will.«

Etwas in ihrem Innern erstarb und verwandelte sich langsam zu Asche. »Und du willst Vivi Ann.« Hörte er, wie brüchig ihre Stimme auf einmal klang? Sie wusste es nicht; es kümmerte sie auch nicht.

»Das kann doch nicht verwundern, oder?«

Winona wusste nicht, was sie darauf sagen sollte. Vivi Ann fiel einfach alles zu; vor allem Liebe.

»Sag, dass du dich für mich freust, Win«, bat er.

Sie sah ihm in die Augen und log.

Vier

Am Abend des Festessens anlässlich der Preisverleihung betrachtete Vivi Ann kritisch ihr Werk.

Der gesamte Hauptsaal der Eagles Hall war geschmückt worden. Kreppbänder hingen von der Decke, und rot-weiß karierte Tischdecken zierten die Tische. Vorn im Saal war ein breiter Tisch mit Podium und Mikrofon aufgebaut worden. Blumenarrangements mit hübschen Frühblühern – eine Spende des hiesigen Floristen – verliehen jedem Tisch ein festliches Aussehen. An den Wänden hingen Dutzende Poster mit Fotos vom Rodeomarathon und seinen Teilnehmern. Im Hintergrund des Saals waren große Boxen aufgestellt worden. Noch war es still, aber schon bald würden sie das Fest mit Tanzmusik beschallen.

»Wie findest du es?«, fragte sie Aurora, die ihr den größten Teil des Tages bei den Vorbereitungen geholfen hatte. Das Wetter hatte mitgespielt und ihnen einen strahlend sonnigen Frühlingstag mit wolkenlosem Himmel beschert.

»Mehr kann man aus dem alten Saal nicht rausholen«, sagte Aurora.

Der Meinung war Vivi Ann auch. »In etwa einer Stunde wird Mae alles fürs Essen bringen.«

Aurora legte den Hammer beiseite, kam zu Vivi Ann und legte ihr einen Arm um die Taille. »Du hast großartige Arbeit geleistet. Der Rodeomarathon war ein voller Erfolg, und vom Bankett wird die ganze Stadt reden.«

»Ich hoffe nur, dass die Mädels ihre Väter mitbringen. Das

erste Team-Roping ist schon in zwei Wochen. Ich möchte, dass sich so früh wie möglich viele Teilnehmer melden.«

»Die ganze Stadt ist mit Flyern zugepflastert. Die Lassowerfer kommen ganz bestimmt.«

»Das will ich auch hoffen. Das Barrel-Racing war ein guter Start – weil es nicht so viel kostet –, aber wenn das Roping nicht funktioniert, ist schon wieder Schluss.«

»Apropos Schluss, wie geht es eigentlich Luke?«

Vivi Ann lachte. »Ich hab nie gesagt, dass ich Schluss mit ihm machen werde.«

»Aber du hast auch nicht das Gegenteil behauptet. Im Ernst, Vivi, ich hab euch neulich im Outlaw gesehen. Du hast ausgesehen, als würdest du auf Wolken schweben.«

»Nichts Ungewöhnliches im Outlaw. Das liegt am Tequila.«

Aurora setzte sich zu ihr an den Tisch und sah sie an. »Bist du in ihn verliebt?«

Vivi Ann wusste, dass die ganze Stadt über sie und Luke redete. Alle fanden es toll, dass er in sie verliebt war. An ihrem regelmäßigen Wochenendbesuch in der Outlaw Tavern erzählte er jedem, der zuhörte, sie hätte ihm bei einem Becher Eis das Herz gestohlen. »Ein Blick nur, und ich wusste Bescheid«, sagte er immer.

Sie hatte keine Ahnung, was sie darauf erwidern oder auch nur fühlen sollte. Sie mochte Luke, wirklich. Sie hatten viel gemeinsam und eine Menge Spaß.

Aber Liebe?

Wie sollte sie sich da sicher sein? Sie wusste nur, dass sie schon fast drei Monate zusammen waren und er in ihrer Gegenwart immer noch so unsicher war und sie so vorsichtig anfasste, als befürchtete er, sie könnte an seiner Leidenschaft zerbrechen. Als er ihr am Abend zuvor einen Gutenachtkuss gab, hatte sie gespürt, dass sie mehr wollte, mehr brauchte. Aber wie sollte man einem anständigen Kerl beibringen, dass er ruhig mal etwas unanständiger sein konnte?

»Du antwortest mir nicht«, stellte Aurora fest.

»Ich wüsste nicht, was.«

Aurora bedachte sie mit einem merkwürdigen Blick. »Das ist auch eine Antwort.«

Da Vivi Ann lieber nicht darauf eingehen wollte, wechselte sie das Thema. »Wo ist Winona? In den letzten Wochen war sie irgendwie reserviert. Ist dir das nicht aufgefallen?«

Aurora stand auf und fing an, das Blumenbukett auf dem Tisch neu zu arrangieren. »Was meinst du denn?«

»Hat sie Probleme auf der Arbeit? Sie sagte, sie hätte Besseres zu tun, als die Eagles Hall zu schmücken.«

»Ich glaube, sie hat gerade einen großen Fall.«

»Luke meinte, sie sei ihm gegenüber auch ziemlich zurückhaltend.«

»Du kennst doch Win. Wenn sie sich in eine Sache verbissen hat …«

»Ja. Aber ich finde es schade, dass sie uns nicht mehr besuchen kommt.«

»Daran wirst du dich wohl gewöhnen müssen. Du bist jetzt mit Luke zusammen.«

»Was hat denn das eine mit dem anderen zu tun? Du bist auch verheiratet, trotzdem sehe ich dich ständig. Wir gehen immer noch jeden Freitag zusammen ins Outlaw. Schwestern sind wichtiger als Männer, schon vergessen? Das haben wir uns vor langer Zeit geschworen. Nur weil ich jetzt mit jemandem zusammen bin, heißt das noch lange nicht, dass ich dich und Win fallen lasse. So wichtig kann kein Mann sein.«

Sie hörte Aurora seufzen. »Ich weiß. Das habe ich ihr auch gesagt.«

»Also habt ihr schon darüber geredet? Was hat sie gesagt? Was ist denn los?«

Da ließ Aurora endlich die Blumen in Ruhe und blickte auf. »Ich hab ihr gesagt, sie sollte nicht ständig so viel arbeiten.«

»Gut. Wenn sie heute Abend kommt, werde ich ihr das auch noch mal sagen.«

»Tja, sie kommt aber nicht.«

»Was?«

»Das ist dein Abend.« Aurora verstummte kurz. »Und in letzter Zeit hattest du einige davon. Lass sie einfach mal eine Weile in Ruhe, ja? Gib ihr Zeit zum Nachdenken. Sie fühlt sich im Moment zerbrechlich.«

»Winnie? Die ist so zerbrechlich wie ein Presslufthammer.«

»Ach, komm«, sagte Aurora in einem Ton, als wollte sie das Thema abschließen. »Lass uns nicht mehr über Win reden. Hier ist jetzt alles fertig. Ziehen wir uns um.«

Vivi Ann folgte ihrer Schwester auf die Toilette, wo sie ihre Abendkleider an eine der Kabinentüren gehängt hatten. Während sie sich umzog und fertigmachte, vergaß sie Winonas Launen und konzentrierte sich darauf, so gut wie möglich auszusehen. Sie rollte ihr langes blondes Haar auf große, elektrische Lockenwickler und gab Festiger darauf. Um ihre Vorzüge hervorzuheben, brauchte sie nur wenig Schminke: Mascara, Rouge und Lipgloss. Dann zog sie ein fließendes, ärmelloses Kleid mit großen Tupfen und einem breiten, schmucksteinbesetzten Gürtel und ihre guten Stiefel an.

Die nächsten zwei Stunden schwebte sie wie auf Wolken. Das Festessen war ein durchschlagender Erfolg. Fast doppelt so viele Gäste wie erwartet waren erschienen und hatten sich großartig amüsiert. Kaum hatte sie die Preise verliehen und allen für ihre Teilnahme gedankt, gab es schon Anfragen für einen zweiten Rodeomarathon im Herbst.

»Beim nächsten Mal ist der Hauptpreis ein Sattel«, sagte sie zu Luke, als der sie über die Tanzfläche wirbelte. »Wir brauchen wirklich gute Sachpreise. Und viele Geldpreise. Dann kommen die Leute immer wieder. Statt einem Jackpot pro Monat könnten wir auch zwei veranstalten.« Sie musste über ihre eigene Begeisterung lachen. Sie fühlte sich, als hätte sie zu viel Champagner getrunken, und wollte nicht, dass es aufhörte.

Als das Bankett schließlich zu Ende war, der Saal sich geleert hatte und alle nach Hause aufgebrochen waren, wollte sie immer noch nicht gehen.

»Lass uns einen Spaziergang machen«, schlug Luke vor und brachte ihr ihren Wollmantel.

»Großartige Idee.« Sie schnappte sich eine halbvolle Flasche Champagner und nahm sie mit. Hand in Hand spazierten sie durch den Ort. Vivi Ann erzählte in einer Tour. Sie schwelgte so in ihrem Erfolg, dass sie leicht überrascht war, als sie schließlich am Waves Restaurant landeten. Es war zwar schon geschlossen, aber Luke führte sie auf die Terrasse, wo sie sich an ein schmiedeeisernes Tischchen mit zwei Stühlen setzten. Dort saßen sie im Licht einer einzelnen Außenlampe, während die Wellen vom Hood Canal unruhig gegen das Ufer unter ihnen schlugen. »Hast du gesehen, wie mein Dad heute Abend gelächelt hat?«, sagte sie. Schon seit Stunden dachte sie daran und beschwor es immer wieder vor ihrem inneren Auge, um es nie zu vergessen. »Ich weiß, dass ihm das viel bedeutet. Er hat zwar nie was gesagt, aber ich weiß, er hatte immer das Gefühl, nicht in die Fußstapfen seines Vaters getreten zu sein. Aber wenn wir Water's Edge wirklich profitabel machen, hinterlässt er seine eigenen Fußstapfen und ist ein weiterer Grey, den die Leute nicht vergessen werden.«

»Ich glaube, dein Vater hat noch aus einem anderen Grund gelächelt.«

»Wirklich?«

»Ich habe gestern Abend mit ihm gesprochen.«

»Und das war so lustig?«, scherzte sie und goss Champagner in die mitgebrachten Gläser.

Luke griff in seine Manteltasche und holte eine kleine

Schatulle hervor. »Heirate mich, Vivi Ann«, sagte er, klappte die Schatulle auf und präsentierte ihr den Diamantring.

Es war, als wäre man von einem Ball am Kopf getroffen worden; man wusste sofort, man hätte ihn kommen sehen und sich ducken sollen. Vivi Ann suchte verzweifelt nach einer Antwort, nach irgendetwas, was sie sagen konnte. Doch sie wusste, dass nur ein Ja unter Freudentränen ihn glücklich machen würde.

»Das hat deinen Dad zum Lächeln gebracht«, sagte er.

Vivi Ann spürte, wie ihr die Tränen kamen, aber es waren nicht die richtigen, nicht die, die er verdient hatte. »Das geht mir zu schnell, Luke. Wir sind doch gerade erst zusammengekommen. Wir haben nicht mal –«

»Der Sex wird großartig sein. Das wissen wir beide, und ich respektiere, dass du warten willst, bist du bereit bist.«

»Darum geht es nicht. Es ist nur –« Sie konnte nicht mal ihren Gedanken zu Ende formulieren. Es war einfach unmöglich, ihm den Gefallen zu tun, seinen Ring anzunehmen und ihr Schicksal damit zu besiegeln. Als sie ihn anblickte, spürte sie, wie Traurigkeit in ihr aufkam. Sie hatte – albernerweise – geglaubt, wenn sie nicht mit ihm schliefe, würde ihre Beziehung sich nicht so schnell festigen, aber da hatte sie falschgelegen. Er hatte sich trotzdem in sie verliebt. »Wir kennen uns ja kaum.«

»Das stimmt doch nicht.«

»Was ist mein Lieblingseis?«

Er rückte von ihr ab und runzelte die Stirn. Offensichtlich dämmerte ihm, dass irgendwas schieflief. »Schoko-Kirsch. Dunkel und süß.«

Diese Frage stellte sie jedem Mann, der behauptete, sie zu lieben. Es war ein Test, wie gut sie sie wirklich kannten. Sie nannten immer irgendwas Exotisches, weil sie sie so sahen, aber in Wirklichkeit war sie nicht so. Die meisten Männer, mit denen sie ausging – Luke eingeschlossen –, starrten verzückt in ihr Gesicht, erklärten ihr schon nach ein paar Monaten ihre Liebe und dachten, mehr wäre nicht nötig. »Vanille«, erwiderte sie. »Tief im Innern bin ich wie schlichtes, altmodisches Vanilleeis.«

»An dir ist nichts Schlichtes«, widersprach er sanft und berührte so zärtlich ihre Wange, dass sie sich nur noch elender fühlte.

»Ich bin noch nicht bereit, Luke«, sagte sie schließlich.

Eine ganze Weile schaute er sie nur prüfend an, als sei ihr Gesicht unbekanntes Terrain, das er nun studieren müsse. Dann küsste er sie.

»Dann warte ich«, versprach er.

»Aber was ist –«

»Ich werde warten«, wiederholte er und unterband jeden weiteren Protest. »Ich vertraue dir. Eines Tages bist du so weit.«

Nein, das glaube ich nicht, wollte sie sagen, brachte es aber nicht heraus.

Viel später, als sie wieder im tröstend stillen Farmhaus war, sah sie sehnsüchtig auf die geschlossene Zimmertür ihres Vaters und wünschte sich, sie hätte eine Mutter, mit der sie darüber reden könnte. Müde schleppte sie sich nach oben, machte sich bettfertig, zog die Decke von ihrem Bett und ging zum Fenster. Die Ranch erstreckte sich vor ihr in der Dunkelheit, nur hier und da erhellt von dem Mond, der genauso kraftlos wirkte, wie sie sich fühlte. Sie wusste, dass direkt hinter dem Wäldchen Lukes Land lag, und fragte sich plötzlich, ob das etwas zu bedeuten hatte. Natürlich nicht, was es für ihren Vater bedeutete; sondern auf einer tieferen, wichtigeren Ebene, als etwas Verbindendes: Man war vor demselben Hintergrund aufgewachsen, kannte dieselben Leute und hatte dieselben Ziele. Natürlich konnte eine Grundstücksgrenze etwas Trennendes sein; aber war es nicht auch etwas Gemeinsames?

Sie wandte sich vom Fenster ab, kletterte ins Bett und bemühte sich vergeblich, nicht immer wieder an seinen Heiratsantrag zu denken.

Wenn sie nur jemanden gehabt hätte, mit dem sie über ihre Gefühle hätte reden können. Natürlich waren da ihre Schwestern, aber irgendwie hatte sie Angst vor dem, was sie sagen würden. Was, wenn sie geduldig zuhörten, dann den Kopf schüttelten und sagten: »Werde erwachsen, Vivi. Er ist ein guter Mann«?

Sollte sie sich damit zufriedengeben? War es so falsch, von Leidenschaft zu träumen? Auf etwas – auf mehr – zu hoffen? Sie hatte sich immer vorgestellt, die Liebe würde sie wie ein Blitz treffen, heftig und gefährlich; sie würde ihr den Boden unter den Füßen wegziehen, sie in Stücke zerreißen und zu einem ganz neuen Menschen formen, der sie sonst nie hätte sein können.

War es dumm von ihr, daran zu glauben?

Winona fühlte sich, als würde sie, ganz langsam, innerlich verderben – wie eine Tomate, die zu lange am Strauch blieb. In den letzten Tagen hatte sie Lisa angeschrien, einen Klienten verloren und fünf Pfund zugenommen. Sie konnte nicht anders, konnte sich nicht beherrschen. Die ganze Zeit wartete sie darauf, dass Vivi Ann sie anrief und ihr die große Neuigkeit ihrer Verlobung mitteilte.

Sie wollte glauben, dass Vivi Ann ihn auslachte und seinen lächerlichen Antrag zurückwies. Ihre kleine Schwester war weiß Gott noch nicht bereit, sich zu binden, aber Luke Connelly war der beste Fang in der ganzen Stadt, und Vivi Ann hatte schon immer das Beste bekommen.

Dienstagnachmittag war Winona nur noch ein einziges Wrack. Ihre Eifersucht wuchs ununterbrochen und drückte ihr langsam die Luft ab. Manchmal, wenn sie daran dachte, was Vivi Ann ihr alles gestohlen hatte, glaubte sie zu ersticken.

Gerade als sie dachte, es könne nicht mehr schlimmer werden, meldete sich Lisa über die Gegensprechanlage und sagte: »Hey, Winona. Ihr Vater ist auf Leitung eins.«

»Dad?«

Sie versuchte sich zu erinnern, wann er sie das letzte Mal auf der Arbeit angerufen hatte, doch es wollte ihr nicht gelingen. »Danke, Lisa.« Sie nahm den Hörer und meldete sich.

»Travis, dieser Idiot, ist weg«, unterbrach er ihre Begrüßung. »Er ist ohne Vorwarnung auf und davon, und das Cottage sieht aus, als hätte eine Bombe eingeschlagen.«

»Ist das nicht Vivi Anns Problem? Ich bin doch keine Putzfrau.«

»Erspar dir die Klugscheißerei. Hast du nicht gesagt, du würdest jemanden für uns einstellen?«

»Ich arbeite dran. Ich habe ein paar Vorstellungsgespräche.«

»Vorstellungsgespräche? Was soll das, wir sind doch nicht IBM! Wir brauchen nur jemanden, der sich mit Pferden auskennt und harte Arbeit nicht scheut.«

»Nein, ihr braucht jemanden mit diesen Qualitäten, der verspricht, den ganzen Sommer bei euch zu bleiben. Und so jemanden zu finden ist gar nicht leicht.« Das hatte sie schmerzlich erkennen müssen. Der Sommer war Rodeosaison, und keiner der Männer, die sich auf ihre Anzeigen gemeldet hatten, wollte sich längerfristig verpflichten. Die meisten waren arbeitslos, aber Cowboys waren auf ihre Art romantisch und hingen an ihrer Lebensart. Daher meinten sie alle, sie müssten nur den Rodeos folgen und würden damit ihr Glück machen.

»Willst du damit sagen, du schaffst das nicht? Na, das hättest du uns weiß Gott früher sagen sollen.«

»Ich schaffe es«, unterbrach sie ihn scharf.

»Gut.«

Er legte so schnell auf, dass sie vom Leerzeichen überrascht wurde. »Schön, mit dir zu reden, Dad«, murmelte sie und legte auf. »Lisa«, sagte sie dann in die Gegensprechanlage, »ich möchte, dass Sie sich heute und morgen freinehmen und in allen Futtermittelläden von Shelton, Belfair, Port Orchard, Fife und Tacoma Flyer mit unserer Stellenanzeige auslegen. Außerdem will ich die Anzahl der Zeitungsanzeigen im Umkreis Olympia bis Longview verdoppeln. Geht das?«

»Das nenne ich nicht gerade ›freinehmen‹«, erwiderte Lisa lachend. »Aber ich übernehme das. Tom arbeitet diese Woche in der Mittagsschicht.«

Winona merkte, wie herrisch sie geklungen hatte. »Tut mir leid, wenn ich mich komisch angehört habe.«

Sie verschränkte die Arme auf dem Schreibtisch und legte den Kopf darauf. Sie spürte bereits, wie es hinter ihrem rechten Augenlid schmerzhaft zu pochen begann.

Sie merkte kaum, wie die Zeit verging, während sie so mit dem Kopf in den Armen verborgen dasaß und sich vorstellte, wie ihr Leben sich verändern würde.

Sie hat Schluss gemacht, Win …

Natürlich, Luke, komm her. Ich kümmere mich um dich …

Weil sie in ihre vertraute Lieblingsfantasie versunken war, merkte sie erst mit Verzögerung, dass jemand mit ihr sprach. Langsam hob sie den Kopf und öffnete die Augen.

Vor ihr stand Aurora und musterte sie prüfend. »Hör auf, von Luke zu träumen. Du kommst jetzt mit.«

»Er wird Vivi einen Antrag machen«, sagte sie leise, weil ihr sogar die Kraft fehlte, lauter zu sprechen.

Auroras Gesicht verzog sich vor Mitleid. »Oh.«

»Hast du irgendeinen gutgemeinten Rat für mich?«

»Ich sage nichts mehr dazu. Nur, dass du auf der Stelle mit Vivi Ann reden musst. Bevor noch was Schlimmes passiert.«

»Wozu denn? Sie kriegt doch immer, was sie will.« Winona spürte, wie sich die Verbitterung wieder in ihr rührte.

»Mit solchen Gedanken vergiftest du dich. Wir sind *Schwestern.*«

Winona versuchte sich vorzustellen, wie sie Auroras Rat folgte. Sie überlegte sich sogar, was genau sie sagen sollte. Aber sie musste immer wieder daran denken, wie furchtbar demütigend das wäre. »Nein, danke.«

Aurora seufzte. »Jedenfalls hat sie offensichtlich noch nicht ja gesagt, sonst hätten wir es schon gehört. Vielleicht weiß Vivi Ann, dass sie dazu noch nicht bereit ist. Du weißt doch, wie romantisch sie ist. Sie will überwältigt werden. Bei ihr muss es Liebe auf den ersten Blick sein, ansonsten ist es keine Liebe. Und Luke hat sie wohl nicht vom Gegenteil überzeugt.«

Winona ließ es zu, dass wieder Hoffnung in ihr keimte. Es war nur ein winziges Licht am Ende des Tunnels, aber viel besser als die Dunkelheit, in der sie gesteckt hatte. »Ich bete, dass du recht hast.«

»Ich habe immer recht. Aber jetzt steh auf. Travis ist aus heiterem Himmel abgehauen. Wir müssen Vivi Ann helfen, das Cottage aufzuräumen.«

»Und wenn sie mir ihren Ring zeigt?«

»Du hast dich selbst in diese Lage gebracht; jetzt sieh zu, wie du da wieder rauskommst.«

»Ich zieh andere Sachen an.«

»Das wird wohl nicht reichen, Win.«

Winona ignorierte die Spitze – oder war es ein Rat? – und ging hinauf in ihr Schlafzimmer, um sich Jeans und ein ausgeleiertes Uni-Sweatshirt anzuziehen.

Kurz darauf saßen sie im Wagen und fuhren zur Ranch.

In der Küche herrschte Chaos. Auf allen Oberflächen und in der Spüle stapelte sich benutztes Geschirr. Vivi Ann kniete auf den Holzdielen und schrubbte sie sauber. Selbst mit ihren ältesten Klamotten und einem nachlässigen Pferdeschwanz sah sie immer noch umwerfend aus.

»Ah, ihr seid gekommen«, sagte sie und bedachte sie mit ihrem strahlenden Lächeln.

»Na klar. Wir sind doch eine Familie«, erwiderte Aurora mit leichter Betonung auf dem letzten Wort. Sie stieß Winona mit dem Ellbogen an, worauf diese vorwärtsstolperte.

»Tut mir leid, dass ich das Bankett verpasst habe, Vivi Ann. Ich hab gehört, es war ein toller Abend.«

Vivi Ann stand auf, zog sich die gelben Gummihandschuhe aus und warf sie neben den Eimer. »Ich hab dich schmerzlich vermisst. Es war wirklich großartig.«

Winona sah an ihrem Blick, wie verunsichert sie war, und wusste, dass sie ihr weh getan hatte. Manchmal vergaß Winona, dass Vivi Ann trotz ihrer Schönheit genauso verletzlich war wie jeder andere. »Tut mir leid«, sagte sie und meinte es auch so.

Vivi Ann nahm die Entschuldigung mit einem strahlenden Lächeln an.

»War noch was, nachdem ich gegangen bin?«, fragte Aurora.

Vivi Anns Lächeln verblasste. »Komisch, dass du fragst. Ich hab schon darüber nachgedacht, wie ich es euch beibringen soll. Luke hat mich gebeten, ihn zu heiraten.«

»Er hat mir schon erzählt, dass er das vorhat«, sagte Winona. Irgendwie schien der Satz von einer Klippe zu fallen und in tiefem Schweigen zu landen.

»Ach!« Vivi Ann runzelte die Stirn. »Dann hättest du mich doch vorwarnen können.«

»Normalerweise muss man da nicht vorgewarnt werden«, bemerkte Aurora sanft.

Vivi Ann blickte sich in dem Cottage um. »Er ist einfach perfekt für mich«, meinte sie schließlich. »Eigentlich sollte ich überglücklich sein.«

»Eigentlich?«, hakte Winona nach.

Vivi Ann lächelte, aber es wirkte gezwungen. »Ich weiß nicht, ob ich schon bereit bin zu heiraten. Aber Luke sagt, er liebt mich so sehr, dass er warten will.«

»Wenn du nicht weißt, ob du bereit bist, bist du es nicht«, warf Aurora ein.

Wieder breitete sich unbehagliches Schweigen zwischen ihnen aus.

»Genau«, sagte Vivi Ann dann. »Das dachte ich mir auch. Aber jetzt lasst uns hier aufräumen.«

Winona seufzte leise und spürte, wie sich Erleichterung in ihr breitmachte. Vielleicht gab es doch noch Hoffnung.

Und sie dankte Gott dafür. Denn in letzter Zeit fragte sie sich allmählich, was sie Schreckliches tun würde, wenn Vivi Ann ihn wirklich heiratete.

Eineinhalb Wochen später saß Winona an dem großen, alten Holzschreibtisch im Arbeitszimmer ihres Vaters, von dem aus man über das glatte blaue Wasser des Hood Canals blicken konnte. Es war ein klarer Tag, daher kamen ihr die Bäume am gegenüberliegenden Ufer so nah vor, als bräuchte sie nur die Hand auszustrecken, um sie zu berühren; unglaublich, dass sie über eine Meile entfernt waren. Sie hatte sich gerade die nächste Rechnung vorgenommen – für Bauholz –, da hörte sie einen Wagen vorfahren. Kurz darauf ertönten schwere Schritte auf den Stufen der Veranda, und dann klopfte jemand.

Sie schob die Rechnungen beiseite und ging öffnen.

Auf der Veranda stand ein Mann und blickte auf sie herab. Zumindest dachte sie das, genau feststellen konnte sie es nicht, da ein staubiger weißer Cowboyhut die obere Hälfte seines Gesichts bedeckte. Der Mann war groß und breitschultrig und trug zerschlissene, schmutzige Jeans und ein Bruce-Springsteen-T-Shirt, das schon bessere Tage gesehen hatte. »Ich bin wegen dem Job hier.«

Sie meinte, einen leichten Akzent zu hören – Texas oder auch Oklahoma. Dann nahm er den Hut ab und strich sich sofort die schulterlangen, glatten schwarzen Haare aus dem Gesicht. Seine Haut war so dunkel wie gutgegerbtes Leder und ließ seine grauen Augen fast unnatürlich hell leuchten. Seine Züge waren scharf und markant, wenn auch nicht gerade attraktiv, denn seine Nase war so schmal, dass er wild und leicht gemein wirkte. Er war auch dünn; sehnig wie ein ausgemergeltes Raubtier. Auf seinem linken Oberarm prangte eine schwarze Tätowierung, ein Tribal, aber keins von den Indianerstämmen aus dem Umkreis. So eins hatte sie noch nie gesehen.

»Sie wissen schon, der Job«, wiederholte er und gab ihr damit zu verstehen, dass sie ihn zu lange angestarrt hatte. »Suchen Sie immer noch nach einem Hilfsarbeiter?«

»Kennen Sie sich mit Pferden aus? Wir wollen niemanden ausbilden.«

»Ich hab auf der Poe Ranch in Texas gearbeitet. Das ist der größte Betrieb im Hill Country. Außerdem mach ich seit gut zehn Jahren Team-Roping.«

»Schon mal einen Hammer in der Hand gehabt?«

»Ich kann Sachen reparieren, wenn Sie das meinen. Außerdem bin ich zur Hälfte weiß. Vielleicht hilft Ihnen das bei Ihrer Entscheidung.«

»Das ist mir eigentlich egal.«

»Das ist wohl unter Ihrem Niveau, was?«

Sie hatte den Eindruck, er wolle sich über sie lustig machen, aber seine Miene blieb unbewegt.

»Reiten Sie Rodeos?«

»Nicht mehr.«

Sie wusste, ihr Vater würde diesen Mann – einen Indianer! – nicht einstellen und auch nicht billigen, aber sie schaltete jetzt seit über einem Monat Anzeigen, und am Samstag sollte schon der erste Roping-Jackpot stattfinden. Sie mussten jemanden finden, und zwar schnell.

Sie streifte ihre teuren blauen Pumps ab und stieg in Vivi Anns überdimensionale Gummistiefel, die immer an der Tür standen. »Kommen Sie mal mit.«

Sie hörte, wie er ihr langsam folgte und seine alten, abgetragenen Stiefel auf dem Schotter knirschten. Sie wollte sich nicht ihr Unbehagen eingestehen; es war eine unangenehme Nebenwirkung der Umgebung, in der sie aufgewachsen war, der sie nicht erliegen wollte. Sie hatte es nicht nötig, Menschen nach ihrer Hautfarbe zu beurteilen. »Hier ist der Reitstall, mit Arena und Boxen«, erklärte sie überflüssigerweise, da sie direkt davorstanden.

Er stellte sich neben sie und sagte nichts.

An der Box direkt links von ihnen befand sich ein großes weißes Poster voller Zeichnungen, Fotos und Plaketten. In runder, verschnörkelter Schrift stand darauf: *Hi! Ich bin Lizzie Michaelians Pferd Magic. Wir sind ein tolles Team. Wir haben auf dem letzten Reitturnier das rote Band gewonnen und außerdem die Auszeichnung für die sauberste Box bekommen. Wir können es kaum abwarten, auf dem nächsten Turnier zu reiten.*

»Tja«, sagte der Mann neben ihr, »ziemliche Kitschkacke.«

Winona musste unwillkürlich lächeln. Sie ging weiter und zeigte ihm die Sattelkammer, den Waschstall und den Heuspeicher. Als sie alles gesehen hatten, was Stall und Arena zu bieten hatten, führte sie ihn wieder hinaus in die Sonne.

Dort sah sie ihn direkt an. »Wie heißen Sie?«

»Dallas. Wie die Stadt. Dallas Raintree.«

»Sind Sie bereit, für mindestens ein Jahr zu bleiben?«

»Klar. Warum nicht?«

Da traf Winona ihre Entscheidung. Darum ging es schließlich. Diese Entscheidung fiel ihr zu. Wenn ihr Daddy ihn wegen seiner Hautfarbe ablehnte, war es höchste Zeit für ihn, sich zu ändern. Je länger sie darüber nachdachte, desto mehr hielt sie es für ihre Bürgerpflicht, ihn einzustellen. Außerdem gab es nicht gerade viele Anwärter auf diesen Job. Wenn er also eine Weile bleiben wollte, warum nicht? »Warten Sie hier.« Sie drehte sich um, stiefelte zum Haus zurück, zog sich wieder ihre Pumps an, holte im Arbeitszimmer ein Exemplar des Arbeitsvertrags, den sie aufgesetzt hatte, und kehrte zu ihm zurück. »Sie bekommen Kost und Logis und fünfhundert Dollar im Monat. Sind Sie einverstanden?«

Er nickte.

Winona wartete, ob er noch mehr tun, als nur dastehen und sie anstarren würde, doch als nichts kam, setzte sie sich in Bewegung und ging zu dem alten Cottage auf dem Hügel. »Hier lang.«

Oben marschierte sie quer durchs kniehohe Gras zur Cottagetür. »Wie Sie sehen können, müsste die Veranda repariert werden. Aber drinnen haben meine Schwestern und ich saubergemacht.« Sie schaltete das Licht ein und versuchte, das alte Cottage nicht wie sonst durch das emotional gefärbte Prisma ihrer eigenen Geschichte zu sehen, sondern wie ein Fremder.

Breite Dielen aus Zedernholz, die von jahrzehntelangem Gebrauch abgenutzt und verschrammt waren; ein kleines Wohnzimmer mit neu gekalkten Wänden und bunt zusammengewürfelten Möbeln – einem Sofa in ausgeblichenem Rot, zwei alten Schaukelstühlen, Grandmas altem Couchtisch –, die vor einem verrußten Steinkamin standen; eine Küchenzeile mit Geräten aus den vierziger Jahren, Arbeitsflächen aus Holz und einem blau gestrichenen Tisch mit Eichenstühlen. Durch die Wohnzimmertür konnte man auf das Schlafzimmer blicken, wo ein Metallbett mit Quilts stand. Nur das Bad war von hier aus nicht zu sehen. Allerdings konnte man von ihm höchstens sagen, dass alles funktionierte. Der durchdringende Geruch von frischer Tünche konnte nicht den älteren Geruch nach feuchtem, schimmligem Holz überdecken.

»Würde Ihnen das genügen?«, fragte sie.

»Ja, klar.«

Sie ertappte sich dabei, dass sie sein scharf geschnittenes Profil betrachtete. Sein Gesicht erinnerte sie an Scherben, denn es bestand nur aus harten Flächen und scharfen Kanten.

»Hier ist Ihr Arbeitsvertrag. Wenn Sie möchten, können Sie ihn vorher Ihrem Anwalt zeigen.«

»Was, meinem Anwalt?« Er blickte erst auf den Vertrag und dann auf sie. »Hier steht, Sie stellen mich ein, und ich verspreche, nicht vorzeitig zu gehen, oder?«

»Genau. Der Vertrag ist auf ein Jahr befristet.« Sie gab ihm den Vertrag und einen Stift.

Er ging zum Tisch und unterschrieb den Vertrag. »Was soll ich als Erstes machen?«

»Nun, ich arbeite hier eigentlich nicht. Meine Schwester und mein Vater leiten die Ranch, und im Moment sind beide nicht da. Also richten Sie sich am besten erst mal häuslich ein und erscheinen morgen früh um sechs zum Frühstück im Farmhaus. Dann wird man Ihnen sagen, was Sie zu tun haben.«

Er gab ihr den unterschriebenen Vertrag zurück.

Sie wartete, ob noch etwas käme, vielleicht ein Dank oder das Versprechen, gute Arbeit zu leisten, doch als offenkundig wurde, dass er nichts mehr zu sagen hatte, verließ sie das Cottage. Während sie die Stufen der Veranda hinunter und dann durch das hohe Gras zum Schotterweg ging, hörte sie, wie er auf die Veranda trat.

Zwar blickte sie sich nicht um, war sich jedoch sicher, dass er ihr hinterhersah.

Die Grey-Schwestern verbrachten schon seit einer Ewigkeit jeden Freitagabend zusammen, und dieser Abend bildete keine Ausnahme. Wie üblich trafen sie sich im Blue Plate Diner auf ein kurzes Abendessen und gingen dann den Shore Drive hinunter zur Outlaw Tavern. Die Männer mochten in ihrem Leben kommen und gehen – und sie in der Bar treffen –, aber ihr Essen zu dritt war in Stein gemeißelt.

Heute Abend waren sie vom für den Spätfrühling üblichen Publikum umringt. Ein paar Touristen waren bereits da, zu erkennen an den bunten Designerklamotten und den auf Hochglanz polierten SUVs, die vor der Bar parkten. Die Einheimischen hingegen nippten an ihrer Limonade, unterhielten sich leise oder lasen Zeitung und würdigten die Speisekarten nicht eines Blickes. Die meisten bestellten Gracies berühmten Hackbraten, der schon seit den frühen Achtzigern nicht mehr auf der Karte stand.

Winona stibitzte sich eine von Vivi Anns Fritten. »Ich habe heute einen Farmarbeiter eingestellt«, verkündete sie und fragte sich, was ihre Schwester wohl von Dallas Raintree halten mochte.

Vivi Ann sah auf. »Du machst Witze! Wen denn?«

»Einen Texaner. Er behauptet, er würde sich mit Pferden auskennen.«

»Und, wie ist er denn so?«

Winona überlegte, wie sie ihn am besten beschreiben sollte, sagte dann aber nur: »Ich weiß nicht. Er hat nicht viel gesagt.«

»Cowboys«, murmelte Aurora.

Vivi Ann wirkte enttäuscht. »Als wären die Mahlzeiten mit Dad nicht schon still genug. Ich glaube, bei sämtlichen Mahlzeiten mit Travis und ihm wurden nicht mehr als zwanzig Wörter gewechselt.«

»Da kannst du dich glücklich schätzen, glaub mir«, erwiderte Winona. »Mir gegenüber ist Dad –«

»Das ist jetzt kein Thema«, unterbrach Aurora sie entschieden. »Dieser Abend ist nur für uns Schwestern.« Sie blickte Winona beschwörend an.

Sie bezahlten und verließen das Restaurant.

Dann spazierten sie im lavendelfarbenen Abendlicht die Main Street hinunter.

»Zu schade, dass Luke sich nicht zu uns gesellen kann«,

sagte Winona betont beiläufig. In letzter Zeit hatte sie viel damit zu tun, sich in Vivi Anns Gegenwart möglichst normal zu benehmen.

»Er hatte einen Notfall in Gorst. Eine Stute mit Kolik.«

Sie bogen auf den Shore Drive und schlenderten in der milden Abendluft am Ufer entlang. Auf einmal gingen alle Straßenlaternen an und schufen mit ihrem goldenen Licht eine festliche Atmosphäre.

Nach und nach wurde die asphaltierte Straße zu einem Schotterweg. Hier gab es keine gepflegten Bürgersteige mehr, keine Hängeblumen an den Laternen, keine Händler, die Souvenirs verkaufen wollten. Nur noch eine unwegsame Schotterpiste, die zu einem großen Parkplatz führte. Am Ufer sah man Ted's Boatyard und den Trampelpfad, der zu Cat Morgans baufälligem Haus direkt am Hood Canal führte. Rechts von ihnen, etwas zurückgesetzt auf einem verwilderten Grundstück, stand die Outlaw Tavern. Bunte Neonreklame für Bier zierte die Fenster. Das Flachdach und die Fensterbänke waren von dichtem Moos überwuchert. Auf dem Parkplatz standen alte, verbeulte Trucks.

In der Kneipe schlängelten sie sich durch die Menge bekannter Gesichter und schoben sich um einen ausgestopften Grizzlybären, der das Maskottchen der Bar war. Jemand hatte einen BH an seine ausgestreckte Tatze gehängt. Die Luft war zum Schneiden dick, so dass man nicht so deutlich sah, wie kitschig die Bar eingerichtet war. Hinter ihnen spielte eine Band eine kaum erkennbare Version von »Desperado«.

Als sie die Theke erreicht hatten, schenkte der Barkeeper drei Schnapsgläser voll und platzierte sie vor drei freien Barhockern.

»Na, Mädels, ist das ein Service?«, fragte er.

Aurora lachte und nahm als Erste Platz. »Genau deswegen sind wir jeden Freitagabend hier, Bud.«

Fünf

Die Outlaw Tavern zeigte das übliche Wochenendpublikum. Während die Band eine verwässerte, langsame Version von »Mama, Don't Let Your Babies Grow Up to Be Cowboys« spielte, drehten sich die Pärchen auf dem Tanzboden. Vivi Ann saß auf ihrem angestammten Barhocker und wiegte sich zur Musik. Sie hatte einen netten, kleinen Schwips. Auf der Suche nach einem Tanzpartner drehte sie sich auf dem Barhocker, sah aber nur Pärchen. Aurora und Richard spielten im hinteren Teil mit ein paar Freunden Billard, und Winona war in ein Gespräch mit Bürgermeister Trumbull vertieft.

Vivi Ann wollte sich gerade wieder zur Bar wenden, als ihr ein Indianer an der Kasse auffiel. Natürlich wäre ihr jeder Fremde unter den vertrauten Gesichtern aufgefallen, aber sie war sich sicher, dass dieser Mann überall aufgefallen wäre. Mit den langen Haaren, der dunklen Haut und den raubvogelartigen Zügen sah er ein bisschen aus wie Daniel Day-Lewis in dem Film *Der letzte Mohikaner*.

Er bemerkte, dass sie ihn anstarrte, und lächelte.

Bevor sie sich umdrehen oder auch nur so tun konnte, als hätte sie ihn nicht gesehen, kam er schon auf sie zu. Sie wollte den Blick abwenden, fühlte sich aber wie gelähmt.

»Willst du tanzen?«

»Eigentlich nicht.«

Er lächelte, aber dadurch wirkten seine Züge nicht weicher. »Schon verstanden, du hast Angst. Brave, weiße Mädchen wie du haben immer Angst.«

»Ich hab keine Angst.«

»Gut.« Er griff nach ihrer Hand. Sie spürte, wie schwielig seine Haut war – ganz anders als Lukes – und wie besitzergreifend er sie auf die Tanzfläche und in seine Arme zog. Sie war überrascht; und noch mehr, als sie einen wohligen Schauer spürte.

»Ich bin Dallas«, sagte er, als die Musik kurz aussetzte.

»Vivi Ann.«

»Hast du einen Freund? Siehst du dich deshalb ständig um? Oder hast du Angst, die Nachbarn könnten über dich reden, weil du mit einem Indianer tanzt?«

»Ja. Nein. Ich meine –«

»Wo ist er?«

»Nicht hier.«

»Ich wette, er behandelt dich wie ein Porzellanpüppchen. So als könntest du zerbrechen, wenn er dich fester anpackt.«

Vivi Ann holte tief Luft und sah ihn an. »Wie kommst du darauf?«

Statt zu antworten, zog er sie an sich und küsste sie.

Für den Bruchteil einer Sekunde – länger sicherlich nicht – erwiderte sie seinen Kuss.

Dann riss sie jemand von ihm weg. Eine Gruppe Männer hatte sich um sie versammelt und drängte sie aus dem Weg. Sie grummelten wütend, aber ihre gesamte Aufmerksamkeit war auf Dallas gerichtet. Er wirkte vollkommen gelassen, und als er lächelte, dachte sie: *Das geht nicht gut aus.*

»Verschwinde! Vivi Ann hat Abschaum wie dich nicht nötig.« Das kam von Erik Engstrom, mit dem sie in der dritten Klasse gegangen war.

»Hört auf«, schrie Vivi Ann so laut, dass ihre Stimme wie Glas durch die dicke Luft schnitt und alle zum Schweigen brachte. »Was ist *los* mit euch?«

»Wir verteidigen dich nur, Vivi«, sagte Butchie und ballte seine Hände zu Fäusten.

»Ihr alle seid solche Idioten! Geht zurück an eure Tische!«

Murrend zerstreute sich die Gruppe. Sie blieb allein mit Dallas zurück.

»Ich muss mich dafür entschuldigen«, sagte sie und blickte zu ihm auf. »Wir haben nicht viele Fremde hier.«

»Warum wohl?« Lächelnd, als wäre nichts geschehen, flüsterte er ihr »Netter Kuss« ins Ohr und ging, ließ sie einfach im Chaos ihrer Gefühle unter den heißen Scheinwerfern stehen.

»Was war denn?«, fragte Winona eine Minute später. Sie war so schnell zu ihr gestürzt, dass sie außer Atem war. »Ich war gerade auf der Toilette, da meinte jemand –«

»Ich hab mit jemandem getanzt. Keine große Sache.«

Aurora gesellte sich zu ihnen. »Gute Partnerwahl, Vivi. Sehr stilvoll.«

Vivi Ann wusste nicht, was sie darauf erwidern sollte. Ihr ganzer Körper fühlte sich merkwürdig an, wie ein Motor, der zu schnell im Leerlauf lief. »Du bist gemein, Aurora.«

»Ich? Aber nicht doch. Ich weiß doch, wie du auf Tattoos stehst«, gab Aurora lachend zurück. »Und dann auch noch ein Indianer.«

»Sie hat mit einem Indianer getanzt?«, fragte Winona scharf. »Mit Tätowierungen? Wie sah er aus?«

»Heiß«, antwortete Aurora auf der Stelle.

Vivi Ann blickte zur Seite, weil sie nicht Winonas verurteilenden Blick sehen wollte. »Er hieß Dallas oder so.«

»Der Name ist unwichtig«, wehrte Aurora ab. »Wie war der Kuss?«

»Sie hat ihn geküsst?«, fragte Winona. »Vor allen Leuten?«

Vivi Ann hätte schwören können, dass ihre Schwester ein Lächeln unterdrückte. »Kommt jetzt«, fauchte sie. »Ich brauch was zu trinken.«

Aurora lachte. »Das kann ich mir denken.«

Als Vivi Ann am nächsten Morgen aufwachte, war sie unruhig, gereizt und – das war das Schlimmste – erregt. Sie zog sich ihren Bademantel an, ging ins Bad, putzte sich die Zähne und eilte dann den Flur hinunter.

Ihr Vater stand am Kamin im Wohnzimmer und sah zu, wie sie die Treppe herunterkam.

Winona stand neben ihm, schon fertig fürs Büro in einem blauen Kleid, das ihr über der Brust spannte.

»Guten Morgen«, sagte Vivi Ann und zog den Gürtel ihres Bademantels enger.

»Einen guten Morgen würde ich das nicht nennen«, erwiderte ihr Vater. »Meine Tochter macht vor aller Augen mit einem Indianer rum.«

Vivi Ann stolperte leicht. Sie hatte natürlich gewusst, dass sie sich einiges würde anhören müssen. In einer Kleinstadt wie der ihren war das, was sie getan hatte, ein saftiger Leckerbissen für die Klatschmäuler. Allerdings war sie davon ausgegangen, Dad zuerst ihre Version erzählen zu können. Wie auch immer die aussehen sollte. »Es war nichts, Daddy, ehrlich. Sag's ihm, Win. Der Tratsch wird nicht lange anhalten.«

»Sie haben was getrunken und getanzt«, sagte Winona. »Du weißt doch, dass sie gern flirtet, wenn sie was getrunken hat.«

»Win!«, rief Vivi Ann, schockiert über die Unsolidarität ihrer Schwester. »Das stimmt doch nicht.«

»Feuer ihn«, verlangte der Vater.

»Wie bitte, was meinst du damit?«, wollte Vivi Ann wissen.

»Wir können ihn nicht feuern. Er hat einen Vertrag«, warf Winona ein und sah sie direkt an. »Du hast gestern Abend mit dem neuen Rancharbeiter herumgeknutscht.«

Das ging alles viel zu schnell für Vivi Ann. Sie fühlte sich wie auf einem Boot, das leckgeschlagen war.

»Ich schäme mich für dich«, sagte ihr Vater.

Vivi Ann war zutiefst getroffen. Noch nie hatte ihr Vater so mit ihr gesprochen. Sie hatte nicht mal in Betracht gezogen, dass er sich jemals für sie schämen könnte. Plötzlich schien ihr die jahrelange Vertrautheit gefährdet; zum ersten Mal fragte sie sich, ob seine Liebe, wie ihre Schwestern behaupteten, wirklich an Bedingungen gebunden war, und das machte ihr Angst. Er war ihr Fels in der Brandung, das Fundament ihrer Familie. Alles andere war undenkbar.

Während sie nach Worten suchte, klopfte es an der Tür. Sie wusste, wer das war. »Hast du es ihm erzählt?«, fragte sie ihre Schwester.

»Die halbe Stadt war schon hier, Vivi«, sagte Winona und hätte eigentlich verärgert blicken müssen, aber in diesem seltsam surrealen Augenblick, als ihre Panik sich wirklich bemerkbar machte, hatte Vivi Ann den Eindruck, dass Winona erfreut wirkte. Und die Frage hatte sie auch nicht beantwortet.

Die Tür ging auf, und Luke stand da. Er trug Dockers und ein kariertes Flanellhemd wie bei einem ganz normalen Besuch. Aber seine Haare waren noch feucht und ungekämmt.

Sie ging auf ihn zu, weil sie plötzlich den verzweifelten Wunsch spürte, alles ungeschehen zu machen. »Sag ihnen, dass es unwichtig ist, Luke. Du weißt doch, dass wir uns lieben.« Ihre Panik wuchs, als er nichts darauf erwiderte. »Wir wollen doch heiraten. Sag Daddy, er muss sich keine Sorgen machen.«

»Ihr seid verlobt?«, fragte der Vater.

Vivi Ann drehte sich zu ihrem Vater um. »Wir wollten nur den richtigen Zeitpunkt abwarten, um es allen zu sagen.«

Da endlich lächelte ihr Dad. »Gut. Dann ist das ja erledigt. Unser erster Jackpot startet in zwei Stunden, und wir haben noch jede Menge zu tun. Ich rede jetzt mal ein Wörtchen mit unserem Neuen und setze ihn ins Bild. Von jetzt an behält er seine Hände bei sich, sonst feure ich ihn, Vertrag hin, Vertrag her.«

Kaum war er gegangen, wollte sich Vivi Ann von Luke lösen, aber er hielt ihre Hand fest und ließ sie nicht gehen.

»Hast du seinen Kuss erwidert?«, fragte er.

»Natürlich nicht!« Sie spürte, wie Winona sie von ihrem Platz aus beobachtete.

Er legte einen Finger unter ihr Kinn und zwang sie, ihn anzuschauen. Noch bevor sie ihn sah, wusste sie schon, dass seine Miene sorgenzerfurcht und sein klarer, aufrichtiger Blick von Zweifel getrübt sein würde. Sie wusste auch, dass er ihr glauben würde, weil er ihr glauben *wollte.*

»Ist alles in Ordnung mit uns?«

»Alles bestens.«

»Du machst mich zum glücklichsten Mann in Oyster Shores.«

Es hätte ein Augenblick voller Romantik sein sollen.

Aber sie wusste schon, dass sie einen Fehler gemacht hatte.

Du machst mich zum glücklichsten Mann in Oyster Shores.

Dieser Satz wurde immer und immer wieder in Winonas Kopf abgespult. Wie in Zeitlupe sah sie die ganze tragische Szene vor sich: Vivi Ann kam die Treppe herunter, und ihr schönes Gesicht zeigte Überraschung, als ihr klarwurde, was geschah ... Dad wandte sich ein einziges Mal gegen sie und sagte, er schäme sich für sie ... und dann kam Luke herein, den Blick durch Kummer und Zweifel verdüstert.

Winona wäre am liebsten zu ihm gegangen und hätte gesagt: *Sie bricht jedem das Herz.* Und dann wäre sie für ihn da gewesen. Sie hatte sogar gewagt, es sich bildlich vorzustellen, darauf zu hoffen. Und dann ...

Wir wollen heiraten.

Drei Wörter, die alles veränderten, drei Wörter, die Vivi Anns guten Ruf wiederherstellten, drei Wörter, die dem alten Mann ein Lächeln entlockten.

Winona saß vollkommen reglos im Wohnzimmer und hörte ihr Gespräch, jedoch ohne darauf zu achten. Sie konnte sich ohnehin vorstellen, worum es ging. Ganz sicher war es das für Verlobte typische Geplänkel, in dem es um Liebe, Träume und Zeremonien ging.

Sie schienen ganz vergessen zu haben, dass sie auch noch da war. Oder es war ihnen egal. Sie war nur ein weiteres sperriges Möbelstück.

Langsam stand sie auf, zwang sich, eine gleichmütige Miene aufzusetzen, und ging zu ihnen. Fast wäre sie bei ihnen stehen geblieben und hätte ihnen förmlich Glück gewünscht, doch gerade als sie sich ihnen näherte, zog Luke Vivi Ann in die Arme und küsste sie.

Es war das erste Mal, dass Winona sah, wie sie sich küssten. Sie blieb abrupt stehen und starrte sie an.

Dann setzte sie sich wieder in Bewegung, ging durchs Wohnzimmer, über die Veranda, zu ihrem Wagen. Zu schnell fuhr sie auf die Straße und war überrascht, dass sie weinte, als sie den Orca Way erreichte. Ungeduldig wischte sie sich über die Augen und bog rechts ein.

Einen Block weiter bremste sie und blieb mitten auf der Straße abrupt stehen.

Wir wollen heiraten.

Wie konnten Luke und Dad so dumm sein? Sahen sie nicht, dass Vivi Ann das aus lauter Verzweiflung behauptet hatte? Dass sie sich selbst ins Verderben ritt, nur um sie nicht zu enttäuschen?

»Gar nicht erst darüber nachdenken«, murmelte sie. Irgendwie musste sie es schaffen, sich nicht darüber aufzuregen. Aurora hatte recht, das hatte Winona immer gewusst. Schwestern waren wichtiger als Männer. Sie *musste* einfach aufhören, sich nach Luke zu verzehren, sonst würde sie alles kaputtmachen. Aber wie sollte sie das schaffen? Alle Vernunftsgründe dieser Erde hatten nichts bewirkt. Groll war in ihrem Innern aufgekeimt, und selbst jetzt spürte sie, wie er Wurzeln trieb.

Stunden nachdem der Jackpot geendet hatte, saß Vivi Ann auf der Absperrung der Arena und starrte auf den Lehmboden. Die letzten vierundzwanzig Stunden zählten zu den schlimmsten ihres Lebens. Wie ein Lauffeuer hatte sich der Tratsch über ihr unmögliches Verhalten am Vorabend in der Stadt verbreitet. Die Ankündigung ihrer Verlobung mit Luke hatte das Schlimmste verhindert, aber trotzdem bemerkte sie, dass die Leute sie prüfend anstarrten und flüsterten, wenn sie an ihnen vorbeiging.

»Hey.«

Sie sah nach links.

Dallas stand in der offenen Tür der Arena: ein langgestreckter Schatten im orangefarbenen Abendlicht. Im Getriebe dieses Tages hatte sie ihn fast vergessen. Fast.

»Wie lange stehst du schon da?«

»Lange genug.«

Sie rutschte vom Geländer und ging auf ihn zu.

»Hat dir schon mal jemand gesagt, dass du keine Ahnung hast, wie man einen Jackpot veranstaltet?«

Sie seufzte. Das mussten mittlerweile wohl alle mitbekommen haben. »Hast du was zu essen bekommen?«

»Ja.« Er schob seinen Hut gerade so weit nach oben, dass sie seine Augen sehen konnte. Sie waren grau wie der Sund im Winter. Unergründlich. »Also, wer wird mich feuern? Du oder Daddy?«

Es war erst einen Tag her, und doch hatte sie das Gerede über den Kuss schon satt. »Wir haben 1992, Dallas, nicht 1892. *Ich* stecke in Schwierigkeiten, nicht du.«

»Ich habe deinem makellosen Ruf geschadet?«

»So in etwa. Eigentlich dachte ich, nach dem Fiasko in der Bar würdest du alles hinschmeißen.«

»Sehe ich so aus?« Er trat auf sie zu. »Oder hast du vielleicht gedacht, Indianer seien arbeitsscheu? Hatten deine Freunde vielleicht deshalb was dagegen, dass ich dich küsse?«

»Hier kümmert es niemanden, dass du Indi... Ureinwohner Amerikas bist. Es ging um mich. Himmel noch mal, ich war Austernkönigin. Viermal sogar. Und mein Freund ist allseits beliebt. Du hättest auch Ärger bekommen, wenn du so weiß wärst wie Dracula.«

»Austernkönigin?« Lächelnd trat er noch näher zu ihr. »Dann hast du wohl gewisse Talente wie Fackelschwingen oder Evergreens singen?«

»Nein, was ich habe, ist ein Freund. Ein Verlobter«, korrigierte sie sich und reckte ihr Kinn. »Hast du das verstanden?«

»Weiß denn dieser Verlobte«, flüsterte Dallas, »dass du meinen Kuss erwidert hast?«

Vivi Ann drängte sich an ihm vorbei und sagte im Gehen: »Morgen ist Sonntag. Ich nehme nicht an, dass du zur Kirche gehst, aber wir gehen, daher gibt es kein Frühstück. Sonntags füttere ich die Pferde, das einzige Mal in der Woche. Komm um Punkt vier Uhr zum Haus, sonst werfe ich dein Essen ins Klo.«

Als sie ins Haus kam, wartete schon ihr Vater auf sie. »Na wunderbar«, murmelte sie, zog die Stiefel aus und stellte sie neben die Tür. Sie hatte nicht die geringste Lust, mit ihm zu reden. Worum sollte es schon gehen? Um das Gerede über den Abend zuvor? Ihre Verlobung? Das vermasselte Roping? Dallas?

»Ich gehe ins Bett, Dad. Wir reden morgen«, erklärte sie und ging, ohne aufzublicken, zur Treppe. Sie hatte schon die Hälfte zurückgelegt, da hörte sie ihn sagen: »Halt dich von diesem Indianer fern.«

Ohne ein Wort ging sie weiter. Als sie sich im Bad umzog und die Zähne putzte, hörte sie noch mal seine Ermahnung.

Halt dich von diesem Indianer fern.

Sie nahm den Unterton in seiner Stimme wahr, das Vorurteil, die Abneigung, und zum ersten Mal im Leben schämte sie sich für ihn.

Trotzdem wusste sie, dass es ein guter Rat war.

Sechs

Der Mai brachte viel Sonnenschein zum Hood Canal. In der gesamten Küstenregion wurde alles für den Sommer vorbereitet. Markisen wurden entrollt, gereinigt und montiert, Grillgeräte repariert, und Fahrten zur Gärtnerei wurden fast so häufig wie zum Supermarkt. Von einem Tag auf den anderen füllten sich die Kästen auf Veranden und Terrassen mit bunten Blumen. Jeder wusste, dieser Vorbote des kommenden Sommers war trügerisch, doch keinen kümmerte es. Ein paar sonnige Tage im Mai trösteten über einen verregneten Juni hinweg.

Ein paar Tage lang bemühte sich Vivi Ann nach Kräften, Dallas Raintree zu ignorieren. Sie stand früher als üblich auf und machte Frühstück für sie drei, doch wenn Dallas kam, sorgte sie dafür, dass sie nicht da war. Jeden Morgen hinterließ sie eine Liste mit Aufgaben für ihn auf dem Küchentisch – denen ihr Dad noch einige hinzufügte –, und zum Abendessen (das sie ebenfalls mied) waren diese Pflichten immer erledigt. Selbst ihr Vater, der andere ziemlich kritisch beurteilte, musste zugeben, dass Dallas »sich auf einer Ranch ganz gut auskannte«. Am Ende der Woche interessierte sich wundersamerweise kein Mensch mehr für Vivi Anns Entgleisung in der Bar. Die Flut ihrer Hochzeitspläne hatte alles weggespült.

Natürlich tratschten die Leute weiter und zeigten mit dem Finger auf Dallas, wenn er die Outlaw Tavern oder den Futtermittelladen betrat, doch das war jetzt unwichtig. Henry

Grey hatte ihn als neuen Arbeiter auf seiner Ranch akzeptiert, und das setzte jeder Diskussion ein Ende. Wenn man ihn fragte, sagte er nur: »Ich muss zugeben, der Kerl macht sich gar nicht so schlecht auf der Ranch«, und damit hatte es sich.

Vivi Ann wünschte sich, sie könnte das alles auch so schnell vergessen.

Jetzt, an diesem strahlenden Nachmittag, stand er in der Tür des Reitstalls und fegte Staub, Erde und Strohreste hinaus in die Sonne.

Es war zu spät, so zu tun, als hätte sie ihn nicht gesehen, daher lächelte sie – oder fletschte eher die Zähne – und ging zu ihm.

»Könntest du zum Futtermittelhändler fahren und Psyllium holen? Wir haben keins mehr. Chuck weiß, was wir normalerweise nehmen, und wird es auf die Rechnung setzen. Brauchst du meinen Wagen?«

»Hab selbst einen.«

»Gut«, sagte sie und wandte sich zum Gehen.

Er lächelte.

Sie zögerte einen Moment und zwang sich dann zu gehen. Sie meinte, ihn leise lachen zu hören, wollte sich aber auf keinen Fall umdrehen.

In diesem Moment kam ein großer, schwarzer SUV herangefahren und parkte auf dem Platz vor dem Stall. Sechs Mädchen drängten aufgeregt plappernd und lachend heraus. Mackenzie John kam zu Vivi Ann gerannt. »Sind wir zu spät?«

»Nein. Sattelt schon mal die Pferde. Wir treffen uns in der Arena.«

Die Mädchen stürzten davon.

Vivi Ann hörte, wie hinter ihr die Wagentür aufging und wieder zuschlug, und wusste, was das bedeutete.

Julie John stellte sich zu ihr und stieß sie freundschaftlich mit der Hüfte an. Sie war eine große, attraktive Frau mit stachlig kurzen blonden Haaren, die immer lächelte. »Wo ist er?«

»Wer?«

»Christian Slater. Was meinst du denn? *Er.*«

Vivi Ann wusste, es war zwecklos, Ahnungslosigkeit vorzutäuschen, daher wies sie kaum merklich mit dem Kinn in seine Richtung.

Dallas war jetzt am Offenstall und fegte Sägespäne in eine rostige Schubkarre.

»Wow«, sagte Julie, verstummte – seufzte vielleicht sogar – und sagte dann: »Sei bloß vorsichtig, Vivi.«

»Das höre ich nicht zum ersten Mal.«

»Tja, ich an deiner Stelle würde mich daran halten. Die ganze Stadt spricht von deiner Verlobung. Eigentlich dachten alle, du würdest niemals heiraten, und Luke ist ein großartiger Kerl.«

»Das musst du mir nicht sagen.«

»Ach, nicht? Ich weiß aber, dass du eine Schwäche für Außenseiter hast. Erinnerst du dich noch, als du in der zehnten Klasse Feuer und Flamme für diesen Austauschschüler warst? Den, der beim Eröffnungsspiel getrunken hat? Wie hieß er noch?«

Vivi Ann löste sich von ihr.

»Sei bloß vorsichtig. Mehr sage ich ja nicht.«

»Das werde ich. Danke.« Vivi Ann ließ Julie allein auf dem Parkplatz zurück. Als sie zum Reitstall ging, spürte sie die Blicke beider – Julies und Dallas' – auf sich, aber sie sah keinen von ihnen an, sondern marschierte zielstrebig in die Arena und fing mit dem Unterricht an.

»Deine Haltung ist sehr schön, Mackenzie«, sagte sie. »Aber lass die Fersen unten, ja? Und Emily, heute werden wir am Zügelwechsel fürs Turnier üben. Daher möchte ich, dass du deine Stute versammelst. Weißt du noch, wie das geht?

Zuerst drückst du dich tief in den Sattel ... Gut. Jetzt ziehst du an den Zügeln, damit ihr Kopf zurückgeht.«

Den ganzen Tag gab sie Unterricht und konnte durch die ununterbrochene Aktivität ihre Konzentration halten. Als die letzte Stunde beendet war, rieb sie sich den verspannten Nacken und ging zum Farmhaus, wo sie einen Topf Spaghettisauce kochte, sie warm stellte und dann nach oben zum Duschen ging.

Als sie wieder unten war und sich gerade ein Glas Wein einschenkte, klopfte es an der Tür.

Er kam genau pünktlich.

Sie wappnete sich und öffnete. »Hallo, Dallas.«

Sie wartete, dass er etwas sagte, doch er stand einfach nur da und starrte sie an. Zum ersten Mal erlaubte auch sie sich, ihn anzusehen, und sie bemerkte eine gezackte, fast unsichtbare Narbe an seinem Haaransatz, die von der Schläfe bis zum Ohr reichte. Sie war krumm und schief, als hätte eine betrunkene Schneiderin sie mit Nadel und Faden zusammengeheftet. Unwillkürlich fragte sie sich, wie er sich verletzt hatte. Ohne nachzudenken, fuhr sie die Narbe mit ihrem Finger nach. Sie wollte ihn schon fragen, woher er sie hatte, doch bevor sie den Mund öffnen konnte, sagte er leise: »Sei vorsichtig, Vivi Ann. Ich könnte dich auch anfassen.«

Sie riss ihre Hand zurück.

»Bist du sicher, dass du aufhören willst?«, fragte er. Lachen lag in seiner Stimme, und noch etwas, ein wissender Unterton, der sie ärgerte.

Sie wandte sich ab, ging zur Küche und sagte: »Im Ofen steht Spaghettisauce, und die Nudeln sind im Sieb in der Spüle. Bedien dich.«

Sie wusste, dass er dastand und ihr nachsah, daher ging sie zum Telefon und rief Luke an, der sich fast sofort meldete.

»Gott sei Dank, Vivi. Ich bin langsam verrückt geworden beim Warten auf deinen Anruf. Ich dachte ... vielleicht ...«

»Kein Grund zur Sorge«, erwiderte sie, etwas zu scharf. »Wollen wir was trinken gehen? Ich muss hier unbedingt mal raus.«

»Sehr gerne«, antwortete er. »Ich hol dich um acht ab. Und Vivi? Ich liebe dich.«

Sie wusste, was sie jetzt sagen sollte, was er hören wollte, aber sie brachte es nicht über sich. Stattdessen flüsterte sie: »Beeil dich, Luke«, und legte auf.

Langsam drehte sie sich um. Als sie Dallas wieder ins Gesicht blickte, bemerkte sie, wie er lächelte.

»Gute Idee, Vivi Ann. Lauf schnell weg, zu deinem tollen Freund. Er sieht aus wie ein braves Hündchen, das gern an der Leine läuft. Prüf mal, ob er dir gewachsen ist.«

»Was soll das heißen? Natürlich ist er das.«

Aber schon als sie das aussprach, wusste sie, dass es gelogen war.

Und Dallas wusste es auch.

Es war ruhig im Outlaw an diesem Wochentag. Ein paar heruntergekommen wirkende Stammgäste saßen auf ihren Barhockern und klammerten sich an ihre Drinks. Die meisten rauchten. Im hinteren Teil spielten zwei ältere Frauen mit langen, gebleichten Haaren Billard. An der Tür zu den Toiletten standen ein paar Indianer und tranken Bier. Aus der Musikbox dröhnte ein alter Elvis-Song.

Vivi Ann ließ sich von Luke zu einem der kleinen, lackierten Holztische links von der Bar führen.

»Margarita?«, fragte er.

Sie nickte abwesend. »Mit Eis, ohne Salz.«

Als er zur Bar ging, seufzte sie auf und versuchte, sich auf die Musik zu konzentrieren, doch hatte sie immer noch Dallas' Stimme im Ohr. Wie ein Echo hallten seine Worte in ihrem Kopf wider. Ein lautes, sich überlappendes Echo.

Sei vorsichtig, Vivi Ann …

Ich könnte dich auch anfassen.

Plötzlich stand er in der Outlaw Tavern, als hätten ihre Gedanken ihn heraufbeschworen. Quer durch die verrauchte Bar trafen sich ihre Blicke. Ihr stockte der Atem.

Dann war Luke zurück, schob sich in ihr Blickfeld und verdeckte Dallas.

»Hier, bitte«, sagte er und stellte eine blassgrüne Margarita auf den Tisch. »Sieh mal, wen ich am Billardtisch entdeckt habe.«

Winona erschien neben ihm. »Hallo, Vivi Ann.«

In Winonas Stimme lag ein bedenkenswert säuerlicher Unterton, aber das kümmerte Vivi Ann nicht. Offen gestanden hatte sich Winona in letzter Zeit ziemlich mies verhalten, und Vivi Ann hatte einfach keine Lust mehr, darüber nachzudenken, was sie ihrer Schwester getan hatte. Sie dachte ohnehin nur noch an Dallas.

Jetzt lehnte sie sich zur Seite, um zur Tür zu blicken, aber da war er nicht mehr.

Sie überblickte kurz die Bar, aber er war wieder gegangen.

Sie stand auf. »Ich brauche was aus meiner Brieftasche. Aber die hab ich im Wagen gelassen. Ich bin gleich wieder da.«

»Ich kann sie doch für dich holen.«

»Nein, nein. Unterhalte du dich mit Winona. Ich weiß doch, wie gut ihr euch versteht.« Sie tätschelte Luke die Schulter, als wäre er ein *braves Hündchen.*

»Ich brauche nur eine Minute.« Sie mied Winonas Blick, die sie finster anstarrte.

»Ist gut«, sagte Luke. »Beeil dich.«

Schuldbewusst, doch außerstande, sich zu beherrschen, stürzte Vivi Ann aus der Bar. Der Parkplatz war leer.

Er hatte nicht auf sie gewartet.

Sie rannte über die Straße, und da sah sie ihn. Er stand an der Ecke bei Myrtle's Ice Cream Shop. Er neigte kurz seinen

Kopf zur Seite, als lausche er auf etwas, dann ging er in die dunkle Gasse neben der Eisdiele.

»Bleib hier, Vivi«, sagte sie laut zu sich. »Sonst bekommst du Ärger.« Doch als er sich in Bewegung setzte, folgte sie ihm, hielt sich aber weit genug entfernt, dass er sie nicht hören konnte. Die Gasse war einer der wenigen Orte der Stadt, wo Vivi Ann noch nie gewesen war, nicht mal als Kind. Sie war dunkel, schmal, und überall lag Müll: Bierdosen, leere Schnapsflaschen, Zigarettenkippen. Als sie am Ende angelangt war, blieb sie stehen und spähte um die Ecke.

Auf einer Landzunge, die sich mit reiner Willenskraft ans Ufer zu klammern schien, stand Cat Morgans baufälliger Bungalow. Das Grundstück war genauso heruntergekommen wie das Haus. Mehrere Fenster waren zerbrochen und mit Klebeband geflickt, und die Haustür hing schief in den Angeln. Moos bedeckte das Dach und gab dem Kamin eine atommüll-giftgrüne Farbe. Im Laufe der Jahre hatte Vivi Ann eine Menge schockierender Geschichten über die Vorgänge in diesem Haus gehört.

Musik dröhnte heraus, ein aggressiver Heavy-Metal-Song, den Vivi Ann nicht kannte. Durch die schmutzigen Fenster sah sie Leute tanzen.

Dallas ging zur Haustür und klopfte.

Die Tür schwang auf, und Cat Morgan trat heraus. Sie trug ein schwarzes Trägertop aus Samt, das ihren großen Busen betonte, und enge schwarze Jeans, die sie in silberne Cowboystiefel gesteckt hatte. Ihre kupferfarbenen Locken umrahmten ihr stark geschminktes Gesicht, und an ihrem Handgelenk klimperten mindestens ein Dutzend silberner Armreifen.

»Hey«, sagte Dallas.

Cat antwortete etwas für Vivi Unverständliches und winkte ihn dann herein. Die Fliegentür knallte hinter ihnen zu.

Eine Weile stand Vivi Ann noch da und wartete. Als sie merkte, dass Dallas nicht wieder herauskam, ging sie in den hübscheren Teil der Stadt zurück. Nicht mal drei Minuten später war sie wieder im Outlaw und saß Luke und Winona gegenüber.

In Sicherheit. Wie immer.

»Ich wollte eigentlich über unsere Hochzeit sprechen«, sagte Luke. »Aber jetzt sind wir zu dritt. Ist das ein guter Zeitpunkt?«

Sie brachte ein Lächeln zustande. »Natürlich, Luke. Sprechen wir darüber.«

»Ich sag dir, da stimmt was nicht, Aurora.«

»Ach, was du nicht sagst! Weißt du, was nicht stimmt, Win? Du bist eine Idiotin. Trotz deines Superhirns begreifst du einfach nicht, was sich vor deinen Augen abspielt, und jetzt bist du am Boden zerstört. Deine kleine Schwester ist mit deiner großen Liebe verlobt.«

»Ich hab nie gesagt, dass ich ihn liebe.«

»Und ich habe nie gesagt, dass mein Mann langweilig ist, aber du wusstest es, genau wie ich jetzt das mit Luke weiß.«

Winona lehnte sich zurück und stieß sich ab. Sie saßen in der Hollywoodschaukel am Haus ihrer Schwester. Bei der Bewegung quietschten die alten Ketten. »Sie liebt ihn nicht, Aurora.«

»Und, was willst du machen?«

»Was kann ich schon machen? Es ist vorbei.«

»Nun sei nicht so fatalistisch! Du musst Vivi Ann nur die Wahrheit sagen. Dann wird sie alles regeln. Sie wird ihn nicht heiraten. Das garantiere ich dir.«

Winona starrte auf den schattigen Garten ihrer Schwester. Es war zehn Uhr abends, mitten in der Woche, und in den meisten Häusern der Nachbarschaft war es schon dunkel. Im

Frühling ging man in Oyster Shores früh schlafen. »Ich muss also einfach zugeben, dass ich einen Mann liebe, für den ich nur eine gute Anwältin und Freundin bin, und meiner schönen kleinen Schwester sagen, mein Glück sei wichtiger als ihres, und außerdem – nur um der ganzen Demütigung noch eins draufzusetzen – Dad wissen lassen, dass wir Lukes Land nicht durch die Heirat bekommen, weil die erbärmliche Winona sich dem in den Weg gestellt hat.«

»Herrgott, wenn du es so ausdrückst …«

»Wie denn sonst! Vielleicht hätte ich ganz am Anfang noch was sagen können. Ich gebe zu, das war mein Fehler, aber jetzt ist es zu spät. Ich muss es einfach schlucken.«

»Könntest du vielleicht auch versuchen, dich nicht ganz so mies zu benehmen? Ich meine, während du es schluckst?«

»Ich war nicht mies.«

»Ach nicht? Trayna hat erzählt, du hättest ihr neulich erst den Kopf abgerissen. Und letzten Sonntag nach der Kirche hast du Luke und Vivi keines Blickes gewürdigt. Außerdem hast du beim Barrel-Racing-Bankett gefehlt. Langsam fällt das auf.«

Winona seufzte. »Ich weiß … ich wünschte …« Sie konnte das Bedürfnis, das sie neuerdings befallen hatte, nicht mal aussprechen. Sie schämte sich deswegen. Denn sie wollte nicht nur, dass Luke plötzlich sie liebte. Das reichte ihr nicht mehr. Sie wollte Vivi Ann weh tun, damit sie *einmal* persönlich erlebte, wie es sich anfühlte, zu verlieren.

»Es geht um uns, Win«, erklärte Aurora leise und fasste nach ihrer Hand. »Um die Grey-Schwestern. Du kannst Luke nicht über uns stellen.«

»Ich weiß«, sagte Winona, und das stimmte auch. Sie wusste genau, was in diesem Fall richtig war und was sie zu tun hatte. Aber sie konnte es einfach nicht, und diese Erkenntnis schmerzte genauso wie alles andere. Selbstbeherrschung war nie ihre starke Seite gewesen. Früher hatte sie einfach zu viel gegessen und zu wenig Sport getrieben. Aber heute waren ihre Gefühle so unkontrollierbar wie ihre Wünsche geworden. Manchmal, wenn sie sich mitten in der Nacht dabei ertappte, wie sie Vivi Ann etwas Schlimmes an den Hals wünschte (nicht den Tod oder Ähnliches, nur etwas, damit Luke sie verließ), fragte sie sich, wozu sie eigentlich fähig war. »Behalte nur Vivi Ann im Auge, okay? Dann wirst du sehen, dass sie Luke nicht liebt.«

»Ach, Win«, sagte Aurora. »Du begreifst es einfach nicht. Wesentlich ist, dass er sie liebt.«

»Aber das würde er nicht, wenn er die Wahrheit wüsste.«

Jetzt starrte Aurora sie an; selbst im trüben Licht der Verandalampe war ihr die Sorge deutlich anzusehen. »Du würdest doch nichts Dummes tun, oder?«

Winona lachte. Sie musste sich kaum anstrengen, damit es echt klang. »Ich? Ich bin der klügste Mensch, den du kennst. Ich würde nie was Dummes tun.«

Aurora entspannte sich sofort wieder. »Gott sei Dank. Langsam hast du dich schon angehört wie Hedy aus *Weiblich, ledig, jung sucht ...*«

»Du kennst mich doch«, beruhigte Winona ihre Schwester, doch als sie viel später wieder allein zu Hause war und daran dachte, wie Luke Vivi Ann im Outlaw angesehen hatte, machte sie sich ebenfalls Sorgen. Sorgen darüber, wozu sie wohl noch fähig war.

Vom Esszimmer aus konnte Vivi Ann den Garten, den Reitstall und die Koppel überblicken. Im rosafarbenen Morgenlicht wirkte alles verschwommen und leicht surreal.

Sie redete sich ein, dass sie nicht am Fenster wartete, sondern nur den Tisch deckte, wie immer, doch als Dallas auftauchte, erkannte sie ihren Selbstbetrug. Sie zwang sich zu einem neutralen Gesichtsausdruck und öffnete die Tür. »Hey«, sagte sie und wischte sich die Hände an einem Küchentuch ab. Sie blieb zum ersten Mal zum Frühstück mit ihm und bemerkte sofort, dass es ein Fehler war.

Sei vorsichtig, Vivi Ann.

»Soll die verdammte Tür den ganzen Morgen offen stehen?«, fragte ihr Vater, der sich von hinten genähert hatte.

»Komm rein, Dallas. Setz dich«, bat sie und führte ihn zum Tisch.

Dann trug sie das Frühstück auf und nahm zwischen ihnen Platz. Als Dad sein Gebet gesprochen hatte, fingen alle an zu essen.

Das Frühstück verlief bei ihnen fast immer schweigend. Ihr Dad war, wie die meisten Cowboys, nicht besonders gesprächig. Aber an diesem Morgen zerrte das Schweigen an ihren Nerven. Sie wusste, dass Dallas sie ansah, als sie sagte: »Bald ist der nächste Roping-Jackpot. Ein paar Flyer müssen ausgelegt werden.«

»Das kann ich übernehmen«, antwortete Dallas. »Sag mir nur, wo.«

Sie nickte. »Und das Loch im Offenstall.«

»Hab ich gestern repariert.«

Überrascht sah sie Dallas an. »Das hab ich gar nicht auf die Liste gesetzt.«

»Woher weißt du eigentlich, dass ich lesen kann?«

Der Vater schnaubte und las weiter in seiner Zeitung.

Sie zwang sich, den Blick von Dallas' Gesicht zu lösen, und sah ihren Vater an. »Könntest du heute mit mir nach Sequim fahren?«

»Ich hab zu viel zu tun, Vivi«, erklärte ihr Dad und schnitt seinen Schinken klein. »Sechs Pferde zu beschlagen. Das letzte in Quilcene. Willst du mal wieder ein Pferd retten?«

Sie nickte.

»Ich könnte mitfahren«, bot Dallas an.

»Nein, danke. Dann hilft mir mein Verlobter«, erwiderte sie.

»Wie du willst.«

Sie stieß sich vom Tisch ab und machte sich an den Abwasch. Als sie ihn beendet hatte, waren beide gegangen und das Haus wieder leer.

Die nächsten fünf Stunden arbeitete sie unermüdlich: gab Unterricht, trainierte die Stute der Jurikas und schrieb Flyer. Um halb zwölf ging sie wieder ins Haus und machte Mittagessen, wovon sie die Hälfte in einen Picknickkorb packte und die andere Hälfte abgedeckt auf den Tisch stellte. Dann ging sie zum Telefon in der Küche und rief Luke an, der sich gleich meldete.

»Hallo, ich wollte dich für heute entführen«, sagte sie. »Es gibt in Sequim ein misshandeltes Pferd, das ich retten möchte. Wir könnten am Strand picknicken.«

»Verdammt, hättest du doch früher angerufen. Ich habe gerade zugesagt, zu den Winslows zu fahren. Deren Fohlen lahmt.«

»Bist du sicher?«

»Tut mir leid. Aber zum Abendessen sind wir doch noch verabredet, oder?«

»Natürlich.«

»Dann sehen wir uns um sieben.«

Sie legte auf und ging hinaus. Von der Veranda aus sah sie, wie Dallas den Traktor in ihre Richtung wendete. Als er sie erblickte, breitete sich ein Lächeln über sein Gesicht, und sie wusste, er hatte damit gerechnet, dass sie nach ihm Ausschau hielt.

»Ich hab keine andere Wahl«, redete sie sich laut ein. »Es geht mir nur um das Pferd.«

Sie überquerte den Rangierplatz und blieb neben dem Traktor stehen.

»Wie es aussieht, brauche ich jetzt doch deine Hilfe mit dem Pferd«, sagte sie. Ohne seine Antwort abzuwarten, ging sie zum Truck und kletterte hinein. Als sie zehn Minuten später den Pferdeanhänger angekoppelt hatte, drückte sie ungeduldig auf die Hupe.

Kaum saß er auf dem Beifahrersitz, legte sie den Gang ein, und der Truck setzte sich leicht schwankend in Bewegung.

»Weißt du, wie man ein scheuendes Pferd in den Anhänger bugsiert?«, fragte sie einige Zeit später.

»Ja.«

Wieder legten sie etliche Meilen schweigend zurück.

Erst als sie Sequim erreichten, sagte er wieder etwas: »Dein erster Jackpot war ein Reinfall. Das ist dir doch klar, oder?«

Vivi Ann wusste nicht, was sie erwartet hatte: Zweideutigkeiten oder glattzüngige Anspielungen vielleicht. Möglicherweise auch eine Bemerkung über Luke. Aber das ... Sie runzelte die Stirn. »Das hab ich schon gehört. Mehrfach. Allerdings hat mir damit keiner wirklich helfen wollen.«

»Aber ich will dir helfen: Deine Sachpreise waren zu teuer, es gab zu viele Runden, und das Startgeld war zu niedrig angesetzt. Vor allem aber baust du keinen Verteiler auf. Du brauchst mehr regelmäßige Teilnehmer. Ich könnte Unterricht im Roping geben. Du müsstest nicht viel dafür berechnen, weil es eigentlich nur darum geht, dass die Leute regelmäßig zu dir kommen. Die Neuigkeit wird sich schnell verbreiten.«

Sie sah sofort, dass das funktionieren könnte; darauf hätte sie auch selbst kommen können. »Woher weißt du das alles?«

»Wir haben das auf der Poe Ranch auch gemacht. Allerdings hatten wir für einen Jackpot über sechshundert Teams.«

»Und du könntest das? Roping unterrichten?«

»Ich brauche ein Pferd.«

»Kein Problem.«

Vivi Ann blickte auf die Ebene neben dem Highway und sah, wie der Wind durch das hohe Gras wehte. Wie leicht etwas seine Form verändern konnte! Es genügte ein bisschen Wind, eine neue Information ...

»Danke«, sagte sie nach einer Weile. Wahrscheinlich hätte

sie mehr sagen sollen, wusste aber nicht, was. Abgesehen davon schien es ihn ohnehin nicht zu interessieren.

»Es wundert mich, dass dir das noch niemand gesagt hat.«

Sie kamen zur Deer Valley Road, und jetzt fuhr sie langsamer, weil sie nach der Abbiegung Ausschau hielt. »Die Leute nehmen mich nicht ernst. Sie halten mich für ein hübsches Püppchen. Blondes Haar und hohler Plastikkopf.«

»Ach, dann begreife ich auch die Sache mit Ken.«

Ein Lächeln stahl sich über ihr Gesicht, aber es schwand sofort, als er hinzufügte: »Ich finde nicht, dass du hohl im Kopf bist.«

Überrascht sah sie ihn an und musste sich zwingen, ihren Blick wieder auf die Straße zu richten. »Danke«, sagte sie und wechselte den Gang, als sie den Hügel hinauffuhren. Der alte Truck erzitterte und heulte kurz auf, bevor er wieder Fahrt aufnahm.

»Wie viele Pferde hast du schon gerettet?«

»Zehn oder elf, glaube ich. Mein erstes habe ich mit zwölf aufgenommen.«

»Warum?«

Wieder war Vivi Ann überrascht. Noch nie hatte sie jemand nach ihren Beweggründen gefragt. »Es war das Jahr, in dem meine Mutter starb.«

»Hilft es?«

»Ein bisschen.« Sie bog auf einen Schotterweg mit tiefen Schlaglöchern ein, der sich durch ein Wäldchen aus riesigen Nadelbäumen schlängelte. Langsam manövrierte sie sich um die größten Schlaglöcher herum, bis sie zu einer Lichtung mit einem hübschen, kleinen Blockhaus, einem Stall mit vier Boxen und einer kleinen eingezäunten Weide gelangte. Dort hielt sie an. »Die Leute vom Tierschutz haben diesen Wallach in einem entsetzlichen Zustand vorgefunden und ihn hierhergebracht. Ich hoffe nur, dass die Leute, die ihm das angetan haben, im Gefängnis sitzen. Whitney Williams – der das hier gehört – ist zwar arbeiten, aber sie weiß, dass wir kommen.« Sie nahm sich eine Longe aus dem Truck und ging zum Stall. »Warte hier.«

Im Stall war es dunkel und staubig. An der Tür der letzten Box blieb sie stehen. Das schwarze Pferd war in der Dunkelheit kaum zu erkennen; sie sah nur seine gebleckten gelben Zähne und das Weiße seiner Augen. Es hatte die Ohren angelegt, schnaubte und verspritzte dabei Schnodder.

»Ganz ruhig, mein Alter«, sagte Vivi Ann, öffnete die Tür und ging vorsichtig einen Schritt vor. Das Pferd stieg und trat mit den Vorderhufen nach ihr.

Sie wich ihm geschickt aus und klinkte die Longe an seinem Halfter fest, als seine Hufe gegen die Holztür knallten.

Sie brauchte eine Viertelstunde, um das verängstigte Pferd aus dem dunklen muffigen Stall ins Freie zu bringen; dort, im Sonnenlicht, sah sie die Narben.

Überall wo die Peitsche oder das Messer zu tief eingeschnitten hatte, wuchs das Fell weiß nach.

»Verflucht noch mal«, murmelte Dallas neben ihr.

Vivi Ann spürte, wie ihr die Tränen kamen, wischte sich aber rasch über die Augen, bevor Dallas ihre Schwäche mitbekam. Ganz gleich, wie oft sie so etwas schon gesehen hatte, sie würde sich nie an den Anblick misshandelter Pferde gewöhnen. Sie dachte an Clementine, wie das Pferd sie gerettet hatte, als sie es am nötigsten brauchte. Und die Vorstellung, wie grausam Menschen sein konnten, brach ihr das Herz. Sie versuchte, dem Pferd über die samtigen Nüstern zu streichen, aber es scheute mit wild rollenden Augen. »Verladen wir ihn und fahren los.«

»Warum tust du das eigentlich, wenn es dich so aufregt?«, fragte Dallas später auf dem Rückweg.

»Soll ich sie etwa leiden lassen, weil es mir zu viel ausmacht, ihnen zu helfen?«

»Da wärst du nicht die Erste.«

»Dieses Pferd hier – es heißt übrigens Renegade – war noch vor vier Jahren der Gewinner des Western-Pleasure-Turniers. Ich hab ihn an jenem Tag siegen sehen. Er war einfach umwerfend. Und jetzt heißt es, man könnte ihn nicht mehr reiten. Sie wollten ihn töten lassen, bevor er noch jemanden verletzt. Als wäre er ohne Grund aggressiv.«

»Schmerzen können Lebewesen gemein machen.«

»Du klingst, als würdest du dich damit auskennen.«

Er senkte die Stimme. »Er könnte dich verletzen.«

»Ich kann auf mich aufpassen.«

»Wirklich?«

Seltsamerweise hatte Vivi Ann plötzlich das Gefühl, dass sie nicht mehr von dem Pferd redeten.

Sie konzentrierte sich auf die Straße und sagte nichts mehr, bis sie wieder zu Hause waren, auf dem Wendeplatz geparkt hatten und Renegade aus dem Anhänger luden. »Abendessen gibt es etwas später«, verkündete sie und ließ das Pferd auf der Koppel hinter dem Reitstall grasen. Sie wusste aus Erfahrung, dass Pferde wie Renegade allein sein mussten. Manchmal waren sie so verstört, dass sie nie wieder mit der Herde laufen konnten.

Dallas trat zu ihr. »Mach dir darüber keine Gedanken. Ich gehe mit Cat Morgan essen.«

»Ach. Tja dann.« Sie trat einen Schritt zurück und versuchte, ihre Enttäuschung zu verdrängen. »Ich geh dann wohl besser mal rein.« Aber sie rührte sich nicht. Sie wusste nicht mal, warum, bis er die Distanz zwischen ihnen überwand.

Einen Augenblick dachte sie, er würde sie küssen, und wider besseres Wissen sehnte sie sich danach, aber dann flüsterte er ihr nur ins Ohr: »Wir wissen doch beide, dass ich nicht Cat will.«

Sieben

Nach dem Essen im Waves Restaurant fuhren Vivi Ann und Luke zum Farmhaus zurück. Die Geräusche einer Juninacht umgaben sie, drangen durchs offene Wagenfenster: Motorboote, die nach einem Tag auf dem glatten Kanalwasser wieder an die Slipanlagen tuckerten, lachende Kinder auf den Uferwiesen, bellende Hunde. Im Ort ging es so betriebsam zu, dass man das Schweigen im Wagen leicht hätte überhören können, aber Vivi Ann bemerkte jede Gesprächspause, jeden Atemzug. In den Wochen, seit sie und Dallas Renegade geholt hatten, hatte sie das Gefühl, ihr Leben hinge an einem Faden, von irgendwoher drohe Gefahr und sie müsse vorsichtig sein, ständig auf der Hut. In ihrem Innern baute sich immer mehr Druck auf.

Sie sah zu Luke hinüber. Sein Lächeln war so, wie man es sich von seinem Mann wünschen konnte: strahlend, aufrichtig, eindeutig. Eigentlich hätte sie zurücklächeln und irgendwas Romantisches sagen sollen. Doch je länger sie in seine Augen blickte, desto gefangener kam sie sich vor. Als sie so in seinem Wagen saß, sah sie plötzlich ihr ganzes Leben mit ihm vor sich, und es kam ihr klein und eng vor. Ganz und gar nicht so, wie sie es sich vorgestellt hatte. Sie wollte Leidenschaft und Feuer und Magie. Vielleicht war es ein Fehler gewesen, nicht mit Luke zu schlafen. Am Anfang hatte sie sich zurückgehalten, weil er es im Gegensatz zu ihr ernst meinte und sie nicht durch Sex in eine Gefühlsfalle hatte tappen wollen. Aber jetzt saß sie doch in der Falle, und die Ironie des

Ganzen war, dass er ihren Mangel an körperlicher Intimität für ein Zeichen, einen Beweis ihrer Liebe hielt. Vielleicht war der Sex mit Luke ja großartig, vielleicht würde er ihre Welt aus den Angeln heben, so dass sie Luke doch lieben konnte …

Und aufhören, an Dallas zu denken.

Kaum hatten sie vor dem Farmhaus gehalten und den Wagen verlassen, ging sie zu ihm und streckte die Arme aus. »Ich will dich begehren, Luke. Jetzt, auf der Stelle.« Eigentlich hatte sie nur *Ich will dich* sagen wollen, aber jetzt war es für eine Berichtigung zu spät.

Sie presste sich an ihn, rieb ihren Körper lasziv an seinem, zog sich das Shirt aus und warf es zu Boden. »Komm, Luke«, bettelte sie. »Bring mich um den Verstand.«

Er küsste sie heftig, löste sich dann von ihr und sah sie an. »Das ist doch nicht der richtige Ort für unser erstes Mal. Lass uns zu mir fahren.«

Vivi Ann spürte, wie Enttäuschung sie überkam. Trotz seiner Küsse fühlte sie gar nichts. Es war genau, wie sie geahnt hatte: Dieser anständige, attraktive und liebevolle Mann würde niemals ein Feuer in ihr entzünden. Sie zwang sich zu lächeln. »Du hast recht. Unser erstes Mal sollte etwas ganz Besonderes sein. Rosenblüten und Kerzenlicht.« Sie hob ihr Shirt wieder auf und zog es an. »Und nicht an einem Abend, wenn ich zu viel getrunken habe.«

Er legte ihr einen Arm um die Schultern und führte sie zum Haus. »Ich muss dich wohl besser im Auge behalten und darauf achten, dass zwei Gläser Wein dein Limit sind.«

Ich wette, er behandelt dich wie ein Porzellanpüppchen.

Darauf fiel ihr nichts ein, aber als sie auf der Veranda vor der Haustür standen und Luke sie zum Abschied noch mal küsste, musste sie mit aller Macht ihre Tränen zurückdrängen.

»Was ist denn los, Vivi?«, fragte er und löste sich von ihr. »Du weißt doch, dass du mir alles sagen kannst, oder?«

»Ich bin nur müde. Morgen wird alles schon ganz anders aussehen.«

Er beließ es dabei und küsste sie noch einmal. Dann sah sie zu, wie er zu seinem Wagen zurückging und abfuhr. Seufzend ging sie ins Haus und auf ihr Zimmer.

Dort starrte sie auf die dunkle Ranch. Das Dach des Reitstalls lag im Mondlicht. Sie wollte sich schon abwenden, als ihr etwas Helles ins Auge stach. Ein Cowboyhut.

Dallas war da draußen, er stand an Renegades Koppel und blickte zu ihr hoch. Er hatte gesehen, wie sie ihr Shirt ausgezogen hatte.

Sie wandte sich vom Fenster ab und ging ins Bett, aber es dauerte eine Ewigkeit, bis sie einschlafen konnte.

An einem sonnigen Nachmittag Mitte Juni kam der Anruf, auf den Winona so lange gewartet hatte. »Winona?«, sagte Luke. »Ich muss mit dir reden. Über Vivi Ann. Könnten wir uns heute Abend auf Water's Edge treffen? Ich bin nach sieben am Reitstall.«

Den restlichen Arbeitstag mit eidesstattlichen Aussagen, Immobilienkaufverträgen und Klientengesprächen brachte sie irgendwie hinter sich, aber ihre Gedanken wanderten ständig zu seinem Anruf.

Er wird mit ihr Schluss machen. Endlich.

Und dann würde er sich von ihr trösten lassen.

Als der letzte Klient gegangen war und Lisa die Kanzlei abgeschlossen hatte, ging Winona hinauf in ihre sanierungsbedürftige Wohnung. Hier oben, fern von den Augen der Öffentlichkeit, mussten die Böden erneuert werden, abblätternde Tapeten legten fleckige, ungleichmäßig verspachtelte Wände frei, und ein Großteil der Sanitäranlagen war verrostet. Sie ignorierte all das, unterzog ihren Kleiderschrank einer sorgfältigen Prüfung und entschied sich für Jeans und eine lange Samttunika. Sie drehte sich die Haare auf, kämmte sie sich aus dem Gesicht und ließ sie offen über den Rücken fallen. Als sie ihr Bestes gegeben hatte, um gut auszusehen, verließ sie das Haus, fuhr zur Ranch und entdeckte zu ihrer Überraschung, dass der ganze Stellplatz mit Trucks und Anhängern zugeparkt war.

Sie fand einen freien Platz an dem Cottage ihres Großvaters – neben Dallas' schäbigem, altem Ford – und ging den langen, grasüberwucherten Pfad zum Reitstall zurück.

Dort herrschte Hochbetrieb: Männer auf kräftigen Quarterhorses galoppierten durch die Arena und warfen geschickt Lassos nach rennenden Bullen; kleine Jungen übten an feststehenden Zielen; auf den Tribünen standen Frauen, plauderten angeregt, tranken Bier und rauchten. Und im Mittelpunkt des Geschehens stand Dallas Raintree, der das Ganze eindeutig dirigierte. Gerade half er einem Mann, erklärte ihm, wie er den Ellbogen hochhalten musste, um die Lassoschlaufe flacher zu bekommen, und führte es ihm vor.

Sie fand Luke auf der Tribüne. »Was soll das denn hier?«

Luke trank einen Schluck von seinem Bier. »Dallas gibt Unterricht im Lassowerfen. Schon seit Stunden. Fünfunddreißig Dollar pro Person.«

Winona blickte prüfend auf die Arena, zählte die Männer auf den Pferden und die Jungen am elektronischen Bullen und rechnete nach. »Wow.«

»Jeder Einzelne hat sich schon für den Jackpot morgen angemeldet«, fügte er hinzu. »Und die Frauen wollen nächsten Samstag ein Barrel-Race-Rodeo.«

Winona setzte sich zu Luke und rückte so nah zu ihm, wie sie sich traute. Nur bei ihm zu sitzen war zwar nicht viel, aber das Beste, was sie in letzter Zeit erwarten durfte. »Dein Anruf hat mich überrascht. Du warst in letzter Zeit so mit Vivi Ann beschäftigt, dass du dich nicht mehr gemeldet hast.« Sie hoffte, nicht verbittert zu klingen.

»Tut mir leid. Eigentlich wollte ich jetzt auch mit dir über

Vivi Ann reden. Ich hoffe, du hast nichts dagegen. Ich verstehe auch, wenn du das ablehnst. Schließlich bist du ihre Schwester.«

»Ist schon gut. Vivi Ann weiß, dass wir schon befreundet waren, bevor ihr euch verliebt habt.« Sie stockte nur kurz bei diesem Satz. »Also schieß los, was ist das Problem?«

»Vivi Ann verhält sich in letzter Zeit komisch.«

Selbstverständlich. Weil sie dich nicht liebt.

Als Winona sich zu ihm wandte, sah sie Schmerz und Verwirrung in seinen Augen. Vor lauter Mitgefühl zog sich ihr Herz zusammen. Er passte nicht zu Vivi Ann, die Liebe für ein Spiel hielt und ein Herz nach dem anderen brach. Sie nahm seine Hand. Plötzlich hatte sie das Gefühl, es gebe einen Riss, einen Spalt in der Verbindung zwischen Luke und Vivi Ann. »Ich liebe meine Schwester. Sie hat ein so sonniges Gemüt, dass man sie nur lieben kann, aber ... sie ist auch selbstsüchtig. Eigensinnig. Es liegt einfach nicht in ihrem Wesen, sich fest zu binden. Vielleicht hat sie Angst. Oder sie ist einfach noch nicht bereit dazu.«

»Manchmal denke ich, sie liebt mich nicht wirklich«, sagte er.

»Vivi Ann kann nichts verbergen. Wenn sie dich liebt, weißt du das eindeutig.«

Er hörte nicht die Warnung, die in ihren Worten lag. »Neulich Abend hätte ich einfach auf alles pfeifen sollen. Ich hätte sie aufs Gras werfen und mit ihr schlafen sollen.«

Winona stutzte. »Sie wollte draußen Sex mit dir?«

»Direkt vor dem Farmhaus. Aber dabei sah sie mich gar nicht an. Sie war irgendwie ... außer sich. Aber ich hätte mir keine Gedanken machen sollen, oder? Ich liebe sie und hätte ihr das auch zeigen sollen.«

Winona spürte, wie die Hoffnung in ihr erstarb, sie verdorrte einfach und hinterließ ein schales Gefühl. Luke wollte sich nicht von ihr trösten lassen. Es hatte sich nichts geändert.

Vivi Ann konnte ihn wie einen Hund behandeln, und er liebte sie immer noch. »Ja, klar.«

»Ich meine, wen kümmert es schon, dass uns jemand hätte sehen können? Schließlich lieben wir uns.«

»Sicher«, sagte Winona trübsinnig und wünschte, er hätte sie nicht angerufen. »Wer hätte euch auch sehen können?«

Aber noch während sie das sagte, fiel ihr Blick auf Dallas.

Am Samstag, als Dallas und der Vater in der Morgendämmerung die Bullen von der hinteren Weide zum Reitstall trieben, trudelten bereits die Gäste auf Water's Edge ein. Um elf Uhr, mit offiziellem Beginn des Jackpots, hatten sich fast dreihundert Teams gebildet. Vivi Anns Tag begann lange vor Sonnenaufgang und endete erst, als alles vorbei war.

Nachdem alle Runden absolviert und alle Preise vergeben worden waren, holte sie sich eine Limonade aus dem Kühlschrank und lehnte sich an die sonnenwarme Wand des Reitstalls.

Der Abstellplatz wimmelte von Menschen. Cowboys und ihre Familien waren damit beschäftigt, ihre Pferde zu verladen, Sattel- und Zaumzeug zu verstauen, Stühle einzupacken. Es hatte sich schon eine Schlange von Trucks mit Anhängern gebildet, die in einem stetigen Strom den Zufahrtsweg Richtung Stadt hinunterfuhren.

Der Jackpot dieses Tages war nicht nur gelungen, sondern ein durchschlagender Erfolg gewesen. Ein wahrer Triumph. Bei der letzten Zählung hatten sie weit über zweitausend Dollar Reingewinn gemacht. Und dabei waren die Einnahmen vom Snackverkauf nicht mitgezählt worden.

Winona kam zu Vivi Ann und lehnte sich gegen den Stall. Sie trank aus ihrem Plastikbecher einen Schluck Diätcola und sagte: »Du gehst mir aus dem Weg.«

»Und wenn schon. Du hast dich in letzter Zeit einfach mies benommen. Wäre es so schwer gewesen zu sagen: Gut gemacht, Vivi? Weiter so? Der Jackpot heute war einfach sensationell.«

»All das hätte ich zu dir gesagt ... wenn du mir nicht aus dem Weg gegangen wärst.«

»Ich gehe dir nicht aus dem Weg. Ich will es nur nicht mehr von dir hören.«

»Was denn?«

»Das weißt du genau.«

»Er liebt dich«, sagte Winona leise, »und vielleicht sieht er deshalb nicht, dass was nicht stimmt. Aber ich sehe es.«

Genau das hatte Vivi Ann nicht hören wollen. »Ich heirate ihn doch, oder etwa nicht?«

»Ja, aber warum?«

»Fragst du das als seine Freundin oder als meine Schwester?«

»Gibt es da einen Unterschied?«

»Einen großen.«

Winona schien darüber nachzudenken, dann sagte sie: »Okay. Dann will ich mal eine Minute als deine Schwester sprechen. Und zwar über Dallas. Ich mache mir Sorgen –«

»Ach, du machst dir ständig Sorgen.« Vivi Ann löste sich von der Wand. »Ich muss los, Win. Der Trubel hier macht die Pferde unruhig.« Sie rannte fast zur Stalltür und stürzte hinein. An Clems Box angelangt, öffnete sie die Tür, ging hinein und drückte ihre Stirn an den weichen Hals der Stute. »Sie hat recht, Clem. Da stimmt was nicht, aber ich weiß nicht, was ich tun soll.«

Ihr Pferd wieherte leise und stieß sanft gegen ihr Bein. Vivi Ann kratzte ihr die Ohren und flüsterte: »Ich weiß, mein Mädchen. Ich werde das Richtige tun.«

Dann verließ sie die Box, verriegelte sie und trat durch die Hintertür des Stalls ins dämmrige Abendlicht.

Renegade rannte wild am Koppelzaun entlang, bis er das eine Ende erreicht hatte, dann bremste er ab, drehte sich und galoppierte in die andere Richtung.

»Ganz ruhig, mein Junge«, sagte sie und ging zu ihm. »Ist schon gut. Das Roping ist vorbei. Bald ist es wieder ruhig.« Sie streckte den Arm aus, um seinen seidigen Hals zu berühren, aber er stieg hoch und wandte sich ab. »Ist schon gut, Junge«, beschwichtigte sie ihn.

»Du gehst mir nicht mehr aus dem Kopf«, sagte Dallas plötzlich leise hinter ihr.

Sie drehte sich um. Genau darauf war sie aus gewesen, deshalb war sie gekommen, obwohl sie es sich erst jetzt eingestand. Sie reckte kaum merklich das Kinn, ihm entgegen, und wartete ...

Einen solchen Kuss hatte sie noch nie zuvor erlebt. Er hob sie in die Höhe, wirbelte sie herum und ließ sie wieder fallen. Sie klammerte sich an Dallas, wie sie sich seit ihrer Kindheit an keinen Menschen mehr geklammert hatte, als könnte nur er sie retten.

»Vivi Ann!«

Aus der Ferne, wie unter Wasser, hörte sie, wie jemand sie rief. Sie musste erst noch einmal ihren Namen hören, bevor sie wieder zu sich und in die Realität zurückkam.

»Ich muss gehen.« Sie schob Dallas von sich.

Er fasste sie am Ellbogen und hielt sie fest. »Ich will dich«, flüsterte er. »Und du willst mich.«

Sie riss sich von ihm los und rannte um den Reitstall herum. Auf dem Parkplatz davor warteten schon ihre Schwestern und Richard und Luke auf sie.

»Da bist du ja«, sagte Winona und blickte prüfend hinter sie. Hielt sie Ausschau nach Dallas? Hegte sie einen Verdacht? »Wir wollten zusammen ausgehen und den Erfolg des Jackpots feiern.«

»Oh.« Vivi Ann versuchte, ganz normal zu klingen. »Gute Idee.«

Später, kurz nach ein Uhr nachts, saß Vivi Ann, umrahmt von ihren Schwestern, auf der obersten Verandastufe. Sie war angenehm beschwipst, doch leider waren ihre Gedanken immer noch glasklar. »Wer trinkt mit mir Tequila?«

»Ich nicht, danke«, sagte Aurora. »Ich muss nach Hause. Richard hat gesagt, er würde auf mich warten.«

»Und du, Win?«, fragte Vivi Ann. »Bist du dabei?«

»Das soll wohl ein Witz sein. Ich bin todmüde.«

Vivi Ann stützte die Hände auf, lehnte sich zurück und blickte an dem Verandadach vorbei zum Nachthimmel. Auf dem Hügel hinter dem Reitstall blinkte ein Licht auf, wie ein kleines, leuchtendes Glühwürmchen mitten in der Dunkelheit.

Ich will dich ... Und du willst mich.

Sie wandte sich zu Aurora, die die winzigen Absplitterungen auf ihrem scharlachroten Nagellack begutachtete. »Woher hast du gewusst, dass Richard der Richtige für dich ist, Aurora?«

Aurora drehte den Kopf, um sie anzusehen. Ihr Gesicht war in dem orangefarbenen Licht der Verandalampe eine Maske aus Licht und Schatten.

»Weil er gefragt hat.«

»Das war alles? Weil er gefragt hat, ob du ihn heiraten willst?«

»Nein, weil er mir immer wieder Fragen stellte wie: Hast du es auch warm genug? Wie hat dir der Film gefallen? Wohin möchtest du essen gehen? Richard ist ... freundlich. Wie Luke.« Aurora reckte kaum merklich ihr Kinn, als wollte sie auch Vivi Ann etwas fragen. »Ich bin vorher mit etlichen Typen ausgegangen, die nicht so nett waren. Du erinnerst dich doch noch an Dylan und Mike. Als Richard auftauchte, hatte ich es jedenfalls satt, immer verletzt zu werden.«

»Warum gibst du es nicht einfach zu, Vivi?«, schaltete Winona sich ein. »Du weißt nicht, ob du Luke liebst.«

»Wenn sie ihn liebt, weiß sie es«, erklärte Aurora. »Und wenn sie ihn nicht liebt, weiß sie es auch. Eigentlich fragt sie sich doch, ob sie sesshaft werden sollte.«

»Sesshaft werden?«, gab Winona scharf zurück. »Das ist doch lächerlich. Wir sprechen hier über Luke Connelly.«

Aurora sah Winona an. »Du bist ihre Schwester«, sagte sie. »Vergiss das nicht, Win.«

»Wie könnte ich?«, murmelte Winona. »Ihr beide erinnert mich ja oft genug daran.«

»Seit Moms Tod haben wir drei zusammengehalten«, sagte Aurora und schaute Winona unverwandt an. »Pea, Bean und Sprout. Wir können wütend aufeinander sein, uns streiten, anschreien und weinen – das ist ganz normal unter Geschwistern. Aber wir halten zusammen. Und jetzt stellt Vivi Ann uns gerade ein paar heikle Fragen. Vielleicht hätte einiges schon vor Monaten ausgesprochen werden sollen, aber so war es nicht, und jetzt müssen wir damit leben. Verstehst du? Wir müssen damit leben.« Sie wandte sich zu Vivi Ann und sah ihr in die Augen. »Die Wahrheit ist, Vivi: Es gibt Schlimmeres, als einen anständigen Mann zu heiraten und zu hoffen, damit zufrieden zu werden.«

»Und was ist mit Leidenschaft?«, fragte Vivi Ann leise.

»Die vergeht«, erwiderte Aurora. Sie versuchte zu lächeln, aber es wirkte gezwungen, und ihre Augen sagten etwas ganz anderes.

Zum ersten Mal fragte Vivi Ann sich, ob Auroras raffiniertes Make-up nur eine Maske war, um zu verbergen, dass sie in einer langweiligen Ehe unglücklich war. »Aber es gibt auch Besseres als Leidenschaft. Das willst du doch sagen, oder?« Doch noch während sie diese Frage stellte, wanderte ihr Blick unwillkürlich zu dem gelben Lichtpunkt auf dem Hügel.

»Bist du sicher, dass du Luke heiraten willst?«, fragte Winona. »Denn wenn nicht, ist das auch okay. Du kannst es ruhig zugeben.«

Vivi Ann zwang sich zu lächeln. Wie sollte sie etwas zugeben, was sie nicht wusste? Es war Wahnsinn, sich so nach Dallas zu verzehren. Das konnte auf keinen Fall Bestand haben. Sie musste einfach aufhören, an ihn zu denken. »Ich hab nur kalte Füße bekommen. Schließlich ist die Ehe eine große Sache.«

Winona starrte sie so konzentriert an wie ein Jagdhund auf der Pirsch. Sie wirkte nicht überzeugt. Hatte sie gesehen, wie Vivi Ann verstohlen zum Cottage blickte?

»Das ist doch ganz natürlich«, meinte Aurora und lenkte das Gespräch wieder in sichere Bahnen.

»Wie auch immer: Ich bin fix und fertig«, verkündete Vivi Ann. »Danke, dass ihr mir heute geholfen habt.« Sie umarmte ihre Schwestern, dann brachte sie sie zum Wagen und sah zu, wie sie davonfuhren. Als sie fort waren, ging sie ins Haus. Von ihrem Schlafzimmerfenster aus blickte sie auf das kleine gelbe Licht zwischen den Bäumen. Er war da oben und wartete.

»Nur gehe ich nicht hin«, sagte sie und machte sich bettfertig.

ACHT

Den restlichen Juni stand Vivi Ann bei Morgengrauen auf, machte Frühstück für drei und ging dann. Jeden Morgen murmelte sie gegenüber ihrem Vater eine Entschuldigung, warum sie nicht zum Frühstück blieb. Sie richtete all ihre Aufmerksamkeit auf die Führung der Ranch, die erfolgreicher wurde, als sie sich je hätte träumen lassen. Alle Boxen waren besetzt, und es gab sogar eine Warteliste. Vivi Anns und auch Dallas' Kurse und Einzelstunden waren ausgebucht. Ihr Vater musste zum ersten Mal im Leben nur noch arbeiten, wenn ihm danach war. Er beschlug hier und da ein paar Pferde und werkelte die restliche Zeit auf der Ranch, wo er sich um Reparaturen und Instandhaltungen kümmerte, die seit Jahren vernachlässigt worden waren.

Vivi Ann hätte überglücklich sein müssen, und in gewissen Bereichen war sie das auch. Sie fühlte sich neuerdings stärker, selbstsicherer. Ihr einziges Problem war: Dallas.

Wann immer sie ihn sah oder an ihn dachte, wiederholte sie im Geiste ihren Schwur: *Ich werde nicht zu ihm gehen.* Wie ein Mantra betete sie sich das immer wieder vor. Wenn sie Dallas draußen am Koppelzaun sah, wie er mit schweißfeuchtem T-Shirt einen Nagel einschlug und dann plötzlich aufblickte und sie anlächelte –

Ich werde nicht zu ihm gehen.

Oder wenn er beim Stallausmisten eine Pause einlegte, den Oberarm mit dem Tattoo auf die Mistgabel stützte und sie anstarrte –

Ich gehe nicht zu ihm.

Die ständigen Ausweichmanöver forderten ihren Tribut. Mehr als einmal hatte sie im vergangenen Monat Ausreden für ihr seltsames Verhalten erfinden müssen. Ein paarmal hatte sie gegenüber Luke oder ihren Schwestern Krankheit vorgeschützt, und bei der Lüge war ihr tatsächlich schlecht geworden. Mitte Juli war das schmerzhafte Pochen in ihrer linken Schläfe schon chronisch geworden, und die Sehnsucht drückte ihr derart die Brust ab, dass sie nur noch schwer Luft bekam. Ganz gleich, was sie sich einredete oder wie viel sie tagsüber schuftete, ihr Verlangen nach Dallas blieb und wuchs genau wie ihr schlechtes Gewissen.

Sie war ein Wrack. Fast rechnete sie schon damit, dass ihre Schwestern ihre ungewöhnliche Schweigsamkeit kommentieren würden, aber anscheinend fiel es ihnen nicht auf. Jetzt, an diesem Samstagabend, hatte sich die ganze Familie im Wohnzimmer versammelt und wartete auf Richard, um gemeinsam zum Rodeo in Silverdale zu fahren. Heute war der letzte Abend, aber Vivi nahm zum ersten Mal nicht teil. Sie hatte einfach zu viel zu tun, um sich an Rodeos zu beteiligen.

»Was hältst du davon, Vivi Ann? Vivi?«

Sie sah auf und merkte viel zu spät, dass sie nicht zugehört hatte und alle sie anstarrten.

»Ist alles in Ordnung mit dir?«, fragte Aurora.

»Ich hab Kopfschmerzen.« Vivi Ann rieb sich über die Schläfe.

»Möchtest du ein Aspirin?«

»Nein, danke.«

»Vielleicht solltest du das Rodeo sausenlassen«, schlug Winona vor und sah sie prüfend an. In letzter Zeit starrte sie sie immer prüfend an. »Es wird spät werden, und du willst doch morgen mit zur Kirche.«

»Aber Luke wollte sich doch da mit ihr treffen«, wandte Aurora ein.

Das gab den Ausschlag. Sie konnte ihren Verlobten jetzt einfach nicht sehen. Es wurde immer schwieriger, mit ihm zusammen zu sein. Jeder sanfte, respektvolle Kuss weckte in ihr das Verlangen nach mehr. Von jemand anderem. Sie ertrug einfach ihre Schuldgefühle nicht mehr, wenn er ihr sagte, wie sehr er sie liebte.

»Winona hat recht«, sagte Vivi Ann. »Eine lange Nacht ist das Letzte, was ich heute gebrauchen kann. Vielleicht sollte ich früh schlafen gehen. Zieht mal ohne mich los. Und sagt Luke, mir ginge es nicht gut.«

»Bist du sicher?« Das war der Beitrag ihres Dads zu dem Gespräch. Mehr brauchte es auch nicht, um sie daran zu erinnern, dass die Grey-Familie immer geschlossen zum Silverdale-Rodeo ging. Aber auch das hatte für sie, wie vieles in letzter Zeit, an Bedeutung verloren. »Ja, ich bin mir sicher.«

Ihr Vater nickte nur, dann war es besiegelt.

Als Richard endlich eintraf, brachte Vivi Ann sie hinaus zu dem großen SUV und verabschiedete sich von ihnen. Zurück im Haus, nahm sie sich ein Glas Wein und ließ sich ein schönes, heißes Bad ein.

Sie streckte sich in der Wanne aus und lehnte sich gegen die glatte Emaille. Lavendelduft entströmte dem heißen Wasser. Langsam entspannten sich ihre Muskeln, einer nach dem anderen, bis sie sich fühlte, als hätte sie keine Knochen mehr. Als die Nacht hereinbrach, hatte sie mehrere Gläser Wein intus, und die Kopfschmerzen waren verflogen. Und das Beste war, dass sie ihre Gedanken nicht ein einziges Mal zu Dallas hatte driften lassen.

Viel später, als es dunkel und still war und sie im Bett lag, nahm sie ein Geräusch wahr. Zuerst hörte es sich an wie ein Herzschlag: pa-*dumm*, pa-*dumm*, pa-*dumm*. Langsam, ruhig und gleichmäßig.

Sie setzte sich auf und lauschte. Es war ein Pferd, das am Koppelzaun entlanglief. Kojoten?

Sie streifte sich den Bademantel über, stand auf und eilte zum Fenster. Vor ihr erstreckte sich die Ranch in der Dunkelheit. Obwohl der Mond schien, entdeckte sie erst nach einer Weile das rennende Pferd. Renegade.

Von ihrem Aussichtspunkt war er nur ein Schatten, der sich in einem leichten Bogen am Zaun entlangbewegte. Sie spürte ihn mehr, als dass sie ihn sah; dafür sah sie mehr als deutlich einen Hut, der im Mondlicht elfenbeinfarben wirkte und auf einem Kopf saß, der mit der Dunkelheit verschmolz.

Sie wusste, sie sollte nicht nach unten gehen; genauso gut wusste sie, dass sie es tun würde. Sie zog den Gürtel des Bademantels straffer, stieg die Treppe hinunter und überquerte den Vorhof, hielt sich dabei aber immer im Schatten.

Dallas ritt Renegade. Ohne Sattel.

Allerdings schien »Reiten« nicht der richtige Begriff dafür zu sein. Vivi Ann konnte kaum glauben, wie mühelos es wirkte. Er ließ das Pferd traben, beschleunigen und wenden, ohne dass sie sah, wie er es machte.

»Hey, mein Junge«, sagte Dallas leise. »Du hast nichts vergessen, was? Ein Champion vergisst es nie.«

Fast eine Stunde lang stand Vivi Ann im Schatten und konnte den Blick nicht von ihnen abwenden, bis sie Dallas schließlich sagen hörte: »Ho, Renegade.«

Das Pferd blieb abrupt stehen, und Dallas ließ sich in einer eleganten Bewegung heruntergleiten. Er nahm Renegade das Zaumzeug ab, tätschelte ihn eine Zeitlang und ging dann den Hügel hinauf.

Als er das Cottage erreicht hatte, machte er Licht. Jetzt wirkte sie wie ein Leuchtturm, der den Seeleuten den Weg nach Hause zeigte und vor gefährlichen Stellen warnte.

Auf einmal setzte Vivi Ann sich in Bewegung und folgte ihm. Mit jedem Schritt ermahnte sie sich, dass es ein Fehler war, zu ihm zu gehen, dass sie etwas in ihn hineindeutete, aber all das hinderte sie nicht. Dieser Moment, diese Kapitulation schien ihr so unausweichlich, als wäre die Entscheidung schon vor langer Zeit gefallen.

Ohne anzuklopfen, stieß sie die Tür zu seinem Cottage auf und sah, dass er am Sofa stand und ein Bier trank. »Nur einmal«, sagte sie und hörte die Sehnsucht, die Angst und die Aufregung in ihrer Stimme. Alles in dieser Nacht schien unwirklich, so als hätte sie diesen Ort in einer Parallelwelt gefunden, in der sich zwar alles so anfühlte wie in der normalen Welt, aber ihre Regeln nicht mehr galten. In dieser neuen Welt konnte sie sich sexy und gewagt verhalten. Nur diese eine Nacht. »Wir machen es einmal, um es hinter uns zu bringen. Niemand wird es erfahren.«

»Es bleibt also unser dunkles Geheimnis, wie?«

Vivi Ann nickte und trat zu ihm.

Er riss sie in seine Arme, trug sie zum Bett, schob die Quilts ihrer Großmutter beiseite und legte sie hin. Er knöpfte seine Levi's auf, schob sie herunter und kickte sie beiseite, während er gleichzeitig schon sein Hemd auszog.

Narben bedeckten seine Brust; eine endete in einer Spirale aus dickem Narbengewebe an einer Rippe. Im Mondlicht wirkten sie silbrig und fast hübsch, doch sie hatte schon genug misshandelte Pferde gesehen, um zu wissen, was sie da vor Augen hatte. »Mein Gott, Dallas ... was –«

Er küsste sie, bis sie kaum noch Luft bekam und nicht mal der kleinste Teil ihres Körpers noch ihr gehörte. Er nahm sie mit Haut und Haar, zwang sie, sich mit solch tiefer Verzweiflung nach ihm zu verzehren, dass es fast weh tat. Als er ihr die Kleider abstreifte und sie unter sich rollte, öffnete sie sich ihm vorbehaltlos und ohne Scham, rief laut seinen Namen und klammerte sich an ihn. Nichts war mehr wichtig außer seinem Körper und ihrem und dem Gefühl der allumfassenden Lebendigkeit.

Mitten in der Nacht wachte Vivi Ann auf und begehrte ihn wieder. Sie drehte sich auf die Seite, um ihn zu küssen, da entdeckte sie, dass er nicht mehr da war.

Sie schob die Decke beiseite und griff nach ihrem Bademantel, der auf dem Boden lag.

Sie fand Dallas auf der Veranda. Er saß auf der obersten Stufe und trank ein Bier.

Sie setzte sich neben ihn. »Hab ich dich beim Schlafen gestört? Dich getreten oder so?«

»Ich schlafe nicht.«

»Jeder Mensch schläft.«

»Ach wirklich?«

Damit gab er ihr nicht nur zu verstehen, dass sie ihn nicht kannte, sondern ein Mädchen aus einer Kleinstadt war, das sich in der großen Welt nicht auskannte. Sie starrte auf die Ranch, die ihr mit einem Mal fremd vorkam. Jetzt hätte sie aufstehen, sich für den großartigen Sex bedanken und wieder in ihr Elternhaus gehen müssen. Doch selbst als sie schon einen schroffen, endgültigen Abschiedsgruß formulierte, ging ihr nicht aus dem Kopf, wie sanft seine Zunge sich auf ihrem Körper angefühlt hatte und sie vor Lust hatte aufschreien lassen.

»Ich sollte besser gehen«, sagte sie schließlich.

Er saß einfach nur da und starrte auf die Weiden. »Zieh den Bademantel aus, Vivi.«

Sie erschauerte, als sie das hörte. Ein winziger Teil in ihr (die alte Vivi Ann, die in dieser einen Nacht fast verschwunden war) wollte sich weigern. Sie musste gehen und ihr altes Leben weiterleben. Wenn der Morgen anbrach, würde man ihr Fehlen bemerken. »Wir haben doch gesagt, nur einmal«, flüsterte sie und hörte selbst, wie wenig überzeugend, wie halbherzig es klang.

»Du hast das gesagt. Nicht ich.«

Dann war er auf den Beinen, stand direkt vor ihr und löste ihren Gürtel.

»Das ist doch verrückt«, sagte sie und spürte, wie der Bademantel zu Boden glitt.

»Verrückt«, murmelte er, küsste ihren Hals, ihre schwellenden Brüste, die Mulde dazwischen.

»Nur noch einmal«, sagte sie und schloss die Augen.

Das Letzte, was sie hörte, bevor er sie küsste, war sein Lachen.

Als Vivi Ann am nächsten Morgen, wund von der leidenschaftlichen Nacht, in ihrem eigenen Bett aufwachte, wusste sie, dass alles anders war. Schon immer hatte sie so getan, als führte sie ein wildes Leben, dabei war es sicher und behütet gewesen. Mit halsbrecherischer Geschwindigkeit ein Pferd zu reiten war gar nichts, war einfach; sie musste nur die Zügel zurückreißen, und das Pferd würde langsamer werden und stehen bleiben.

Jetzt aber konnte sie nicht die Zügel zurückziehen und Dallas bremsen. Sie kannte ihn zwar nicht gut – eigentlich überhaupt nicht –, aber eines wusste sie, für sie beide gab es nur zwei Möglichkeiten: rennen oder stoppen.

Und sie musste stoppen.

Sie stand auf und zog sich für die Kirche an. Als sie ihr Haar mit einem weißen Schmuckgummi zurückgebunden und ihr knöchellanges Jeanskleid angezogen hatte, sah sie vollkommen normal aus.

Sie ging nach unten, stellte einen Teller mit Essen für Dallas in den Kühlschrank und machte sich auf die Suche nach ihrem Vater. Sie verließen gemeinsam das Haus und gingen zum Wagen. »Wie war das Rodeo gestern Abend?«

»Luke hat sich Sorgen um dich gemacht. Er sagte, er würde dich anrufen.«

»Wirklich? Dann habe ich das wohl überhört. Willst du nach der Kirche immer noch zu Jeff?« Etwas anderes fiel ihr nicht ein, um das Thema zu wechseln.

»Ja.«

Schweigend fuhren sie zur Kirche. Auf dem Parkplatz trafen sie sich mit Luke und dem Rest der Familie. Dann gingen sie zu ihrer üblichen Kirchenbank, wo Vivi Ann sich, eingekeilt zwischen Luke und ihrem Vater, wie in einer Falle fühlte (*Rechtschaffenheit ist der Weg zu Gott; Sünde ist die Abzweigung, die uns in die Irre führt, wenn wir nicht wachsam sind gegen ihre dunkle Versuchung);* sie fühlte sich schutzlos und schuldig. Außerdem war sie sich sicher, dass Pater MacKeady jeden Moment den Finger auf sie richten und *Sünderin* rufen würde.

Kaum war der Gottesdienst zu Ende, schoss sie aus der Bank und flüchtete sich in den hinteren Teil der Kirche, wo Kaffee und Erfrischungen angeboten wurden. Dort mischte sie sich unter Freunde und Nachbarn und versuchte, in Gesprächen mit ihnen das laute Dröhnen der Selbstvorwürfe zu übertönen. Sie plauderte, machte alberne Witzchen, trank Kaffee und dachte die ganze Zeit: *Dallas.*

Nur das, seinen Namen. Wieder und wieder.

Mit jeder Minute, die verstrich, wurde der Druck in ihr größer, bis sie meinte, daran zu zerbrechen. Nur er konnte ihn ihr nehmen.

Vielleicht nur noch ein einziges Mal.

»Da bist du ja«, sagte Luke auf einmal, legte den Arm um sie und zog sie an sich.

Dann tauchten auch Winona und Aurora auf.

»Gehen wir«, schlug Aurora vor. »Ich sterbe vor Hunger.«

Gehorsam ließ sich Vivi Ann von Luke und ihren Schwestern aus der Kirche und die zwei Häuserblöcke bis zu Winonas Haus führen.

Dort gab es im Wohnzimmer Mimosas und selbstgemachte Zimtbrötchen für sie. Das ganze Haus roch nach Gewürzen und Duftkerzen. Wohin Vivi Ann auch blickte, sah sie hübsche Dekorationen, Besitz. Ging es darum im Leben:

Besitz anzuhäufen und damit leere Zimmer zu füllen? Sie schlenderte zum Wintergarten und starrte hinaus in den Garten, wo alles gezähmt und gestutzt war. Jede Pflanze war in genau die Form gebracht, die Winona sich vorgestellt hatte.

Es hätte schön sein können, und in gewisser Weise war es das auch. Es zeigte eine strenge, kontrollierte Ästhetik, die nicht im Geringsten Vivi Anns Vorstellungen von Schönheit entsprach. Genau wie der einstige Garten ihrer Mutter – durchdacht angelegt, sorgfältig gepflegt, alles gerade und in Reih und Glied.

Sie blickte zur Seite und wünschte, sie könnte von hier aus die Farm sehen, fragte sich, was er wohl jetzt machte. Im Hintergrund hörte sie ihre Schwestern reden, aber es war nur ein weißes Rauschen. Sie erinnerte sich lebhaft an jedes winzige Detail der letzten Nacht – und begehrte ihn schon wieder.

»Vivi? Hörst du überhaupt zu?« Das war Winona. Sie hatte ihre Stimme derart erhoben, dass sie schon fast schrie.

»Wir reden darüber, wo euer Hochzeitsempfang stattfinden soll«, sagte Aurora scharf.

Langsam drehte Vivi Ann sich um und sah, dass alle sie anstarrten. »Oh. Tut mir leid. Ich hab mir den Garten angesehen. Sehr hübsch, Win.«

Luke zog sie in die Arme. »Ich mach mir Sorgen um dich, Schatz.«

»Wir alle machen uns Sorgen«, bestätigte Aurora.

»Die Arbeit auf der Ranch ist einfach zu viel für sie«, sagte Winona. »Vielleicht sollten wir noch jemanden einstellen.«

Sie traten immer näher zu ihr: Aurora, die zu viel sah, runzelte die Stirn, während Winona, die zu viel wollte, wütend wirkte. Und dann noch Luke … den sie lieben wollte und sollte … aber nicht konnte. Sie vereinigten ihre Kraft, sahen sich besorgt an, und sie wusste, eigentlich hätte sie sich geborgen und getröstet fühlen müssen. Stattdessen bekam sie Platzangst. Sie wollte nur noch fliehen, wieder zum Cottage laufen und mit Dallas zusammen sein; dieses Bedürfnis jagte ihr Angst ein. Sie musste mit diesem Wahnsinn aufhören, und zwar jetzt, bevor sie lichterloh brannte. »Vielleicht sollten wir verreisen, Luke. Nur wir zwei. Um zu sehen, wie wir miteinander zurechtkommen, wenn wir vierundzwanzig Stunden am Tag zusammen sind.«

»So was nennt man Flitterwochen«, sagte er lächelnd. »Ich dachte da an Paris. Ich weiß doch, dass du unbedingt mehr von der Welt sehen willst.«

»Ach ja?«

Sie sah die Reise schon bis ins letzte Detail vor sich: Sie würden sich ein bescheidenes Hotelzimmer nehmen – vielleicht, wenn sie Glück hatten, mit Blick auf den Eiffelturm – und sich von einem Reiseführer Restaurants empfehlen lassen. Sie würden sich alle Sehenswürdigkeiten der Stadt der Liebe ansehen und plaudernd die Champs-Élysées oder das Seine-Ufer entlanggehen. Alles sehr romantisch, aber sie würden sich nicht ungeduldig die Kleider vom Leib reißen oder den ganzen Tag nackt im Bett verbringen und sich lieben. »Mir geht es wirklich nicht gut«, sagte sie und spürte Winonas durchdringenden Blick. Vivi Ann vermied es, ihre Schwestern anzusehen.

»Ich bringe dich nach Hause«, schlug Luke vor.

»Nein«, erwiderte Vivi Ann heftig, lächelte jedoch zur Entschuldigung. »Bitte.« Sie hörte den verzweifelten Unterton in ihrer Stimme, konnte aber nichts dagegen machen. Wenn sie auch nur eine Minute länger hierbliebe, würde sie explodieren. »Es ist ein schöner Tag für einen Spaziergang.«

»Lasst sie doch«, sagte Winona, zur Überraschung aller.

»Bist du sicher?«, fragte Luke Vivi Ann.

»Ja.« Sie stellte sich auf die Zehenspitzen, gab ihm rasch einen Kuss und zog sich zurück, bevor er ihn erwidern konnte. »Wir sehen uns später.«

Sie achtete darauf, langsam zu gehen, so, als fühlte sie sich wirklich nicht ganz wohl. Sie ging gemächlich die First Street Richtung Hood Canal hinunter. Erst als sie um eine Ecke gebogen und in den Schatten eines alten Baumes getreten war, konnte sie endlich tief durchatmen.

Und da war er. Er stand vor dem Waves Restaurant und wirkte vollkommen fehl am Platze zwischen den Zwergen im Garten. Seinen staubigen weißen Cowboyhut hatte er so tief ins Gesicht gezogen, dass sie trotz des hellen Sonnenlichts seine Augen nicht sehen konnte. Die kühn geschwungenen schwarzen Tattoos auf seinem gebräunten Oberarm standen in scharfem Kontrast zu seinem ausgebleichten grauen Baumwoll-T-Shirt.

Vivi Ann tat so, als sähe sie ihn nicht, und ging weiter, aber als sie hinter sich seine Schritte hörte, wurde sie schneller.

Auf Water's Edge angekommen, ging sie direkt ins Farmhaus und drückte die Tür mit einem lauten Klicken zu; das Messingschloss trennte sie von einer Welt, deren Existenz ihr bis jetzt unbekannt gewesen war. »Dad? Bist du zu Hause?«

Keine Antwort.

Sie stand da, allein im Haus, und wartete.

Dann hörte sie Schritte auf der Veranda.

Der Türknauf drehte sich langsam.

Wie ein heißer Sommerwind drang er ins Haus. Sie schwankte zur Seite und stieß gegen den Esstisch. Er drückte sie an das massive Holz, presste seine Hüften an ihre und küsste sie so lange und leidenschaftlich, dass sie nicht mehr genug Luft hatte, um es ihm zu verbieten. Sie spürte, wie seine Hand an ihrem nackten Bein emporglitt und ihren Rock in der Faust zusammennahm. Dann fanden seine Finger unter ihren Slip.

Sie nestelte an den Knöpfen seiner Jeans, riss sie auf und schob sie bis zu den Knien. Ihre Hände drückten und zogen verzweifelt an seinem Körper; ihr Verlangen war so heftig, dass sie nicht still stehen konnte, und als er sie auf den Tisch schob und tief in sie eindrang, rief sie seinen Namen.

Dann war es vorbei, und sie kam zittrig und desorientiert zu sich. Da lag sie, mit hochgeschobenem Rock und heruntergelassenem Slip, auf dem Esstisch ihrer Mutter. Sie wusste, sie hätte sich schämen müssen. »Das ist doch Wahnsinn«, sagte sie leise. »Ich kann damit nicht leben. Die ständigen Lügen …«

Überraschend sanft berührte er ihr Gesicht. »Es wird nicht lange dauern, Vivi. Das wissen wir doch beide. Am Ende wirst du Ken heiraten, und niemand wird je von uns erfahren. Also komm mit, in mein Bett.«

»Ist gut.« Etwas anderes brachte sie nicht hervor. Es war die falsche Antwort – falsch, schlimm, unmoralisch –, und doch nahm sie seine Hand.

Neun

In diesem Sommer lernte Vivi Ann die Kunst des Lügens. Den gesamten Juli und August arbeitete sie lange Tage in der Arena, manchmal mit ihrem Vater, aber viel öfter allein. Sie gab Unterricht, trainierte Pferde oder koordinierte die vielfältigen Nutzungsmöglichkeiten des Reitstalls. Auf einem ihrer eigenen Barrel-Races feierte sie ihren fünfundzwanzigsten Geburtstag und hörte zum ersten Mal in ihrem Leben, dass jemand sie als »hochengagiert« bezeichnete.

Dallas hatte ihr eine Menge über die Führung der Ranch beigebracht. Water's Edge bot nun mit die besten Kurse und Jackpots in der westlichen Hälfte des Staates. Regelmäßig kamen Roper-Barrel-Racer- und Cutting-Teams, um sich miteinander zu messen. Danach gingen sie nach Hause und erzählten ihren Freunden davon, worauf noch mehr Leute kamen.

Während des sonnigen, heißen Sommers achtete Vivi Ann darauf, ganz wie früher zu sein. Die Austernkönigin. Sie bereitete immer noch drei Mahlzeiten am Tag und servierte sie zwei Männern am Esstisch, die kaum miteinander sprachen. Zuerst hatte sie sorgfältig darauf geachtet, während des Essens keinen Augenkontakt mit Dallas herzustellen, weil sie Angst hatte, ihr Vater würde ihr sorgsam gehütetes Geheimnis entdecken, aber eigentlich schenkte ihr Vater ihr dazu nicht genügend Aufmerksamkeit.

Und das war ein Segen, denn sie war Dallas hörig; so einfach – und so kompliziert – war das. Mindestens fünfmal in der Woche ging sie mitten in der Nacht zu seinem Cottage. Wie hormongeschüttelte Teenager taumelten sie dann ins Messingbett ihrer Großmutter und liebten sich bis zum Morgengrauen.

Vielleicht liebten sie sich auch nicht. Vielleicht war es nur Sex. Das wusste sie nicht, und ehrlich gesagt interessierte es sie auch nicht. Er war wie Alkohol, Nikotin und Heroin in einem: eine Sucht, die sie nicht aufgeben konnte. Sie lernte, nur von Augenblick zu Augenblick zu leben, ständig auf der Suche nach einer Gelegenheit, mit ihm zusammen zu sein.

So wie jetzt.

Es war ein herrlicher Freitagabend Ende August: Gerade hatte das Austernfestival begonnen. Seit Wochen schon wurde alles für die Parade, den Umzug und die Wohltätigkeitsauktion vorbereitet. In den vergangenen Jahren hatte Vivi Ann knietief in Arbeit gesteckt; dieses Jahr jedoch hatte sie sich tausend Ausreden ausgedacht, bis Aurora an diesem Morgen zu ihr gekommen war, sie an der Hand genommen, zum Wagen geführt und gesagt hatte: »Es reicht.«

Daher stand Vivi Ann jetzt mit ihren Schwestern auf der Main Street und besprach die letzten Einzelheiten. Die Straße wimmelte von Menschen, die Fahnen aufhängten, Schilder aufstellten und Stände errichteten. Die Polizei fing schon an, verschiedene Straßen für die Parade abzusperren. Am anderen Ende der Main Street spielte sich die Band ein. »Test: eins, zwei, drei …«, schallte es durch die Abendluft.

Vivi Ann hatte das schon unzählige Male erlebt, aber heute Abend zerrte es an ihren Nerven. Die Band war zu laut, die Pflichten zu viele, und Winona behielt sie unablässig im Auge, wie eine Löwin auf der Pirsch.

»Was ist?«, fauchte Vivi Ann sie schließlich an.

»Du bist heute etwas gereizt«, sagte Winona. »Luke meint, du hättest nie Lust, mit ihm über die Hochzeit zu reden. Warum eigentlich nicht?«

»Wieso müssen wir ständig über Luke reden?«, fragte Vivi

Ann. »Ich hab die Nase voll von den Hochzeitsplänen und deinem ständigen Nachbohren. Such dir doch selbst einen Freund, verdammt noch mal, und lass mich in Ruhe.«

»Vielleicht solltest du *Luke* in Ruhe lassen.«

Sofort stellte sich Aurora zwischen sie, wie ein Schiedsrichter. »Achtung, wir sind in der Öffentlichkeit.«

»Aber Vivi Ann steht doch gern im Mittelpunkt, oder etwa nicht, Vivi?«, erwiderte Winona.

Vivi Ann hatte jetzt keine Lust, sich das anzuhören. »Hör mal, Win –«

»Nein, *du* hörst jetzt mal. Du nimmst und nimmst und nimmst und denkst überhaupt nie an andere! Du interessierst dich nur für dich selbst.«

»Hör auf, Winona«, warnte Aurora sie.

»Womit denn? Miss Austernkönigin die Wahrheit ins Gesicht zu sagen?« Winona sah sie an. »Du bist egoistisch und verwöhnt. Du brichst Luke das Herz, aber das ist dir ja egal. Und dann wird er nie wieder eine andere lieben können, weil du immer an erster Stelle stehst.« Mit diesen Worten drehte sich Winona um und drängte sich durch die Menge.

Vivi Ann war erschüttert, wie treffsicher Winonas Attacke gewesen war. »Sie hat recht«, brachte sie hervor, als sie verschwunden war. Ihr war übel; sie schämte sich und hatte Angst.

»Sie hat das nicht so gemeint. Das weiß ich. Ich werde mit ihr reden.«

Vivi Ann wusste, sie sollte mit ihr gehen und Winona suchen, um alles zu klären, aber als Aurora sagte: »Wir treffen uns beim Umzug«, da dachte Vivi Ann – Himmel hilf! – an Dallas.

Sie wusste, wo sie ihn finden konnte. Jeden Freitag- und Samstagabend war er bei Cat, das war stadtbekannt. Es hieß, dass er geradezu irritierend gut Poker spielte und jeden Mann unter den Tisch trank.

»Du solltest zum Umzug gehen«, sagte sie zu sich selbst,

kaum dass Aurora verschwunden war. Aber sie konnte ihren eigenen Rat nicht befolgen, denn die Sehnsucht nach Dallas brannte wie Feuer in ihren Adern. Also machte sie sich auf den Weg zum Kanal, hielt sich aber möglichst im Schatten. Glücklicherweise war so viel los, dass niemand ihr Beachtung zu schenken schien.

Am Ende der Gasse hockte Cat Morgans Haus wie ein alter Trunkenbold am Kanalufer, zusammengesunken und mitgenommen. Die Veranda war schief, die Fensterscheiben immer noch nicht ausgewechselt. Aber sie sah, dass drinnen gefeiert wurde; Schattengestalten tanzten vor den offenen Fenstern. Musik – AC/DC oder auch Aerosmith, jedenfalls etwas mit dumpf hämmernden Bässen – dröhnte so laut heraus, dass sie kaum noch die Wellen an den Kai schlagen hörte.

Vivi Ann war in ihrem ganzen Leben noch nicht zu diesem Haus gegangen. In Oyster Shores gab es zwei Gruppen von Menschen: die, die sonntags zur Kirche gingen, und die, die bei Cat Morgan feierten. Für Leute, die um ihren guten Ruf besorgt waren, war dieses Haus tabu. Seit Cat zehn Jahre zuvor in die Stadt gekommen war, hatte sie sich eine Existenz am Rande der Gesellschaft geschaffen. Es war allgemein bekannt, dass es auf ihren Partys Alkohol, Sex und Drogen gab, aber sie zahlte ihre Steuern und blieb, wo sie hingehörte: außerhalb. Mütter nutzten sie gegenüber ihren leicht zu beeindruckenden Töchtern als abschreckendes Beispiel: Sei vorsichtig mit Jungs und Alkohol, sonst endest du wie Cat Morgan.

Vivi Ann wappnete sich also, überquerte den struppigen Rasen des Vorgartens und trat an die Haustür.

»Na, wenn das mal nicht Vivi Ann Grey ist.«

Es war so dunkel auf der Veranda, dass Vivi Ann erst einen Moment brauchte, bis sie erkannte, wer da gesprochen hatte. Dann sah sie undeutlich eine rötlich gefärbte Mähne.

Cat stand in einer Ecke der Veranda und rauchte. Sie trug schwarze Röhrenjeans und einen Blazer, der in der Taille von einem glitzernden Silbergürtel gehalten wurde. Damit wirkte sie, als wäre sie direkt von einer Bühne der *Urban Cowboys* gesprungen. In der Dunkelheit traten die Falten in ihrem Gesicht stärker hervor. Vivi Ann hatte keine Ahnung, wie alt sie war – vielleicht vierzig?

»Ich … äh … suche Dallas Raintree. Er arbeitet für mich. Ein Pferd von uns ist krank.«

»Ach ja, ein Pferd?« Cat nahm einen tiefen Zug von ihrer Zigarette und stieß den Rauch aus. »Da suchst du doch wohl besser den Tierarzt.«

»Könnten Sie ihn wohl für mich holen? Ich bin ziemlich in Eile.«

Cat musterte sie ausgiebig, bevor sie ihre Zigarette ausdrückte. »Ich sag Dallas wegen dem kranken Pferd Bescheid. Er kommt sicher sofort, er hat ein Herz für Tiere.«

Vivi Ann dankte Cat, ging durch die Stadt zurück zu ihrem Wagen, fuhr nach Hause und parkte, verborgen in einem Wäldchen, bei seinem Cottage.

In Dallas' Schlafzimmer zog sie sich aus, kletterte ins Bett und wartete ungeduldig.

Nur ein paar Minuten später hörte sie, wie ein Wagen draußen mit quietschenden Bremsen zum Stehen kam und eine Wagentür zuknallte.

Dallas stieß die Tür zum Cottage so heftig auf, dass sie gegen die Wand schlug und den ganzen Raum erzittern ließ. »Was zum *Teufel* hast du dir dabei gedacht?«

»Ich hab ihr gesagt, ich würde dich suchen. Wieso, was ist denn?«

»Raus hier, Vivi. Wir sind fertig miteinander.«

Sie begriff nicht. »Warum, was hast du denn?«

»Geh einfach, Vivi. Ich hab schon genug zu bereuen.«

Sie stieg aus dem Bett, lief ihm nach und fasste ihn am Arm. »Dallas, bitte –«

Da packte er sie so fest am Handgelenk, dass es weh tat.

»Geh zurück zu Ken und deinen frommen Kirchgängern, die dir so am Herzen liegen.«

»Aber was, wenn *du* mir am Herzen liegst?« Das rutschte ihr heraus, bevor sie sich bremsen konnte.

»Sei nicht albern, Vivi Ann.«

»Ich liebe dich, Dallas.« Zum ersten Mal in ihrem Leben sprach sie es aus, und es kam ihr ganz natürlich vor.

»Ach, Vivi«, sagte er und lockerte seinen Griff. »Du bist so naiv.«

Sie lächelte ihn an, weil sie wusste, was sie jetzt tun musste. Ihre Worte hatten alles verändert, so, wie es sein sollte. »Küss mich, Dallas«, flüsterte sie. »Du willst es doch auch.«

An diesem ersten Abend des Austernfestivals drängten sich Massen von Touristen und Einheimischen durch die Straßen der Stadt. Auf dem Parkplatz der Bank war eine Bühne aufgebaut worden, auf der eine Band spielte und über die Tanzenden hinweg bis zu den Essens- und Souvenirständen am erleuchteten Ufer blicken konnte.

Winona versuchte, gute Miene zum bösen Spiel zu machen, aber sie war so wütend, dass ihr nicht mal das Tanzen mit Luke Spaß machte.

»Meinst du, ich sollte noch Tanzstunden für den Hochzeitswalzer nehmen?«

Sie verdrehte die Augen. »Wieso gehst du eigentlich davon aus, dass Vivi Ann sich auch nur einen Pfifferling um die Hochzeit schert?«

»Sie ist eben nicht der Typ dafür. Sie mag es lieber ruhiger.«

»*Vivi*? Machst du Witze?« Bevor sie noch mehr sagen konnte, drängte sich jemand zwischen sie.

»Tut mir leid, ihr beiden«, sagte Julie John. »Aber ich glaube, unser Fohlen Peanut hat eine Kolik. Kent geht mit ihm herum, aber wir machen uns Sorgen. Tut mir wirklich leid, Luke, ich weiß, du amüsierst dich ...«

»Mach dir keine Gedanken«, erwiderte er. »In einer Viertelstunde bin ich bei euch. Sag Kent, er muss das Fohlen weiterhin bewegen. Ganz gleich, was passiert, Peanut darf sich nicht hinlegen.« Er wandte sich zu Winona. »Sag Vivi, ich komm zu ihr, wenn ich fertig bin.«

Nachdem sie gegangen waren, stand Winona nur da und starrte auf die Menge, weil sie sich trotz der vielen vertrauten Gesichter unendlich einsam fühlte.

Kurz darauf tauchte Aurora auf. »Da bist du ja. Ich hab schon überall nach dir gesucht.«

»Willst du schon wieder Frieden stiften, Aurora? Da bist du wohl an die falsche Familie geraten.«

»So kann das doch nicht weitergehen, Win. Wegen dir bricht noch die ganze Familie auseinander.«

»Glaubst du, das wüsste ich nicht?«, entgegnete Winona und hatte dabei ein Gefühl, als zerrisse etwas in ihr, das bis dahin immer intakt gewesen war. »Sie ist meine Schwester, und ich liebe sie, aber ...«

»Du liebst ihn auch, ich weiß. Aber du musst damit leben. Du hast es so gewollt.«

Winona schüttelte den Kopf. »Das hab ich nicht gewollt. Wenn sie ihn liebte, könnte ich mich damit abfinden. Ich würde vielleicht darüber hinwegkommen.«

»Meinst du?«

Winona rückte von ihr ab. »Ich gehe jetzt. Richte Luke und Vivi Ann aus, dass ich ihnen viel Glück und viel Spaß wünsche.« Jetzt rannte sie schon, weil sie spürte, wie ihr die Tränen kamen.

Was war bloß los mit ihr? Warum konnte sie das nicht einfach akzeptieren? Die Eifersucht brachte sie um und bedrohte das, was ihr am meisten am Herzen lag: ihre Familie.

Du würdest doch nichts Dummes tun?, hatte Aurora vor langer Zeit gefragt. Jetzt erinnerte sich Winona daran.

»Winona?«, hörte sie jemanden rufen.

Sie blieb atemlos auf dem Bürgersteig stehen, wischte sich über die Augen und drehte sich dann – lächelnd – um.

Myrtle Michaelian stand vor ihr und sagte: »Dein Vater pöbelt in der Eagles Hall herum. Ich glaube, jemand sollte ihn nach Hause bringen.« Dann runzelte sie die Stirn. »Ist alles in Ordnung mit dir, meine Liebe?«

Winona schluckte hart. »Natürlich, Myrtle. Was soll denn sein?« Sie wandte sich ab und marschierte zur Eagles Hall. Noch bevor sie durch die Tür in den verrauchten Saal getreten war, hörte sie schon, wie ihr Dad mit schleppender Stimme eine von seinen Vivi-ist-die-Tollste-Geschichten zum Besten gab.

»Komm jetzt, Dad«, bat sie und nahm ihn beim Arm. »Zeit, nach Hause zu gehen.«

Er war zu betrunken, um sich zu wehren. Sie führte ihn hinaus zu ihrem Wagen. »Du solltest dich beim Whisky etwas zurückhalten, Dad.«

»Sagt die, die alles in sich hineinstopft.«

Daraufhin schwieg Winona die ganze Fahrt bis zur Ranch. Sie half ihm bis in sein Zimmer, sah zu, wie er sich aufs Bett fallen ließ, und wartete, bis er anfing zu schnarchen.

»Gern geschehen«, sagte sie, zog ihm die Stiefel aus und deckte ihn mit einer Decke zu.

Seufzend verließ sie das Haus und ging zum Wagen zurück. Als sie am Reitstall vorbeifuhr, bemerkte sie, dass Vivi Anns Wagen im Wäldchen bei Grandpas Cottage parkte. Dallas' Truck war auch da.

Hätte der Mond nicht so hell geschienen, dann wäre das vielleicht nicht aufgefallen. Nicht ihr und nicht sonst wem.

Winona stieg auf die Bremse. Dann saß sie nur da und starrte auf die beiden Wagen. In diesem Augenblick fügten sich kleine Puzzleteilchen in ihrer Erinnerung zusammen und ergaben ein vollständiges Bild. Ihr fiel wieder ein, dass Vivi Ann bei zahlreichen Gelegenheiten gefehlt hatte – entschuldigt und unentschuldigt. Und die ganze Zeit hatte Luke auf sie gewartet und ihr vertraut.

War es möglich, dass Vivi sie alle angelogen hatte?

Der Kuss. War dies der Anfang von allem gewesen?

Sie fuhr auf den Trampelpfad, parkte neben den beiden Wagen, ging zur Cottagetür, öffnete sie, ohne zu klopfen, und rief: »Hallo?«

Sie sah sie in einer Folge von Momentaufnahmen: Dallas, nackt im Bett, auf der Seite liegend … den Oberkörper von dicken, wulstigen Narben entstellt, einen tätowierten Arm besitzergreifend um ihre Schwester geschlungen. Selbst von der Tür aus erkannte sie, wie sie sich ansahen, sich berührten; das ganze Cottage roch nach Lust, Sex und Kerzenwachs.

Als sie eintrat, setzte er sich auf und blickte Winona direkt an.

Vivi bemühte sich, ihre Blöße zu bedecken. »Ich kann das erklären.«

Am liebsten hätte Winona gelacht. Nur mit äußerster Beherrschung blieb sie ruhig. Das war es. Das Aus für Vivi und Luke. »Ach ja? Das bezweifle ich.«

»Sie wird es nicht verstehen«, sagte Dallas. »Sieh sie dir doch an.«

Vivi Ann wickelte sich in den – jetzt ruinierten – rosafarbenen Quilt ihrer Großmutter und stieg schwankend aus dem Bett. »Bitte, Winona, lass es mich erklären.«

»Erklär das deinem Verlobten.«

»Das werde ich, Win. Ich schwöre es. Ich werde das Richtige tun. Ich weiß, du bist enttäuscht von mir.«

»Gib dir keine Mühe, Vivi. Sie hört dir gar nicht zu, sie ist zu eifersüchtig.« Dallas stand auf und stellte sich, vollkommen unbekümmert, nackt neben Vivi Ann.

Unter seinem Blick fühlte Winona sich wie im Scheinwerferlicht, durchschaut, ertappt. Sie wich vor ihm – vor ihnen – zurück. »Eifersüchtig? Träum weiter.«

Er nahm seine schwarzen Boxershorts vom Boden und zog sie an. »Mit Verlangen kenn ich mich aus, Winona, glaub mir. Du bist ja schon ganz krank davon.«

Sie kehrte ihm den Rücken und rannte zum Wagen. Zwar hörte sie Vivi Ann rufen, sie solle stehen bleiben und zurückkommen, aber sie ließ sich nicht aufhalten und knallte die Wagentür hinter sich zu. Sie ließ den Motor an und starrte eine Minute lang durch die schmutzige Windschutzscheibe zu ihrer Schwester, die, in den alten Quilt gewickelt, auf der Veranda stand.

Dann gab sie Gas und fuhr los, und als sie am Reitstall vorbeikam, dachte sie, dass es endlich vollbracht war.

Nach fünfundzwanzig Jahren der Unantastbarkeit war Vivi Ann endlich gestrauchelt.

Dallas kam zu Vivi Ann auf die Veranda.

Sie wandte sich zu ihm. Sie zitterte und hatte Tränen in den Augen, aber gleichzeitig fühlte sie sich erleichtert. »Jetzt brauchen wir uns nicht mehr zu verstecken. Ich erzähle es Luke, dann ist alles ausgestanden.«

»Du träumst wohl. Wahrscheinlich fährt Winona direkt zu ihm.«

»Nein, das würde sie nicht tun. Sie ist doch meine Schwester.«

Er berührte ihr Gesicht. »Du irrst dich.«

Sie küsste ihn sanft. »Du brauchst nicht so besorgt zu gucken. Es kommt schon alles in Ordnung. Ich werde mit Luke reden und bin in null Komma nichts wieder da. Du bist doch hier, oder?«

»Ich bin hier«, versprach er, wirkte aber gar nicht glücklich.

Winona fuhr nach Hause und schenkte sich ein großes Glas Tequila ein, das sie sofort hinunterkippte. Dann genehmigte sie sich ein zweites und ein drittes Glas.

Es war vorbei.

Endlich.

Vivi Ann würde Luke verlieren. Garantiert.

Außer sie log ihn an. Als dieser Gedanke in ihr Bewusstsein sickerte, wurde ihr leicht übel – es stimmte: Ihre allseits beliebte, tolle Schwester konnte immer noch das tun, was sie schon immer getan hatte: lächeln, die Schultern zucken und damit durchkommen. Wenn Dallas sofort verschwände, könnte Vivi Ann Luke immer noch heiraten, und alles würde vollkommen normal erscheinen. Dad würde seine perfekte jüngste Tochter den Kirchengang hinunterführen und an Luke übergeben, und der würde ihre Hand nehmen, seinen Ring an ihren Finger stecken und ihr ewige Liebe schwören. Und niemand würde je die Wahrheit erfahren.

Winona stand auf, durchmaß mit großen Schritten das Zimmer und versuchte, alles zu durchdenken, aber der Tequila erschwerte das. Was sollte sie jetzt tun? Sie war so in ihre Überlegungen versunken, dass sie kaum die Türklingel hörte, und auf einmal stand Luke vor ihr.

Winona erstarrte. Ihn ausgerechnet jetzt zu sehen, mit seinem strahlenden, aufrichtigen Lächeln, war mehr, als sie verkraften konnte. Sie spürte, wie ihr Tränen in die Augen stiegen. Sie brauchte ihn wie die Luft zum Atmen und konnte es ihm doch nicht zeigen – trotz Vivi Anns schändlichen Verhaltens. Schließlich waren sie Schwestern.

Er zog sie in die Arme und drückte sie an sich, als meinte er es nicht nur freundschaftlich. »Du hast ja getrunken«, flüsterte er lächelnd. »Ich dachte, du wartest auf mich.«

Sie blickte zu ihm auf. »Ein bisschen.« In einem Anflug von Wagemut streckte sie die Hand aus und berührte sein Gesicht. So lange schon hatte sie ihn berühren wollen. »Du bist zu mir zurückgekommen.«

Er lächelte. »Ich war auf der Suche nach Vivi. Hast du sie gesehen?«

Wieder mal Vivi.

Sie löste sich von ihm und kämpfte gegen ihre Tränen. Es tat so unendlich weh, und sie hatte es satt, immer wieder verletzt zu werden.

»Hast du sie gesehen? Sie wollte sich eigentlich mit mir treffen. Ich hab sie wie ein Wahnsinniger ge…«

»Du suchst Vivi Ann? Dann probier's doch mal in Dallas' Cottage.«

»Was?« Er trat einen Schritt zurück. In seinem Blick zeigten sich erst Verwirrung, dann Schock und dann Zorn.

Sie streckte die Arme nach ihm aus, weil sie ihn bei sich behalten und ihm alles erklären wollte. *Sie* war diejenige, die ihn wirklich liebte, der er wahrhaft vertrauen konnte. »Ich habe dir doch gesagt, sie würde dir das Herz brechen.«

Er stürmte aus dem Haus und knallte die Tür hinter sich zu. Winona hörte, wie draußen eine Wagentür zuschlug, ein Motor gestartet wurde und Reifen auf dem Asphalt quietschten.

Erst dann ging ihr auf, was sie getan hatte.

Zehn

Als Vivi Ann zu Luke nach Hause fuhr, versuchte sie, sich zurechtzulegen, was sie ihm sagen sollte.

Es tut mir so leid. Ich wollte dir nicht weh tun. Ich hätte niemals geglaubt, dass ich so etwas tun könnte. Es ist einfach passiert …

Das klang alles so abgeschmackt, so klischeehaft, aber die Wahrheit war noch schlimmer. Wie konnte sie ihre Leidenschaft für Dallas in Worte fassen? Es war viel mehr als Sex. In seinen Armen … in seinem Bett … fühlte sie sich vollständig. Sie wusste, dass das keinen Sinn ergab, aber trotzdem war es die Wahrheit.

Vor Lukes Haus parkte sie den Wagen, rannte hinein, rief nach ihm und suchte in allen Zimmern.

Er war nicht da.

Natürlich nicht. Er war irgendwo in der Stadt und wartete in der Menschenmenge auf sie. In der Küche blieb sie vor der Anrichte stehen, nahm ihren Verlobungsring ab und legte ihn auf die avocadogrüne Arbeitsfläche. Dann stieg sie wieder in ihren Wagen und fuhr Richtung Innenstadt. Als sie an der Tankstelle vorbeikam, kam von hinten eine Ambulanz mit Sirenen und Blaulicht angerast.

Sie fuhr rechts ran, fädelte sich dann wieder in den Verkehr ein und kurvte langsam durch den Ortskern, um Ausschau nach Lukes Wagen zu halten. Sie näherte sich schon der Bowlingbahn, als sie zufällig einen Blick nach links warf. In der Ferne sah sie die Grundstücksgrenze von Water's Edge, die dunklen, sanft geschwungenen Weiden. Dahinter blitzte rotes und blaues Licht auf. Die Ambulanz war bei ihr zu Hause.

Vivi Ann trat auf die Bremse und scherte in den Zufahrtsweg ein. Auf dem Hügel angekommen, hielt sie und sprang aus dem Wagen. Sie rannte über die Wiese, als zwei Sanitäter mit einer Trage aus dem Cottage kamen. Darauf lag Dallas.

Schlitternd blieb sie stehen. Auf Dallas' rechter Wange klaffte ein tiefer Schnitt. Ein Auge war geschwollen und färbte sich bereits dunkel.

»Hey, Königin«, sagte er und zuckte zusammen, als er zu lächeln versuchte.

»Oh, Dal... Es tut mir so leid.«

»Wir müssen ihn ins Krankenhaus bringen«, sagte einer der Sanitäter. Sie nickte und trat einen Schritt zurück.

»Ich komme gleich nach«, versprach sie.

»Nein, nicht.«

Sie küsste ihn auf seine unversehrte Wange.

»Es wird ziemlich hässlich für dich werden, Vivi.«

»Ich bin ja selbst schuld. Ich hätte nicht lügen sollen.«

Es blieb keine Zeit, mehr zu sagen. Die Sanitäter rollten ihn zum Krankenwagen, schoben ihn hinein und fuhren davon.

In der daraufhin eintretenden Stille starrte Vivi Ann auf das Cottage ihres Großvaters und versuchte, allen Mut zusammenzunehmen, um Luke gegenüberzutreten.

Als sie bereit war, ging sie zur Vordertür und trat ein.

Aber nicht nur Luke wartete auf sie. Er stand an der Küchenspüle, und neben ihm standen Winona und Dad.

Vivi Ann stockte kurz, doch dann ging sie weiter auf sie zu.

»Verzeih mir, Luke. Ich war schon bei dir zu Hause, um dir –«

»Zu spät, Vivi«, sagte er.

»Aber –«

»Dein Freund ist so feige, dass er sich nicht mal gewehrt

hat.« Er stieß sich von der Spüle ab, marschierte an ihr vorbei und verschwand aus dem Cottage. Die Tür knallte hinter ihm zu.

Vivi Ann hörte, wie sein Wagen ansprang und sich entfernte. In der darauf einsetzenden Stille sah sie ihren Vater und Winona an. »Es tut mir leid, Daddy. Als du Mom kennengelernt hast, hast du dich bestimmt auch so gefühlt.«

Dad schlug ihr so heftig ins Gesicht, dass sie zur Seite taumelte.

»Du gehst morgen mit deiner Familie zur Parade und wirst mich, weiß Gott, nicht noch einmal blamieren.«

Die folgende Nacht verbrachte Vivi Ann im Schaukelstuhl ihrer Großmutter. Sie schlief nicht, nickte höchstens ein paar Mal ein. Die meiste Zeit jedoch starrte sie hinaus auf die dunklen Weiden von Water's Edge.

Du gehst zur Parade. Du wirst mich nicht blamieren.

Die Botschaft war eindeutig: Ihr Vater erinnerte sie daran, dass sie eine Grey war und nicht aus der Familie ausscheren durfte. Er wusste, genau wie sie auch, dass ihr die Affäre und sogar der Betrug an Luke verziehen werden würde. Es würde kein schöner, sondern ziemlich schmerzlicher Prozess werden, aber am Ende würde ihr garantiert vergeben werden. In Oyster Shores wurden die Dinge auf ganz eigene Weise gehandhabt, und jeder kannte die Regeln. Sie musste nur ihre Sünden gestehen und reumütig zur Familie zurückkehren.

Das Ultimatum ihres Vaters war auch eine Erinnerung daran, dass Familienbande stark waren. Ihr ganzes Leben hatte sie dies als eherne Wahrheit betrachtet, die nicht infrage gestellt werden konnte. Aber am Abend zuvor hatte sie eine Ahnung davon bekommen, wie fragil alles sein konnte und dass es in ihrer Familie unter der glatten Oberfläche dunkle Unterströmungen gab. Nie zuvor war ihr in den Sinn gekommen, dass alles nicht so bedingungslos war wie angenommen und dass nur *ein* Fehler, *ein* Schritt vom rechten Weg alles gefährden konnte. Und sie fallen gelassen würde.

Sie hatte die Wahl: Dallas oder die Familie. Für sie war es, als müsste sie sich zwischen Armen und Beinen, zwischen Herz und Lunge entscheiden.

Endlich graute der Morgen und überzog Water's Edge und den stahlgrauen Hood Canal mit seinem Licht, so dass die schneebedeckten Berge am gegenüberliegenden Ufer aufleuchteten. Sie ging zum Stall und fütterte die Pferde, kehrte dann zum Cottage zurück und setzte sich auf die Veranda.

Sie saß immer noch dort, als ihr Dad das Haus verließ und zu seinem Wagen ging.

Sah er zu ihr herüber? Das konnte sie nicht mit Gewissheit sagen. Aber er fuhr davon, ohne auch nur das Tempo zu drosseln, als er an ihrem Wagen vorbeikam. Bald würde er das Diner erreichen, wo er mit seinem Freund frühstückte; gegen Mittag würde er dann zum Grey Park fahren. Dort traf sich die Familie vor jedem Großereignis der Stadt an einer bestimmten Stelle. Die einzelnen Mitglieder kamen zusammen, um ein Ganzes zu bilden. Der Vater legte größten Wert darauf, dass sie immer zusammen erschienen. Es sollte allen vor Augen führen, dass sie eine Familie waren, die in der Stadt etwas galt. Zuerst würde er Aurora treffen (sie kam immer zu früh) und dann Winona.

Die Vorstellung tat überraschend weh, daher verdrängte sie sie. Ihre Schwester hatte sie am Abend zuvor verraten; auch darum musste sie sich kümmern. Später.

Jetzt war es Zeit, eine Entscheidung zu treffen. Sie konnte zurück zu ihrer Familie gehen oder zu Dallas.

Sie wünschte, es wäre eine schwierige Entscheidung gewesen, aber die Wahrheit war, dass sie Dallas Raintree wollte.

Und zwar von Anfang an: seit er ihre Hand genommen und sie auf die Tanzfläche geführt hatte.

Sie zog sich an und ging zum Wagen. Als sie aus der Stadt

fuhr, ertönten die ersten Klänge der Parade, doch an der Tankstelle hörte sie schon nichts mehr, und die Welt war wieder still, so dass sie nachdenken konnte – und sich Sorgen machen.

Würde er noch da sein?

Wollte er sie überhaupt? Er hatte nie gesagt, dass er sie *liebte*.

Als sie im Krankenhaus ankam, war er noch da. Er stand am Fenster seines Zimmers und starrte hinaus. Als sie eintrat, drehte er sich zu ihr um. »Verschwinde, Vivi. Wir sind fertig miteinander.«

Sie durchquerte das Zimmer, ging um sein Bett herum und trat auf ihn zu. Sie betrachtete sein Gesicht, und ihr Blick verharrte bei jeder Wunde, bei jedem blauen Fleck. Ihretwegen würde er an der Wange eine neue Narbe bekommen. »Du hättest dich wehren sollen.«

»Ach ja?«

»Du hast nichts falsch gemacht. *Ich* habe meinen Verlobten betrogen.«

»Lass mich in Ruhe, Vivi Ann.«

»Wenn du sagst, dass du mich nicht willst, gehe ich.«

»Ich will dich nicht.«

Sie sah ihm an, dass er log. »Was ist mein Lieblingseis?«

»Vanille. Wieso?«

»Heirate mich«, sagte sie, zu ihrer eigenen Überraschung.

»Du bist doch verrückt.«

»Von Anfang an waren wir beide verrückt.«

Einen Augenblick lang schien die Zeit stillzustehen. Ihr wurde bewusst, wie sehr sie sich wünschte, er würde ja sagen. Sie bekam Angst. Sie hatte immer bekommen, was sie wollte, ihr ganzes Leben lang. Was war, wenn sie dafür das verlor, was ihr am meisten am Herzen lag?

»Sag doch was«, flehte sie.

Als Winona die Haustür knallen hörte, wusste sie genau, wer da kam. Sie setzte sich auf die Bettkante und wartete.

In einer Wolke von *Giorgio* bog Aurora um die Ecke. »Was zum Teufel hast du dir dabei gedacht?«

Winona hatte sich für die Parade zurechtgemacht, wusste aber, dass sie trotz kunstvoll frisierter Locken und starker Schminke schlecht aussah. Eine schlaflose Nacht hinterließ immer ihre Spuren. »Also hast du es schon gehört.«

»Du machst wohl Witze: Alle haben es gehört. Und vielen Dank übrigens, dass du mich den Wölfen zum Fraß vorgeworfen hast. Als Myrtle Michaelian mich darauf ansprach, hab ich ihr gesagt, sie solle ihr Klatschmaul halten.«

Winona seufzte. »Es war ziemlich hässlich gestern Abend.«

»Was genau ist denn passiert?«

»Vivi hat's mit Dallas Raintree getrieben.«

Seufzend ließ sich Aurora in den Sessel am Fenster sinken. »Ach, du meine Güte. Das erklärt wohl einiges. Wie hat Luke davon erfahren?«

Winona betrachtete ihre Fingernägel. In der letzten Nacht hatte sie sie bis aufs Fleisch abgekaut. »Als ich zum Cottage kam, verpasste Luke Dallas eine Tracht Prügel. Dallas stand einfach nur da und ließ es lächelnd über sich ergehen, so als gefiele es ihm auch noch. Ich rannte los und holte Dad. Er sollte die beiden trennen. Aber als Vivi Ann zurückkam, schlug er ihr ins Gesicht und sagte, sie sei eine Schande für die Familie.«

»Er hat sie geschlagen?«, fragte Aurora und runzelte die Stirn.

Winona sah, dass ihre Schwester eins zum anderen fügte. Bevor sie eine Schwachstelle entdecken konnte, sagte Winona schnell: »Wahrscheinlich ist es das Beste so.«

»Was soll das heißen?«

»Besser, Luke erkennt jetzt, dass sie ihn nicht liebt. Und sie kann auch weiß Gott nicht losziehen und es einfach mit einem Typen wie Dallas treiben. Ihr musste doch klar sein, dass sie erwischt werden würde. Sie musste doch erwischt werden. Es ist einfach eine Schande.«

Aurora wurde ganz still. »Was hast du getan, Winona?«

»Was meinst du damit?«

»Du hast es Luke erzählt, oder nicht? Ich *wusste*, dass es böse enden würde, als du Vivi Ann nicht die Wahrheit sagen wolltest.«

Winona stand auf. »Sei nicht albern. Los, gehen wir zur Parade. Vivi Ann wird auch da sein. Bestimmt hat sich Dallas aus dem Staub gemacht, und alles ist wieder gut. Du wirst schon sehen.«

»Du glaubst, Vivi Ann würde da auftauchen?«

»Was soll sie denn sonst machen?«

»Und wenn sie dir nicht verzeiht?«

Darauf gab Winona keine Antwort, sondern schob Aurora nur aus dem Haus. Während sie zum Grey Park gingen, versuchte sie, nicht an letzte Nacht zu denken, aber Auroras Worte hatten ihr alles wieder lebhaft in Erinnerung gerufen. Jetzt konnte sie nichts mehr verdrängen ... ihre rasende Eifersucht, ihre verzweifelte Sehnsucht, ihre wachsende Verbitterung ...

Sie war hinter Luke hergerast, weil sie alles zurücknehmen wollte, aber als sie am Cottage angekommen war und gesehen hatte, wie er Dallas verprügelte, hatte sie Dad aus dem Bett geholt, damit er ihr half.

Luke verprügelt Dallas. Du musst sofort kommen.

Luke ... verprügelt Dallas? Wieso?

Weil Vivi es mit ihm getrieben hat.

Dieser Moment war es, der ihr immer wieder im Kopf herumging. Sie wollte sich einreden, dass sie in ihrer Wut unbedacht gehandelt hatte, nur glaubte sie selbst nicht daran. Sie hatte *gewollt*, dass ihr Dad die Wahrheit erfuhr.

Als sie in den Park einbogen, den ihr Großvater der Stadt

geschenkt hatte, sah sie, dass ihr Vater mit Richard und den Kindern unter einem prächtigen Erdbeerbaum stand. Seit über fünfzehn Jahren trafen sie sich dort vor jedem Fest und jedem Umzug der Stadt. Diese Tradition hatte ihre Mutter begründet, als sie noch drei kleine Töchter und eine Gruppe kleiner Reitschülerinnen hatte, die zusammengetrieben werden mussten. Aber als sie heute dort standen, zählte nur, wer *nicht* da war.

Mit jeder Minute, die verstrich, wurden die Grundfesten ihrer Familie ein klein wenig mehr erschüttert und bekamen Risse. Um kurz vor zwölf schließlich ging Dad zum Mülleimer an der Straße, warf seinen leeren Plastikbecher hinein und drehte sich zu ihnen um. Zwar wirkte er immer etwas schroff und kühl, aber jetzt war er sichtlich gealtert. »Sie hat sich wohl entschieden. Los, gehen wir.«

Aurora sah Winona hilfesuchend an. Diese nagte an ihrem künstlichen Fingernagel, der wie die amerikanische Flagge lackiert war. »Wir können doch nicht einfach gehen. Sie kommt schon noch. Oder nicht?«

Winona musste zugeben, dass sie erschüttert war. Damit hatte sie nicht gerechnet.

»Kommt schon«, sagte Dad scharf. Er war bereits an der Ecke und bog auf die Straße ein.

Da Winona nicht wusste, was sie sonst tun sollte, folgte sie ihm.

In den nächsten zwei Stunden, die sie an der Seite ihres Vaters verbrachte, rechnete sie jede Minute damit, Vivi Ann auf einem Wagen oder auf Clem vorbeikommen zu sehen.

Aber ihre Schwester blieb verschwunden.

»Das bedeutet Ärger«, sagte Aurora, als der letzte Wagen der Parade an ihnen vorbeigezogen war. »Großen Ärger. Erzähl mir die ganze Geschichte. Warum hast du –«

Winona ließ sie einfach stehen. »Wir reden später darüber, Aurora«, rief sie über die Schulter zurück.

Fast im Laufschritt eilte sie zu ihrem Wagen, um dem Gerede der Leute zu entkommen. Sie sprang auf den Fahrersitz und fuhr zu Lukes Haus. Er war der Einzige, der verstehen und anerkennen würde, was sie getan hatte. Sie fand ihn genau dort, wo sie ihn erwartet hatte: auf der Veranda. Seine linke Hand war verletzt und blutverschmiert. Er saß da und starrte ins Leere.

»Hey«, sagte sie.

Er reagierte kaum, hob nur kurz das Kinn.

Sie setzte sich neben ihn. Ihr tat es in der Seele weh, ihn so zu sehen. Es war derselbe Schmerz, den sie schon verspürt hatte, als er sich Vivi Ann zuwandte. »Ich bin für dich da.«

Er antwortete nicht, sah sie nicht einmal an, und das machte sie nervös.

Sie wollte ihm den Arm um die Schultern legen. »Es ist für alle das Beste so, wirklich. Wenn sie dich nicht geliebt hat, musstest du das erfahren. Jetzt kannst du nach vorne blicken.«

Er schüttelte ihren Arm ab.

»Luke?«

»Warum hast du es mir erzählt?«

»Was? Du musstest es doch erfahren! Sie durfte dich doch nicht mit diesem Mann betrügen. Ich wusste, wie sehr dich das verletzen würde.«

»Genau.« Er stand auf und ging zum Geländer der Veranda, als suchte er möglichst viel Abstand. Er blickte auf die Weiden.

»Es war doch nicht *mein* Fehler, Luke. Ich bin nicht fremdgegangen. Ich hab dich weder betrogen noch dir das Herz gebrochen. Das war sie. Es war doch klar, dass sie erwischt wird. Ich versuche nur, dir zu helfen. Sieh mich an, Luke.«

Er drehte sich nicht um. »Geh einfach, Winona. Ich kann jetzt nicht mit dir reden.«

Sie wusste nicht, was sie tun sollte, so unbegreiflich war ihr seine Reaktion. »Aber –«

»Geh. Bitte.«

Bitte – das war es, was sie zur Vernunft brachte. Sie war zu früh gekommen, daran lag es. Natürlich war er noch nicht bereit, sich von ihr trösten zu lassen. Aber irgendwann würde er bereit sein. Die Zeit heilte alle Wunden. Sie musste nur Geduld haben. »Ist gut. Aber ich bin immer für dich da. Ruf mich einfach an, wenn du einen Freund brauchst.«

»Einen Freund«, wiederholte er mit seltsamem Unterton.

Sie war schon auf halbem Weg zur Tür, da hielt er sie auf.

»War sie bei der Parade?«

»Nein«, sagte sie bitter und sah ihn über die Schulter hinweg an. »Dazu war sie zu feige.«

»Ach ja? Glaubst du wirklich?« Er seufzte. »Du hättest es mir nicht sagen sollen.«

»Es hat mir das Herz gebrochen«, flüsterte sie, »als ich sie zusammen im Bett sah. Ich wusste, wie weh dir das tun würde.«

»Ich liebe sie.«

»Du hast sie geliebt«, korrigierte sie und griff nach dem Türknauf. »Dabei hast du sie noch nicht mal wirklich gekannt.«

Vivi Ann und Dallas heirateten im Mason County Courthouse, und die einzigen Zeugen waren der Friedensrichter und sein Gehilfe. Nach der Trauung stiegen sie in den Truck und stellten das Radio an. Der erste Song, der durch die Lautsprecher dröhnte, war »My Heroes Have Always Been Cowboys« von Willie Nelson. Vivi Ann musste lachen und dachte: *Das wird unser Song sein.*

Auf der Fahrt zum Olympic-Rainforest-Nationalpark redeten sie die ganze Zeit. Dann wurde es dunkel, und die Straße schlängelte sich immer tiefer in den uralten Wald, bis sie endlich die Sol Duc Lodge erreicht hatten, wo sie sich ein Cottage mieteten.

»Ich schätze, wir sind ein Cottagepaar«, sagte Dallas, als er sie über die Schwelle in das nach Harz duftende Innere trug. Die nächsten vier Tage verbrachten sie im Bett. Sie liebten sich, sie lagen nebeneinander, sie unterhielten sich. Vivi Ann erzählte Dallas alles, was es über sie zu wissen gab: wann und mit wem sie ihre Unschuld verloren hatte, wie es war, als ihre Mutter starb, warum sie Oyster Shores so sehr liebte und sogar, was sie gern aß und was nicht. Je länger sie sich unterhielten, desto öfter lachte er, und so wurde das Bedürfnis, ihn zum Lachen zu bringen, eine neue Sucht von ihr.

Am fünften Tag wanderten sie über den wunderbaren Panoramaweg zum berühmten Sol-Duc-Wasserfall. Dort, mutterseelenallein, umgeben nur von uralten, wild gewachsenen Bäumen, dem Donnern des Wasserfalls und der nebelfeuchten Luft, liebten sie sich auf einer kleinen Lichtung am Fuße einer zweihundert Jahre alten Zeder.

»Weißt du, ich hab dich durchschaut«, sagte sie danach. Sie saßen mit dem Rücken an den moosbewachsenen Stamm der Zeder gelehnt.

Er holte ein Taschenmesser hervor und begann, müßig ein Herz in die gefurchte Rinde zu schnitzen. »Ach wirklich?«

»Ich habe dir alles über mich erzählt. Aber von dir weiß ich gar nichts. Jedes Mal wenn ich dich etwas frage, küsst du mich.«

»Und das ist auch das Wichtigste.« Er schnitzte seine Initialen in die Rinde und fing dann mit ihren an.

»Aber nein. Wir sind jetzt verheiratet. Ich muss doch Fragen über dich beantworten können.«

»Haben wir uns in einer Pärchenshow angemeldet?«

»Das ist kein Witz. Ich meine es ernst.«

Er schnitzte ihre Initialen zu Ende, legte sein Messer weg und sah sie endlich an. »Wenn du jemanden an einer Klippe sähst und den Eindruck hättest, er würde gleich springen: Was würdest du dann sagen?«

»Dass er zurücktreten soll, bevor noch was Schlimmes passiert.«

»Dann tritt zurück, Vivi.«

»Wieso kann es mir schaden, dich zu kennen?«

»Vielleicht gefällt dir nicht, was du erfährst.«

»Du musst mir vertrauen, Dallas, sonst funktioniert das nicht mit uns.«

»Ist gut«, war er nach langem Schweigen einverstanden. »Stell deine Fragen.«

»Wo wurdest du geboren?«

»Oh Wunder: in Dallas, Texas. Meine Mom und mein Dad haben sich dort in einem Diner kennengelernt. Sie wohnte mit ihrer Schwester im Reservat.«

»Wie heißt sie denn?«

»Ihr echter Name war ›Lacht wie der Wind‹. Ihr Mann nannte sie Mary. Und sie ist tot.«

»Und dein Dad?«

»Lebt noch.«

Sie berührte die Narben auf seiner Brust. Im Dämmerlicht sahen sie silbrig aus, als wären Stücke zerrissener Angelschnur in sein Fleisch gebettet. »Woher hast du die?«

»Elektrokabel und Zigaretten. Mein Alter hatte keine Lust, nach Stöcken zu suchen.«

Vivi Ann zuckte zusammen. »Und deine Mom, hat sie –«

»Das reicht für heute. Sollen wir uns jetzt nicht mal über etwas wirklich Wichtiges unterhalten?«, fragte er, als sie sich an ihn schmiegte.

»Zum Beispiel?« Sie starrte durch die fedrigen Blätter hinauf in den purpurfarbenen Himmel.

»Winona.«

Vivi Ann seufzte. Auch wenn es in den letzten Tagen nicht zur Sprache gekommen war, hatte sie darüber nachgedacht. »Sie ertrug es einfach nicht, was wir – was *ich* Luke antat, und ist ausgerastet. Win war schon immer ein Mensch, für den es nur Schwarz oder Weiß, entweder oder gab. Ich sollte wütend auf sie sein, und das bin ich auch, doch im Grunde hat sie mir geholfen. Wie soll ich noch wütend sein, wo ich doch mit dir verheiratet bin?«

»Also willst du zurückgehen«, sagte er.

»Ich gehöre dorthin«, erklärte sie leise. »Und ich möchte, dass du und unsere Kinder auch dorthin gehören.«

»Das wird nicht leicht werden. Die Leute reden doch.«

»Das tun sie immer, und jetzt hab ich ihnen endlich Gesprächsstoff gegeben.«

»Ich liebe dich, Vivi«, sagte er, und eine seltsame Dringlichkeit lag in seiner Stimme, die sie gleichzeitig entzückte und erschreckte. »Ich werde nicht zulassen, dass dir jemand weh tut. Nicht mal Winona.«

Sie lachte. »Keine Sorge, Mr Raintree. Wir Greys sind Rancher. Wir wissen, wie man Zäune instand hält.«

Am ersten Samstag im September wachte Winona weit vor Tagesanbruch auf und schleppte sich zur Ranch. Auf dem Weg dorthin holte sie Aurora ab, die zu dieser unchristlichen Stunde ungebührlich frisch wirkte.

»Ich fasse es nicht, dass sie immer noch nicht zurückgekommen ist«, sagte Aurora, als sie zum Farmhaus fuhren.

»Sie will uns Angst einjagen. Und es funktioniert. Dad merkt schon, wie sehr er sie auf der Ranch braucht.«

»So denkt sie nicht.«

»Du meinst, sie denkt überhaupt?«

Aurora verdrehte die Augen. »Herrgott, du bist manchmal so ein Miststück. Wie geht es eigentlich Luke? Hat er dir schon seine unsterbliche Liebe gestanden?«

Winona trat so heftig auf die Bremse, dass ihre Schwester verstummte. »Der Keksteig ist im Kühlschrank. Mach so viele wie möglich und bring dann das gesamte Essen zur Sommerküche.«

»Ist gut.« Aurora stieg aus und verschwand im Haus.

Winona fand ihren Dad im Reitstall. Er fegte die Arena für den heutigen Jackpot sauber. Sie winkte ihm zu und ging zur Schiedsrichterkabine, wo sie die Lautsprecheranlage einschaltete.

Die nächsten Stunden widmete sie sich allen anstehenden Aufgaben. Sie sorgte dafür, dass die Absperrung sicher stand, die Stoppuhren und das Mikrofon funktionierten, dass die Bullen hergebracht und ihre Hörner umwickelt wurden. Um zehn Uhr war sie wieder in der Schiedsrichterkabine, in der sich bereits die Teilnahme-Anträge stapelten, und versuchte, die Teams für die ersten Runden zusammenzustellen. Das Schlimmste von allem waren die Handicaps. Jeder Roper hatte von der Roping-Association ein Skill-Level zugesprochen bekommen: eine Ziffer in einer Skala, die seinen Fähigkeiten entsprach. Damit es fair zuging, mussten die Teams so zusammengestellt werden, dass ihre Handicaps, die sich aus der Summe der Ziffern ergaben, in etwa gleich waren. Dafür musste man eigentlich Mathe studiert haben!

Die Tür zur Kabine öffnete sich, gefolgt von einer kleinen Staubwolke, und ihr Vater erschien. Er wirkte gereizt. »Was brauchst du eigentlich so lange, Win? Rechnen wirst du doch noch können, schließlich hast du sieben Jahre studiert.«

»Ich krieg's einfach nicht hin.«

»Also ist College Zeitverschwendung.« Er schnappte sich die Geldkassette vom Tisch und verschwand.

Winona folgte ihm zum Parkplatz, wo sich schon Dutzende Männer auf Pferden versammelt hatten.

»Was ist los, Henry?«, fragte einer und schob sich den Cowboyhut in den Nacken.

»Wir machen für heute dicht«, erwiderte er. »Jeder kriegt sein Geld zurück. Das Handicapping ist zu hoch für Winona.«

Winona spürte, wie ihr das Blut ins Gesicht schoss.

Dad öffnete die Geldkassette und wollte gerade die Teilnahmebeiträge auszahlen, als noch ein Wagen auf den Parkplatz fuhr. Winona war so mit der demütigenden Szene beschäftigt, dass sie erst nach einigen Sekunden merkte, wie die Leute Vivis Namen flüsterten.

Sie blickte ruckartig auf und spähte durch die Menge.

Tatsächlich, es war Vivi Anns Truck.

Die Männer drehten sich auf ihren Sätteln, um besser sehen zu können. Winonas erster Gedanke war: *Gott sei Dank.* Doch dann sah sie Vivi Ann und Dallas auf sie zukommen, händchenhaltend, als wären sie ein ganz normales Paar, das sich ein Rodeo ansehen will. Da wusste sie, dass Ärger in der Luft lag. Vivi Ann sah mit den zerschlissenen Jeans und dem knittrigen T-Shirt so schön aus, dass es fast blendete, und wenn sie die Sonne war, dann war Dallas der Schatten, kühl und dunkel.

Unheimliche Stille legte sich über die Menge, weil alle genau Bescheid wussten. Sie waren unsicher, wie sie sich verhalten sollten, vor allem die Männer, die sich in diesen Dingen immer auf ihre Frauen verließen.

»Hey, Dad«, sagte Vivi Ann, als wäre nichts geschehen. »Brauchst du meine Hilfe?«

Der Vater zögerte lang genug, um seine Verärgerung kundzutun, aber nicht so lange, dass das Zerwürfnis der Familie deutlich geworden wäre. »Du bist spät dran«, meinte er und schob ihr die Geldkassette zu.

Und damit nahm Vivi Ann wieder ihren Platz ein. Sofort lächelten die Cowboys ihr zu und hießen sie willkommen, während Dallas sich unter sie mischte und ein paar der Jüngeren mit Ratschlägen bedachte.

Winona traute ihren Augen nicht. Nach alldem – dem Sex, dem Betrug, der Ohrfeige – konnte Vivi Ann einfach so nach Water's Edge zurückkehren und wurde auch noch willkommen geheißen?

Sie marschierte zum Snack-Stand, wo Aurora emsig Burger briet.

»Du wirst nicht glauben, was gerade passiert ist.«

Aurora wandte sich zu ihr. »Was denn?«

»Vivi Ann ist wieder da. Zusammen mit Dallas.«

»Waren sie die ganze Zeit zusammen?«

»Bin ich Jesus? Weiß ich alles? Keine Ahnung, aber sie benehmen sich wie die Turteltäubchen.«

»Das wird übel enden. Hast du dich bei ihr entschuldigt?«

»Ich? War doch alles ihre Schuld.«

»Nein«, sagte Aurora streng. »Du bist hier das Problem.«

»Wieso das? Hab ich etwa mit Dallas Raintree gevögelt, obwohl ich mit Luke verlobt war? Bitte, lass mich an deinen Erkenntnissen teilhaben, Aurora.«

»Luke ist nur ein Freund, Winona. Aber Vivi gehört zur Familie. Als es drauf ankam, hast du dich für Luke entschieden. Das weiß die ganze Stadt. Wie lange hast du gewartet, bevor du es ihm und Daddy erzählt hast?«

»Das muss ich mir nicht anhören«, sagte Winona und marschierte davon.

In der Arena hatte sie plötzlich das Gefühl, von allen angestarrt zu werden. Sie blickte sich um und fragte sich, was die Leute wohl über ihren Anteil an der ganzen Geschichte sagten. Kaum hatte sie angefangen, sich über ihren Ruf Sorgen zu machen, konnte sie nicht mehr damit aufhören. Sie kletterte in die oberste Reihe der Tribüne und verbarg sich im Schatten, bis das Roping zu Ende war. Dann ging sie zum Snack-Stand.

»Es ist also Stadtgespräch, dass ich es Luke verraten habe?«

Aurora stellte die Kochplatte ab und wischte sie sauber. »In einer Kleinstadt wie unserer gibt es eben keine Geheimnisse.«

»Das ist nicht fair. Ich habe mich richtig verhalten. Das werden die Leute irgendwann auch erkennen.«

Aurora seufzte. »Ich gehe Vivi Ann suchen. Kommst du mit, oder willst du dich verstecken?«

Winona verkniff sich eine bissige Antwort und folgte ihrer Schwester zum Parkplatz. Dort herrschte allgemeiner Aufbruch, und die Trucks mit ihren Anhängern bahnten sich wie eine bunte Schlange ihren Weg zur Hauptstraße zurück. Als sie alle verschwunden waren, standen Winona und Aurora am Zaun und ihr Dad am Offenstall. Sie warteten.

Vivi Ann und Dallas kamen mit großen Schritten auf sie zu. Hand in Hand.

Im purpurnen Licht der Abenddämmerung standen sie da, sahen die dunklen Weiden, hörten die Pferde, die am Zaun entlangtrabten, und das Wasser, das zum Meer zurückströmte.

»Er hat hier nichts mehr zu suchen«, sagte Dad.

Dallas rückte näher zu Vivi Ann und legte den Arm um sie. »Wir haben geheiratet.«

Keiner sagte ein Wort; einen Augenblick lang schien die Zeit stillzustehen. Vivi Ann sah ihren Vater direkt an. »Ich möchte, dass wir alle hierhin gehören, Dad, und die Ranch gemeinsam führen, aber wenn du uns nicht hier haben willst ...«

Da erkannte Winona, dass Vivi Ann alles andere als dumm war. Sie hatte ihren Vater in eine Ecke gedrängt, um ihren Willen zu kriegen.

»Mir bleibt wohl kaum was anderes übrig, oder?«, erwiderte er. Dann drehte er sich um, ging zum Haus und knallte die Tür hinter sich zu.

Aurora trat zu Vivi und umarmte sie. »Er wird sich schon dran gewöhnen. Keine Sorge.«

Vivi Ann klammerte sich an Aurora. »Ich hoffe es.«

Etwas unbeholfen umarmte Aurora auch Dallas und ging dann zu ihrem BMW. Als der Wagen ansprang, stand Winona immer noch da. Sie war so erschüttert, dass ihr die Worte fehlten.

Vivi Ann ging zu ihr, ließ aber Dallas' Hand nicht los; es erinnerte sie daran, dass sie jetzt zusammen waren. Ein Paar. »Wie sollen wir damit umgehen, Winona?«, fragte sie leise.

»Ich hab Dad nur Bescheid gesagt, weil Luke Dallas verprügelt hat.« Winona hörte, wie zittrig ihre Stimme klang, und wurde wütend, weil sie schwach wirkte, wo sie stark sein wollte. »Ich hab versucht, ihn zu *retten*.«

Da trat Dallas zu ihnen, als gehörte er dazu, als hätte er einen Platz zwischen ihnen. »Du wolltest das, was sie hatte«, sagte er.

»Das ist nicht wahr«, widersprach Winona, aber sie wusste – sie alle wussten –, dass es der Wahrheit entsprach.

»Du hast mir einen Gefallen getan«, sagte Vivi Ann, »auch wenn du mir schaden wolltest. Die Wahrheit ist, dass mir das Ganze jetzt egal ist. Ich hab den Mann, den ich liebe, und wir sind wieder auf der Ranch. Alles andere ist unwichtig.«

Da hatte sie recht. So unglaublich es auch schien, hatte Vivi Ann alle Regeln gebrochen – und das Herz eines anständigen Mannes dazu –, sie hatte mit einem Fremden geschlafen und ihn der Familie aufgezwungen und musste trotz allem nicht dafür büßen. Sie war ein Goldkind.

»Ich weiß, dass Vergeben und Vergessen nicht deine Stärke sind«, sagte Vivi Ann, »aber uns bleibt nichts anderes übrig. Ich bin dazu bereit. Du auch?«

Jetzt war Winona in die Ecke gedrängt, genau wie ihr Vater kurz zuvor. Sie konnte nur noch zustimmen. Sonst hätte es ausgesehen, als wäre sie nachtragend und gemein. »Natürlich«, antwortete sie und ging zu ihrer Schwester, um sie schnell zu umarmen. »Vergeben und vergessen.«

Elf

Doch manches konnte man nicht vergessen, ganz gleich, wie sehr man sich bemühte. Demütigungen. Verluste. Neid. Wie Bojen tauchten sie immer wieder an die Oberfläche. Am Ende hatte man keine Kraft mehr, sie unten zu halten. Winona wusste, wie sehr sie es versucht hatte. Sie versuchte es immer noch, aber manchmal, so wie heute Nacht, war die Anstrengung unerträglich.

Als sie es an der Tür klingeln hörte, war ihr erster Gedanke: *Ich mach einfach nicht auf.*

Es klingelte wieder.

Vor der eigenen Familie konnte man sich nicht verstecken.

Sie ging zur Tür und öffnete sie.

Aurora stand da, sorgfältig zurechtgemacht. Sie hatte ihre braunen Haare zu einem hochangesetzten Pferdeschwanz frisiert und ihr Gesicht auffällig geschminkt. Schulterpolster betonten ihre schmale Taille, die ein breiter Ledergürtel mit Strass-Steinen schmückte. Ihr Jeanskleid wirkte im Vergleich dazu recht schlicht. »Jetzt sieh mich nicht so säuerlich an. Los, gehen wir.«

Wortlos folgte Winona ihrer Schwester zum Wagen. Als sie auf den Rücksitz kletterte, wünschte sie sich ganz weit weg. »Das ist so eine blöde Idee«, bemerkte sie.

»Ich nehme deine Meinung zur Kenntnis«, antwortete Aurora.

Winona seufzte übertrieben laut und verschränkte die Arme. »Wo ist Richard?«

»Er muss angeblich noch arbeiten. Er würde lieber seine Schuhe essen, als mitzukommen.«

»Das kann ich mir denken.«

»Deine Meckereien interessieren mich eigentlich nicht.«

Sie nahmen die Abzweigung nach Water's Edge und fuhren zum Cottage hinauf.

Sie klopften an die Tür, die unmittelbar darauf von Vivi Ann geöffnet wurde.

»Puh«, sagte Aurora. »Sie sind angezogen.«

Winona verdrehte die Augen. »Es ist doch noch nicht mal dunkel draußen.«

»Du hast so viel Ahnung vom Sex wie ich vom Imkern«, gab Aurora zurück. Und zu Vivi Ann sagte sie: »Wir wollten ins Outlaw.«

»Na klar, es ist ja Freitag«, erwiderte Vivi Ann.

Sofort stand Dallas auf, stellte sich hinter Vivi Ann und legte ihr besitzergreifend eine Hand auf die Taille.

Aurora kniff die Augen zusammen und sah ihn prüfend an. »Liebst du sie, Tattoo-Boy?«

»Sieht so aus, Möchtegernpfadfinderin.«

Aurora lächelte. »Dann geh mit ihr ins Outlaw. So bringt ihr's hinter euch.«

»Genau«, sagte Winona scharf. »Ihr bringt die Leute am besten zum Schweigen, wenn ihr ihnen zeigt, wie glücklich ihr seid.«

Dallas starrte Winona an. »Du wirkst aber nicht allzu glücklich, Winona. Ich schätze, das Gerede über Vivi kommt dir ganz gelegen.«

»Weil du mich so gut kennst, meinst du?«

»Ich weiß nicht«, erwiderte Vivi Ann. »Luke könnte doch da sein.«

Dallas legte den Arm um sie. »Wenn du nicht willst, müssen wir nicht hin.«

Winona war überrascht, wie sanft seine Stimme klang.

Kein Wunder, dass er ihre Schwester herumgekriegt hatte. Außerdem sah Vivi Ann in jedem nur das Beste.

»Du kannst ihm doch nicht für immer aus dem Weg gehen«, widersprach Aurora.

Am Ende nickte Vivi Ann. »Wartet kurz«, bat sie und nahm Dallas' Hand. Als sie im Schlafzimmer verschwanden, bemerkte Winona: »Wenn ich den geringsten Hinweis auf Sex höre, hau ich ab.«

»Typisch«, sagte Aurora lachend.

Eine Viertelstunde später fuhren die Grey-Schwestern und Dallas vor dem Outlaw vor.

Nacheinander gingen sie hinein. Als Dallas – als Letzter – eintrat, wurde es bemerkenswert still. Gespräche stockten, Gläser verharrten auf halbem Wege, Leute blickten sich um. Selbst der Schlagzeuger hielt kurz inne.

Winona bemerkte, dass ihre Freunde Vivi Ann und Dallas nicht aus den Augen ließen. Sie gingen zusammen zur Bar und bestellten etwas zu trinken. Als sie ihre Getränke hatten, drehten sich alle vier gleichzeitig um und stellten sich der Menge. Im Hintergrund spielte die Jukebox »The Dance«.

Der Erste, der sich ihnen näherte, war Luke.

»Da kommt er«, murmelte Aurora. »Exverlobter auf ein Uhr.«

»Er weiß eben, was sich gehört«, bemerkte Winona und zwang sich, ihm nicht entgegenzugehen.

Dallas rückte näher zu Vivi Ann und nahm ihre Hand.

»Hey, Vivi«, begann Luke.

Jetzt wurde es vollkommen still in der Bar. Das einzige Geräusch kam vom Billardtisch im hinteren Bereich, wo gerade eine Kugel gegen eine andere stieß.

»Ich habe gehört, du hast geheiratet«, sagte Luke hölzern. »Gratuliere.«

»Ich hätte ehrlich zu dir sein sollen«, gab Vivi Ann zu.

»Das hätte ich mir gewünscht.«

Winona nahm jede Einzelheit in seinem Gesicht wahr: wie er die Augen schloss, bevor er zu sprechen anfing; wie um seinen Mund kleine Falten erschienen. Sie erwartete, dass er noch etwas sagen würde, etwas Bissiges, Strafendes – was Vivi Ann für ihr Verhalten verdient hatte –, doch je länger sie ihn anstarrte, desto deutlicher erkannte sie: Luke war nicht wütend auf Vivi Ann.

Er liebte sie immer noch. Nach all dem, was sie ihm angetan hatte.

»Es tut mir aufrichtig leid«, sagte Vivi Ann.

Ihre Schwester redete immer weiter, gab eine belanglose Phrase nach der anderen von sich, während alle zuhörten, lächelten und Verständnis zeigten. In Winona fing es an zu dröhnen, immer lauter, bis sie schließlich nur noch das Hämmern ihres eigenen Herzens hörte. Sie war so tief in ihre eigenen Gedanken, in ihre bittere Enttäuschung versunken (was war mit Karma, was war mit Buße für die Sünden?), dass sie das Ende der Szene kaum mitbekam.

Irgendwann ertönte wieder Musik, und Leute strebten zur Tanzfläche.

Sie blinzelte und sah sich nach Luke um.

Dallas beobachtete sie, und etwas in seinen unheimlichen hellgrauen Augen machte sie nervös. Er ließ Vivi Anns Hand los und ging auf sie zu. Winona bemerkte, wie lässig und sexy sein Gang war, und erkannte auch, was er damit bezweckte. Aber das würde bei ihr nicht ziehen.

»Armer Luke«, sagte Dallas so sanft, dass ihre Unruhe stieg. »Ich wette, er braucht jemanden, bei dem er sich ausheulen kann.«

»Du weißt doch gar nicht, wovon du sprichst.«

»Ich weiß aber, was mit dir los ist«, antwortete er und lächelte.

Er ist gefährlich, dachte Winona. Und Vivi Ann hatte ihn in ihre Familie gebracht. Also hatte Winona richtig gehandelt, als sie Vivi Ann vor diesem Mann zu schützen versucht hatte. »Ich warne dich: Tu ihr nicht weh«, sagte sie. »Ich behalte dich im Auge.«

»Sie mag vergessen haben, was du getan hast, Winona, aber ich nicht. Du hast sie schlicht und einfach verraten. Also vergiss nicht: Ich behalte *dich* im Auge. Sie mag dir verzeihen. Ich nicht.«

Winona saß in ihrem Wagen, der vor der Polizeiwache stand.

Sie sollte nicht hineingehen, das wusste sie. Manche Dinge blieben besser im Dunkeln.

Wäre sie doch nur ein Mensch gewesen, der Fakten ignorieren konnte. Aber es war ihr unmöglich, Unkenntnis vorzutäuschen.

Kaum war ihr die Idee gekommen, mutierte sie schon zu einem Krokodil, das seine Beute zu Tode schleuderte. Denn plötzlich bekam sie Angst, dass Dallas wirklich gefährlich war.

Sie stieg aus dem Wagen, ging zur Wache und zog die Tür auf. Abgesehen von ein paar Beamten in Uniform, die hin und her liefen, war es drinnen leer.

Am Empfangstisch feilte sich Helen gerade die pinkfarbenen Nägel. Sie blickte auf. »Hey, Winona.«

»Hey. Ist Sheriff Bailor da? Ich würde ihn gerne sprechen.«

»Na klar. Du hast doch einen Termin, oder? Er ist in seinem Büro. Geh einfach durch.«

Winona eilte durch den Flur bis zum Büro von Sheriff Albert Bailor, der gerade frühstückte.

»Hey, Winona«, begrüßte er sie und wischte sich den Mund mit einer Serviette ab. »Setz dich.«

Sie verzichtete auf Begrüßungsfloskeln. Small Talk war noch nie ihre Stärke gewesen. »Ich möchte jemanden überprüfen lassen.«

»Den Indianer?«

»Genau.«

»Hab ich schon erledigt, als Vivi ihn geheiratet hat. Ehrlich gesagt habe ich dich früher erwartet.« Er verließ sein Büro und kam kurz darauf mit einer Akte zurück, die er vor sich auf den Schreibtisch legte. »Ich komm gleich wieder. Ruf der Natur.«

Kaum war er gegangen, schlug Winona die Akte auf.

Dallas Raintree, DOB 05/05/65.

Sie überflog sein polizeiliches Führungszeugnis, sah Anzeigen, Verhaftungen, Verurteilungen. Er hatte fast ein Dutzend Vorstrafen wegen Diebstahls und Hehlerei, zwei Anklagen wegen tätlichen Angriffs, die abgewiesen wurden, eine Verurteilung wegen tätlichen Angriffs und Körperverletzung und ein paar wegen illegalen Waffenbesitzes. Es gab einen Hinweis, dass seine Jugendstrafakte auf gerichtliche Anordnung unter Verschluss gehalten wurde und dass mehrfach psychiatrische Gutachten von ihm erstellt worden waren. Offenbar war er bei seinem ersten Gutachten noch nicht strafmündig gewesen.

»Heilige Scheiße«, entfuhr es Winona.

»Du sagst es«, bemerkte Al, der gerade ins Büro zurückkam und die Glastür hinter sich schloss.

Winona sah ihn an. »Was bedeutet das alles?«

Al nahm wieder an seinem Schreibtisch Platz. »Ich deute es so, dass dein Schwager ein Mann mit mangelnder Selbstbeherrschung und mangelndem Respekt vor dem Gesetz ist. Außerdem ist irgendwas Übles passiert, als er noch jung war. In dieser Akte gibt es jede Menge psychiatrische Gutachten. In einigen davon heißt es, er sei labil.« Al lehnte sich zurück. »Man sagt, du hättest ihn eingestellt. Von dir hätte ich allerdings erwartet, dass du vorher seinen Hintergrund überprüfst.«

Sie biss die Zähne zusammen. »Was kann ich jetzt tun?«

»Jetzt?« Er zuckte mit den Schultern. »Jetzt ist er mit deiner Schwester verheiratet, Win. Da kannst du nichts mehr tun.«

»Ist er gefährlich?«

Al sah sie an. »Unter bestimmten Voraussetzungen sind wir das alle. Du musst ihn nur im Auge behalten.«

»Das werde ich«, versprach Winona.

Ende November wehte eisiger Wind über den Hood Canal und peitschte das normalerweise ruhige Wasser auf, bis es weiß schäumte. Wellen schlugen gegen die Beton- und Steinwände des Ufers; zischend überspülten sie gepflegte Ufergrundstücke, bis der grüne Rasen braun wurde. Schlagartig verschwanden die Vögel und mit ihnen das Morgen- und Abendgezwitscher. Die nackten Bäume zitterten vor Kälte, nachdem der Wind ihnen auch die letzten bunten Blätter entrissen hatte. Die lagen jetzt in dunklen glitschigen Haufen in den Gräben am Straßenrand.

Die Touristen blieben aus, als hätte ein Memo die trendige East Side erreicht. Auf dem Kanal war kein Boot mehr zu sehen, kein Motorengebrumm mehr zu hören. Die mobilen Slip-Anlagen wurden für den Winter abgebaut und die festen geschlossen, ihre Wasseranschlüsse abgestellt und abgedeckt. An der gesamten Küste wurden die Grillgeräte von den Terrassen gezogen und für die Wintermonate in die Garagen gestellt; auch die Töpfe mit den nicht winterharten Pflanzen kamen in ihr Winterquartier. Ohne die Sonne wirkte alles trist, vor allem, wenn es regnete. Und jetzt regnete es fast ständig. Es war kein heftiger Niederschlag, sondern ein feiner, gleichmäßiger Nieselregen. Einen Tag nach Thanksgiving trafen sich die Mitglieder der Jugendgruppe und ihre Familien in Water's Edge, um Kränze zu flechten. Das war schon seit Jahren Tradition. Vivi Ann war von Anfang an dabei gewesen, zuerst als Helferin ihrer Mutter, dann als Mitglied der Jugendgruppe und jetzt als Leiterin.

Die Veranstaltung dauerte den ganzen Tag, und ehrlich gesagt hatte sie Vivi Ann noch nie so viel Spaß gemacht wie heute. Als es vorbei war und der Tag sich dem Ende näherte, gingen Dallas und sie den matschigen Weg zu ihrem Cottage hinauf. »Ich hab gesehen, dass du dich mit Myrtle Michaelian unterhalten hast«, sagte Vivi Ann.

»Sie hat die ganze Zeit ihre Tasche umklammert. Ich glaube, sie hatte Angst, ich würde sie ihr entreißen.«

Lächelnd öffnete Vivi Ann die Tür und ging hinein.

Im Cottage duftete es weihnachtlich. Dallas hatte in der Ecke am Kamin einen perfekten kleinen Tannenbaum aufgestellt und ein paar übriggebliebene Zweige auf den Kaminsims gelegt. »Fröhliche Weihnachtszeit«, sagte er.

Wieder einmal überraschte er Vivi Ann. Ihr ganzes Leben lang hatten Männer sie mit Geschenken überhäuft: mit Präsenten, die andere eingepackt hatten und die mit Kreditkarten bezahlt worden waren. Aber dieser kleine, schlicht geschmückte Baum bedeutete ihr mehr als alles andere, weil sie wusste, dass Weihnachten ihrem Mann nichts bedeutete. Er hatte es getan, weil es *ihr* wichtig war.

»Deine Freundin – Trayna vom Drugstore – hat mir bei der Auswahl der Dekoration geholfen.«

Vivi Ann musste lachen bei der Vorstellung, wie Dallas Trayna betreten durch den Drugstore gefolgt war, während sie Engel und Elfen aussuchte. Ein fast schmerzhaftes Gefühl der Liebe für ihn überkam sie.

»Wieso lachst du? Hab ich was falsch gemacht?«

»Nein, Dallas Raintree. Du hast alles richtig gemacht.« Sie nahm ihn bei der Hand, führte ihn ins Schlafzimmer und zeigte ihm dort, wie sehr sie ihn liebte.

Danach lagen sie im Bett und sahen sich an. Durch die geöffnete Tür erhaschte sie einen Blick auf ihren ersten eigenen Weihnachtsbaum, der jetzt in der Dunkelheit funkelte.

»Ich dachte, es würde dir vor heute grausen«, sagte sie.

»Nein.«

»Hast du als Kind auch so kitschige Sachen gemacht?«

»Nein«, sagte er, sehr leise. Da wusste sie, dass sie einen wunden Punkt berührt hatte.

»Möchtest du jemanden zu Weihnachten einladen?«

»Du stellst mir ständig dieselbe Frage, auch wenn du sie unterschiedlich formulierst, Vivi«, antwortete er. »Es gibt niemanden. Nur dich.«

Es war ihr unbegreiflich, dass ein Mensch so allein sein konnte, wie er behauptete. Sie stützte sich auf einen Ellbogen und blickte ihn an. »Was ist passiert, Dallas?« Zum ersten Mal fragte sie direkt.

»Er hat sie umgebracht«, sagte er kaum hörbar. »Das ist es doch, was du unbedingt wissen wolltest. Er hat sie jahrelang misshandelt und eines Nachts erschossen.«

»Warst du –«

»Ja. Ich war dabei.«

Da bekam alles auf einmal einen Sinn: die Narben auf seiner Brust, die gelegentlichen Wutanfälle, die er nicht kontrollieren konnte, die Schlafstörungen. Sie stellte sich vor, wie er als Kind Dinge gesehen und gehört hatte, die kein Mensch je erleben sollte. Kein Wunder, dass er nicht über seine Vergangenheit reden wollte. Sie rutschte näher zu ihm und nahm ihn in die Arme, versuchte, mit ihrem ganzen Körper, mit ihrem Herzen und ihrer Seele bei ihm zu sein.

Er drückte sie so fest an sich, dass sie wusste, ihr Gespräch hatte alte Wunden aufgerissen. Er bedachte sie mit einem Blick, in dem eine herzzerreißende Mischung aus Glück und Schmerz lag. Plötzlich fragte sie sich, ob er immer mit dieser unerträglichen Kombination leben musste. Sie küsste ihn auf den Mund, auf die Wange, und dann flüsterte sie ihm ins Ohr: »Wir bekommen ein Baby.«

Wortlos zog er sie nur noch enger an sich und hielt sie fest.

»Bist du dazu bereit?«, fragte sie.

Er löste sich gerade genug von ihr, um ihr in die Augen zu sehen, und die Liebe in seinem Blick war Antwort genug.

Weihnachten 1992 würde für Winona als zweitschlechteste Erinnerung in die Annalen der Familie Grey eingehen: direkt nach dem Jahr, in dem ihre Mutter starb.

Sie hatte versucht, gute Miene zum bösen Spiel zu machen. Sie war im Farmhaus erschienen, um alles für Weihnachten zu schmücken. Sie war die steile Treppe zum Dachboden hinauf- und hinuntergeklettert und hatte bis zur völligen Erschöpfung staubige Kisten mit Weihnachtsschmuck geschleppt. Während sie mit ihren Schwestern schmückte, hatte sie genau die richtigen Dinge gesagt: *Guck mal, Vivi, hier ist der Schutzengel, den du in der vierten Klasse in der Kirchenfreizeit gebastelt hast ... und hier ist Auroras Lieblingsengel mit dem geknickten Flügel.*

Aber es hatte sich nicht richtig angefühlt. Aurora und Vivi Ann hatten gescherzt, gelacht und sich gekabbelt, welches Weihnachtsalbum gespielt werden sollte, während Winona sich immer ausgeschlossener fühlte. Sie wusste, dass es falsch war, dass sie ihren Groll und ihre Verbitterung beiseiteschieben und ganz normal weitermachen sollte. Aber irgendwie schien ihr das nicht zu gelingen.

Das Problem war Dallas. Er war wie ein Tumor in ihrer Familie, und nur sie wusste, dass er bösartig war.

Es war ganz gleich, wie sehr er Vivi Ann augenscheinlich liebte (und für Winona lag die Betonung auf *augenscheinlich*) oder wie großartig seine Arbeit auf der Ranch war. Wichtig war nur, dass man ihm nicht trauen durfte. Sein Vorstrafenregister bewies das: Irgendwie würde er ihrer Familie schaden.

Jeder beim Weihnachtsessen hätte das sehen müssen. Der Tisch war wie immer gedeckt worden und sah einfach perfekt aus. Daddy hatte eine neue, dunkelblaue Jeans und ein frisches weißes Hemd angezogen, das er bis oben hin zugeknöpft hatte. Aurora, Richard und die Kinder sahen aus, als wären sie gerade einem Katalog entsprungen, und Vivi Ann in ihrem grünen Samtkleid strahlte wie eine Schönheitskönigin.

Aber Dallas saß wie ein Fremdkörper neben seiner Frau und wirkte unbeholfen und peinlich berührt angesichts der Abläufe. Winona beobachtete ihn unauffällig. Sein langes Haar und das hellblaue Hemd ließen ihn nicht zahmer wirken; im Gegenteil, dadurch sah er nur noch gefährlicher aus.

Hätte Winona eine Möglichkeit gesehen, die Wahrheit zu enthüllen, dann hätte sie es getan; aber Dallas war schlau. Er ließ es langsam angehen und stellte keine Forderungen. Er wartete im Hintergrund und tat so, als wäre er bereit, für das zu arbeiten, was er anstrebte. Die Cowboys hatten ihn akzeptiert, und die Frauen in der Stadt sprachen neuerdings von der »großen Liebe« zwischen Vivi Ann und Dallas. Selbst Aurora wollte nichts von seiner kriminellen Vergangenheit hören und verbot Winona den Mund.

Jetzt schlug Vivi Ann ihre Gabel leicht gegen ihr Glas und bat damit um Gehör.

Pflichtschuldigst blickte Winona zu ihrer Schwester am Ende des Tischs und nahm mit schmerzlicher Klarheit mehrere Dinge gleichzeitig wahr: Vivi Ann war noch schöner als sonst, sie strahlte geradezu – und sie trank Wasser.

»Wir bekommen ein Baby«, verkündete Vivi Ann und erhellte mit ihrem Lächeln den ganzen Raum.

Winona hörte die Ankündigung seltsam verzerrt, so als befände sie sich unter Wasser oder hinter einer Wand aus Glasbausteinen. Sie sah alle außer ihrem Vater aufspringen, um Vivi Ann zu gratulieren; sie hörte Jubel und aufgeregte Rufe, sie sah, wie Aurora Vivi Ann unter Tränen der Rührung umarmte.

Winona wusste, sie sollte jetzt auch aufstehen und sich dem Jubel anschließen, aber sie konnte es nicht. Sie blieb einfach sitzen. Einmal, als sie klein war, hatte sie es auch mit Barrel-Racing versucht. Es war eine der seltenen Gelegenheiten gewesen, bei denen ihr Vater sie ermutigt hatte. Also war sie auf Clems breiten Rücken geklettert und hatte sie angetrieben. Schon beim ersten Fass hatte sie sich kaum noch halten können, und beim zweiten hatte sie den Halt verloren. Sie wusste noch, wie es sich anfühlte: wie sie losgelassen hatte, seitlich vom Sattel gerutscht war und den Steigbügel verloren hatte. Eine Sekunde bevor sie fiel, hatte sie gemerkt, was passieren würde, und jetzt verspürte sie die gleiche Angst. Von nun an würde Dallas Teil ihrer Familie sein, ganz gleich, was geschah. Der Krebs hatte Metastasen gebildet.

Sie blickte zur Seite und sah, dass Dallas sie anstarrte. Unbehaglich rutschte sie auf ihrem Stuhl hin und her und hob dann ihr Glas zum Toast. »Ein Hoch auf Vivi Ann … die jetzt ein Baby bekommt …« *Auch.* Sie versuchte zu verdrängen, dass sie allein war, aber es war unmöglich. Sie war die Älteste, und doch war sie die Einzige, die immer noch keinen Mann und keine Kinder hatte.

Danach lief der Abend für sie wie ein Film ohne Ton ab. Sie tat alles, was man von ihr erwartete – räumte mit ihren Schwestern den Tisch ab und spülte, legte ihr Lieblingsalbum von Elvis auf und tanzte in der Küche, las ihrer Nichte und ihrem Neffen die Weihnachtsgeschichte vor – aber es kam ihr alles unwirklich vor.

»Du bist keine besonders gute Schauspielerin.«

Winona hatte ihn nicht mal kommen hören. Offenbar war es eine seiner Stärken, sich unbemerkt an jemanden heranzuschleichen. Als sie sich zur Seite wandte, sah sie, dass Dallas neben ihr stand und einen Schluck von seinem Bier trank.

»Ich konnte mich noch nie gut verstellen«, antwortete sie. »Aber du täuschst mich auch keine Sekunde. Ich hab dein Vorstrafenregister gesehen.«

»Sie ist glücklich, weißt du?«, sagte er.

»Und du? Ich hätte nicht gedacht, dass du Kinder willst.«
»Was ich will, ist dir doch ganz egal.«
Es war eine Erleichterung, sich nicht mehr verstellen zu müssen. »Allerdings.«
»Und wieso?«
»Diese Familie war glücklich, bevor du aufgetaucht bist.«
Dallas blickte sich im Raum um; sein Blick verweilte kurz bei Aurora und Richard, die sich leise am Weihnachtsbaum stritten, und dann bei Dad, der seinen dritten Bourbon trank und auf ein altes Foto seiner Frau starrte. »Ach, wirklich?«, gab er zurück. »Dann warst du also glücklich, dass Vivi mit deinem Freund ausging?«
»Er war nicht mein Freund.«
Dallas bedachte sie mit einem wissenden Lächeln. »Und das war das Problem, nicht wahr?«
»Du kannst mich mal.«
Er lachte. »Ist das ein traditioneller Weihnachtswunsch?«
Sie drängte sich an ihm vorbei und ließ ihn stehen. Den Rest des Abends versuchte sie, wie früher die Gegenwart der Menschen zu genießen, die sie liebte, aber Dallas war die ganze Zeit in der Nähe und beobachtete sie, beobachtete sie alle.

Winona zählte die Tage, bis Luke aus Montana zurückkam, wo er die Feiertage bei seiner Familie verbracht hatte. Sie hatten einmal zu Weihnachten miteinander telefoniert, und da hatte er besser geklungen. Endlich. Ihre Freundschaft stand immer noch auf wackligen Füßen, hatte sich noch nicht ganz normalisiert, aber Winona bemühte sich um Geduld. Er brauchte Zeit, mehr nicht. Er würde es schon überwinden. Für Luke würde sie geduldig sein.
Sie verabredete sich für den Abend seiner Rückkehr mit ihm, um zusammen ins Kino zu gehen.
In diesen Wintermonaten brach so früh der Abend an, dass es schon dunkel war, als sie ihre Arbeit beendet und sich um-

gezogen hatte und zu seinem Haus fuhr. Als er die Tür öffnete, warf sie sich ihm in die Arme und drückte ihn fest an sich. »Ich bin so froh, dass du wieder da bist.«

Er löste sich aus ihrer Umarmung und führte sie ins Wohnzimmer, wo im Kamin ein Feuer brannte und die Lichter am Weihnachtsbaum funkelten, den sie zusammen mit ihm geschmückt hatte. Als sie sich setzte, eilte er in die Küche und kam mit zwei Gläsern Wein zurück.

»Alkohol. Gott sei Dank!« Sie nahm ihr Glas und rutschte zur Seite, um ihm Platz zu machen. Sie streifte ihre Stiefeletten ab und legte ihre Füße auf den Sofatisch. Wie üblich in letzter Zeit sagte er kaum etwas und überließ das Reden ihr. »Du hast ja keine Ahnung, wie komisch Weihnachten dieses Jahr war. Dallas hat alles kaputtgemacht, und außer mir merkt das niemand. Ich würde Vivi am liebsten an den Schultern packen und kräftig schütteln, bis sie sieht, was ich sehe. Vielleicht finde ich eine Möglichkeit, ihr irgendwie sein Vorstrafenregister zukommen zu lassen. Das sollte sie aufrütteln.«

»Ehrlich, Win«, sagte Luke seufzend. »Müssen wir das jedes Mal durchkauen, wenn wir zusammen sind? Das wird langsam langweilig. Sie sind jetzt verheiratet.«

»Und jetzt bekommen sie auch noch ein Baby.«

»Vivi ist schwanger?«

»Das ging schnell, oder? Selbst ich bin überrascht, und normalerweise gehe ich immer vom Schlimmsten aus.«

Luke stand auf, ging zum Kamin und starrte ins Feuer.

»Ein Baby«, sagte er mit leiser, trauriger Stimme.

Winona hätte sich ohrfeigen können. Es war eine ihrer größten Schwächen, dass sie sich zu sehr auf die Details konzentrierte, um das große Ganze im Auge zu behalten. Sie ging immer schon davon aus, dass er über Vivi Ann hinweg war. Jetzt stand sie auf und trat zu ihm. »Tut mir leid, Luke. Ich war gedankenlos. So hättest du es nicht erfahren sollen.«

Er sah an ihr vorbei, aus dem Fenster in die dunkle, verregnete Nacht. »Ich schaffe es nicht.«

»Was denn?«

»Ich dachte, ich könnte hierbleiben und damit zurechtkommen, dass Vivi Ann jemand anderen liebt. Doch ich schaffe es nicht.«

»Aber ...« Winona wusste nicht, was sie sagen sollte, wie sie die Angst, die sie plötzlich überkam, in einen zwingenden Einspruch fassen sollte. »Du kannst doch nicht einfach gehen ...«

»Was soll ich denn sonst tun, Win?«

Jetzt fühlte sie sich wie eine der alten Eskimofrauen, die auf einer Eisscholle ausgesetzt wurden. Sie wusste, wenn sie nicht die Hand ausstreckte und nach ihm fasste, würde sie einsam und allein davondriften. »Luke, bitte ...«

»Was, bitte?«

Sie schluckte hart und kämpfte gegen ihre Angst. Sie fürchtete sich davor, die Wahrheit zu sagen – sie war noch nicht bereit; er auch nicht –, aber es blieb ihr jetzt keine andere Wahl mehr.

Sie nahm allen Mut zusammen und fasste ihn am Handgelenk. »Ich weiß, dass du eigentlich noch nicht bereit dazu bist, Luke, aber ... ich liebe dich. Wenn du dich nur darauf einlassen würdest, könnten wir miteinander glücklich werden.«

Sie sah seine Antwort, noch bevor er zu sprechen anfing. Kurzzeitig herrschte vollkommene Stille, nur ein Holzscheit im Kamin knackte, dann sah sie seine Überraschung. Und sofort darauf Mitleid.

Ihr Magen verkrampfte sich. Sie hatte ihrem Mörder das Messer gereicht und ihre Brust dargeboten. Wenn sie eine Möglichkeit gesehen hätte, ihn am Sprechen zu hindern, hätte sie sie genutzt, aber es ließ sich nicht mehr aufhalten.

»Ich liebe dich auch«, sagte er und fügte mit leiserer Stimme hinzu: »... als Freundin.«

Sie rückte von ihm ab und wandte ihm den Rücken zu. »Das meinte ich auch«, erwiderte sie bedrückt, obwohl sie beide wussten, dass es eine Lüge war.

»Ich glaube, ich gehe nach Kalispell zurück«, bemerkte er, ohne sich vom Kamin zu rühren.

»Vielleicht findest du da ja ein hübsches, dünnes Mädchen«, sagte sie und griff nach ihrem Mantel.

Da trat er zu ihr, fasste sie bei den Schultern und drehte sie zu sich um. »Winona, daran liegt es nicht. Es ist nur ...«

Sosehr sie sich auch bemühte, ihre Tränen zurückzudrängen, es war vergeblich. Ihre Augen brannten. *Erbärmlich.* In diesem Augenblick war sie wieder das dicke Mädchen, das um das Pferd ihrer Mutter bettelte. »Ich hab's schon verstanden, Luke. Glaub mir, ich hab's verstanden.«

Am Montag darauf hörte sie von Aurora – die es ihrerseits von Julie gehört hatte –, dass Luke wieder nach Montana gezogen war.

Zwölf

Auf dem Wasser verging die Zeit in Strömungen, die aufs Ufer zustrebten, immer und immer wieder. Im Winter waren die Wellen größer, mächtiger und mit weißen Schaumkronen besetzt; der Wind peitschte sie auf, und fast täglich regnete es. Aus der Landschaft wich alle Farbe. Selbst die Nadelbäume verloren ihr dunkles Grün und wirkten schwarz vor dem Grau des Himmels, des Wassers und der Wolken.

Mit der Sonne veränderte sich alles, und als im Mai der Regen aufhörte, erblühten über Nacht rosa- und purpurfarbene Azaleen, und überall sah man frisches Grün: auf den Wiesen und an den Bäumen und Sträuchern, die die Straßen säumten. Bei Nacht quakten die Frösche so laut, dass die Leute mitten in der Nacht aufstanden, um ihre Fenster zu schließen.

Im Juni kamen die Sommergäste zurück. Mit ihnen tauchten die Anleger am Kanalufer wieder auf, an denen kurz darauf die Boote festgemacht wurden. Das Diner verlängerte seine Öffnungszeiten und nahm ein paar neumodische vegetarische Sandwiches in die Speisekarte auf, und die Läden für Saisonartikel öffneten. An den Straßenlaternen wurden neue Blumentöpfe mit roten Hängegeranien und blauen Lobelien angebracht.

Vivi Ann bemerkte jede einzelne Veränderung. Jahrelang hatte sie jede saisonale Erscheinung für selbstverständlich gehalten und höchstens als Zeichen dafür angesehen, dass die Zeit voranschritt.

Aber ihre Schwangerschaft wirkte sich auch auf ihr Gespür für Zeit aus. Jetzt maß sie sie in den kleinsten Einheiten – in einer Woche, einem Tag, manchmal sogar in einer Stunde. Nicht nur ihr Körper veränderte sich, sondern alles andere auch. Sie hatte sich noch nie auf etwas so gefreut wie auf die Ankunft ihres Babys. Aber sie hatte sich auch noch nie vor etwas so gefürchtet. Ihre Mutter vermisste sie jetzt täglich und nicht nur flüchtig, so wie als Kind. Die Sehnsucht nach ihr war wie ein heißer, scharfer Schmerz. Sie hatte so viele Fragen und keine Möglichkeit, die dringend benötigten Antworten zu bekommen.

Ihre Angst – etwas ganz Neues für sie – war tiefsitzend und düster. Wenn sie nachts neben Dallas im Bett lag und seinen Schlaf bewachte, überkam sie die Sorge, sie wäre vielleicht zu egoistisch, um eine gute Mutter zu sein, zu unreif, um einen anderen Menschen durchs Leben zu führen. Sie machte sich auch Sorgen wegen seiner – oder ihrer – Herkunft und fragte sich, wie sie dem Kind helfen sollte, sich in beiden Welten akzeptiert zu fühlen. In den zehn Monaten, die seit ihrer Hochzeit vergangen waren, hatte sie nur sehr wenig über ihren geliebten Mann erfahren. Er liebte sie – das war offensichtlich –, aber ansonsten behielt er seine Gefühle für sich. Nur Wut zeigte er manchmal, und das machte ihr Angst, so selten es auch geschah.

Vergiss nie, hatte er ihr einmal gesagt, als sie sich stritten, *dass ein misshandeltes Tier bösartig werden kann. Ich hab versucht, dich zu warnen.* Er hatte sie abwehren wollen; das begriff sie jetzt. Das Einzige auf der Welt, vor dem er wirklich Angst hatte, war ihre Liebe.

Im Grunde war ihm nicht mal bewusst, dass sie ihn nicht nur liebte, sondern für ihn lebte. Sie war ihm immer noch hörig und konnte es nicht abstellen.

»Du bist schon wieder so abwesend«, stellte Aurora fest und stibitzte eine Fritte von Vivi Anns Teller. »Heißen Sex gehabt heute Morgen?«

Vivi Ann lachte und rieb sich über ihren Babybauch. »*Du* hast doch behauptet, Leidenschaft würde vergehen.«

»Ja, stimmt schon. Aber dann hast du Tattoo-Boy kennengelernt.«

»Ich kann es immer noch nicht begreifen, wie sehr ich ihn liebe. Dir ist das bewusst, oder?«

»Mich überrascht eigentlich, wie sehr er dich liebt. Er behält dich ständig im Auge. Manchmal glaube ich, er erträgt es nicht, ohne dich zu sein.«

Vivi Ann hörte die Wehmut in der Stimme ihrer Schwester. Ihr wurde bewusst, wie vertraut ihr dieser Unterton schon war. »Möchtest du darüber reden?«

»Worüber?«

»Über Richard. Was ist los?«

Auroras sorgfältig zurechtgemachtes Gesicht verzog sich. »Ich dachte, es würde niemand merken.«

»Du musst dich einsam fühlen.«

Auroras Augen füllten sich mit Tränen. »Ich hab ihn gern. Und er hat mich gern. Vielleicht reicht das ja auch eigentlich. Aber wenn ich dich und Dallas so sehe, komme ich ins Grübeln. Soll ich … einfach so weiterleben? Außerdem muss ich doch an die Kinder denken. Ich will nicht, dass sie so aufwachsen wie wir, mit einer Lücke in der Familie.«

Vivi Ann streckte ihre Hand aus und legte sie auf Auroras. »Jedermann hält Winona für die Kluge in der Familie, aber eigentlich bist du das, Aurora. Du … bist aufmerksam und siehst hinter die Fassade. Du wirst dich schon richtig entscheiden.«

»Vielleicht will ich mich gar nicht entscheiden.«

Vivi Ann wusste nur zu gut, wie verführerisch diese Vorstellung war. »Aber Nichtstun ist auch eine Entscheidung. Und zwar keine gute, das kannst du mir glauben. Winona ist immer noch wütend auf mich, weil ich Luke verletzt habe. Und sie hat recht. Das war das einzige Mal in meinem Leben, dass ich bewusst grausam war.«

»Aber ich kenne auch niemanden, der so nachtragend ist wie Winona.«

»Manchmal glaube ich, sie hasst mich.«

»Glaub mir, Vivi, Winona hasst vor allem sich selbst. Sie hat ihr ganzes Leben damit verbracht, aus einem Stein Blut pressen zu wollen, und kann nicht damit aufhören, weil sie nicht weiß, wie. Sie erwartet von Dad immer noch etwas, was sie niemals bekommen wird.«

»Weil sie Worte braucht, und die kann er ihr nicht geben.«

Aurora seufzte. »Vivi, bei dir ist Dad anders, mehr kann ich dazu nicht sagen. Für dich ist er wie eins der Pferde, die du retten willst.«

»Genau so ist er auch, Aurora. Er liebt uns.«

»Sollte das stimmen, Vivi, dann liebt er uns auf eine ziemlich verkorkste Art, und Gott möge verhüten, dass wir je darauf angewiesen sind.«

»Ich hab ihn mal weinen sehen«, sagte Vivi Ann. Das hatte sie noch niemandem erzählt.

»Dad?«

»In der letzten Nacht, als Moms Krankenbett im Wohnzimmer stand und wir in Schlafsäcken auf dem Boden schliefen.«

Aurora lächelte verzagt. »Sie wollte uns in ihrer Nähe haben.«

Vivi Ann nickte. »Ich bin mitten in der Nacht aufgewacht und hab Dad an ihrem Bett gesehen. Mom sagte: ›Kümmer dich um meinen Garten, Henry. Liebe sie für mich mit‹, und da wischte er sich über die Augen.«

Mein Garten. Die flüchtige Erinnerung verband sie: Auf einmal waren sie wieder Bean und Sprout, zwei kleine Mädchen, die mit ihrer Mutter am Küchentisch saßen und Muschelkästchen fürs Bad bastelten.

»Was hast du zu Dad gesagt?«

»Nichts. Ich hab so getan, als würde ich schlafen. Und als ich wieder aufwachte, war sie fort.«

»Vielleicht hatte er ein Staubkörnchen im Auge?«

»Nein, bestimmt nicht.«

Aurora lehnte sich zurück.

Vivi Ann blickte auf ihren gewölbten Bauch. »In letzter Zeit vermisse ich sie ständig. Ich wünschte –« Sie keuchte überrascht auf, als ein Krampf sie erfasste. Er war heftig. Sie war kaum wieder zu Atem gekommen, als der nächste kam, der noch schlimmer war.

»Alles in Ordnung?«, fragte Aurora und lehnte sich vor.

»Nein«, stöhnte Vivi Ann auf. »Es ist zu früh.«

Vivi Ann hatte nie zu den Menschen gehört, die sich Sorgen machten, was alles Schlimmes passieren konnte. Wenn sie jemanden sagen hörte: *Das Leben kann sich jeden Moment grundlegend ändern*, dann hatte sie gelächelt und gedacht: *Ja. Es kann immer noch besser werden.* Wenn ihr jedoch ab und an düstere Gedanken kamen, schob sie sie einfach beiseite und konzentrierte sich auf etwas anderes. Sie hatte früh gelernt, dass Optimismus eine Frage der Entscheidung war. Wenn man sie nach ihrer positiven Lebenseinstellung fragte, antwortete sie immer, dass guten Menschen nur Gutes widerfahre. Und daran glaubte sie.

Jetzt wurde ihr klar, warum die Leute bei dieser Antwort oft die Stirn gerunzelt hatten. Sie wussten bereits, was sie jetzt erst lernte: Optimismus war nicht nur naiv, sondern oft auch grausam.

Schlimme Dinge geschahen, auch wenn man alles richtig gemacht hatte. Man konnte heiraten, wenn man sich verliebt hatte, konnte in einer Liebesnacht ein Kind empfangen, alles aufgeben, was dem Baby schaden konnte, und trotzdem eine Frühgeburt haben.

»Kann ich dir noch was bringen?«

Vivi Ann zwang sich, die Augen zu öffnen. Sie wusste nicht, wie lange sie mit geschlossenen Augen dagelegen und alles immer wieder im Geiste durchgespielt hatte. »Sind Dad und Win schon gekommen?«

Aurora stand an ihrem Bett und sah sie traurig an. In den letzten Stunden hatten Frisur und Make-up ihrer Schwester schwer gelitten. Ohne die Maskerade wirkte Aurora dünn und erschöpft. »Noch nicht.«

Vivi Ann lächelte so überzeugend sie konnte. »Mir bedeutet es viel, dass du mir beigestanden hast, Aurora. Ich verzeihe dir, dass du mein Geburtstagsdiadem geklaut hast.«

Aurora strich Vivi Ann das verschwitzte Haar aus der Stirn. »Ich hab dein dämliches Diadem nicht geklaut. Du bist doch die Prinzessin in unserer Familie.«

»Ich wünschte, ich könnte ihn noch mal sehen. Er ist so winzig.« Bei dem letzten Wort verlor sie ihre Beherrschung; Angst stieg in ihr auf. Sie griff zum Nachttischchen und nahm die schöne rosafarbene Muschel, die sie seit Jahren in ihrer Brieftasche mit sich trug. Sie erinnerte sie immer an ihre Mutter.

»Fang erst gar nicht damit an«, sagte Aurora. »Du bist jetzt Mutter. Du musst für deinen Sohn stark sein.«

»Ich habe aber Angst.«

»Natürlich hast du das. Das gehört zum Elterndasein. Von nun an wirst du immer etwas Angst haben.«

»Könntest du mich nicht anlügen und behaupten, es sei ein Spaziergang durch den Garten?« Vivi Ann schloss die Augen und seufzte müde.

Die schonungslose Offenheit, mit der man ihr begegnete, lähmte sie. Immer wieder ging ihr die bittere Wahrheit durch den Kopf: *vierunddreißigste Woche ... Lungen noch nicht voll entwickelt ... Komplikationen ... warten, ob er die Nacht übersteht.*

Sie hörte jemanden an der Tür und öffnete die Augen. Hatte sie geschlafen? Wie lange? Sie sah sich nach Aurora oder Dallas um, aber sie hatten das Zimmer verlassen. Es war leer.

Man hatte ihr ein Privatzimmer gegeben, was sie großartig gefunden hätte, wenn es aus einem anderen Grund geschehen wäre. So wusste sie, dass man sie nicht mit einer anderen Wöchnerin zusammengetan hatte, weil ihr Sohn es vielleicht nicht schaffte. Das musste man erst gar nicht erklären.

Dann betraten Winona und Daddy das Zimmer. Vivi Ann spürte, wie ihr die Tränen kamen. Als sie Winona ansah, überwältigte sie die Angst, die sie bis dahin zurückgedrängt hatte. Ganz gleich, was zwischen ihnen vorgefallen war, Winona war immer noch ihr Mutterersatz, ihre große Schwester, die stets alles richtig machte. Erst jetzt wurde Vivi Ann bewusst, wie sehr sie sie brauchte. »Hast du ihn gesehen, Win?«

Winona nickte und trat zum Bett. »Er ist wunderschön, Vivi.«

Dad umklammerte mit seinen großen, schwieligen Händen das Bettgestell. Sie wirkten vor dem glänzenden Metall wie alte Wurzeln. Er stand nahe genug, dass Vivi Ann sah, wie hohlwangig er war und wie sehr er sich bemühte, seine Gefühle unter Verschluss zu halten.

Diesen Gesichtsausdruck, diesen Blick kannte sie schon ihr ganzes Leben, zumindest aber seit dem Tod ihrer Mutter. »Hey, Daddy«, sagte sie und hörte das Zittern in ihrer Stimme.

Seine Miene änderte sich so unmerklich wie kalte Butter, die an einem sonnigen Tag an den Rändern schmilzt, aber sie sah darin alles, was für sie zählte. So hatte er sie auch früher angesehen, als sie noch seine Lieblingstochter war, die nichts falsch machen konnte, und er ihr Fels in der Brandung. Winona hätte dazu Worte gebraucht, und Aurora wäre die Veränderung vielleicht nicht aufgefallen, aber Vivi Ann wusste, was sie bedeutete: Er liebte sie. Und mehr brauchte sie nicht.

»Er ist zu klein«, sagte sie und fing an zu weinen. »Sie meinen, er schafft es vielleicht nicht.«

»Wein doch nicht«, bat Winona, weinte aber auch schon.

»Er schafft es«, meinte Dad und klang jetzt fest. Das war

die Stimme ihrer Kindheit, die mit dem Tod ihrer Mutter verschwunden, aber jetzt wiedergekommen war. Es erinnerte sie schmerzlich daran, wie sie alle gewesen waren, als Mom noch lebte.

»Wieso bist du dir da so sicher?«

»Er ist doch ein Grey.«

Da musste Vivi Ann lächeln. Ein Grey. Seit Generationen verkörperte dieser Name Stärke. »Ja«, sagte sie leise und verspürte zum ersten Mal Hoffnung.

Es bedeutete Vivi Ann unendlich viel, dass sie hier zusammen waren, dass sie nach all dem, was passiert war, noch eine Familie waren. Eine Weile unterhielten sie sich, dann schloss sie kurz die Augen. Als sie sie wieder aufschlug, war es dunkel, und die anderen waren gegangen.

Sie drückte auf den Rufknopf und setzte sich mühsam auf. Es war dunkel im Zimmer, doch vom Fenster fiel Mondlicht herein und beleuchtete ihren Mann, der zusammengesunken auf einem unbequemen Kunststoffstuhl saß. In dem unwirklichen Zwielicht brauchte sie einen Moment, um sein Gesicht zu erkennen.

»O nein, Dallas«, sagte sie.

Langsam stand er auf, kam zu ihr und fuhr sich dabei mit der Hand durch seine langen Haare. »Du solltest mal den anderen sehen.«

Am Bett blieb er stehen.

Plötzlich war sie dankbar für das dämmrige Licht, wünschte sich sogar, es würde noch dunkler sein. Denn im Kontrast zwischen Mondlicht und Schatten wurde die Bescherung nur noch deutlicher: Seine Wangen waren hohl und bleich bis auf die dunkle blutige Wunde direkt über dem Knochen; ein Auge war so geschwollen, dass er es nicht mehr öffnen konnte, und wirkte ungesund gelblich. Er hob die rechte Hand und zeigte seine wunden Knöchel, an denen das Blut schwarz getrocknet war.

»Wo warst du?«, fragte sie.

»Bei Cat.«

»Wer hat angefangen?«

»Ich.«

Vivi Ann blickte ihrem Mann in die Augen und sah, wie schwer sein Vater ihn verletzt hatte und wie sehr er sich davor fürchtete, selbst Vater zu sein. Vieles an ihm war ihr unbegreiflich, zum Beispiel, was es mit einem machte, wenn man mit Stromkabeln verprügelt oder in einem dunklen Schrank eingeschlossen wurde; oder wenn man mit ansehen musste, wie der eigene Vater die eigene Mutter umbrachte. Aber sie wusste, wie man weitermachte, und sie wusste, wie man liebte. »Aurora hat mir erzählt, dass wir von nun an immer Angst haben werden. Offenbar gehört das zum Elterndasein.«

Darauf sagte Dallas nichts. Er blickte nur zu ihr, als wartete er auf etwas.

»Du kannst nicht jedes Mal losgehen und jemanden verprügeln, wenn du Angst hast. Das wollte ich damit sagen.«

»Und wenn ich das nicht schaffe?«

»Du schaffst das.«

»Viele Leute ... Bullen, Richter, Seelenklempner ... meinten, ich wäre wie mein Vater. Frag Winona. Sie hat mein Vorstrafenregister ausgegraben, und in einer Sache hat sie recht: Es sieht nicht gut aus.«

Das war die bisher deutlichste Aussage über seine Vergangenheit: Sie stellte sich vor, wie er als kleiner Junge jahrelang misshandelt wurde, plötzlich ganz allein dastand und dann auch noch von den Erwachsenen zu hören bekam, er sei verdorben bis ins Mark. *Ein misshandeltes Tier kann bösartig werden.* Hatten sie es etwa gewagt, dies zu einem kleinen, misshandelten Jungen zu sagen?

Sie streckte die Hand aus und berührte sanft seine verletzte Wange. »Du liebst mich, Dallas. Das macht den Unterschied.«

Er nickte, aber erst nach einer ganzen Weile, und auch da lächelte er nicht.

»Also hörst du jetzt auf, Leute zu verprügeln, wenn du Angst hast, klar?«

»Klar.«

»Und jetzt bring mich zu unserem Sohn. Ich hab den ganzen Tag auf dich gewartet.«

Er half ihr in einen Rollstuhl, wickelte sie in eine warme Decke und rollte sie zur Neugeborenen-Intensivstation. Dort redeten sie auf die Nachtschwester ein, bis sie eine Ausnahme machte und ihnen den Inkubator zeigte, wo ihr winziger Sohn lag und schlief.

Liebe und Angst, Trauer und Hoffnung überwältigten Vivi Ann. Freude. Und Liebe, vor allem Liebe. Sie meinte schon, nicht noch mehr empfinden zu können, so übervoll fühlte sie sich, da blickte sie zu Dallas.

»Mein Großvater hieß Noah«, sagte er leise.

»Noah Grey Raintree«, erwiderte sie und nickte.

»Ich wusste nicht, dass es sich so anfühlen würde«, flüsterte Dallas. »Wenn ihm irgendwas passiert ...« Er verstummte, und auch Vivi Ann beendete den Satz nicht für ihn.

Es gab nichts zu sagen. Sie griff nach der Hand ihres Mannes und hoffte nur, mit ihm zusammen die Hoffnung wiederzufinden, die sie einst für selbstverständlich gehalten hatte.

Am fünfzehnten Juli trudelten verschiedene Leute ungebeten auf Water's Edge ein. Jeder kam mit einem anderen Vorhaben. Die Jugendgruppe mistete die Pferdeboxen aus; die Pfadfinder halfen Henry beim Füttern der Bullen; Vivi Anns Freundinnen übernahmen den Reitunterricht. In der Woche zuvor war bekanntgeworden, dass Noah endlich nach Hause konnte. Daher wollte die ganze Stadt Vivi Ann helfen.

Vivi Ann war sprachlos angesichts dieser Hilfsbereitschaft und dankbar, dass ihre Gebete erhört worden waren.

Die letzten sechs Wochen hatten Dallas und sie getrennt verbracht, weil immer einer im Krankenhaus sein musste. Obwohl sie niemandem erzählt hatte, wie schwierig das war, hatten es offenbar alle gewusst.

»Es ist Zeit«, sagte Aurora und trat zu ihr.

»Bist du bereit?«, fragte Winona, die ihr direkt folgte.

Vivi Ann umarmte sie beide fest. Sie war so aufgewühlt, dass sie befürchtete, gleich weinen zu müssen. »Bitte dankt allen für ihre Hilfe heute, ja?«

»Natürlich«, sagte Aurora.

In diesem Augenblick tauchte Dallas' grauer Ford hinter dem Reitstall auf und fuhr langsam auf sie zu. Es war ein altes, behäbiges Modell, das schon bessere Tage gesehen hatte, aber noch lief es tadellos. Dallas hielt vor ihnen und stellte den Motor ab.

Vivi Ann dankte ihren Schwestern noch einmal und zog die schwere Wagentür auf. Sie quietschte und ruckte und knallte dann hinter ihr zu. Der hellblaue Babysitz auf der geriffelten Sitzbank wirkte seltsam fehl am Platz.

»Sind Sie bereit, Mrs Raintree?«, fragte Dallas und schenkte ihr das erste echte Lächeln seit über einem Monat.

»Ja, bereit.«

In den nächsten zwei Stunden, in denen sie hinter einem dichten Strom aus Kombis und Wohnmobilen über den gewundenen, von Bäumen gesäumten Highway fuhren, unterhielten sie sich über alltägliche Dinge – das neue Schulpferd, mit dem die Kinder Schwierigkeiten hatten, Clems entzündete Gelenke, die neuen Preise für das nächste Barrel-Race-Rodeo –, doch als sie schließlich beim Krankenhaus ankamen, griff Vivi Ann über den Babysitz nach seiner Hand, weil sie nicht wusste, was sie sagen sollte.

»Mir geht's auch so«, bemerkte er, dann gingen sie zusammen über den Parkplatz in die strahlend weiße Eingangshalle des größten Krankenhauses im Pierce County.

In den vergangenen Wochen hatten sie sich mit etlichen Krankenschwestern, Pflegern und ehrenamtlichen Helfern angefreundet, so dass sie auf dem Weg zur Kinderstation einige Male anhielten, um sich zu unterhalten.

Auf der Säuglingsstation wartete Noah, dick verpackt in eine blaue Thermodecke und mit einem winzigen Mützchen auf dem wüsten dunklen Haarschopf.

Vivi Ann nahm ihn auf den Arm. »Hey, kleiner Mann. Bist du bereit, nach Hause zu kommen?«

Dallas legte seinen Arm um Vivi Ann und zog sie an sich. Schweigend blickten sie auf ihren Sohn. Dann brachten sie ihn aus dem Krankenhaus.

Es dauerte so absurd lange, bis Vivi Ann ihn sicher im Babysitz angeschnallt hatte, dass sie schließlich nur noch hilflos lachte.

Den gesamten Heimweg plauderte und scherzte sie mit ihm in einem hohen, gurrenden Tonfall, der nicht im Geringsten ihrer sonstigen Stimme ähnelte. Als Reaktion darauf spuckte er sich voll.

»Merke«, sagte sie lachend, »immer eine Spucktüte dabeihaben.« Auf der Suche nach einem Papiertaschentuch oder einem Bündel Restaurantservietten öffnete sie das Handschuhfach.

Sie hörte, wie Dallas scharf »Nicht!« rief, aber da war es schon zu spät.

Das Handschuhfach klappte auf und gab etwas preis, was er hatte verbergen wollen.

Eine Waffe.

Sie streckte schon die Hand danach aus, doch als er sagte: »Sie ist geladen«, zuckte sie zurück, als hätte sie sich verbrannt.

»Warum zum Teufel hast du eine geladene Waffe im Wagen?«

Er fuhr auf den Seitenstreifen und hielt. Sie hatten gerade

Belfair hinter sich gelassen und standen an einer Biegung des Hood Canals, wo die Ebbe eine große, von Rinnsalen durchzogene Sandfläche freigelegt hatte. Anleger ragten auf den wasserlosen Grund, Boote lagen zur Seite gekippt auf dem Sand und warteten darauf, von der nächsten Flut wieder angehoben zu werden.

»Du hast ja keine Ahnung, wie mein Leben aussah, bevor ich dich traf.«

Allein der Hinweis auf diese andere Welt erschreckte sie; eigentlich hatte sie die ganze Zeit davon gewusst, aber in ihrer Naivität hatte sie sich ihn nur als verletztes, misshandeltes Kind vorgestellt. Schutzlos. Jetzt wurde ihr bewusst, dass er schon lange kein Kind mehr war, sondern ein Mann, der ihr manchmal fremd vorkam. Das war neu. Unwillkürlich musste sie daran denken, wie er bei Cat eine Schlägerei angezettelt hatte. Dann dachte sie an seinen stählernen Blick, als es im Outlaw fast Streit gegeben hatte. Und dann an die Vorstrafen, die er erwähnt hatte. Damals war ihr Autodiebstahl fast kühn und romantisch erschienen, aber jetzt kamen ihr Bedenken. »Ist gut, aber ich weiß, wie es jetzt ist. Du brauchst keine geladene Waffe mehr in deinem Wagen. Herrgott, Dal, wenn ein Kind sie gefunden hätte ...«

»Ich schließe den Wagen immer ab.«

»Du machst mir Angst.«

»Ich bin, wer ich bin, Vivi Ann.«

»Nein. Das galt vielleicht früher. Aber jetzt bist du ein anderer Mensch. Schaff sie weg. Versprich mir das.«

Er atmete geräuschvoll aus; da erkannte sie, dass er die ganze Zeit die Luft angehalten hatte. Er streckte die Hand aus und schloss das Handschuhfach. »Du wirst die Waffe nie wieder sehen.«

Dreizehn

In den zwei Jahren seit Noahs Geburt war der Klatsch um Vivi Ann und Dallas fast verstummt. Natürlich nicht ganz, denn dazu war er einfach zu unterhaltsam. Mittlerweile jedoch hatten andere Liebespaare mit ihren Verfehlungen für neuen Gesprächsstoff gesorgt. Die Einzigen, die noch an den alten Geschichten festhalten wollten, waren Winona und Dad, aber Vivi Ann hatte Verständnis dafür. Außerdem wusste sie, dass irgendwann alles wirklich vergessen sein würde.

An diesem Tag stand sie im Abendlicht eines tiefvioletten Himmels am Koppelzaun und sah zu, wie Kinder auf der alljährlichen Halloween-Party auf Water's Edge hinter einem eingefetteten Ferkel herjagten. Sie hatte Noah auf dem Arm, der dem Anlass entsprechend als orangefarbener Kürbis verkleidet war. Aurora stand links von ihr, Winona rechts. Als Pirat beziehungsweise als Hexe verkleidet.

»Weißt du noch, wie wir beide das erste Mal hinter so einem Ferkel hergerannt sind, Winona?«, fragte Aurora. »Die restlichen Kinder waren eine Meile hinter uns.«

»Die Zuschauer haben sicher gestaunt und zueinander gesagt: Wow, das dicke Mädchen hat wirklich Talent zur Ferkeljagd«, erwiderte Winona.

»Oh, oh«, sagte Aurora. »Da badet aber heute jemand in Selbstmitleid. Ich hab geglaubt, ich wäre jetzt mal an der Reihe.«

»Das glaubst du ständig«, entgegnete Winona und trank einen Schluck Bier.

»Hast du Rick und Jane in letzter Zeit mal erlebt? Die beiden erinnern mich immer mehr an die Kinder des Zorns. Und Richard verliert so schnell seine Haare, dass ich zum Essen den Staubsauger mitbringen muss. Kannst du das überbieten, Miss Staranwältin?«

Winona wandte sich zu ihr. »Glaubst du wirklich, es ist besser, ein dicker, kinderloser Single zu sein?«

»Ach … Ich kann nur noch mal auf meinen Mann und meine Kinder zeigen. Schließlich bin ich nicht mit diesem heißen Tattoo-Boy verheiratet.«

Vivi Ann lachte. »Er ist wirklich heiß. Aber du bist nicht dick, Winona. Du hast nur starke Knochen.«

»Lügen, Lügen, nichts als Lügen«, murmelte Winona. »Das neue Familienmotto.«

Vivi Ann bemerkte ihren gereizten Unterton und wusste, dass Winona mal wieder einen schlechten Tag hatte, an dem nichts sie aufheitern konnte.

»Apropos«, sagte Vivi Ann, »ich will mal nach meinem Mann suchen. Dieses Nixenkostüm juckt wie verrückt, und für den kleinen Kerl hier ist es höchste Zeit, schlafen zu gehen.«

Sie verabschiedete sich und drängte sich mit Noah durch die angeregt plaudernden Gäste auf dem Parkplatz. Die Gespräche, die sie mitbekam, waren die übliche Mischung aus Informationsaustausch und Tratsch: wer schlief mit wem, wer konnte seine Hypothek nicht bezahlen, und wessen Kind war auf die schiefe Bahn geraten. Für Vivi Ann allerdings zählte nur, dass sie und Dallas nicht mehr Gesprächsthema Nummer eins waren.

Als sie zum Reitstall kam, sah sie eine Gruppe Kinder und Hunde kreischend und bellend in der Dunkelheit Fangen spielen. In die salzige Luft vom Kanal mischte sich der würzige Geruch von Holzfeuer und Grillfleisch.

In der Arena war es dämmrig. Nur ein paar strategisch an

den Dachbalken platzierte chinesische Lampions spendeten Licht. Eine mobile Tanzfläche war über den Lehmboden gezogen worden, auf der jeder Schritt donnernd widerhallte. In einer Ecke spielte eine heimische Band eine Reihe populärer Songs aus den Siebzigern und Achtzigern. Einige Erwachsene tanzten, während Teenager in Spaghettischüsseln nach Weingummi-Augäpfeln suchten oder sich bemühten, Äpfel mit dem Mund zu schnappen.

»Kannst du Daddy sehen?«, fragte sie Noah, der schläfrig etwas wie »Go Dada« brabbelte.

»Äh, Vivi Ann?«

Sie drehte sich um und sah Myrtle Michaelian vor sich, die ein rosafarbenes Prinzessinnenkleid trug. Ihre groben Züge waren mit leuchtender Schminke betont: blauer Lidschatten, grellrotes Rouge, roter Glitzerlippenstift. Ein billiges Blechdiadem thronte auf ihren hochgetürmten grauen Locken.

»Hey, Myrtle«, sagte Vivi Ann. »Tolle Verkleidung.«

»Wo ist dein Mann?«

»Ich suche gerade nach ihm. Wieso?«

»Tja ... normalerweise tratsche ich ja nicht ...«

Vivi Ann biss die Zähne zusammen. Sie musste sich schwer beherrschen. Zwar hatte das Gerede über ihre Affäre nachgelassen, aber in Oyster Shores behielt man Dallas immer noch im Auge. Vor allem ältere, konservative Einwohner wie Myrtle. Es passte ihnen nicht, dass er so viel trank, in der Kirche unruhig herumzappelte, Poker um Geld spielte und (das war das Schlimmste) sich offenbar nicht um ihre Meinung scherte. »Ich bin sicher, ich weiß schon, was du mir jetzt erzählen willst.«

»Tatsächlich?«, erwiderte Myrtle und flüsterte laut: »Letzten Samstag habe ich spät Feierabend gemacht und gesehen, wie Dallas und diese Morgan zusammen über die Straße gegangen sind. Sie sind in ihre Schrottkarre gestiegen und weggefahren.«

Vivi Ann nickte. Diese Geschichte hatte sie in den letzten zwei Jahren immer wieder in mehr oder minder abgewandelter Form gehört: Dallas und Cat waren zusammen im Supermarkt, an der Tankstelle oder in einer Bar gesehen worden. »Sie sind nur Freunde, Myrtle.«

»Ich will's nur gesagt haben, Vivi Ann, weil deine Mama es nicht mehr kann. Sie war eine gute Freundin von mir, und wenn sie hier wäre, würde sie dir sagen, dass nichts Gutes dabei herauskommt, wenn man einem Mann so viel Freiheit lässt.«

»Ich liebe meinen Mann«, erklärte Vivi Ann. Das musste als Antwort reichen. Sie liebte ihren Mann und vertraute ihm. Was war schon dabei, wenn er einmal die Woche bei Cat etwas trank und Poker spielte, um Dampf abzulassen? Das kleinliche Gerede scherte sie nicht. Sie kannte ihren Mann zu gut, um eifersüchtig zu sein.

»Ich liebe meinen Hund auch«, erwiderte Myrtle spröde, »aber wenn die Töle von gegenüber läufig ist, kette ich ihn an.«

Vivi Ann musste lachen. »Danke für die Warnung, Myrtle. Ich werde meinen Mann besser im Auge behalten.«

»Tu das!«

Immer noch lächelnd, verließ Vivi Ann den Reitstall und ging hinauf zu ihrem Cottage. Im vergangenen Jahr hatte Dallas eine umlaufende Veranda und einen großen Anbau hinzugefügt, in dem eine neue Küche, ein Kinderzimmer und ein Bad untergebracht waren. Ein neues Panoramafenster mit Flügeltüren zur weißen Veranda nahm jetzt eine ganze Wand des Wohnzimmers ein und gab dem herrlichen Ausblick auf den Hood Canal einen Rahmen.

Im hinteren Schlafzimmer, das eine Tapete mit Pferden und Cowboyhüten hatte, wechselte sie Noah die Windel, steckte ihn in seinen Dino-Schlafanzug und legte ihn in sein Bettchen. »Schlaf gut, kleiner Kürbis.«

Im Wohnzimmer entdeckte sie, dass Zorro neben ihrem

neuen Sofa stand. Er trat zur Stereoanlage und schaltete sie ein. Dabei verfing sich irgendwo sein schwarzes Polyester-Cape, das er unter leisem Fluchen frei zerrte.

Sie lächelte. »Du hast gar nicht gesagt, dass du dich verkleiden würdest.«

»Ich habe erzählt, ich hätte als Kind kein Halloween gefeiert. Das ist was ganz anderes.«

Er trat so nah zu ihr, dass sie seinen Atem auf ihrer Wange spürte und roch: Er hatte Whisky getrunken. Mit einer behandschuhten Hand fuhr er über ihre nackte Kehle bis hinunter zur Mulde zwischen ihren Brüsten.

»Myrtle Michaelian hat mir erzählt, du wärest neulich ein böser Junge gewesen. Du sollst dich mit Cat herumgetrieben haben.«

»Die Leute müssen immer was zu tratschen haben. Was hast du geantwortet?«

»Dass ich böse Jungs mag.«

Er hob sie hoch, trug sie zum Bett und schloss mit einem Tritt die Schlafzimmertür. »Süßes oder Saures, Mrs Raintree?«

Sie lachte, als er sie aufs Bett fallen ließ. Mondlicht drang durch ihr Fenster und beschien eine Hälfte seines Gesichts. Seine Haare schimmerten blauschwarz. »Ich glaube, ich nehme Süßes, Mr Raintree. Wenn Sie damit dienen können.«

Am Heiligabend stand Vivi Ann bereits vor Tagesanbruch auf, um Plätzchen zu backen. Als Noah irgendwann aufwachte, nahm sie ihn mit in die Küche. Er spielte lachend mit seinem Plastikdino in einem Klumpen Teig. Als er merkte, wie gut der Teig schmeckte, kicherte er, warf das Spielzeug beiseite und fing an zu naschen.

»O nein, lass das!« Vivi Ann wischte sich das Mehl von den Händen, hob ihn hoch, setzte ihn sich auf die Hüfte und fing an, die Küche sauberzumachen. Aber es war, als wollte man eine Katze tragen; er wand sich, fuchtelte mit den Armen und krähte: »Nein, Mama, nein.«

Daraufhin brachte sie ihn in ihr frisch vergrößertes Schlafzimmer. Sonnenlicht drang in breiten Streifen durch die Flügeltüren und schien auf die Holzdielen, die in einem warmen Honigton schimmerten. »Aufstehen, Schlafmütze«, sagte sie zu Dallas. »Dein Sohn muss mal umgezogen werden.« Sie legte Noah neben Dallas ab, der etwas Unverständliches murmelte und sich wegrollte.

»Guck mal, Noah. Daddy spielt Verstecken.«

Noah kicherte, kletterte über Dallas und fiel auf der anderen Seite wie eine schlaffe Gliederpuppe herunter. »Dada?«

Dallas' Arm tauchte unter der Bettdecke auf und schloss sich um den kleinen Jungen. Sofort beruhigte sich Noah, wie immer in der Nähe seines Vaters, schmiegte sich an ihn und legte seine Wange auf Dallas' tätowierten Oberarm. Er schloss die Augen, fing an, Daumen zu lutschen, und wurde still.

Vivi Ann stand noch einen Augenblick da und nahm den Anblick in sich auf. Von Anfang an waren die beiden unzertrennlich gewesen. Wenn Noah sich weh tat, rief er nach Dallas, und wenn er mitten in der Nacht aufwachte und weinte, weil er schlecht geträumt hatte, beruhigte Dallas ihn. Natürlich liebte Noah auch Vivi Ann. Er folgte ihr auf Schritt und Tritt wie ein kleines Hündchen, gab ihr einen Gutenmorgenkuss und schlief in ihren Armen ein, aber eigentlich war er Daddys Junge, und das wussten alle.

Lächelnd ging sie ins Bad und duschte sich. Gegen elf verteilte sie die Plätzchen in Schachteln, verpackte den Früchtekuchen und zog sich für die Kirche an.

»Dallas«, sagte sie und versuchte, ihn wach zu rütteln. »Du solltest doch Noah anziehen.«

Dallas rollte sich auf den Rücken. Er barg Noah schützend in seiner Armbeuge und wurde langsam wach. »Mir geht's nicht gut.«

Sie setzte sich zu ihm und bemerkte, wie glasig und trüb sein Blick war. Ein paar Schweißtropfen glänzten auf seiner Stirn. Sie legte ihm die Hand darauf. »Du bist ja glühend heiß!«

»Das liegt an der dämlichen Spielgruppe. Jedes Mal, wenn ich Noah dorthin bringe, werde ich krank. Ich glaube, irgendwas stimmt nicht mit mir.«

»Mit dir stimmt alles. Ich hol Aspirin.«

Als sie zurückkam, war er schon wieder eingeschlafen. Sie rüttelte ihn wach und zwang ihn, zwei Aspirin zu nehmen und ein Glas Wasser zu trinken.

»Ich hab mich so auf heute gefreut«, sagte sie.

»Die Heiligabendtradition der Greys«, erwiderte er. »Grausam.«

»Was denn? Gefällt es dir etwa nicht, den ganzen Tag zu shoppen, im Waves zu Abend zu essen, dann ins Kino zu gehen, um am Ende die Mitternachtsmesse zu besuchen?« Sie strich ihm das feuchte Haar aus der Stirn und streichelte ihm das Gesicht.

»Lieber würde ich meine eigenen Stiefel verspeisen.«

»Ich dachte, du wolltest mir helfen, etwas für Noah zu finden.«

»Ich hab ihm einen Traumfänger gebastelt. Als ich etwa in seinem Alter war, bekam ich einen von meiner Mutter.« Er lächelte. »Ich hatte ihn sehr lange.«

»Was ist ein Traumfänger?«

»Etwas Indianisches. Man hängt ihn übers Bett, damit er böse Träume abfängt.«

Sie berührte seine nackte, feuchte Brust und fuhr mit den Fingerspitzen über die hässlichste seiner Narben. Es war eine rechteckige Wulst mit rosafarbenen Rändern. »Okay, Mr Raintree, weil ich Sie liebe, erzähle ich meinen Schwestern, Sie seien heute krank, aber morgen ist Weihnachten, da besuchen wir Dad. Sollte das also ein Trick sein, gibt es nur einen Tag frei.«

»Es ist kein Trick.«

Sie küsste ihn, allen Bakterien und Viren zum Trotz. »Ich liebe dich, Dal.«

»Ich liebe dich auch.«

Sie griff nach Noah und nahm ihn auf den Arm. Dann ging sie mit ihm in sein Zimmer, wechselte die Windel und zog ihm ein rot-grün kariertes Flanellhemd, eine Latzhose und seinen Mantel an. Am Ende ging sie noch mal zu Dallas, legte ihm einen feuchten Waschlappen auf die Stirn und küsste ihn zum Abschied.

Am folgenden Tag wachte Vivi Ann im Morgengrauen auf.

Sie rollte sich zu ihrem Mann und betrachtete ihn. Früher hatte sie nicht gewusst, dass man im Gesicht eines anderen eine ganze Welt sehen konnte, dass Furchen wie Täler, Lippen wie Gebirgszüge wirken konnten, die es zu erkunden galt.

Sie rückte näher zu ihm und presste sich wie schon viele Male zuvor an ihn. »Frohe Weihnachten«, flüsterte sie, dicht an seinem Mund.

»Frohe Weihnachten.« Seine Stimme war tief und rau, als hätte er die ganze Nacht geschrien oder Zigarren geraucht.

»Wie geht's dir?«

»Besser.«

Sie blieben noch eine Weile so liegen, dann küsste Vivi Ann ihn ein letztes Mal und stand auf. Und von diesem Moment an waren beide fast ununterbrochen in Bewegung. Sie duschten sich und zogen sich an. Während Vivi Ann ihren Sohn für das große Familienfest im Farmhaus fertigmachte, fütterte Dallas die Tiere und prüfte das Wasser auf den Weiden. Als er zurückkam, war es bereits helllichter Tag, und das Licht spiegelte sich in den Tropfen und Pfützen vom Regen am Abend zuvor und überzog alles mit einem silbrigen Glitzern.

Vivi Ann packte das Essen und die Geschenke in den Wagen.

»Ach, ich hab noch was vergessen«, sagte Dallas, als sie das Cottage verlassen wollten. »Warte mal kurz.« Er ging ins Schlafzimmer und kam kurz darauf mit einer großen Schachtel in rosafarbenem Geschenkpapier zurück. Sie sah, dass er es selbst eingepackt hatte – an der ungeschickten und großzügigen Verwendung des Klebebands. Außerdem hing die weiße Folienschleife nur an einem dünnen Streifen.

»Du weißt doch, dass wir die Geschenke erst bei Dad auspacken. Leg's in den Wagen.«

»Nein, das nicht.«

Sie lachte. »Was ist es denn? Dessous zum Aufessen? Oder ein Negligé, das nicht mal meine Brustwarzen bedeckt?«

»Mach's auf.«

Als sie merkte, wie er sie ansah, lief ihr ein kleiner Schauer über den Rücken. Sie nahm das Geschenk von ihm und trug es zum Sofa. Er hob Noah hoch und setzte sich mit ihm neben sie.

Dieser Anblick, wie er seinen Sohn hielt, der ihm so ähnlich sah, war ihr eigentlich schon Geschenk genug. Mehr hatte sie nie erhofft, mehr würde sie sich nicht wünschen. Trotzdem packte sie eifrig das Geschenk aus und fand, als sie die Schachtel öffnete, eine weitere, kleinere darin, und als sie diese öffnete, noch eine kleinere. Als sie endlich die kleinste Schachtel in Händen hielt, war sie sich ziemlich sicher, was sie darin finden würde, und ihr Herz klopfte schneller.

Sie sah ihn an, bemerkte, wie durchdringend er sie anblickte, und öffnete die Schachtel.

Darin lag ein wunderschöner Diamantring. Der Stein war zwar klein, aber makellos und in einen filigranen, antik wirkenden Goldring gefasst.

»Tut mir leid, dass ich mir keinen leisten konnte, als wir geheiratet haben.« Er nahm den Ring heraus und streifte ihn ihr über den Finger bis zu dem schlichten Goldreif, den sie seit ihrer Hochzeit drei Jahre zuvor trug.

Sie sah ihm unverwandt in die Augen. »Ich habe nie einen Diamantring gebraucht.«

»Ich wollte dir aber einen schenken.«

»Er ist perfekt.«

Hand in Hand gingen sie zum Wagen und fuhren zum Farmhaus.

Vivi Ann blieb vor dem Haus stehen und betrachtete es. Weiße Lichterketten schmückten das Dachgesims und das Geländer der Veranda. Der Lichterschmuck am Weihnachtsbaum warf durch das Vorderfenster bunte Prismen.

Drinnen hatte die Feier bereits begonnen. Die übliche Weihnachtsplatte – auf Wiederholung gestellt – untermalte sie mit Musik. Ricky und Janie rannten herum und spielten Verstecken mit ihrem Dad, während Aurora und Winona in der Küche werkelten. Ihr Dad saß am Kamin, trank bereits Bourbon und starrte auf ein Foto von ihrer Mom.

Aurora öffnete ihnen. Mit ihren grünen Leggins, den hochhackigen Stiefeletten und einer roten Tunika sah sie aus wie eine Elfe; um den Hals trug sie eine bunte Lichterkette, die in Intervallen an- und ausging. »Da ist ja mein Prachtjunge«, sagte sie, nahm Noah auf den Arm und trug ihn zum Weihnachtsbaum.

»Der übliche Zirkus«, bemerkte Dallas mit Blick auf die Weihnachtsdekoration.

In diesem Moment trat Richard zu ihnen. Er trug eine braune Bundfaltenhose, die er hoch in der Taille mit einem braunen Gürtel zusammenhielt, ein blaues Karohemd und Socken und vermittelte wie immer den Eindruck, gleichzeitig bleiben und gehen zu wollen. »Dallas«, sagte er und nickte. »Ich hab gehört, du hast beim neuen Fohlen der Jurikas Wunder bewirkt.«

»Es ist ein ziemlicher Teufel«, antwortete Dallas. »Erst letzte Woche ...«

Vivi Ann drückte die Hand ihres Mannes und ging dann

in die Küche. Winona stand an der Arbeitsfläche und rollte aus Teigquadraten Hörnchen. Als Vivi Ann eintrat, blickte sie auf und hielt inne. »Hey.«

Für eine Sekunde fühlte sich Vivi Ann in die Vergangenheit zurückversetzt. Das fahle Licht der Wintersonne umspielte das volle, schöne Gesicht ihrer Schwester und ließ sie an eine andere Begebenheit in dieser Küche denken.

Ich male ein Bild für Mama, hatte sie gesagt und sich dabei so klein und vergessen gefühlt, wie es nur ein Kind kann. Das war ihre eindrücklichste Erinnerung von der Beerdigung ihrer Mutter: Sie hatte sich unsichtbar gefühlt. Aber Winona hatte sie gesehen, war neben ihr in die Hocke gegangen, hatte ihr über den Kopf gestrichen und gesagt: *Wir hängen es an den Kühlschrank*.

Damals hatte Vivi Ann gedacht, sie beide würden immer so verbunden bleiben, nichts könne zwei Schwestern auseinanderreißen.

Aber natürlich hatte sie damals noch nichts über die Liebe erfahren. Vivi Ann wusste, dass ihre Versöhnung nur halbherzig war, obwohl Win es niemals zugeben würde. Sie traute Dallas immer noch nicht und hatte auch Vivi Ann nicht verziehen, dass sie Luke weh getan hatte. Für Winona gab es nur Schwarz oder Weiß. Gerechtigkeit war ihr das Wichtigste. Und in ihren Augen war Vivi Ann für ihr Fehlverhalten belohnt worden.

Plötzlich streckte Vivi Ann die Hand aus, nahm Winonas und wirbelte sie zum Rhythmus der Musik herum. Mit dieser Bewegung legte sie einen Schalter um und katapultierte sie zurück in die Siebziger, als es für sie noch völlig normal gewesen war, am Weihnachtsmorgen in der Küche zu tanzen.

Kommt schon, meine Gartentöchter, hatte Mom tänzelnd gesagt, *ich brauche ein paar Tanzpartner*.

Aurora kam in die Küche, drängte sich zwischen sie und übernahm die Führung. »Ihr kleinen Verräterinnen werdet doch wohl nicht ohne mich tanzen. Im Gegensatz zu euch habe *ich* Rhythmusgefühl.«

»Ja, vom Hüftenwackeln auf der Highschool«, sagte Vivi Ann lachend.

Seltsam, wie ein Song, ein Tanz oder auch nur ein Blick die Vergangenheit wieder lebendig machen konnte! Der Rest des Tages verging wie eine Diashow aus Schnappschüssen: Geschenke auspacken, Wein trinken, in unterschiedlichen Gruppierungen miteinander plaudern, Janie und Ricky beim Ausprobieren ihrer neuen Räder beobachten, Noah mit den Geschenkbändern im Haar aufziehen. Nicht mal ihr Vater in seinem trunkenen Trübsinn konnte ihnen den Spaß verderben.

Am Ende des Weihnachtsessens, als die Frauen den Nachtisch serviert und wieder ihre Plätze eingenommen hatten, stand Dallas auf. »Mit alldem wird mein Sohn aufwachsen.« Mit einer Handbewegung umfasste er die gesamte Szenerie. »Ich danke euch dafür.«

Vivi Ann blickte ihren Mann über den Tisch hinweg an.

»Dada«, sagte Noah auf ihrem Schoß und grinste.

»Ja«, erwiderte sie leise. »Das ist dein Daddy.«

Kurz darauf plauderten und scherzten sie wieder miteinander und verglichen die verschiedenen Desserts. Nach dem Essen versuchte Vivi Ann, die anderen zu einer Runde Scharade zu überreden. »Kommt schon, Leute. Das macht doch Spaß …«

Da klingelte es an der Tür, und Sheriff Bailor kam herein.

»Hey, Al«, sagte Aurora und stand auf, um ihn zu begrüßen. »Sag Vivi Ann, dass wir nicht zum Spielen aufgelegt sind. Herrgott noch mal, schließlich sind wir noch nüchtern.«

»Tut mir leid, euch das Weihnachtsfest zu verderben«, erklärte Al, nahm den Hut ab und spielte nervös damit.

Der Vater stand auf. »Gibt es ein Problem, Al?«

»Gestern Nacht ist Cat Morgan ermordet worden.«

Langsam stand Dallas auf. Es war unübersehbar, wie blass er geworden war. »Wie ist das passiert?«

»Tja«, sagte Al und blickte ihn über den Tisch hinweg an, »das will ich ja herausfinden. Wo warst du gestern Nacht, Dallas?«

Vierzehn

BÜRGERIN VON OYSTER SHORES IN IHREM EIGENEN HAUS ERSCHOSSEN

Am 25. Dezember wurde die in Oyster Shores ansässige Catherine Morgan erschossen in ihrem Haus am Shore Drive aufgefunden. Ein Nachbar entdeckte die Zweiundvierzigjährige und rief sofort die Polizei.

Die Ermittlungen dauern an, die Beweisaufnahme am Tatort ist noch nicht abgeschlossen. Sheriff Albert Bailor hat lediglich verlautbaren lassen, dass der Todesfall »ungeklärt« sei und man »allen Spuren nachgehe«. Von inoffizieller Seite hieß es, Miss Morgan sei aus nächster Nähe in die Brust geschossen worden, und es gebe keinerlei Hinweis auf ein gewaltsames Eindringen in ihre Wohnung. Bis zum jetzigen Zeitpunkt konnte der Verdacht auf sexuelle Übergriffe nicht bestätigt werden. Sachdienliche Hinweise nimmt Sheriff Bailor entgegen.

William Truman
Oyster Shores Tribune

Langsam kletterte Vivi Ann aus dem Bett. In den vergangenen achtundvierzig Stunden hatte sie gelernt, sich geräuschlos zu bewegen, gleichzeitig anwesend zu sein und sich ausblenden zu können. Sie wickelte ihren Frotteebademantel um sich, ging ins Wohnzimmer und fand Dallas genau dort, wo sie ihn vermutet hatte: Er saß zusammengesunken am Küchentisch und durchforstete die Zeitung nach Berichten über den Mord.

Als sie ihm die Hand auf die Schulter legte, spürte sie, wie er zusammenzuckte. Er blickte zu ihr hoch. In seinem Blick lag eine solche Wildheit, dass sie am liebsten zurückgewichen wäre. Aber sie wusste, dass er am Abgrund stand und ihren Halt brauchte. Sie wusste auch, dass er auf ihre Frage wartete, ob er es getan hatte. Die ganze Stadt redete über seine Verbindung zu Cat. Die Gerüchteküche brodelte, weil er sie oft spätabends besucht oder mit ihr zusammen Bier gekauft hatte. Ohne darüber gesprochen zu haben, war ihnen beiden das bewusst.

»Heute ist die Beerdigung«, sagte sie leise. »Wir müssen Noah um elf zur Babysitterin bringen.«

»Ich sollte wohl besser nicht hingehen.«

»Doch, du musst. Die Leute werden sonst reden.«

»Glaubst du, mich interessiert es, was diese verdammten Spießer sagen?«

»Ich glaube, dass es uns interessieren sollte.«

»Ich sollte gehen. Einfach abhauen. Ich hätte nie bleiben dürfen.«

Da packte sie seinen Arm und zog Dallas zu sich hoch, um ihn direkt anzusehen.

»Sag nicht so was!«

»Ist dir nicht klar, dass sie mir das anhängen werden?«

»Nein, das können sie nicht. Es ist nur Gerede. Um dich zu verhaften, brauchen sie Fakten. Wir überstehen das.«

»Ach, Vivi«, sagte er gepresst. »Du bist so naiv ... Das hier wird uns fertigmachen.«

Er wandte sich von ihr ab, ging ins Bad und schloss ab. Eine lange Zeit stand sie nur da und starrte auf die geschlossene Tür. Ihre Hände zitterten. Am liebsten wäre sie ihm nachgegangen, aber sie ließ es.

Das werden sie mir anhängen. Er wirkte so sicher, als wüsste er mehr als sie.

Am liebsten hätte sie es vom Tisch gewischt, sich eingeredet, dass es nichts zu bedeuten hatte, aber es gelang ihr nicht. Sie holte tief Luft, ging durch das dunkle Cottage und trat ins Freie.

Sein grauer Truck stand zwischen den Bäumen. Im Morgennebel sah er aus wie ein alter Elefant, der im Schatten des Wäldchens in die Knie gegangen war. Sie schlüpfte in die Gummistiefel, die an der Tür standen, und stiefelte über die schlammige Wiese. Sie öffnete die Beifahrertür und starrte auf das Handschuhfach. Panik stieg in ihr auf wie der Nebel um sie herum. Sie streckte die Hand aus und öffnete die Klappe.

Die Waffe war weg.

Sie wusste nicht, ob sie enttäuscht oder erleichtert sein sollte, aber ihre Angst wich nicht, sondern legte sich drückend auf ihre Brust. Unbeholfen schloss sie wieder den Wagen und ging zurück ins Haus.

Sie fand Dallas im Bad, noch nass von der Dusche, mit einem Handtuch um die Hüften.

»Wo ist die Waffe?«, wollte sie wissen und sah ihn prüfend an.

Er seufzte. »Die hab ich Cat gegeben.«

Vivi Ann schloss die Augen. Sie hatte das Gefühl, als würde alles aus ihrem Körper weichen: Blut, Hoffnung, Leben.

»Du hast doch gesagt, ich soll sie verschwinden lassen. Und Cat ist letztes Jahr von irgendeinem Typen belästigt worden.«

»Deshalb bist du dir so sicher, dass man dir das anhängen wird.«

»Deshalb habe ich Angst.« Er streckte die Hand aus und berührte ihr Kinn. »Los, Vivi, frag mich. Ich weiß doch, dass du es willst.«

Sie hörte die Verzweiflung in seiner Stimme, sah sie in seinem Blick. Sein ganzes Leben war er immer wieder im Stich gelassen worden, und jetzt erwartete er es auch von ihr, aber sie kannte ihn. Sie kannte ihn bis auf den Grund seiner Seele. Sie hatte erlebt, wie er seinen schlafenden Sohn ansah und wie er über ihre kleine Familie sprach. Liebe war für Dallas kein oberflächliches Gefühl, genauso wenig wie Freundschaft. Ganz gleich, was er früher getan hatte, jetzt, das wusste sie, hätte er Cat niemals umbringen können. »Das muss ich nicht, Dallas. Ich weiß, dass du unschuldig bist.«

Da schien er vor ihren Augen zu zerbrechen. Wortlos wandte er den Blick ab.

»Jetzt zieh dich an. Wir müssen zur Beerdigung deiner Freundin.«

Die nächsten beiden Stunden gingen sie schweigend ihren Alltagspflichten nach. Nur Noahs fröhliches Plappern unterbrach die Stille.

Um elf Uhr tauchten Aurora und Richard auf. Sie wirkten besorgt und niedergedrückt. Vivi Ann und Aurora blickten sich eine ganze Weile ohne ein Wort an, dann stiegen sie alle in Richards schwarzen, vom Regen glänzenden Suburban. Sie brachten Noah zu sich nach Hause, wo er mit Janie, Ricky und der Babysitterin bleiben sollte, und fuhren weiter zur Kirche.

Dort waren fast alle Bänke von Trauergästen besetzt. Während des kurzen, unpersönlichen Trauergottesdienstes ließ Vivi Ann nicht Dallas' Hand los. Sie spürte seine Anspannung; manchmal drückte er ihre Hand so fest, dass es weh tat. Nach dem Gottesdienst stand sie auf und zog ihn unbeholfen zu sich hoch. Zusammen drängten sie sich in die Menge, die den Gang entlang und dann nach unten in den Gemeindesaal strebte, wo das Büfett schon aufgebaut war. Niemand blickte Dallas oder Vivi Ann direkt an. Wie üblich hatten die Frauen den Verlust eines Gemeindemitglieds backend verarbeitet. Die Gäste standen in kleinen Gruppen zusammen und unterhielten sich. Aber niemand weinte, und es wurden auch keine Fotos von Cat gezeigt.

»Heuchler«, murmelte Dallas. »Sieh sie dir an. Diese Frauen haben die Straßenseite gewechselt, sobald sie Cat sahen.«

»Sei still«, sagte Vivi Ann scharf.

Aurora, Richard, ihr Dad und Winona traten zu ihnen und nahmen sie in ihre Mitte. Vivi Ann war ihnen dankbar für ihre Unterstützung, aber sie sah ihrem Dad an, dass er nur ungern gekommen war.

Und auf einmal stand Al in Uniform vor ihnen. »Dallas Raintree, ich muss Sie mitnehmen«, erklärte er mit lauter, bedeutungsschwangerer Stimme. »Wir haben ein paar Fragen an Sie.«

Vivi Ann umklammerte die Hand ihres Mannes. »Komm schon, Al. Du kannst unmöglich glauben –«

Dallas entzog ihr seine Hand. »Natürlich glaubt er es.«

Al fasste Dallas am Arm und führte ihn aus dem Gemeindesaal. Die Menge teilte sich und beobachtete in ungewohntem Schweigen das Drama, das sich vor ihnen abspielte.

Vivi Ann folgte Al und Dallas durch die Menge und flehte Al an, doch vernünftig zu sein, aber der antwortete nicht, sondern führte Dallas zu seinem Wagen und fuhr mit ihm fort.

Vivi Ann öffnete ihre Tasche und suchte in dem Durcheinander nach ihren Schlüsseln. Dann ging ihr auf, dass sie nicht hierhergefahren war. Sie sah sich nach Aurora um und bemerkte, dass sich Leute auf der Treppe vor der Kirche drängten und zu ihr herüberstarrten. »Er war es nicht«, schrie sie zu ihnen hinüber. Ihr brach die Stimme, und plötzlich überwältigten sie die Gefühle, die sie zu unterdrücken versucht hatte. Sie merkte, dass sie weinte, konnte aber nicht aufhören. Sie brachte noch nicht mal die Kraft auf, sich abzuwenden.

Aurora kam zu ihr und legte den Arm um sie. Winona kam als Nächste. Gemeinsam schirmten sie sie von den anderen ab. Vivi Ann bemerkte, dass sich ihr Vater abseits hielt und blieb, wo er war.

»Komm«, sagte Winona. »Wir bringen dich nach Hause.«
»Nach Hause?« Vivi Ann sah sie ungläubig an. »Bringt mich zur Polizei. Ich muss für ihn da sein, wenn er fertig ist.«
Aurora und Winona tauschten einen Blick.
»Was ist?«, fragte Vivi Ann.
»Mach keine Szene«, bat Aurora entschieden. »Gehen wir zum Wagen.«
»Und wenn ich mich weigere?«
»Dann brech ich dir das Bein«, antwortete Aurora, blickte lächelnd zur Menge und sagte laut: »Ihr geht's gut. Kein Grund zur Sorge.«
»Wir bringen dich zur Wache«, sagte Winona. Daraufhin ging Vivi Ann mit ihnen.
Die Fahrt zur Polizeiwache war so kurz, dass keine Zeit zum Reden blieb. Vivi Ann wusste ohnehin nicht, was sie sagen sollte. Kaum hatte der Wagen gehalten, stieg sie aus und rannte ins Gebäude.
»Ich will meinen Mann abholen, Helen.«
Die Frau, die sie seit ihrer Kindheit kannte, wich ihrem Blick aus. »Er wird gerade befragt, Vivi Ann. Albert sagt, er wird ihn gehen lassen, sobald es möglich ist. Du kannst im Aufenthaltsraum warten, wenn du willst, aber es könnte dauern.«
Aurora und Winona traten zu ihr und führten sie in den Aufenthaltsraum. Dort saßen sie auf Plastikstühlen an einem Resopaltisch und tranken bitteren Automatenkaffee. Die ersten beiden Stunden unterhielten sie sich über Belanglosigkeiten, versuchten, Konversation zu betreiben, aber der Zeiger der schwarzweißen Uhr an der Wand rückte immer weiter vor.
»Du kennst dich doch mit diesen Dingen aus, Winona«, sagte Vivi Ann schließlich. »Was machen sie jetzt mit ihm?«
»Sie befragen ihn, aber keine Sorge. Er ist zu schlau, um irgendwas zu gestehen.«

Vivi Ann sah sie an. »Es passiert ständig, dass Unschuldige irgendwelche Fehler machen. Weil sie meinen, sie hätten nichts zu verbergen.«

»Du musst dich aufs Schlimmste gefasst machen«, erklärte Winona mit ausdrucksloser Stimme.

»Auf so was hast du doch gewartet, oder nicht, Win? Du brennst doch darauf, mir zu sagen, du hättest die ganze Zeit recht gehabt.«

»Lass das, Vivi«, schaltete Aurora sich ein. »Wir sollten uns jetzt nicht streiten.«

»Ich *hatte* auch recht«, erwiderte Winona. »Wenn du von Anfang an auf mich gehört hättest, würden wir jetzt nicht hier sitzen. Ich hab dir gesagt, dass Dallas nur Ärger macht. Er hat sein ganzes Leben auf der falschen Seite gestanden.«

»Hau ab, Winona«, zischte Vivi Ann. »Ich kann dich nicht mehr ertragen.«

»Das ist doch nicht dein Ernst, Vivi«, entgegnete Aurora.

»Dallas hat immer gesagt, dass du eifersüchtig auf mich bist. Er hatte recht, nicht wahr? Wahrscheinlich genießt du das alles.«

»Nur weil ich wusste, dass dies passieren würde, genieße ich es noch lange nicht. Was hast du denn erwartet, mit einem Mann wie ihm?«

»Du verstehst das natürlich nicht. Über Liebe weißt du doch nur, wie es sich anfühlt, keine zu bekommen! Hat dir eigentlich je ein Mann gesagt, dass er dich liebt?«

»Vivi«, sagte Aurora warnend.

»Nein, sie soll weg. *Weg*. Wenn sie glaubt, er ist schuldig, kann sie abhauen.« Vivi Ann wusste, dass sie schrie, dass sie hysterisch war, aber sie hatte sich nicht mehr unter Kontrolle.

Winona griff nach ihrer Tasche und stand auf. »Gut. Wenn du das allein durchstehen willst, bitte.«

Aurora versuchte, Winona aufzuhalten. »Sie weiß doch nicht, was sie sagt, Win.«

Aber Winona marschierte schon zur Tür und riss sie auf.

»Das hättest du nicht tun sollen«, sagte Aurora, als die Tür hinter ihr zuknallte.

»Ich konnte mir ihr Gerede nicht mehr anhören.«

Aurora stand langsam auf, seufzte und holte ihnen noch zwei Becher abgestandenen Kaffee. Sie gab reichlich Milchpulver und Zucker hinzu und setzte sich dann wieder zu Vivi Ann. »Das wird übel enden«, meinte sie.

»Es ist schon übel.«

»Nein«, sagte Aurora und rührte in ihrem Kaffee. »Ich glaube, das ist erst der Anfang.«

Stunden später kam Al schließlich in den Aufenthaltsraum. Er wirkte erschöpft und bekümmert.

Vivi Ann stand auf. »Wo ist er?«

»Er hat den Lügendetektortest nicht bestanden, Vivi Ann«, erklärte Al.

»Das Ergebnis ist gar nicht zulässig. Das hab ich im Fernsehen gesehen«, sagte Aurora und stellte sich neben Vivi Ann.

Vivi Ann hatte gedacht, sie hätte eben auf dem Parkplatz vor der Kirche Angst gehabt, oder schon, als sie das leere Handschuhfach sah und herausfand, was er mit der Waffe gemacht hatte. Aber sie hatte sich geirrt. Im Vergleich zu dem, was sie jetzt überkam, war das gar nichts gewesen. Der Unterschied war so groß wie zwischen Fliegen und Fallen.

»Wir haben ihn verhaftet, Vivi«, sagte Al. »Wegen Mordes. Du besorgst ihm am besten einen Anwalt.«

Aurora fluchte leise. »Ein toller Zeitpunkt, Winona in den Wind zu schießen.«

Auf dem Heimweg fiel Winona eine bissige Retourkutsche nach der anderen ein: *Selbstverständlich bist du die Expertin in Sachen Liebe. Wenn ich schamlos herumgeflirtet hätte wie du, wäre ich auch flachgelegt worden.* Oder: *Er liebt dich doch gar nicht. Wieso kapierst du das nicht? Ach ja, ich vergaß: Du bist ja blond.* Oder: *Wenn das Liebe ist, hätte ich lieber die Schweinegrippe.*

Zu Hause angekommen, riss sie die Tür auf und ging hinein. Das Haus war weihnachtlich geschmückt: Tannenbaum in der Ecke, Schlitten mit Rentieren auf dem Sofatisch und ein lächerlich optimistischer Mistelzweig, der im Türrahmen zwischen den Räumen hing. Sie riss ihn herunter und warf ihn in den Mülleimer, dann setzte sie sich auf die Fensterbank und starrte hinaus in den Regen, der auf die nackten Bäume fiel. Von ihrem Platz aus konnte sie die Leute auf den Straßen sehen; wahrscheinlich waren sie nach den Feiertagen ein bisschen einkaufen oder auch in der Kirche gewesen, so als wäre es ein ganz normaler Wintertag.

Aber nichts war normal. Vielleicht würde nichts mehr normal sein.

Seufzend ging sie in die Küche und holte einen Familienbecher Eiscreme aus dem Gefrierschrank. Sie setzte sich damit in den Wintergarten und dachte beim Essen nach. Mit jeder Minute, die verstrich, festigte sich ihr Entschluss: Sie würde nicht zulassen, dass Dallas Raintree ihre Familie zerstörte. Vivi Anns Schwäche für ihn hatte sie alle bereits zu viel gekostet. Außerdem stand jetzt ihr guter Name auf dem Spiel. Es hieß schon, die Greys seien so dumm gewesen, ihn in ihre Familie aufzunehmen.

Sie wusste nicht, wie lange sie dort saß, doch in der Zeit schlug das Wetter um. Es hörte auf zu regnen, und hier und da ließ sich sogar die Sonne zwischen den dichten grauen Wolken blicken.

Irgendwann hörte sie ein Klopfen an der Haustür, reagierte aber nicht. Im Moment wollte sie mit niemandem sprechen.

Kurz darauf kam Vivi Ann in den Wintergarten. Winona bemerkte bereits die ersten Veränderungen an ihr: Anspannung zeigte sich an ihren zusammengepressten Lippen, Verzweiflung in ihrem Blick und Panik an ihren krampfhaft verschränkten Händen.

»Erwischt«, sagte Winona und tauchte ihren Löffel in den Eisbecher. »Beim Frustessen.«

»Da du nicht geöffnet hast, bin ich einfach reingekommen.«

»Ich wollte keinen sehen. Und schon gar nicht dich.«

Vivi Ann durchquerte das Zimmer und nahm ihr gegenüber Platz.

»Tut mir leid, Pea«, sagte sie leise. Winona wusste, dass sie ihren alten Spitznamen benutzte, um sie daran zu erinnern, was sie füreinander bedeuteten. Sie hatten sich zwar gestritten und Dinge gesagt, die sie nicht so meinten, aber sie waren Schwestern. Am Ende zählten nur die einzelnen Kettenglieder, nicht der Riss in der Kette.

Winona aß noch einen Löffel Eis. »Woher wusste Mom wohl, wie wir später aussehen würden, als sie uns die Spitznamen gab?«

»Wie meinst du das?«

»Du bist Bean – die Bohne, nicht wahr? Woher wusste sie, dass ich eine dicke, runde Erbse werden würde?«

»Das war doch nur das Gemüse, das in ihrem Garten wuchs, Win. Darum ging es ihr: dass wir zusammen aufwuchsen.«

»Du warst doch viel zu jung, um zu wissen, worum es ihr ging.« Winona stellte den leeren Eisbecher neben sich auf den Boden.

»Jedenfalls ging es ihr darum, dass wir in schweren Zeiten zusammenhalten, das weiß ich.«

»Sagt ausgerechnet die, die mich rausgeschmissen hat.«

»Ich hab doch schon gesagt, dass es mir leidtut.«

»Na klar. Er ist verhaftet worden, stimmt's?«

Vivi Ann nickte.

»Und weil dir klargeworden ist, dass du einen Anwalt brauchst, bist du hierhergekommen.«

»Es zählt doch nicht, dass er den Lügendetektortest nicht bestanden hat, oder?«, sagte Viv Ann.

»Er hat den Test nicht bestanden?«

»So ist es, aber selbst ich weiß, dass der Test vor Gericht nicht zulässig ist.«

»Das stimmt zwar, aber solche Tests sind ziemlich zuverlässig. Und er hat ihn nicht bestanden.«

»Er ist unschuldig«, beharrte Vivi Ann.

»Er hat kein Alibi. Er war krank, schon vergessen? Allerdings ging's ihm am nächsten Morgen wieder gut.«

»Ich tue alles, Winona. Bitte. Nur hilf mir, ihn zu retten.«

Winona starrte ihre jüngere Schwester an und sah, dass sie kurz vor dem Zusammenbruch stand. Wahrscheinlich hatte Vivi Ann noch nie zuvor um etwas betteln müssen, aber Winona wusste, wie es sich anfühlte, aus reiner Verzweiflung zu handeln, wenn Stolz und Notwendigkeit miteinander rangen und man am liebsten *Verpiss dich* gebrüllt hätte, obwohl man *Bitte* flüsterte. »Er braucht einen Strafverteidiger, Vivi. Und zwar einen guten. Ich kann mich bis zur Anklageerhebung um ihn kümmern, aber danach muss ich den Fall abtreten. Ich bin nur eine Zivilrechtsanwältin aus der Provinz –«

»Das ist mir alles ganz egal. Was er braucht, ist jemand, der an ihn glaubt. Das zählt mehr als alle Prozesserfahrungen.«

Da war es, das eine, über das Winona nachgedacht hatte, während sie auf ihrer Fensterbank saß und in den Regen hinaus starrte: Das eine, was die Bande zwischen ihnen zerreißen würde. Aber jetzt musste sie sich dem stellen. »Ich hab von der Prügelei bei Cat gehört«, sagte sie leise, weil sie wusste, dass sie damit Vivi Ann verletzte. Aber sie konnte es nicht ändern. Dieser Schmerz war unvermeidlich. Er hatte sich schon seit langem, wahrscheinlich seit Dallas' Auftauchen in

Water's Edge, angekündigt und war unaufhaltsam auf sie zugekommen.

»Was willst du damit sagen?«

»In der Nacht von Noahs Geburt hat Dallas Streit mit Erik Engstrom angefangen. Es heißt, er hätte ihn fast umgebracht.«

»In jener Nacht dachten wir, Noah würde sterben. Er hatte Angst.«

»Er ist gefährlich, Vivi. Jeder außer dir sieht das«, bemerkte Winona ohne jede Gefühlsregung. »Ich habe versucht, es dir zu sagen ...«

»Geht es darum? Dass du es schon immer gesagt hast?«

»Nein. Ich versuche, dich zu schützen. Ich versuche, dir eine gute große Schwester zu sein.«

»Glaubst du wirklich, er hat sie umgebracht?«

»Das ist unwichtig. Dies wird dir das Herz brechen, Vivi Ann. Du bist nicht stark genug, um –«

»Unwichtig?«

Winona fand einfach nicht die richtigen Worte, um sich Vivi Ann verständlich zu machen. »Es tut mir leid, Vivi Ann. Ich wollte nur sagen, dass meine Meinung unwichtig ist. Ich kann Dallas nicht helfen. Ich habe nicht genügend Erfahrung. Außerdem gibt es wahrscheinlich einen Interessenkonflikt. Er braucht –«

Vivi Ann stand auf. »Du redest und redest. Aber nach deinem *Das ist unwichtig* hab ich schon gar nicht mehr zugehört. Glaub mir, Win, du hast dich klar und deutlich ausgedrückt. Du meinst, ich wäre mit einem Mörder verheiratet.« Sie drehte sich um und rannte zur Haustür. Allerdings musste sie erst zweimal den Knauf drehen, bevor sie sie aufreißen konnte.

»Vivi, warte doch, bitte.«

Winona stürzte auf die Veranda und dann in den Vorgarten, aber ihre Schwester war schon fort.

Fünfzehn

Nach einer langen, unruhigen Nacht wachte Vivi Ann wie zerschlagen auf. Dennoch war sie um neun Uhr fertig angezogen und ging mit Noah, der sich auf ihrem Arm wand, zum Wagen. Jetzt musste sie mehr denn je für ihn stark sein, und das würde sie auch. Eines Tages würde ihr Sohn von alldem erfahren, und dann würde er fragen: *Was hast du getan, Mommy, als Daddy in Schwierigkeiten geriet?* Dann konnte sie sagen: *Ich habe den Glauben an ihn niemals aufgegeben und allen in der Stadt gezeigt, dass sie sich irrten.*

Ihr ganzes Leben war sie wegen ihres Aussehens unterschätzt worden. Die Leute hatten sie für naiv gehalten, weil sie in jedem nur das Beste sah. Jetzt endlich würde sie ihnen zeigen, dass ihr Optimismus weder Schwäche noch Dummheit noch trügerische Hoffnung war. Er war ungebrochen und stark und würde ihr beim Kampf gegen die anderen helfen.

Als sie durch die Stadt fuhr, kam sie am Grey Park vorbei und sah das Schild: GESTIFTET 1951 VON ELIJAH GREY. Zum ersten Mal dachte sie nicht daran, welch herausragende Rolle ihre Familie in der Geschichte der Stadt einnahm, sondern wie sie tapfer allen Widrigkeiten getrotzt hatten. Ihre Urgroßeltern hatten mit einem Planwagen den Oregon Trail zurückgelegt und dabei zahllose Gefahren überwunden. Sie hatten ihr Land durch die große Wirtschaftskrise und zwei Weltkriege hindurch gerettet.

Es gehörte immer noch ihnen, weil sie weder gewankt

noch gewichen waren. Diese Beharrlichkeit hatte sie von ihnen geerbt, und jetzt würde sie sich darauf stützen.

Vor dem Diner parkte sie auf der Straße und schnallte Noah von seinem Babysitz ab. Als sie zum Restaurant ging, spürte sie, wie die Leute sie kopfschüttelnd beobachteten. Ihr Gerede machte sie nur noch wütender und bestärkte sie in ihrem Entschluss, die Unschuld ihres Mannes zu beweisen. Wie erwartet fand sie Aurora im Diner, beim Kaffeeklatsch mit Julie, Brooke und Trayna.

Als sie eintrat, blickten alle auf. Ihr mitleidiger Blick sagte eindeutig: *Arme Vivi, hat sich so zum Narren halten lassen.*

»Hey, Vivi«, begrüßte Julie sie und machte ihr Platz. Ihre silbernen Armreifen klimperten an ihrem Handgelenk. »Du kommst genau richtig zum Frühstück.«

»Danke, aber ich kann nicht bleiben. Aurora, bist du immer noch bereit, dich heute um Noah zu kümmern?«

»Natürlich.«

»Wieso?«, fragte Trayna. »Willst du zum Gefängnis?«

»Nicht sofort. Erst muss ich nach Olympia, einen guten Anwalt suchen. Ich hab mir ein paar Namen aus dem Telefonbuch herausgeschrieben.«

Brooke runzelte die Stirn. »Aber Winona –«

»Wird mir nicht helfen.«

»Sie hat abgelehnt?«, fragte Julie irritiert.

»So ist es. Jetzt kannst du es überall rumerzählen: Winona hat sich von uns distanziert.«

Sie gab Noah einen Kuss auf die rundliche Wange und drückte ihn Aurora zusammen mit der Windeltasche in die Arme.

Glücklich wandte sich Noah seiner Tante zu und fing sofort an, mit ihrer Halskette zu spielen.

»Soll ich mit dir fahren?«, fragte Aurora. Das hatte sie schon am Vorabend gefragt, als Vivi Ann sie anrief.

»Danke für das Angebot, aber lieber nicht. Ich muss jetzt

anfangen, mich selbst um einiges zu kümmern. Das werde ich in Zukunft wohl öfter müssen.« Sie wandte sich zum Gehen.

Julie hielt sie am Handgelenk fest. »Nicht alle hier glauben, dass er schuldig ist.«

»Danke, Jules.«

Auf dem ganzen Weg nach Olympia legte sich Vivi Ann zurecht, was sie sagen würde, um einen Fremden zu überzeugen, den Fall ihres Mannes zu übernehmen. Als sie beim ersten Anwalt angekommen war, marschierte sie in das niedrige Backsteingebäude, nannte der Sekretärin ihren Namen und wartete ungeduldig. Fast zwanzig Minuten später kam James Jensen heraus, um sie zu begrüßen.

Sie lächelte ihm strahlend entgegen. »Hallo, Mr Jensen. Danke, dass Sie mich so kurzfristig empfangen können.«

»Wenn man einen Strafverteidiger braucht, muss es oft ganz schnell gehen. Bitte kommen Sie in mein Büro und nehmen Sie Platz.«

Die nächsten zwanzig Minuten lieferte ihm Vivi Ann alle Fakten zum Fall, zumindest, soweit sie ihr bekannt waren. Sie achtete darauf, ganz ruhig und sachlich zu bleiben, weil sie nicht wie eine der Frauen erscheinen wollte, die aus lauter Dummheit immer nur das Beste von ihrem Mann glauben. Als sie ihre spärlichen Informationen mitgeteilt hatte, fügte sie hinzu, welch ein wunderbarer Ehemann und Vater Dallas war. Dann wartete sie auf die Reaktion des Anwalts.

Nach einer ganzen Weile blickte er auf.

Sie hatte auf diesen Blick gewartet. Jetzt würde er fragen, ob Dallas unschuldig sei, und sie würde nicken und erklären, warum sie sich dessen so sicher war.

»Nun, Mrs Raintree. Ich bräuchte einen Vorschuss von fünfunddreißigtausend Dollar. Dann könnten wir anfangen.«

»Was?«

»Mein Honorar. Im Voraus. Natürlich nicht die Gesamtsumme; nur genug, um anfangen zu können. Ein Fall wie dieser erfordert viele Mitarbeiter – für die Ermittlungen, die Laborarbeiten, die Anträge. Allein die Beweisaufnahme ist oft eine langwierige Angelegenheit.«

»Sie haben gar nicht gefragt, ob er es getan hat.«

»Das brauche ich auch nicht.«

»Aber ich habe nicht so viel Geld.«

»Ach. Verstehe.« Er ließ seine fleischigen Hände auf den Holztisch fallen. Es gab einen gedämpften Schlag, als schlösse sich eine Tür. »Es gibt auch einige gute Pflichtverteidiger.«

»Aber die würden sich nicht so engagieren wie ein privater Anwalt. Wie *Sie*.«

»So ist das System. Ich hoffe, Sie können das Geld auftreiben, Mrs Raintree. Ausgehend von dem, was Sie mir erzählt haben und was ich selbst in der Zeitung gelesen habe, steckt Ihr Mann – der, wie Sie wissen, schon mehr als einmal mit dem Gesetz in Konflikt geraten ist – in ernsthaften Schwierigkeiten.« Er stand auf und schob sie so geschickt zur Tür wie jemand, der darin schon Routine hat. »Viel Glück«, sagte er und drückte die Tür hinter sich zu.

In den nächsten vier Stunden bekam sie von fünf weiteren Anwälten denselben Bescheid. Ihre Kanzleien und ihr Auftreten mochten sich unterscheiden, doch die Antwort lautete immer: Kein Anwalt ohne großen Vorschuss.

In der letzten Kanzlei drückte es die Anwältin, eine nette, junge Frau, die aufrichtig an Dallas' Schicksal interessiert zu sein schien, sehr deutlich aus: »Einen derart komplexen Fall kann ich nicht ohne Vorschuss übernehmen, Mrs Raintree. Ich habe Kinder zu versorgen und eine Hypothek abzubezahlen. Das verstehen Sie doch sicher. Ich würde mich gerne um die Anklageerhebung kümmern, aber wenn Sie möchten, dass ich Ihren Mann vor Gericht vertrete, dann brauche ich einen beträchtlichen Vorschuss. Mindestens fünfundzwanzigtausend Dollar.«

Also blieb Vivi Ann nur eins übrig: Sie musste irgendwie fünfundzwanzigtausend Dollar auftreiben.

Als sie in Olympia losfuhr, neigte sich der Tag bereits seinem Ende zu, und als sie in die Uferstraße vom Hood Canal einbog, überzogen die letzten Sonnenstrahlen das wintertrübe Wasser mit einem silbrigen Glanz, und der Schnee auf den Bergen wurde lavendelgrau.

Es war stockdunkel, als sie vor dem Haus ihres Vaters vorfuhr. Sie fand ihn im Arbeitszimmer. Er saß dort mit einem Drink in der Hand und las Zeitung. Den ganzen Heimweg hatte sie sich überlegt, was sie sagen würde und wie, doch eigentlich war das ganz gleich. Er war ihr Vater, und sie brauchte seine Hilfe.

Sie nahm auf dem Sessel ihm gegenüber Platz. »Ich brauche fünfundzwanzigtausend Dollar, Dad. Du könntest eine zweite Hypothek auf die Ranch aufnehmen, und Dallas und ich würden es dir zurückzahlen. Mit Zinsen.«

Er starrte so lange auf die Zeitung, dass sie anfing, sich Sorgen zu machen. Sie musste sich sehr beherrschen, um geduldig auf eine Antwort zu warten. Ihre ganze Welt war gefährdet, doch sie kannte ihn gut genug, um ihn nicht zu drängen. Er war vielleicht manchmal etwas wortkarg und engstirnig, aber vor allem war er ein Grey, und dementsprechend würde seine Antwort lauten.

»Nein.«

Das sagte er so leise, dass sie meinte, sie hätte sich verhört. »Hast du gerade nein gesagt?«, hakte sie nach.

»Du hättest diesen Indianer niemals heiraten sollen. Das weiß doch jeder. Außerdem hättest du nicht zulassen dürfen, dass er sich so oft bei dieser Morgan herumtreibt. Er hat uns Schande gemacht.«

Vivi Ann traute ihren Ohren nicht. »Das kann doch nicht dein Ernst sein!«

»Doch.«

»So also kümmerst du dich um Moms Garten?«

Er blickte zu ihr auf. »Was hast du gesagt?«

»Mein ganzes Leben hab ich dich in Schutz genommen. Ich hab Win und Aurora immer wieder versichert, dass Moms Tod dir das Herz gebrochen hat, aber das stimmt gar nicht, oder? Du bist gar nicht der, für den ich dich gehalten habe.«

»Tja, du aber auch nicht.«

Vivi Ann stand auf. »Du hast mir ständig die alten Familiengeschichten erzählt, damit ich stolz bin, eine Grey zu sein. Warum hast du mich nicht gewarnt, dass all das eine Lüge ist?«

»*Er* ist kein Grey«, erklärte ihr Dad.

Vivi Ann war schon an der Tür, als sie sich noch mal umdrehte und sagte: »Ich auch nicht. Nicht mehr. Jetzt bin ich eine Raintree.«

Vivi Ann ging den Hügel hinauf zu ihrem Cottage. Am Reitstall blieb sie wie gelähmt stehen. Ihre geliebte Ranch lag still und kalt vor ihr; die kahlen Bäume an der Zufahrt wirkten vor dem grauen Himmel und den braunen Feldern einsam und schutzlos. Sie sah, dass noch ein paar welke Blätter sich hartnäckig an die Äste klammerten, aber bald würden auch sie loslassen und verschwinden. Eins nach dem anderen würde zu Boden fallen und dort langsam schwarz werden und verrotten.

In diesem Augenblick fühlte sie sich wie eins dieser einsamen Blätter, denn plötzlich wurde ihr schmerzlich bewusst, dass sie niemanden mehr hatte. Sie hatte sich an etwas geklammert, das ihr in Wahrheit keinen Halt bot.

Ohne ihren Vater wusste sie nicht mal mehr, wer sie war, wer sie sein sollte. Sie ging in den kalten dunklen Reitstall und schaltete das Licht ein. Sofort wurden die Pferde unruhig und stampften leise wiehernd, um ihre Aufmerksamkeit zu gewinnen. Dieses eine Mal ging sie nicht langsam und aufmerksam an den Boxen vorbei, sondern marschierte direkt zu Clems, öffnete die Tür und schlüpfte hinein. Eine frische Lage aus rötlichen Zedern-Sägespänen dämpfte ihre Schritte und ließ sie fast lächerlich federnd gehen.

Clem wieherte leise zur Begrüßung, kam zu ihr und rieb ihre samtige Nase an Vivi Anns Bein.

»Du und ich, mein Mädchen, eigentlich hatten wir immer nur uns, nicht wahr?«, sagte sie und kratzte ihr die Ohren. Sie schlang ihr die Arme um den Hals, presste ihre Stirn gegen ihre warme, weiche Mähne und sog genüsslich ihren Geruch ein.

Noch zwei Jahre zuvor, vielleicht sogar noch im letzten Jahr, hätte sie sich jetzt das Zaumzeug geschnappt, wäre ohne Sattel auf Clems Rücken gesprungen und einfach losgeritten. Wie der Wind wären sie geritten, schnell genug, um die Tränen zu trocknen, schnell genug, um der Leere zu entkommen, die sich in ihrem Inneren ausbreitete.

Aber Clem war jetzt alt, ihre Gelenke knackten, und ihre Beine schmerzten. Die Zeiten, in denen sie wie der Wind gelaufen war, waren längst vorbei. Leider war sie im Geist noch jung, und Vivi Ann wusste, dass sie geduldig darauf wartete, wieder geritten zu werden.

»Es hat sich zu viel geändert«, sagte Vivi Ann und gab ihr Bestes, um stark zu klingen, aber mitten im Satz wurde ihr alles noch einmal bewusst: das Nein ihres Vaters, Winonas Weigerung, ihr zu helfen, Noahs klagende Frage nach seinem Dada, als sie ihn am Abend zuvor ins Bett brachte, und Dallas' Kuss kurz vor Cats Beerdigung. Damals hatte sie nicht gewusst, dass es ihr letzter Kuss für eine lange Zeit sein würde. Aber er hatte es gewusst. Ihr fiel wieder ein, was er an diesem Morgen gesagt hatte, ganz leise, in seinem schwarzen Anzug und mit einem unendlich traurigen Blick: *Ich liebe dich, Vivi. Das können sie uns nicht nehmen.*

Sie hatte gelacht und gesagt: »Das versucht auch niemand. Vertrau mir.«

Vertrau mir.

Jetzt fragte sie sich, ob sie je wieder würde lachen können, und dann, in der Box mit ihrem Pferd, das irgendwie für ihre Kindheit, ihre Mutter und ihr früheres Selbst stand, fing sie an zu weinen.

Dieser Teil des Countys war durch rückläufige Einwohnerzahlen und schwindende Lachsbestände wirtschaftlich stark angeschlagen. In der Innenstadt standen etliche Ladenlokale leer. Ihre zugeklebten Schaufenster erinnerten daran, wie viele Einwohner und Gewerbesteuern die Gemeinde verloren hatte. Verdreckte und verbeulte Pick-ups, viele mit einem *Zu verkaufen*-Schild an der hinteren Windschutzscheibe, säumten an diesem Donnerstagnachmittag die Straße und parkten vor den Kneipen.

Vivi Ann stand auf dem Bürgersteig und ließ ihren Blick über das graue Gerichtsgebäude wandern. Dahinter erhoben sich vor einem wolkenweißen Himmel die üppig grünen Hügel des Olympic National Forest. Es sah so aus, als würde es jeden Augenblick anfangen zu regnen.

Vivi Ann umklammerte fester ihre Handtasche und ging die steinerne Treppe zu der großen hölzernen Schwingtür hinauf.

Drinnen sah es noch schäbiger aus. Verschrammte Holzdielen, abblätternde Farbe an den Wänden, Menschen in billigen Anzügen oder Kostümen, die die Treppe zu den Gerichtssälen hinaufgingen oder den Flur hinunter zu verschiedenen geschlossenen Türen eilten. Sie trat zur Empfangstheke und sagte verlegen lächelnd zu der gestresst wirkenden Angestellten: »Ich möchte jemanden in Untersuchungshaft besuchen.«

Die Frau sah nicht mal auf. »Name?«

»Vivi Ann Raintree.«

»Nicht Ihrer. Der des Häftlings.«

»Oh. Dallas Raintree.«

Die Frau gab etwas in ihren großen beigefarbenen Computer ein und wartete, dann sagte sie: »Block P. Besuchszeit beginnt um drei und endet um vier.« Sie zeigte mit dem Finger den Flur hinunter. »Zweite Tür rechts.«

»D-danke.« Vivi Ann machte sich auf den langen Weg zum Zellenblock. Als sie endlich dort ankam, wartete bereits eine weitere Empfangsangestellte auf sie.

»Name?«

»Dallas Raintree.«

»Nicht der des Häftlings. Ihrer.«

»Vivi Ann Grey Raintree.«

»Papiere, bitte.«

Vivi Ann zitterten die Hände, als sie ihre Tasche öffnete und den Führerschein aus ihrer Brieftasche zog. Die Angestellte nahm ihn, notierte etwas in einem Verzeichnis und gab ihn ihr zurück.

»Füllen Sie dieses Formular aus.«

Während Vivi Ann es ausfüllte, hörte sie, wie hinter ihr Leute herantraten und sich anstellten. Daraufhin schrieb sie noch schneller. »Hier, bitte«, sagte sie und gab das Formular zurück.

»Da rüber.« Die Angestellte wies, ohne aufzusehen, mit dem Kinn in die entsprechende Richtung. »Legen Sie all Ihre persönlichen Sachen in eins der Schließfächer. Handtasche, Brieftasche, Essen, Kaugummi, Schlüssel etc. Der Metalldetektor ist am Ende des Flurs. Der Nächste.«

Vivi Ann ging den leeren Flur hinunter. Am Ende der stahlgrauen Schließfächer schloss sie ihre Handtasche ein und wandte sich zum Metalldetektor. Dort stand ein großer Wachmann in Uniform, breitbeinig, an jeder Seite eine Waffe im Halfter, beide Hände in Reichweite der Waffen.

Sie gab ihm den Schlüssel fürs Schließfach und trat vorsichtig durch den Metalldetektor. Da sie noch nie geflogen war, sah sie so etwas zum ersten Mal und wusste nicht recht, was sie tun sollte. Zentimeter für Zentimeter bewegte sie sich hindurch. Auf einmal ertönte ein schrilles Piepen. Vivi Anns Herz fing an zu rasen. Sie sah sich um; auf einmal standen drei uniformierte Wachleute bei ihr. »Ich ... ich hab nichts dabei.«

Eine Frau in Uniform trat zu ihr. »Hier rüber. Beine auseinander.«

Vivi Ann gehorchte. Obwohl sie wusste, dass sie nichts Verbotenes dabeihatte – es konnte gar nicht sein –, hatte sie doch Angst. Sie spürte, wie ihr der Schweiß auf die Stirn trat.

Die Beamtin fuhr mit einem flachen schwarzen Gerät an ihr auf und ab. Am Verschluss ihres BHs und der Schnalle ihres Schuhs piepte es.

»Alles in Ordnung«, sagte sie. »Hier lang.«

Vivi Ann ging nun zu einem weiteren Schreibtisch, wo ihr ein Stempel auf die Hand gedrückt und ein Schild mit der Aufschrift *Besucher* um den Hals gehängt wurde. Sie folgte einem anderen Uniformierten durch einen weiteren Flur bis zu einer Tür, auf der *Besuchsraum* stand.

»Sie haben eine Stunde«, erklärte er und öffnete die Tür.

Vivi Ann nickte und betrat den langgestreckten Raum mit der niedrigen Decke. Eine Plexiglaswand teilte den Raum in zwei Hälften. Zu beiden Seiten dieser Wand befanden sich Kabinen mit jeweils einem Stuhl und einem schwarzen Telefon.

Vivi Ann ging zur letzten Kabine auf der linken Seite und setzte sich. Das Plexiglas war mit tausend Fingerabdrücken verschmiert.

Sie wusste nicht genau, wie lange sie dort saß, doch das Warten kam ihr endlos vor. Irgendwann erschien auf der anderen Seite eine Frau und setzte sich. Durch das verzerrende Plexiglas sahen sie sich an, dann wandten sie den Blick ab.

Endlich ging die Tür auf, und Dallas war da, in einem orangefarbenen Overall und Flipflops. Seine langen Haare fielen ihm ins Gesicht, das verfärbt und geschwollen war.

Er kam zu der Kabine und ließ sich auf seiner Seite der schmutzigen Plexiglasscheibe nieder. Langsam griff er zum Telefonhörer.

Sie tat es ihm gleich. »Was ist mit deinem Gesicht passiert?«

»Sie haben es ›Widerstand gegen die Staatsgewalt‹ genannt.«

»Hast du denn Widerstand geleistet?«

»Allerdings.«

Da sie nicht wusste, was sie darauf erwidern sollte, erklärte sie: »Ich suche nach einem guten Verteidiger. Aber der wird eine Menge Geld kosten. Trotzdem versuche ich es weiter. Ich kann nicht –«

»Ich habe bereits unterschrieben, dass ich mir keinen Anwalt leisten kann, und einen Pflichtverteidiger zugeteilt bekommen. Du wirst dich nicht in Schulden stürzen, um mich zu retten.«

»Aber du bist unschuldig.«

Daraufhin bedachte er sie mit einem derart kalten Blick, dass er ihr eine Sekunde lang wie ein Fremder vorkam. »Du wirst jetzt eine Lektion in Zynismus bekommen. Wenn das alles hier vorbei ist, wirst du nicht mehr wissen, an was du glauben sollst. Also wirst du an gar nichts mehr glauben. Das wird mein Geschenk an dich sein.«

»Ich liebe dich, Dallas. Alles andere ist unwichtig. Wir müssen stark sein. Mit unserer Liebe werden wir das überstehen.«

»Meine Mom hat meinen Dad geliebt, bis er sie umbrachte.«

»Wag es ja nicht, dich mit ihm zu vergleichen.«

»Bevor das hier alles überstanden ist, wirst du hören, wie er mich einschloss, mich misshandelte und mich mit Zigaretten verbrannte. Sie werden behaupten, dass ich dadurch bösartig wurde. Sie werden behaupten, ich hätte Sex mit Cat gehabt, ich –«

Vivi Ann presste ihre Hände gegen die Scheibe. »Berühr mich, Dallas.«

»Ich kann nicht«, sagte er, und sie sah, wie dieses Eingeständnis an ihm zehrte und ihn wütend machte. »Liebe ist kein Schutzschild, Vivi. Es wird Zeit, dass du das einsiehst.«

»Berühr meine Hand.«

Langsam hob er die Hand und drückte sie gegen ihre. Sie spürte zwar nur das glatte Plexiglas, aber sie schloss die Augen und versuchte, sich an die Wärme seiner Haut zu erinnern. Als sie die Erinnerung heraufbeschworen hatte und in ihrem Herzen bergen konnte, öffnete sie die Augen. »Ich bin deine Frau«, sprach sie in den Telefonhörer. »Ich weiß nicht, wer dir beigebracht hat, dass du immer auf der Flucht sein sollst, aber dazu ist es jetzt zu spät. Wir werden uns erheben und kämpfen. Und dann kommst du wieder nach Hause. So wird das laufen. Hast du verstanden?«

»Es macht mich krank, dich hier zu sehen, dieses dreckige Glas zu berühren, durchs Telefon mit dir zu sprechen und gegen meine Tränen zu kämpfen.«

»Zieh dich nur nicht zurück. Es ist das Einzige, was ich jetzt habe.«

»Ich habe Angst«, sagte er leise.

»Ich auch. Aber vergiss nie, dass du *nicht* allein bist. Du hast eine Frau und einen Sohn, die dich lieben.«

»Hier drin ist es schwer, das zu glauben.«

»Glaub es, Dallas«, versicherte sie und schluckte ihre Tränen hinunter. »Ich werde dich niemals aufgeben.«

Den gesamten Winter und den darauffolgenden Frühling war Dallas Raintrees bevorstehender Prozess das Gesprächsthema Nummer eins in der Stadt. Es war wirklich ein saftiger Leckerbissen in der Gerüchteküche. Die große Frage war: Hatte er es getan? Allerdings interessierte das in Wahrheit kaum jemanden. Die meisten waren schon seit Dallas' Verhaftung davon überzeugt. In Oyster Shores war man gesetzestreu und konnte sich einen Justizirrtum kaum vorstellen. Außerdem hatte man von dem Moment an, da er mit seinen langen Haaren, dem Tattoo und dem provokanten Blick in die Outlaw Tavern spaziert war, gewusst, dass er Ärger brachte. Allein dass er sich an Vivi Ann herangemacht hatte, bewies schon, dass er nicht wusste, wo sein Platz war. Vivi Ann hatte sich von ihm blenden lassen. Davon waren alle überzeugt.

Winona hatte die letzten fünf Monate in einer Warteschleife verbracht. Alle wussten, dass ihre Schwestern nicht mehr mit ihr redeten. Dallas' Verhaftung hatte die einst fest zusammenhaltende Familie Grey in zwei Lager gespalten: Aurora und Vivi Ann auf der einen und Winona und Henry auf der anderen Seite. Die Sympathien lagen gleichermaßen auf beiden Seiten. Man war sich allgemein einig, dass Dad und Winona ganz am Anfang den außergewöhnlichen Fehler begangen hatten, Dallas überhaupt einzustellen. Zwar war niemand der Meinung, dass Henry für einen privaten Verteidiger hätte bezahlen sollen (nach der Devise: *Warum gutes Geld zum Fenster rausschmeißen?*); trotzdem hielt man es für falsch, darüber eine Familie zerbrechen zu lassen.

Für ihre eigene Verteidigung hatte Winona gezielt und geschickt Verlautbarungen von sich gegeben: dass sie keine Strafverteidigerin sei und Dallas folglich nicht vertreten könne; dass sie sich unbedingt mit Vivi Ann versöhnen wolle und den Tag herbeisehne, an dem ihre jüngste Schwester wieder in die Familie zurückkehre. Das schlagendste Argument für ihre Sache war jedoch, dass Vivi Ann immer ihren eigenen Kopf gehabt habe und irgendwann lernen müsse, dass es ein schrecklicher Fehler gewesen war, Dallas zu vertrauen. Winona schloss stets mit der Versicherung, an diesem Tag würde sie da sein, um Vivi Anns Tränen zu trocknen.

Das stimmte auch. Für Winona war jeder Tag, der ohne

Kontakt zu ihren Schwestern verging, eine fast unerträgliche Last. Die ersten Monate hatte sie versucht, eine Brücke zu bauen, den Schaden wiedergutzumachen, aber jeder ihrer Versuche, sich zu versöhnen oder sich zu erklären, war ignoriert worden. Vivi Ann und Aurora hörten ihr weder zu, noch sprachen sie mit ihr. In der Kirche setzten sie sich nicht mal mehr in die Familienbank.

Mitte Mai, als die Rhododendren ihre tellergroßen Blüten zeigten und die Azaleen im Garten in bunter Farbenpracht erblühten, wartete sie nur noch darauf, dass der Prozess endlich begann. Wenn alles vorbei und Dallas verurteilt wäre, würde sich Vivi Ann endlich der hässlichen Wahrheit stellen. Dann würde sie ihre Familie wieder brauchen. Und Winona würde sie mit offenen Armen empfangen und sich um sie kümmern.

Am ersten Prozesstag stand sie früh auf, zog sich sorgfältig an und betrat mit den ersten Besuchern den Zuschauerraum des Gerichtssaals. Als sie sah, wie der Pflichtverteidiger eintrat und seine Aktenordner zum Tisch der Verteidigung brachte, wusste sie, dass es richtig gewesen war, Dallas nicht zu vertreten. Einen Prozess dieser Größenordnung hätte sie niemals führen können. In der Woche zuvor hatte sie sich die Anhörung und Bestellung der Geschworenen angesehen und war überzeugt, dass der Prozess ihre Fähigkeiten überstiegen hätte. Allerdings zweifelte sie auch an der Kompetenz des Verteidigers. Er hatte ein paar Einwohner von Oyster Shores als Geschworene zugelassen, was Winona nicht besonders klug erschien.

Sie ging zu einem Platz in der dritten Reihe, setzte sich und hörte, wie hinter ihr weitere Besucher herandrängten. Im Nu war der Zuschauerraum voll. Die ganze Stadt wollte heute dabei sein. In dem holzgetäfelten Saal war das Geflüster so laut wie die steigende Flut.

Auf der rechten Seite des Saals saßen, ganz vorn, die stellvertretende Staatsanwältin Sara Hamm und ihr junger Assistent. Auf der linken Seite, am Tisch der Verteidigung, saß Roy Lovejoy, der Anwalt, der mit Dallas' Fall betraut war. Winona hatte sich bemüht, so viele Informationen wie möglich vom Büro des Staatsanwalts zu bekommen, doch während der Voruntersuchungen waren alle ziemlich verschwiegen gewesen. Sie wusste nur, was allgemein bekannt war: Die Anklage wegen Vergewaltigung war fallen gelassen worden, die Anklage wegen Mordes bestätigt. Die Medien waren auch nicht besonders hilfreich gewesen. Der Mord an einer alleinstehenden Frau in einer Kleinstadt bot kaum Anlass für tiefgehende Hintergrundrecherchen. Sensationsmeldungen über Dallas' und Cats anrüchige Vergangenheit gab es in Hülle und Fülle; nur Fakten waren schwer zu bekommen.

Um Viertel vor neun betraten Vivi Ann und Aurora Hand in Hand den Gerichtssaal.

Vivi Ann wirkte in ihrem weiten schwarzen Kostüm unglaublich verletzlich. Das Licht warf einen goldenen Schimmer auf ihr Haar und ließ ihr mageres Gesicht weicher wirken. Sie sah aus wie eine Porzellanpuppe, die durch die leiseste Berührung zerbrechen konnte. Aurora hingegen wirkte so grimmig und entschlossen wie ein Leibwächter. Sie gingen an Winona vorbei, ohne sie eines Blickes zu würdigen, und nahmen zwei Reihen vor ihr Platz.

Winona unterdrückte den Impuls, zu ihnen zu gehen. Stattdessen richtete sie sich auf und faltete ihre kalten Hände im Schoß.

Dann brachten zwei Beamte in Uniform Dallas herein.

Er trug eine zerknitterte schwarze Hose, ein gebügeltes weißes Hemd und eine schwarze Krawatte. Die Monate im Gefängnis hatten ihre Spuren hinterlassen; er wirkte dünner und sehniger, und als er Winona ansah, erstarrte sie, und ihr Herz fing an zu hämmern.

Vivi Ann stand auf, sie erhob sich wie eine einzelne Rose

aus einem zugewucherten Garten und versuchte, Dallas zuzulächeln.

Bevor Dallas sich am Tisch der Verteidigung niederließ, wurden ihm die Handschellen abgenommen.

In ihrer weiten schwarzen Robe betrat Richterin Debra Edwards den Gerichtssaal. Sie nahm am Richtertisch Platz und blickte zu den Anwälten. »Sind Sie bereit?«

»Ja, Euer Ehren«, antworteten Staatsanwalt und Verteidiger einstimmig.

Die Richterin nickte. »Dann sollen die Geschworenen hereingeführt werden.«

Ruhig und geordnet betraten die Geschworenen den Saal; alle starrten Dallas unverhohlen an, einige blickten schon finster.

Sara Hamm stand auf. Mit dieser schlichten Bewegung forderte sie Aufmerksamkeit. Sie war eine beeindruckende Frau in einem strengen blauen Nadelstreifenkostüm und wirkte professionell und gelassen. Sie lächelte die Geschworenen an und trat selbstbewusst zu ihnen. »Meine Damen und Herren Geschworenen, die Fakten in diesem Fall liegen eindeutig und offen da.« Sie hatte die Stimme einer Märchenhexe: oberflächlich weich und sanft, aber mit einem stählernen Unterton. Winona ertappte sich, dass sie sich nach vorn beugte und an ihren Lippen hing.

»In diesem Prozess wird der Staat ohne jeden Zweifel beweisen, dass Dallas Raintree an Heiligabend im letzten Jahr Krankheit vortäuschte, um nicht mit seiner Familie zur Kirche gehen zu müssen. Als seine Frau und sein Kind gegangen waren, fuhr er zu Catherine Morgan nach Hause und brachte sie um.

Wie können wir dies ohne jeden Zweifel wissen? Die Antwort lautet: wegen der Beweise. Mr Raintree hat eine Spur von Hinweisen hinterlassen, der die Ermittler nur zu folgen brauchten. Zunächst ist da seine offenkundige, langjährige

Beziehung zum Opfer. Mehrere Augenzeugen werden hier beeiden, dass Mr Raintree am Wochenende abends regelmäßig bei Miss Morgan zu finden war. Diese Abende wurden als ausschweifende Partys mit viel Alkohol beschrieben, die bis in die frühen Morgenstunden andauerten. Aber das bedeutet noch lange nicht, dass er sie ermordet hat. Dafür müssen wir einen Blick auf weitere Beweise werfen, die es zuhauf gibt.«

Sara hielt ein Foto von Cat Morgan in die Höhe; darauf saß sie lächelnd auf ihrer Veranda. Auf einem zweiten Foto saß sie nackt und zusammengesunken an einer blutbespritzten Wand und hatte ein dunkles Einschussloch in der Brust.

Mehrere Geschworene zuckten zusammen und wandten den Blick ab; andere starrten zu Dallas hinüber. Sara Hamm ging langsam vor der Geschworenenbank hin und her und blieb hier und da vor den weiblichen Geschworenen stehen, während sie den Mord bis ins letzte Detail beschrieb. Als sie fertig war, wandte sie sich wieder allen zu.

»Der Staat wird Beweise vorlegen, dass die Waffe, mit der Catherine Morgan ermordet wurde, Dallas Raintree gehörte. Seine Fingerabdrücke wurden darauf entdeckt. Allein das könnte schon jeden Zweifel an seiner Schuld ausräumen, aber der Staat hat noch weitere Beweise. Ein Sachverständiger der Kriminaltechnik vom Washington State Crime Lab wird mit Haarproben vom Tatort nachweisen, dass Dallas Raintree an jenem Abend in Catherine Morgans Bett war, und ein Augenzeuge wird beeiden, dass er kurz nach acht ihr Haus verließ. Der Pathologe hat erklärt, dass der Zeitpunkt von Miss Morgans Tod zwischen sechs und halb zehn am vierundzwanzigsten Dezember liegt. DNA-Spuren vom Tatort werden beweisen, dass Dallas Raintree dieselbe Blutgruppe hat wie der Mann, der mit Miss Morgan kurz vor ihrem Tod Geschlechtsverkehr hatte.

Das kann kein Zufall sein. Fügt man alle Beweise zusammen, gibt es nur eine zwingende Schlussfolgerung: Dallas

Raintree, der vor seiner Ehe, wie allgemein bekannt, eine Beziehung zu Catherine Morgan unterhielt, nahm diese Beziehung irgendwann nach der Eheschließung wieder auf. Nach einem Streit geriet dann alles außer Kontrolle. Es gibt Beweise dafür, dass sie um die Waffe kämpften. Dallas Raintree gewann diesen Kampf. Er schoss ihr aus kurzer Distanz in die Brust und ging dann nach Hause zu seiner Frau, um gemütlich Weihnachten zu feiern, während Catherine Morgan tot in ihrem Haus lag. Verehrte Damen und Herren, der Fall ist ganz klar. Es gibt keinen begründeten Zweifel, dass Dallas Raintree Catherine Morgan kaltblütig ermordet hat. Ich bin zuversichtlich, dass Sie ihn nach der Beweisaufnahme des heimtückischen Mordes für schuldig befinden werden. Miss Morgan ging an jenem finsteren Heiligabend fälschlicherweise davon aus, der Angeklagte wäre ihr Freund, und ließ ihn ein. Wegen dieses Fehlers, meine Damen und Herren, starb sie. Wiederholen wir diesen Fehler nicht, sondern sorgen wir dafür, dass Dallas Raintree nie wieder jemandem schaden kann.« Sie kehrte zu ihrem Platz zurück und setzte sich. »Danke.«

Winona lehnte sich zurück und stieß die Luft aus, die sie so lange angehalten hatte. Sie blickte zur Uhr und sah, dass es kurz vor halb elf war. Die anderthalb Stunden, die Sara Hamm für das Eröffnungsplädoyer gebraucht hatte, waren wie im Flug vergangen.

Aber jetzt fesselten die Geschworenen ihre Aufmerksamkeit. Fast alle starrten Dallas kalt und feindselig an.

Der Verteidiger erhob sich. Im Vergleich zu der eleganten Staatsanwältin wirkte er nervös und konfus, und als er zu sprechen anfing, brach ihm die Stimme, und er musste sich räuspern. Winona fragte sich, wie viele Mordprozesse er bereits hinter sich hatte. »Meine Damen und Herren Geschworenen, Sie haben gerade gehört, welche Geschichte die Staatsanwaltschaft Ihnen auftischen will. Sie besteht aus einer

Reihe von Zufällen, die stimmig erscheinen, bis man sie näher betrachtet. Dann allerdings rufen sie mehr als begründeten Zweifel hervor. Dallas Raintree war Heiligabend tatsächlich krank. Er hat an diesem Abend sein Haus nicht verlassen, und er hat auch ganz gewiss nicht die Frau ermordet, die für ihn eine Freundin war. Eine gute Freundin, aber keine Geliebte. Die Beweise werden zeigen, dass Catherine Morgan in ihrem Leben viele Männer hatte. Außerdem beweist die DNA-Spur vom Tatort nicht, dass Dallas Raintree der Mann war, mit dem Miss Morgan Geschlechtsverkehr hatte. Sachverständige werden darlegen, dass die Spur viel zu klein war, um etwas Aussagekräftiges zu ergeben. Die gleiche Blutgruppe ist ebenfalls ohne Belang, da vierzig Prozent der Bevölkerung die gleiche Blutgruppe haben. Man hat den falschen Mann verhaftet. Schlicht und einfach. Dallas Raintree ist unschuldig.« Er bedachte die Jury mit einem Nicken, als wollte er hinter seine Ausführungen ein Ausrufezeichen setzen, dann ging er zu seinem Tisch und nahm wieder Platz.

Winona war fassungslos. Lovejoys Eröffnungsplädoyer hatte nicht mal eine Viertelstunde in Anspruch genommen. Ein Blick zur Jury bestätigte ihr, dass er nicht den geringsten begründeten Zweifel am mutmaßlichen Tathergang geweckt hatte, den die Staatsanwältin so überzeugend geschildert hatte.

Sie sah, dass Vivi Ann Aurora stirnrunzelnd ansah, aber die zuckte nur mit den Schultern.

Winona wusste nicht, was sie davon halten sollte. Sie kannte sich nicht besonders gut im Strafrecht aus und hatte nur wenig Prozesserfahrung, aber es kam ihr so vor, als machte der Verteidiger einen entscheidenden Fehler.

Die Richterin blickte jetzt zur Staatsanwältin. »Miss Hamm, Sie können Ihren ersten Zeugen aufrufen.«

Den Rest des Tages und den gesamten darauffolgenden Nachmittag wurden die Fakten nacheinander dargelegt. Die Staatsanwaltschaft rief eine Reihe Zeugen auf, die den Tatort untersucht hatten, darunter Sheriff Bailor, seinen Deputy, den Fotografen und den Pathologen. Der Beamte in der Zentrale, der an dem betreffenden Abend Dienst hatte, kam ebenfalls zu Wort. Sie alle bestätigten, was Sara Hamm in ihrer Eröffnung angekündigt hatte. An Heiligabend des vergangenen Jahres hatte Cat Morgan irgendwann gegen fünf Uhr nachmittags jemanden in ihr Haus gelassen, vermutlich jemanden, den sie kannte, da es keinerlei Spuren eines gewaltsamen Zutritts gab. Ein paar nicht besonders vertrauenswürdige Zeugen erklärten, dass Dallas jeden Samstagabend bei Cat verbracht hatte, und wiederholten auch die Mutmaßung, die beiden seien ein Liebespaar gewesen. Fotos vom Schlafzimmer zeigten Spuren eines Kampfes: Eine Lampe war umgekippt und zerbrochen, ein Bild war von der Wand gefallen. Wunden an Cats Handflächen legten den Schluss nahe, dass sie sich gegen ihren Angreifer gewehrt hatte, und ihre Fingerabdrücke an der Waffe ließen darauf schließen, dass sie tatsächlich versucht hatte, diese an sich zu bringen.

Stunde um Stunde saß Winona im Zuschauerraum und ließ sich von der langsamen Darlegung von Fakten und Umständen fesseln. Sie lernte mehr, als sie je gewollt hatte, über Fingerabdrücke, DNA-Analysen und Blutgruppen. Die Staatsanwaltschaft rief eine Reihe Sachverständiger auf, die nacheinander bezeugten, dass Dallas' Fingerabdrücke an der Waffe gefunden worden waren (die einst seinem Vater, einem verurteilten Mörder, gehört hatte) und dass seine Blutgruppe der der DNA-Spur vom Tatort entsprach. Die Verteidigung hielt dagegen, dass die Spur zu klein gewesen sei, um eine aussagekräftige DNA-Analyse zu ergeben, und dass die Frage der Blutgruppe zu vernachlässigen war. Vor allem aber, und das war wahrscheinlich das Wichtigste, waren an der Waffe auch zwei nicht identifizierte Fingerabdrücke gefunden worden. Aber da war das Kind bereits in den Brunnen gefallen.

Am Morgen des vierten Prozesstages rief die Staatsanwältin Dr. Barney Olliver, einen forensischen Sachverständigen, auf. Nachdem über eine Stunde nur von seinen Referenzen und seinen Testmethoden die Rede gewesen war, kam Sara endlich zum Wesentlichen. »Dr. Olliver, wie wir gezeigt haben, sind Sie ein Experte für Haaranalysen. Gab es am Tatort Haarspuren?«

»In der Tat.«

Miss Hamm ließ eine Reihe von Haarspuren zu und sagte dann: »Ich weiß, es geht hier um komplizierte wissenschaftliche Sachverhalte, Dr. Olliver, aber könnten Sie dem Gericht erklären, was Sie am Tatort gefunden haben?«

»Gewiss. Darf ich zu den Schautafeln gehen?«, bat er und zeigte auf vier große Tafeln.

Die Richterin nickte.

In der nächsten Stunde erklärte Mr Olliver alles, was es über Haarspuranalyse zu wissen gab, inklusive Spezifizierung der am Tatort gefundenen Haare auf Struktur, Dichte, Kopfhautspuren und dergleichen mehr.

Winona sah, dass die Geschworenen das Interesse verloren und anfingen, auf ihren Notizblöcken zu kritzeln, bis die Staatsanwältin sagte: »Von den neun Schamhaaren, die am Tatort gefunden wurden und die Sie nach Ihren streng wissenschaftlichen Testmethoden geprüft haben: Passten welche davon zu denen des Angeklagten?«

»Einspruch«, rief Roy und erhob sich. »Der Begriff *passten* ist irreführend.«

»Stattgegeben«, bestätigte die Richterin.

Dr. Olliver zögerte kaum merklich. »Von den neun Schamhaaren, die am Tatort gefunden wurden, waren unter dem Mikroskop sechs übereinstimmend mit denen des Angeklagten.«

»Heißt das, wenn ein erfahrener Sachverständiger wie Sie die Schamhaare des Angeklagten mit denen des Täters vergliche, dann könnte man sie als identisch bezeichnen?«

»Einspruch. Dürften wir kurz vortreten?«, rief Roy und schoss von seinem Stuhl hoch.

Winona beobachtete, wie die beiden Anwälte vor die Richterbank traten, lebhaft diskutierten und sich wieder auf ihre Plätze begaben.

»Dr. Olliver, könnte man laut Ihrem Sachverständigenurteil behaupten, dass unter dem Mikroskop die Schamhaare von Dallas Raintree mit denen am Tatort übereinstimmen?«, sagte Miss Hamm.

»Ja, so ist es.«

Roy stand auf, als die Staatsanwältin Platz nahm. »Aber *beweisen* können Sie nicht, dass die Schamhaare vom Tatort von Dallas Raintree stammen, oder?«

»Ich kann bezeugen, dass die Haarproben unter dem Mikroskop bei stärkster Vergrößerung vollkommen mit denen von Mr Raintree übereinstimmten.«

»Aber nicht, dass sie *tatsächlich* von ihm stammten.«

»Nein, nicht zweifelsfrei, aber nach meiner maßgeblichen Meinung –«

»Danke«, sagte Roy. »Sie haben die Frage beantwortet.«

Miss Hamm stand noch einmal auf. »Dr. Olliver, könnten die Haarproben vom Tatort nach Ihrer maßgeblichen Meinung von Mr Raintree stammen?«

»Ja.«

»Danke.«

Am fünften Prozesstag ging das Gerücht, dass die Aussage eines Kronzeugen anstand, was die Zuschauer zu wilden Spekulationen veranlasste. Als die Besucher in den Gerichtssaal strömten und auf der Galerie Platz nahmen, war die Aufregung geradezu greifbar.

Winona setzte sich auf ihren üblichen Platz und beobachtete, wie ihre Schwestern an ihr vorbeigingen.

Die letzten Tage hatten ihren Tribut von Vivi Ann gefordert; langsam ging sie den Gang hinunter und hatte keine Kraft mehr, ihre Angst und Erschöpfung zu verbergen. Ihre sonst so gepflegten, glänzenden Haare hingen jetzt stumpf und kraftlos herunter. Da sie sich auch nicht mehr schminkte, wirkte ihr Gesicht blass und kränklich. Im Kontrast dazu leuchteten ihre Augen irritierend grün.

Winona drängte es, zu Vivi Ann zu gehen und ihr zu helfen, aber sie war dort nicht willkommen.

Dann betrat die Richterin den Saal und ließ sich am Richtertisch nieder. Kaum hatten auch die Geschworenen ihre Plätze eingenommen, begann der Prozess.

»Die Staatsanwaltschaft ruft Myrtle Michaelian auf.«

Daraufhin brandete so lautes Raunen durch den Saal, dass die Richterin um Ruhe bitten musste. Winona war genauso überrascht wie alle anderen. Sie war überzeugt gewesen, dass nur einer der zwielichtigen Stammgäste in Cats Haus der Kronzeuge sein konnte.

Myrtle betrat mit bemüht selbstbewusster Miene den Gerichtssaal, wirkte jedoch dadurch nur noch eingeschüchterter. Sie schwitzte so, dass ihre Haare bereits feucht waren. Mit ihrem geblümten Polyester-Kleid sah sie aus wie eine alte Jungfer.

»Nennen Sie für das Protokoll Ihren Namen.«

»Myrtle Ann Michaelian.«

»Adresse?«

»Mountain Vista Drive 178 in Oyster Shores.«

»Womit verdienen Sie sich Ihren Lebensunterhalt, Mrs Michaelian?«

»Meine Eltern eröffneten 1942 das Blue Plate Diner. Ich übernahm es 1976. 1990 haben mein Mann und ich dann noch den Ice Cream Shop eröffnet. Der befindet sich am unteren Ende des Shore Drive.«

»Befindet sich der Ice Cream Shop in der Nähe von Catherine Morgans Haus?«

»Ja, man geht nur weiter den Weg hinunter. Um zu ihr zu kommen, muss man direkt an uns vorbei.«

»Bitte sprechen Sie lauter, Mrs Michaelian.«

»Oh. Ja. Verzeihung.«

»Haben Sie letztes Jahr an Heiligabend in Ihrer Eisdiele gearbeitet?«

»Ja. Ich wollte eine besondere Eistorte für die Abendmesse machen. Wie üblich war ich spät dran.«

Die Zuschauer auf der Galerie nickten lächelnd. Myrtle war berüchtigt dafür, dass sie ständig zu spät kam.

»War an diesem Abend in Oyster Shores viel los?«

»Aber nein! Um halb acht waren alle in der Kirche. Wie ich schon erwähnte, war ich spät dran.«

»Haben Sie an diesem Abend irgendjemanden gesehen?«

Myrtle warf Vivi Ann einen traurigen Blick zu. »Es war gegen zehn nach acht. Ich wollte in Kürze aufbrechen, musste aber noch die Glasur fertig machen. Da blickte ich auf und sah ... sah Dallas Raintree auf dem Weg auftauchen, der zu Cats Haus führt.«

»Hat er Sie gesehen?«

»Nein«, antwortete Myrtle mit unglücklicher Miene.

»Woher wussten Sie, dass es der Angeklagte war?«

»Ich sah ihn von der Seite, als er an einer Straßenlaterne vorbeiging, und erkannte seine Tätowierung. Aber ich wusste schon vorher, dass er es war, denn ich hatte ihn schon früher dort abends gesehen. Etliche Male. Das hatte ich auch Vivi Ann erzählt. Er war es. Tut mir leid, Vivi Ann.«

»Keine weiteren Fragen«, sagte Miss Hamm.

Daraufhin erhob sich Roy von seinem Platz und fragte Myrtle, ob sie gut sehen könne (nein, nicht besonders), ob sie an diesem Abend ihre Brille getragen habe (nein) und ob Dallas direkt zu ihr geblickt habe. Dann gab er mehrere wesentliche Punkte zu bedenken: Der Mann hatte nicht in ihre Richtung geblickt; sein Gesicht war teilweise von einem Cowboyhut verdeckt gewesen. Bekanntermaßen hatten viele Männer Cats Haus aufgesucht und das auch abends und nachts. Jeans und weißer Cowboyhut waren hierzulande kaum besondere Kennzeichen.

Aber Winona sah, dass nichts davon die Geschworenen interessierte. Myrtles Aussage hatte den Ausschlag gegeben: Sie hatte behauptet, Dallas sei am fraglichen Abend am Tatort gewesen, obwohl er seiner Frau erzählt hatte, er hätte mit Fieber im Bett gelegen. Niemand im Gerichtssaal glaubte, dass Myrtle log. Denn als sie als Zeugin entlassen wurde, weinte sie und entschuldigte sich direkt bei Vivi Ann.

Der Prozess dauerte noch zwei weitere Tage, aber alle wussten, dass er sich dem Ende näherte. Dallas wurde nicht einmal in den Zeugenstand gerufen.

In der letzten Maiwoche hielt die Verteidigung ihr Plädoyer und übergab den Fall an die Geschworenen.

Sie berieten sich vier Stunden und befanden Dallas für schuldig. Er wurde zu lebenslanger Haft ohne Bewährung verurteilt.

Sechzehn

»Sagen Sie es ihm, Roy«, beschwor Vivi Ann den Verteidiger. Sie saßen an einem Tisch in dem kleinen Beratungsraum neben dem Gerichtssaal. »Wir können Berufung einlegen. Der Beweis mit den Haaren war doch Humbug, und was heißt es schon, dass auch er Blutgruppe 0 hat? Außerdem *kann* Myrtle ihn nicht gesehen haben, weil er nicht da war. Das sind alles nur Zufälle. Auf der Waffe waren doch noch andere Fingerabdrücke. Wir gehen doch in Berufung, oder?«

Roy stieß sich von der Wand ab. Er hatte sich so weit von ihnen entfernt, wie es in dem kleinen Zimmer möglich war, um ihnen so viel wie möglich an Privatsphäre zu lassen, bevor Dallas abgeholt wurde. »Nach der Urteilsverkündung werde ich Berufung einlegen. Wahrscheinlich nächsten Monat schon. Wir haben etliche Gründe.«

»Sagen Sie ihr, wie es in der wirklichen Welt zugeht«, bemerkte Dallas.

»Zugegeben, es ist schwer, ein Urteil widerrufen zu lassen. Aber es ist viel zu früh, um aufzugeben«, sagte Roy. Doch Vivi Ann bemerkte schon, dass er müde und geschlagen wirkte.

Sie stand auf und blickte ihren Mann direkt an. Sie wusste, sie musste jetzt stark für ihn sein, doch auch sie spürte ihre Kräfte schwinden. »Mir ist klar, warum es dir schwerfällt, an etwas zu glauben.« Sie betrachtete sein Gesicht und prägte sich jede Einzelheit ein, um sie sich später, wenn sie nachts allein im Bett lag, wieder in Erinnerung rufen zu können.

»Aber ich *kann* an etwas glauben. Also lass es zu. Lehn dich an mich. Ich werde dir zeigen ...«

Er trat zu ihr und küsste sie seltsam verhalten. Sie wusste, was das bedeutete. »Gib mir keinen Abschiedskuss«, flüsterte sie.

»Aber dies ist der Abschied, Baby.«

»Nein.«

»Mit dir zusammen zu sein hat meine kühnsten Hoffnungen übertroffen. Das sollst du wissen.«

Ein Klopfen an der Tür zerriss wie ein Schuss die Stille. Roy durchquerte das Zimmer und öffnete.

Aurora stand dort mit Noah, der sofort auf Dallas zeigte und »Dada« rief.

»Ach«, sagte Dallas leise.

Aurora drückte ihm Noah in die Arme. Dallas umklammerte seinen Sohn, presste seine Lippen auf die seidigen schwarzen Haare und atmete tief ein. »Sag ihm, ich hätte ihn geliebt.«

»Das sagst du ihm selbst«, widersprach Vivi Ann und wischte sich mit dem Ärmel die Tränen ab. »Wir besuchen dich jeden Samstag, bis du wieder rauskommst.«

Dallas küsste Noah auf die rundliche Wange und zog dann Vivi Ann enger an sich. Einen herzzerreißend vollkommenen Moment waren sie wieder zusammen, nur sie drei, so wie es sein sollte. Dann löste er sich von ihnen.

Er drückte Vivi Ann ihren Sohn in die Arme und sagte: »Ich lasse nicht zu, dass er mich im Gefängnis sieht. Auf keinen Fall. Solltest du ihn mitbringen, werde ich meine Zelle nicht verlassen. Ich weiß, wie es für ein Kind ist, wenn der eigene Vater hinter Gittern sitzt.«

»Aber ... wie soll er dich denn kennenlernen?«

»Gar nicht«, erwiderte Dallas und wandte sich zu Roy. »Sagen Sie ihnen, ich sei nun bereit.«

Am liebsten hätte Vivi Ann sich auf ihn gestürzt, sich ihm

in den Weg gestellt, sich an ihn geklammert und gebettelt, er solle nicht gehen, aber sie war wie gelähmt. »Dallas«, flüsterte sie, aber sie weinte bereits so heftig, dass sie alles nur noch verschwommen sah. Sie wagte nicht, zu blinzeln, zu atmen oder sich die Tränen wegzuwischen, weil sie befürchtete, bei der kleinsten Bewegung würde er verschwinden. »Ich liebe dich, Dallas«, sagte sie.

»Liebe Dada«, echote Noah und zeigte nickend mit dem Finger auf ihn.

Da brach Dallas zusammen. Vivi Ann sah es so deutlich, als wäre sein Arm oder sein Rückgrat gebrochen. »Bring mich hier raus, Roy«, bat er.

Und dann war er fort.

Den restlichen Sommer besuchte Vivi Ann Dallas jeden Samstag im Gefängnis. Ansonsten arbeitete sie die ganze Zeit auf der Ranch. Sie sprach weiterhin nicht mit ihrem Vater; wenn sie etwas brauchte, hinterließ sie eine Liste im Reitstall.

Heute war der letzte Abend des alljährlichen Stadtfestes. Die letzten Tage war sie in der vertrauten Routine aufgegangen. Ihre Jugendgruppe hatte in diesem Jahr zwölf Mitglieder zwischen elf und fünfzehn. Von dem Moment an, da Vivi Ann mit Wagen und Anhänger auf dem gemähten Rasen zwischen den Ställen geparkt hatte, war sie ständig in Bewegung. Es brauchte fast übermenschliche Anstrengungen, um die Mädchen – vor allem die jüngeren – in Schach zu halten, damit sie rechtzeitig umgezogen, aufs Pferd gestiegen und für ihre Vorführung bereit waren. Vivi Ann rannte unentwegt zwischen den Boxen und der Arena hin und her. Noah saß entweder auf ihrem Arm oder hielt ihre Hand und bemühte sich nach Kräften, mit ihr mitzuhalten. Natürlich waren auch andere Mütter da. Julie und Brooke und Trayna hatten ebenfalls alle Hände voll damit zu tun, die Mädchen zu frisieren, die Hufe der Pferde zu polieren und ein Halfter zu flicken, das zur Unzeit riss. Samstagabend waren alle staubig, erschöpft und begeistert.

Alle, bis auf Vivi Ann, die nur staubig und erschöpft war.

Sie schloss die Augen und lehnte sich an eine Boxentür hinter sich. Sie freute sich nur noch darauf, nach Hause zu kommen und in ihr leeres Bett zu kriechen. In diesem Sommer hatte sie sich jede Nacht im Schlaf auf die andere Bettseite gerollt und nach Dallas getastet. Sie wusste nicht, was ihr mehr Sorgen bereitete: dass sie es tat oder dass sie irgendwann damit aufhören würde.

Sie seufzte wieder, weil sie sich älter und müder fühlte, als sie es bei einer Neunundzwanzigjährigen für möglich gehalten hätte, und zog dann den Schrankkoffer mit Reit- und Pflegeutensilien zum Wagen.

Sie stand auf dem Behelfsparkplatz, auf dem sich jetzt nur noch ihr eigener Wagen befand, und sah die Lichter und das Riesenrad, das sich blinkend vom schwarzen Horizont abhob. Sie konnte sogar die Musik der Drehorgel hören.

Früher hatte sie die Kirmes geliebt. Aber jetzt sah sie nur noch, dass alle Welt sich vergnügte, obwohl andere litten. Sie sah Ungerechtigkeit, wohin sie auch blickte.

Ihr Leben lang war die Kirmes etwas ganz Besonderes für sie gewesen, eine Zeit, die die Grey-Töchter zusammen verbrachten.

Ihre Schwestern und sie hatten den Abschluss der Kirmes immer zusammen gefeiert und in eine Reise durch ihre gemeinsame Vergangenheit verwandelt. Sie waren die Hauptstraße hinuntergeschlendert, hatten Scones mit selbstgemachter Marmelade und Zuckerwatte gegessen und geredet. Vor allem geredet.

... sieh mal, Aurora, dort hast du doch deinen ersten Kuss bekommen, weißt du noch?

... dieser Quilt sieht genauso aus wie der, den Mom für die Zweihundertjahrfeier gemacht hat, findet ihr nicht?

... apropos Zweihundertjahrfeier, was ist eigentlich mit meiner Bobby-Sherman-Uhr geworden? Ich weiß, eine von euch hat sie geklaut ...

Sie wusste, ihre Schwestern waren jetzt dort, aber zum ersten Mal jede für sich allein. Monatelang hatte Winona versucht, sich wieder mit ihr zu versöhnen, aber Vivi Ann hatte jeden erbärmlichen Versuch ignoriert. Sobald sie Winona sah, verspürte sie den heftigen Drang, ihr ins Gesicht zu schlagen.

Jetzt griff sie in ihre Tasche und holte das Beruhigungsmittel hervor, das Richard ihr verschrieben hatte. Diese kleinen Pillen waren in letzter Zeit ihre einzige Rettung. Sie schnippte sich eine in den Mund, schluckte sie herunter und ging dann zum Reitstall, wo Noah in seinem Reisebettchen schlief. Sie nahm ihn auf, presste ihn ein bisschen zu heftig an sich und trug ihn zum Wagen.

Zu Hause angekommen, steckte sie ihn ins Bett und nahm dann ein langes, heißes Bad. In der Wanne weinte sie sich aus, wie so oft in letzter Zeit, und als sie sich danach abtrocknete, war sie so weit wiederhergestellt, dass sie gehen, atmen und leben konnte. Glauben. Das war das Schwerste von allem: daran zu glauben, dass die Berufung Erfolg haben und danach alles wieder in Ordnung sein würde. Jedes Mal wenn das Telefon klingelte, hielt sie die Luft an und dachte: *Da, jetzt ist es so weit*. Und jeden Tag, an dem kein Anruf kam, schluckte sie eine weitere Pille und machte weiter. Langsam vielleicht, aber sie blieb in Bewegung, und in diesem Cottage, in dem alles sie an Dallas erinnerte, war schon das ein Erfolg.

Sie kletterte ins Bett, nahm zwei Schlaftabletten und wartete auf das süße Vergessen.

Als das Telefon klingelte, kam es ihr so vor, als wäre sie gerade erst eingenickt.

Sie riss sich aus dem fragwürdigen Trost des Schlafs und tastete nach dem Telefon. Als sie es endlich fand, hatte sie sich schon aufgesetzt. »Hallo?«, sagte sie.

»Vivi Ann? Hier spricht Roy.«

Jetzt war sie wach. Ein Blick auf die Uhr zeigte ihr, dass es bereits zwanzig vor neun war. Sie hatte schon wieder verschlafen. Die erste Reitstunde fing in zwanzig Minuten an. »Hey, Roy. Was ist los?«

»Das Berufungsgericht hat das Urteil bestätigt.«

Der Schlag war so heftig, dass er ihr die Luft raubte. »Oh nein ...«

»Das ist noch kein Grund, die Hoffnung zu verlieren. Ich werde ein Wiederanhörungsgesuch beim *Supreme Court* in Washington einreichen.«

Vivi Ann bemühte sich, nicht den Mut sinken zu lassen, aber in letzter Zeit schwankte sie ständig zwischen Hoffen und Bangen.

»Ach ja ... am Samstag brauchen Sie Dallas nicht zu besuchen.«

»Wieso nicht?«

Roy zögerte kurz. »Als er von dem Bescheid hörte, rastete er ein bisschen aus. Jetzt ist er einen Monat in Einzelhaft.«

»Hat er jemanden verletzt?«

Roy zögerte wieder, und sein Schweigen war Antwort genug.

»Das Ganze bringt ihn um«, sagte sie. *Und mich auch.*

»Aber Streit zu suchen macht es auch nicht besser.«

Vivi Ann hörte zwar, was Roy sagte, aber sie war in Gedanken im Gefängnis, in der Besucherkabine, wo Dallas in seinem orangefarbenen Overall auf der anderen Seite der Scheibe saß und ihr erzählte, wie sein Alltag aussah. Dass seine Zellentür viermal am Tag automatisch mit einem Summen und Klicken aufging, für die Mahlzeiten und eine Stunde Hofgang. Wie er sich fühlte, vom Hof aus hinauszublicken und durch den Stacheldraht grüne Wiesen zu sehen. Dass die Gefangenen sich strikt an ihre ethnische Gruppe hielten, aber er zu keiner gehörte, weil er ein Mischling war. Dass die »Mädchen« sich so weit auftakelten, wie ihre Overalls es zuließen, um sich Freier zu angeln, die sie beschützten, während die Schläger ständig nach Opfern suchten. Wie man langsam den Glauben daran verlor, jemals wieder die Sterne zu sehen, bei Nacht zu reiten oder seinen eigenen Sohn in den Arm zu nehmen.

»Wird das denn was bringen, Roy?«, fragte sie und hörte gleichzeitig Noahs Stimme über das Babyphon. Wie immer rief er nach seinem Daddy. Gequält schloss sie die Augen. Unwillkürlich fragte sie sich, ob Noah eines Tages seinen Vater vergessen und einfach ohne ihn weitermachen würde. Oder würde er sich immer an ihn erinnern und sich nach einem Mann sehnen, der nie da war?

»Geben Sie noch nicht auf«, sagte Roy.

»Nein, ich gebe nicht auf.«

Sie konnte nicht mal die Möglichkeit in Betracht ziehen, aufzugeben. Es tat zwar weh, den Glauben aufrechtzuerhalten, aber noch schlimmer war es, ihn aufzugeben.

Vivi Ann merkte kaum, wie die Zeit verging. Als der strahlende Sommer des Jahres 1996 langsam in einen kalten, verregneten Herbst überging, bemühte sie sich, wie immer weiterzumachen. Nicht aufzugeben. Aurora kam zwar fast täglich vorbei, damit sie nicht allein war, aber sie konnte ihr auch nicht wirklich helfen. Vivi Ann fühlte sich, als wäre sie in einer kalten Seifenblase gefangen und hinge in der Luft. Jeden Tag wachte sie traurig und allein auf, aber trotzdem stand sie auf und widmete sich ihren täglichen Pflichten. Sie unterrichtete, trainierte Pferde und stellte einen neuen Rancharbeiter ein. Ihre Gedanken flogen ständig zu Dallas und schmerzten, wenn sie kamen und wenn sie gingen. Aber sie biss die Zähne zusammen und minderte nicht ihr Tempo. Und jeden Abend, wenn sie endlich zu Bett ging, betete sie, dass es am nächsten Tag gute Nachrichten über die Berufung geben würde.

Sie wusste, dass sich die Leute Sorgen um sie machten. Sie

sah es in ihren verstohlenen Blicken, hörte es an ihrem Geflüster, wenn sie vorbeiging. Früher wären ihr Gerede und ihre Sorge ihr wichtig gewesen. Aber das war vorbei. In den elf Monaten seit Dallas' Verhaftung hatte sie gelernt, dass Optimismus ein Gefühl war, das sich wie Säure durch alles ätzte. Wenn sie den Glauben und die Hoffnung nicht aufgeben wollte, musste sie sich mit aller Kraft daran klammern. Dann blieb für alles andere nichts mehr übrig.

An einem kalten, trüben Nachmittag Ende November gab sie um sechzehn Uhr ihre letzte Reitstunde, dann fütterte sie die Pferde und ging in ihr Cottage.

Noah spielte dort auf dem Teppich vor dem Kamin mit seinen Ninja-Turtle-Actionfiguren.

Er sah auf und grinste sie breit an. »Mommy«, sagte er und breitete die Arme aus.

Vivi Ann verspürte einen Anflug von schlechtem Gewissen. Die Wahrheit (die sie niemandem jemals eingestehen würde) war, dass sie den Anblick ihres Sohnes in letzter Zeit kaum noch ertragen konnte. Deshalb bezahlte sie die dreizehnjährige Babysitterin, damit sie an den Nachmittagen auf ihn aufpasste. Jedes Mal wenn Vivi Ann Noah ansah, hätte sie am liebsten geweint.

»Wie war es?«, fragte sie und griff nach ihrer Geldbörse.

»Großartig. Er liebt Tigger.«

Das wusste Vivi Ann nur zu gut. »Sehr schön.«

Durch das Wohnzimmerfenster drang Scheinwerferlicht und erhellte alles für einen Augenblick.

»Meine Mom ist da. Soll ich Montag nach der Schule kommen?«

»Aber bitte doch.« Vivi Ann sah zu, wie sie ging, und starrte dann hinunter auf ihren Sohn. Er war fast dreieinhalb und ähnelte seinem Vater buchstäblich bis aufs Haar, da er es ebenso lang trug. Vivi Ann hatte es nicht über sich gebracht, es abzuschneiden. »Hey, kleiner Mann«, sagte sie.

Er stand auf und kam wacklig auf sie zu. Dabei plapperte er ununterbrochen. Sie hob ihn hoch und trug ihn ins Bad, wo sie das Arzneischränkchen öffnete. Nachdem sie eine Beruhigungstablette genommen hatte, wartete sie, dass es ihr besserging. Der scharfe Schmerz in ihrem Innern würde bald gedämpft werden.

Sie plauderte mit Noah, brachte ihn in die Küche und bereitete das Abendessen zu. Als sie fertig waren, badete sie ihn und las ihm dann vor, bis er in ihren Armen einschlief.

Nachdem sie ihn ins Bett gebracht hatte, kehrte sie in ihr leeres, stilles Wohnzimmer zurück. Dort saß sie, allein, und blickte auf den Diamantring an ihrem Finger.

»Morgen wird es besser«, sagte sie laut und versuchte, Trost daraus zu gewinnen. »Wahrscheinlich kommt morgen der Bescheid vom Gericht. Vielleicht ist er schon jetzt in der Post.«

Als es klopfte, schrak sie auf. Sie war so tief in Gedanken – oder in ihren Träumereien – versunken gewesen, dass sie gar nicht gehört hatte, wie ein Wagen vorgefahren war. Noch bevor sie aufstehen konnte, ging die Tür auf, und Aurora stand dort im langsam schwindenden Licht der Scheinwerfer.

»Das reicht«, sagte sie und schloss die Tür hinter sich.

»Was reicht?«

»Zieh dich an. Wir bringen Noah zu Richard und gehen dann ins Outlaw.«

Aurora durchquerte das Zimmer und setzte sich neben Vivi Ann. Sie trug jetzt nicht mehr den Glitzerlook der frühen Neunziger mit Schulterpolstern und hochgetürmten Haaren, sondern war zum Lässiglook à la Meg Ryan mit T-Shirts und ausgebeulten Hosen übergegangen. Mit ihren kurzen rotbraun gefärbten Haaren, die ihr schmales Gesicht umschmeichelten, sah sie aus wie ein Kobold. »Du kannst nicht mehr so weitermachen. Es macht dich fertig, Vivi Ann. Du stehst deine Tage doch nur noch mit Beruhigungsmitteln durch.«

»Was willst du damit sagen?«

»Ich will damit sagen, dass du wieder aufs Pferd steigen musst. Oder zumindest auf einen Barhocker. Und keine Widerrede, du weißt, wie unangenehm ich werden kann.«

Vivi Ann wollte nicht ins Outlaw, wo ihre alten Freunde sie mitleidig ansehen und viel zu freundlich zu ihr sein würden. Sie alle dachten, sie hätte Dallas längst »loslassen« und »weitermachen« sollen, und ihre Weigerung irritierte sie. Mode, Musik und Fernsehshows hatten sich verändert, nicht aber Vivi Ann. Ihr Leben stand still. Allerdings war die Aussicht auf einen weiteren einsamen Abend, an dem sie ins Leere starrte und von ihren Erinnerungen heimgesucht wurde, auch nicht gerade verlockend.

»Wenn du's schon nicht für dich tust, dann tu es für mich«, sagte Aurora mit zittrigem Lächeln. »Richard spricht in letzter Zeit kaum noch mit mir. Ich fühl mich ... ich weiß nicht ... als würde ich langsam verrückt. Ich muss mal wieder lachen. Und du auch, das weiß ich.«

Da erkannte Vivi Ann, was Aurora verbergen oder leugnen wollte. Ihre braunen Augen verrieten den Kummer über eine zerbrechende Ehe.

Offenbar gab es in letzter Zeit viel Kummer.

»Wir könnten bei Winona vorbeifahren und sehen, ob –«

»Nein«, sagte Vivi Ann. Ihr ganzes Leben lang war sie ein versöhnlicher Mensch gewesen, aber nicht in diesem Fall. Sie konnte sich nicht vorstellen, Winona jemals zu verzeihen, dass sie sie im Stich gelassen hatte, als sie sie am meisten brauchte. »Aber ich komme mit.«

Sie stand auf, ging in ihr (und Dallas') Schlafzimmer und zog ein altmodisches Laura-Ashley-Kleid mit Rüschenkragen und Volantrock an. Sie schminkte sich nicht und hielt ihr Haar nur mit einem Haarband zurück. Sie schlüpfte in ihre karamellfarbenen Cowboystiefel – und steckte im letzten Moment eine Beruhigungstablette ein. Nur für alle Fälle.

Dann holte sie Noah aus dem Bett und kehrte ins Wohnzimmer zurück. »Ich fahre dir nach«, sagte sie zu Aurora. »Der Kindersitz ist im Truck.«

Noah wehrte sich quengelnd, als sie ihn im Kindersitz festschnallte.

»Ist schon gut, kleiner Mann. Du besuchst nur deinen langweiligen Onkel Richard. Keine Sorge, du wirst dort direkt wieder einschlafen.«

Sie folgte Aurora nach Hause, gab Noah dort ab und ging zu Fuß mit ihrer Schwester die First Street hinunter.

Die ganze Zeit redete sie, aber als sie in den Shore Drive einbogen, spürte sie, wie sich ihr Magen zusammenzog. Erinnerungen bestürmten sie.

»Ich weiß nicht, ob ich das wirklich will«, sagte sie, als sie sich der Bar näherten.

Willst du tanzen?

»Aber du tust es«, erwiderte Aurora, nahm ihre Hand und zog sie hinein.

Es waren die üblichen Wochenendgäste da, die Musik hörten, Billard spielten, tanzten, lachten und redeten. Vivi Ann spürte, wie sie sie ansahen und flüsterten.

»Sie haben dich fast ein Jahr nicht gesehen. Mehr hat das nicht zu bedeuten«, erklärte Aurora.

Vivi Ann nickte und versuchte, so natürlich wie möglich zu lächeln. Mit hocherhobenem Kopf ging sie geradewegs zu ihrem alten Stammplatz.

»Tequila pur«, sagte Bud und schob ihr ein Glas zu. »Aufs Haus.«

»Danke.« Vivi Ann kippte ihn herunter und bestellte einen zweiten, den sie genauso schnell trank. Sie überflog die Menge, sah in einer Ecke Butchie und Erik mit ihren Frauen und Julie und Kent John am Billardtisch. Winona tanzte mit Ken Otter, dem Zahnarzt, der sich kürzlich hatte scheiden lassen.

»Ich hab gehört, sie gehen seit kurzem miteinander aus«, sagte Aurora, die Vivi Anns Blick gefolgt war.

»Schön für ihn«, erwiderte Vivi Ann bitter.

Die Band beendete einen Song und fing einen neuen an. Vivi Ann erkannte ihn schon nach einem Takt: »Mamas, Don't Let Your Babies Grow Up to Be Cowboys«.

Sie bestellte einen dritten Tequila und kippte ihn herunter, trotzdem spürte sie immer noch überwältigend ihren Verlust.

Dann sah sie, dass Winona auf sie zustrebte.

»Ich muss hier raus«, murmelte sie.

»Nein«, widersprach Aurora und fasste ihren Arm.

Vivi Ann riss sich los und stürzte durch die Menge hinaus. Draußen bekam sie zwar wieder Luft, aber es reichte noch nicht. Sie musste weg, weit weg von diesem Ort, wo alles an ihn erinnerte.

Sie rannte zu Auroras Haus, stieg in ihren Wagen und ließ Noah schlafen, dort, wo es sicher war, wo keine Erinnerungen lauerten. In Water's Edge trat sie so heftig auf die Bremse, dass sie nach vorn schnellte und mit der Brust gegen das Lenkrad stieß. Sie stellte den Motor ab.

Links von ihr waren ihr Cottage und das Bett, das sie mit Dallas geteilt hatte.

Rechts von ihr stand das Haus, in dem sie aufgewachsen war, und darin war ihr Vater, ihr einstiges Idol, ihr Fels in der Brandung, der ihr jetzt nichts mehr bedeutete. Ohne ihn, ohne ihre vollständige Familie kam sie sich verloren vor, aber daran war nichts zu ändern. Ihr Vater und Winona hatten ein Jahr zuvor ihre Wahl getroffen, als sie sich gegen Dallas gewandt hatten.

Dallas.

Vivi Ann stieß ein leises Wimmern aus. Sie stolperte zum Reitstall, den Gang hinunter bis zu Clems Box. Sie schob den Riegel zurück und stieß die schwere Holztür auf.

»Hey, Clem«, sagte sie, trat in die dunkle Box und schloss die Tür hinter sich.

Leise wiehernd humpelte Clem zu ihr und stieß sie mit ihrem samtigen, grau gewordenen Kopf an.

»Seit Moms Tod hab ich nicht mehr bei dir übernachtet, stimmt's, mein Mädchen?«

Clem wieherte noch einmal und rieb die Nüstern an Vivi Anns Bein.

Bei dieser Berührung brach Vivi Ann zusammen. Alles, was sie hatte unterdrücken wollen, strömte plötzlich aus ihr heraus. Sie ließ sich an der Boxenwand heruntergleiten, sank auf die Sägespäne und senkte den Kopf auf die Knie.

Winona war gerade an dem ausgestopften Grizzlybär mit der erhobenen Tatze angekommen, als sie sah, dass Vivi Ann zu ihr herüberblickte, bemerkte, dass sie auf sie zuging und aus dem Outlaw stürzte. Sie musste stehen bleiben, weil ihr vor Enttäuschung schwindelig wurde.

Das alles war so untypisch für Vivi Ann. Sie hatten sich schon immer gestritten, aber sie hatten sich auch wieder vertragen und weitergemacht; das war eben so unter Geschwistern, ihr gemeinsames Leben war wie ein Quilt aus Gutem und Schlechtem zusammengeflickt. Seufzend ging sie zu Aurora, die allein an der Theke stand, auf die offene Tür starrte und an ihrer Erdbeer-Margarita nippte.

»Ich halte das nicht mehr aus«, sagte Winona. »Was sollen wir nur machen?«

»Wir?« Auroras Stimme klang immer noch eisig, doch Winona spürte, dass die Tür sich einen Spaltbreit geöffnet hatte.

»Du leidest doch auch darunter.«

»Natürlich leide ich darunter.«

»Was sollen wir also machen?«

Aurora wandte sich zu ihr. »Übernimm seinen Berufungsprozess. Hilf ihr.«

Warum wollte das keiner begreifen? »Ich wäre ihm keine Hilfe, verstehst du das nicht? Ich bin nur eine kleine Provinzanwältin. Mit Strafprozessen beim Appellationsgericht kenne ich mich nicht aus.«

Aurora sah sie unverwandt und tief betrübt an. »Du bist diejenige, die es nicht versteht, Win. Wir sind Schwestern. Zumindest waren wir das.« Damit stellte sie ihre halbleere Margarita auf die Theke und verließ das Outlaw.

Winona blieb in der dunklen verrauchten Bar zurück und fühlte sich trotz der vielen Freunde und Bekannten um sie herum allein.

Winona und ihr Vater verbrachten Heiligabend zusammen. Sie fuhr früh zum Farmhaus und schmückte alles allein. Sie stieg auf den Dachboden und trug die alten, ramponierten Pappkartons mit der Aufschrift *Weihnachten* hinunter.

Im Wohnzimmer war es still. Früher hatten die Schwestern gemeinsam geschmückt; sie hatten dabei Wein getrunken und lachend darüber gestritten, welchen Weihnachtsfilm sie ansehen wollten. Kein Wunder, dass Winona das Schmücken bis zur letzten Minute aufgeschoben hatte. Sie hatte gewusst, wie es sich anfühlen würde.

Dennoch weigerte sie sich, auf die Tradition zu verzichten, und schmückte das gesamte Haus, bis alle Kartons leer waren. Sie wickelte frisch geschnittene Zedernzweige um das Treppengeländer und band sie mit Goldkordel fest. Sie stellte Miniaturszenen von Weihnachten auf dem Kaminsims auf: Kunstschnee, Fassaden von Ladenzeilen und winzige Figuren mit Schlitten und Kutschen. Als Kind war es ihre größte Freude gewesen, einen winzigen ovalen Spiegel auf den Kunstschnee zu legen, der eine kleine Eisfläche zum Schlittschuhlaufen darstellen sollte. Sie drei hatten sich immer um dieses Privileg gestritten.

Winona verdrängte den Gedanken daran und schenkte

sich noch ein Glas Wein ein. Dann stellte sie das Essen auf den Herd und schnitt sich ein großes Stück Kuchen ab.

In den letzten Monaten hatte sie sich immer mit Essen getröstet. Wenn sie deprimiert war, ging sie zum Kühlschrank. Jetzt lagerten dort ungefähr zehn Dutzend Cookies in Tupperdosen. Seit Dallas' Verhaftung hatte sie mindestens fünfzehn Pfund zugenommen.

Auch daran nicht denken.

Sie ging ins Arbeitszimmer, um ihren Dad zu holen. Er stand mit einem Drink in der Hand am Fenster und starrte auf den Hood Canal. An diesem kalten Dezemberabend zeigte sich die Landschaft streng und kontrastreich: purpurfarbene Berge mit rosafarbenem Schnee, stahlblaues Wasser, graues Ufer. Die wenigen Anleger, die man sehen konnte, waren mit schlafenden Seerobben bevölkert. Möwen hockten, aufgereiht wie Kegel mit gelbem Schnabel, auf den Geländern.

»Hey, Dad«, sagte sie und trat zu ihm.

»Hey«, erwiderte er, ohne sich nach ihr umzusehen.

Sie überlegte, was sie sagen sollte, als das Telefon klingelte. Dankbar für die Unterbrechung, verkündete sie: »Ich geh schon«, und rannte zum Telefon in der Küche. »Hallo?«, meldete sie sich, leicht außer Atem.

»Fröhliche Weihnachten«, sagte Luke.

»Luke!«, rief sie und lächelte zum ersten Mal an diesem Tag. Sie ging zum Küchentisch, zog das lange Kabel hinter sich her, nahm Platz und legte die Füße hoch. »Wie läuft's in Montana?«

Sie redeten nicht so unbefangen miteinander wie früher. Immer wieder trat längeres Schweigen ein, in dem Ungesagtes an die Oberfläche zu kommen drohte. Aber er erzählte von dem Haus, das er sich ein paar Wochen zuvor gekauft hatte, und von seinem neuen Partner. Sie revanchierte sich mit einer witzigen Schilderung der letzten Verabredung mit Ken Otter und meinte, mit einem dreifach geschiedenen Zahnarzt auszugehen sei genau, wie sie erwartet habe. »Aber immer noch besser, als allein zu sein.«

Nach kurzem Schweigen fragte er: »Wie geht es ihr?«

»Hast du deshalb angerufen? Um dich nach Vivi Ann zu erkundigen?«

»Nein, um mich nach dir zu erkundigen«, gab er zurück. »Ich weiß, wie sehr du darunter leiden musst, mit ihr zerstritten zu sein. Hör auf zu warten, raff dich auf und nimm es selbst in die Hand. Geh einfach zu ihr, klopf an und sag, es tut dir leid.«

»Könnten wir bitte das Thema wechseln?«, sagte Winona. Daraufhin unterhielten sie sich über alles Mögliche, bis ihnen nach einer Stunde die Themen ausgingen. Dann sagte er: »Tja. Ich wollte nur ›Fröhliche Weihnachten‹ wünschen.«

»Dir auch, Luke«, erwiderte sie und legte auf.

Doch als sie sich vom Telefon entfernte, klangen seine Worte in ihr nach. Aurora und Richard waren mit den Kindern zum Skilaufen gefahren, wahrscheinlich weil sie vor dem traurigen Weihnachtsfest in Water's Edge fliehen wollten. Daher wusste Winona, dass Vivi Ann und Noah oben in dem Cottage allein waren.

Konnte sie wirklich einfach zum Cottage gehen und die Uhr zurückdrehen? Sie versuchte, es ganz sachlich zu durchdenken, aber eigentlich war es bereits mit dem ersten Gedanken daran entschieden. Sie spürte, wie sich Sehnsucht in ihrem Herzen rührte, und schnappte sich ihren Mantel von der Garderobe an der Haustür. Dann machte sie sich auf den Weg zu Vivi Anns Cottage, umrundete vorsichtig die Pfützen auf dem Schotterweg und klopfte schließlich an ihre Tür.

Vivi Ann öffnete sofort. Sie sah schrecklich aus. Ihre Haare waren zerzaust, als hätte sie sich ständig den Kopf gekratzt, und ihr Gesicht war fleckig und rot. Ihre Augen tränten und hatten blutunterlaufene Ränder. Und sie wankte, als hätte sie getrunken. »Was willst du?«

Winona verschlug es beim Anblick ihrer Schwester kurz die Sprache. »Ich ... ich wollte reden. Ich weiß, du bist wütend auf mich, aber es ist Heiligabend, und ich dachte ...«

»Willst du deinen Triumph auskosten? Du weißt doch, dass sein Berufungsgesuch abgelehnt wurde.«

»Das tut mir leid.«

»Es tut dir leid? Glaubst du, das interessiert mich?« Schwankend trat Vivi Ann auf sie zu. »Du hast jeden Tag im Gerichtssaal gesessen und dir die sogenannte Beweisaufnahme angehört. Winona, meine angeblich so brillante Schwester. Hast du auch nur einen der Beweise angezweifelt? Er *war* krank an Heiligabend. Ich hab bei ihm Fieber gemessen.«

»Glaubst du, Myrtle hat gelogen?«

»Ich glaube, sie hat sich geirrt. Anders kann es gar nicht sein, und die Sache mit den Haarspuren war auch Mist. Nicht mal du kannst glauben, dass Dallas mit Cat gevögelt hat, während er mit mir verheiratet war.« Vivi Anns Augen waren glasig und wirkten leicht irre. Winona spürte, wie Angst in ihr aufkam. Irgendwas stimmte hier nicht.

Im Haus fing Noah an zu weinen.

»Los, sag schon«, fauchte Vivi Ann. »Glaubst du, dass er mit Cat gevögelt hat? Du hast uns doch zusammen gesehen.«

Winona bemerkte, wie verzweifelt Vivi Ann sich bemühte, sie zu überzeugen. Sie wusste, wenn sie nur zustimmte, würden sie sich vielleicht wieder versöhnen können.

Aber wenn man jemanden liebte, musste man manchmal stark sein und etwas sagen, was der andere nicht gern hörte. Es war offensichtlich, dass Vivi Ann zusammenbrach. Den Bezug zur Wirklichkeit verlor. Winona mochte sich im Strafrecht nicht auskennen, aber sie wusste, dass es nicht gut war, an Wunder zu glauben.

Sie trat auf ihre Schwester zu. Vivi Ann sah aus wie eins ihrer schreckhaften misshandelten Pferde: verstört und fluchtbereit. »Du richtest dich zugrunde, Vivi«, sagte sie, so sanft sie konnte. »Wenn du an etwas glaubst, das niemals eintreffen wird.«

»Er *wird* freikommen.«

»Ich *habe* in diesem Gerichtssaal gesessen, und ich habe gesehen, was du ignorieren willst. Er –«

»Sag es nicht, Win.«

»Du weißt es doch, Vivi. Du musst es wissen. Er ist schuldig. Du musst –«

Vivi Ann schlug ihr so heftig ins Gesicht, dass sie zurücktaumelte. »Verschwinde aus meinem Haus. Ich will nichts mehr von dir hören. Nie wieder.«

Siebzehn

Langsam vergingen die Jahre.

1997.

1998.

1999.

Aurora unternahm mehrfach Anläufe, die Familie wieder zusammenzubringen, aber in Vivi Anns verdorrtem Herzen war kein Platz für Vergebung. Und sie wollte auch keinen Platz schaffen. Ihr Vater und Winona hatten sie zu sehr verletzt. Jeden Samstag brachte Vivi Ann ihren Sohn zu Aurora und fuhr dann zweieinhalb Stunden zum Gefängnis, um hinter einer schmutzigen Plexiglasscheibe durch ein schweres schwarzes Telefon mit Dallas sprechen zu können. Roy machte eine Eingabe nach der nächsten, die jedes Mal abgeschmettert wurde. Vivi Ann kam sich vor, als wäre sie an eine tückische Wippe gefesselt, und büßte bei jedem Hoch und Tief ein weiteres Stückchen ihrer Seele ein. Schließlich rief Roy an, um ihr mitzuteilen, dass ihr Gesuch auch beim Obersten Gerichtshof des Staates Washington abgelehnt worden war, doch er fügte rasch hinzu: »Keine Sorge, jetzt ziehen wir vors Bundesgericht.« Wieder versuchte sie, ihren Glauben aufrechtzuerhalten, und die Monate verstrichen.

Ihre einzige Möglichkeit, zu überleben, sah sie darin, alles andere in ihrem Innern zu betäuben. Jeden Tag warf sie sich Beruhigungstabletten wie Kaugummis ein, damit sie weitermachen, lächeln, sprechen und so tun konnte, als wäre alles ganz normal. Aurora war dabei ihr Anker, ihre stützende

Hand. Aber wenn sie abends allein war, trank sie immer noch zu viel und klammerte sich zu sehr an ihren Sohn oder ließ ihn völlig links liegen. Manchmal saß sie einfach nur da, wiegte sich zu der Musik in ihrem Kopf, versuchte sich zu erinnern, wie es war, Dallas zu berühren, ihn zu umarmen – während irgendwo im Hintergrund Noah nach ihr rief oder weinte. Ihre Erinnerungen verblassten allmählich, und ohne sie konnte sie sich nicht mehr gegen ihre Benommenheit wehren. Also gab sie auf, streckte sich auf dem Sofa aus und fiel in einen tiefen, dumpfen Schlaf.

Sie verpasste einiges wegen ihrer Samstagsbesuche: Noahs erste Fahrt auf dem Dreirad, seine Weihnachtsfeier im Kindergarten, sogar seinen vierten Geburtstag. Sie redete sich zwar ein, er sei zu jung, um zu merken, dass sein Geburtstag gar nicht am Sonntag war. Doch als sie sah, wie Aurora sie bei dieser Gelegenheit voller Mitleid anblickte, musste sie sich abwenden. Als am Abend alles abgeschmückt und im Mülleimer entsorgt war, trank sie so viel Tequila, dass sie am nächsten Morgen ihre Reitstunden verschlief.

Jetzt war es Oktober 1999, ein Samstag. Fast vier Jahre nach Dallas' Inhaftierung.

Vivi Ann saß in ihrem Wagen auf dem Gefängnisparkplatz und starrte durch die Windschutzscheibe auf die grauen Mauern. Der Regen prasselte so heftig gegen die Scheiben, dass es fast wirkte, als würden sie sich bewegen. Trotzdem konnte sie, wenn auch undeutlich, den wuchtigen Bau des Hochsicherheitsgefängnisses sehen. Sie hatte ihn schon bei allen möglichen Wetterlagen gesehen, und selbst im Sommer, vor blauem Himmel und grüner Landschaft, wirkte er grimmig und bedrohlich. Jetzt im Regen sah er trist und verlassen aus, so als ducke er sich vor den dahinterliegenden Hügeln, anstatt trotzig emporzuragen.

Wie ferngesteuert ließ sie die Anmelderoutine über sich ergehen und bemerkte kaum noch, wie einschüchternd alles um sie herum war. In letzter Zeit nahm sie eigentlich nur noch den Lärm wahr: das Knallen der Türen, das Klicken der Schlösser, das ferne Dröhnen lauter Stimmen.

Sie nahm ihren üblichen Platz in der Kabine ganz links ein und wartete.

»Hey, Vivi«, sagte Dallas, als er sich ihr gegenüber hinsetzte.

Da endlich lächelte sie. Trotz ihrer Apathie, mit der sie sich durch die Tage schleppte, konnte sie nicht leugnen, dass sie sich hier, bei ihm, lebendig fühlte. So verrückt es auch war, sie freute sich, ihn zu sehen, auch wenn sie sich nicht berühren konnten. Sie sagte seinen Namen, der für sie fast schon ein Gebet geworden war. Dann holte sie das neueste Foto von Noah aus der Tasche. Es zeigte einen munteren, aufgeweckten Sechsjährigen mit Baseballkappe, der grinsend einen Schläger in die Höhe hielt.

Dallas starrte darauf und streckte die Hand aus, als wäre dieses eine Mal nicht die Scheibe zwischen ihnen.

Vivi Ann wusste, dass er jetzt einen Jungen sah, nicht mehr ein Baby. Die Jahre von Dallas' Haft ließen sich auch an Noahs Entwicklung ablesen. Er war jetzt größer und dünner, verlor schnell alles Kindliche. Und er fragte nicht mehr nach seinem Daddy. Er erinnerte sich nicht mehr an ihn.

»Er vermisst dich«, sagte Vivi Ann.

»Hör auf damit«, entgegnete Dallas. »Uns ist nicht viel geblieben. Da wollen wir doch wenigstens ehrlich zueinander sein.«

Sie hätte es wissen müssen. Zwar waren sie jetzt durch Stacheldraht, Beton und Plexiglas getrennt, aber innerlich waren sie so fest verbunden wie eh und je. »Wenn du mir nur erlauben würdest, ihn mitzubringen.«

»Das hatten wir doch schon. Er soll mich nicht so sehen. Es ist besser, wenn er mich vergisst.«

»Sag das doch nicht.«

Danach sagten sie nichts mehr. Mit dem Hörer in der Hand sahen sie sich wortlos durch das schmutzige Plexiglas an. Sie wusste nicht, wie lange sie so dasaßen, aber schließlich unterbrach das Signal, das das nahe Ende der Besuchszeit anzeigte, ihr Schweigen. Sie zuckte zusammen.

»Du siehst müde aus«, sagte Dallas. Am liebsten hätte sie so getan, als wüsste sie nicht, wovon er sprach, hätte wieder gelogen – diesmal mit einem verwirrten Lächeln, doch sie wusste, dass er die Wahrheit in ihrem Gesicht und in ihren müden Augen sah. In den langen Jahren seiner Haft war es immer schwerer für sie geworden, so zu tun, als gäbe es noch eine gemeinsame Zukunft für sie. Sie beide hatten Gewicht verloren; letzten Monat hatte Roy behauptet, sie sähen aus wie ein Paar wandelnder Skelette. Dallas' scharfe Züge wirkten jetzt eingefallen und verhärmt. Die Adern und Sehnen an seinem Hals sahen aus wie Baumwurzeln dicht unter der Erdoberfläche.

Aber die Zeit hatte auch bei Vivi Ann ihre Spuren hinterlassen; sie sah die Veränderungen jeden Morgen im Spiegel. Selbst ihre Haare waren stumpf und strähnig, weil sie sie nicht pflegte und kaum zum Friseur ging. Sie war zwar erst zweiunddreißig, sah aber zehn Jahre älter aus.

»Es ist schwer«, sagte sie leise.

»Nimmst du immer noch Tabletten?«

»Nur noch selten.«

»Du lügst ja.«

Sie sah ihn an, und ihre Liebe zu ihm war ein Schmerz in der Brust. »Wie kommst du damit zurecht?«

Er lehnte sich zurück. Sie gaben nur selten alle Verstellung auf und wagten den gefährlichen Schritt in die Realität. »Beim Hofgang suche ich mir einen Platz, wo sonst keiner ist, und schließe die Augen. Wenn ich Glück habe, hören sich die Geräusche wie Hufgetrappel an.«

»Renegade«, sagte sie.

»Ich weiß noch, wie es war, nachts auf ihm zu reiten ... in jener Nacht.«

Ihre Blicke trafen sich; ihre Erinnerungen erwachten zum Leben und elektrisierten sie. »Das war unser erstes Mal ...«

»Wie stehst du es denn durch?«

Mit Pillen. Und Alkohol. Sie wandte den Blick ab und hoffte, es fiele ihm nicht auf. »Draußen auf der Veranda habe ich eins der Windspiele, die meine Mom gemacht hat. Wenn sie krank war, gab sie mir eins und sagte, wenn ich genau hinhörte, könnte ich ihre Stimme hören. Das habe ich dann getan. Und jetzt tue ich es auch.« Sie blickte ihn wieder an. »Aber jetzt höre ich dich auch. Manchmal sehne ich mich nach dem Wind ...«

Sie verstummte. Das war das Gefährliche an Erinnerungen; sie waren wie Stromkabel. Am besten wahrte man sicheren Abstand.

»Hast du was von Roy gehört?«, fragte sie.

»Nein.«

»Aber bald«, erklärte sie und bemühte sich, selbst daran zu glauben. »Das Bundesgericht wird deinen Fall prüfen. Du wirst sehen.«

»Klar«, sagte er. Dann stand er auf. »Ich muss los.«

Sie sah zu, wie er den Hörer auflegte und zurücktrat.

»Ich liebe dich«, sagte sie.

Er erwiderte lautlos, dass auch er sie liebe, und dann ging er. Laut klackend fiel die Tür hinter ihm zu.

Sie blieb sitzen und starrte so lange auf seine leere Kabine, bis eine Frau kam und ihr auf die Schulter tippte.

Vivi Ann murmelte eine Entschuldigung, stand auf und ging.

Die Heimfahrt kam ihr länger vor als sonst. Während sie eine Meile nach der anderen zurücklegte, bemühte sie sich, ruhig zu bleiben. Es gab so vieles, an das sie in letzter Zeit nicht denken durfte. Und die Angst konnte sie nur zurückdrängen, wenn sie sich wirklich stark konzentrierte. Zumindest am Tag. Die Nächte waren die Hölle; selbst mit einer doppelten Dosis Tabletten konnte sie sie manchmal kaum durchstehen.

In der Stadt angekommen, nahm sie den Fuß vom Gas und fuhr langsamer. Überall um sich herum sah sie Anzeichen, dass das Leben weiterging, während sie selbst im schwarzgrauen Vakuum des Strafvollzugsystems gefangen war. Die Bäume auf der Main Street zeigten ihr farbenprächtigstes Herbstkleid; schon fielen die ersten Blätter. Der Laden mit Reitbedarf warb für seinen jährlichen Ausverkauf, und das Schaufenster des Drugstores war voller Kürbisse und Gespenster.

Süßes oder Saures, Mrs Raintree?

Sie zuckte zusammen und gab wieder Gas. Der alte Truck heulte auf und schoss vorwärts.

An der Ranch parkte sie zwischen den Bäumen und sah auf ihre Uhr. Es war drei Uhr. Damit hatte sie noch eine Stunde, um die Pferde zu füttern, bevor sie Noah von Aurora abholte.

Noah.

Noch eine Wahrheit, der sie sich nicht stellen wollte. Sie wurde eine schlechte Mutter. Sie liebte ihren Sohn über alles, aber jedes Mal wenn sie ihn ansah, schien ihr Herz ein bisschen mehr zu brechen.

Das musste sie ändern. Morgen würde sie mit den Beruhigungsmitteln aufhören und sich wieder dem Leben zuwenden. Es musste sein, ob sie wollte oder nicht.

Gestärkt durch diesen Vorsatz (den sie schon mehrfach gefasst hatte, aber dieses Mal meinte sie es ernst; dieses Mal würde sie ihn wirklich in die Tat umsetzen), ging sie zum Offenstall, wo ein Wochenvorrat Futter lagerte. Sie ging hinein, nahm die Schubkarren und füllte sie mit Heu.

Im Reitstall machte sie Licht, dann ging sie von Box zu

Box und fütterte die Pferde. Hier fand sie einen gewissen Frieden, und als sie Clems Box entriegelte, lächelte sie fast.

»Hey, mein Mädchen, hast du mich vermisst?«

Aber sie hörte kein leises Wiehern zur Begrüßung, kein Rascheln des Schweifs.

Als sie auf die frischen Sägespäne trat, wusste sie sofort Bescheid.

Clementine lag an der Holzwand ihrer Box. Ihr großer ergrauter Kopf hing schlaff herab.

Wie gelähmt stand Vivi Ann da, denn wenn sie versucht hätte, sich zu rühren, wäre sie in die Knie gegangen. Selbst das Atmen kostete sie Mühe. In diesem Augenblick, als sie in der kühlen, dämmrigen Box stand, die ihr so vertraut war, die seit jeher ihr Lieblingsort gewesen war, fielen ihr alle Begebenheiten ein, die sie mit ihrem großartigen Pferd erlebt hatte. Ihrer beider Leben waren miteinander verflochten.

Weißt du noch, als du in dieses Hornissennest getreten bist … als du in den Graben gesprungen bist und ich in den Heidelbeeren landete … als wir zum ersten Mal das Rodeo gewannen?

Sie schluckte hart, ging ein paar Schritte und ließ sich vor dem Pferd in die Sägespäne sinken. Als sie die Hand ausstreckte und Clems Hals berührte, spürte sie, wie unnatürlich kalt er war. Es gab so viel über dieses großartige Pferd zu sagen – es war das letzte reale Bindeglied zu ihrer Mutter –, aber Vivi Ann brachte kein Wort hervor. Ihre Kehle war wie zugeschnürt; ihre Augen brannten. Wie sollte sie ohne Clem weitermachen? Vor allem jetzt, da sie so viel verloren hatte?

Sie kratzte Clem die Ohren. »Du hättest draußen in der Sonne sein sollen, mein Mädchen. Ich weiß doch, wie sehr du diesen dunklen Stall hasst.«

Das ließ sie an Dallas und seine Zelle denken, und auf einmal wurde sie von Trauer und Einsamkeit überwältigt. Sie legte sich neben die Stute, schmiegte sich in Embryonalstellung an ihre tröstende Flanke und schloss die Augen.

Leb wohl, Clem. Grüß Mom von mir.

Die Zeit verstrich; langsam, stockend zwar, aber unablässig. Das Jahr 2000 verblasste in einem grauen Vakuum aus leeren Tagen und endlosen Nächten. Noah hatte mit der Schule angefangen (zu früh, wie Vivi Ann fand, sie hätte warten sollen, bis er sechs war, hätte es auch getan, wenn Dallas da gewesen wäre, aber er war nicht da). Mit sechs fing er dann mit T-Ball und mit sieben mit Fußball an. Sie verpasste all seine Turniere an den Samstagen; ein weiterer Grund für Schuldgefühle. Aurora bot ihr ständig an, sie zum Gefängnis zu begleiten, aber Vivi Ann lehnte das ab. Sie konnte das nur allein schaffen.

In der ersten Septemberwoche des Jahres 2001 kam dann der Anruf, auf den sie gewartet hatte.

»Mr Lovejoy würde sich heute gerne mit Ihnen treffen.«

Vivi Ann wusste, das waren gute Nachrichten. In all den Jahren seit Dallas' Verhaftung hatte Roy sie noch nie zu sich in die Kanzlei gebeten.

Gott, ich danke dir, dachte Vivi Ann, als sie sich fertigmachte. Dieser Satz ging ihr immer wieder durch den Sinn, schneller und schneller, bis sie kaum noch etwas anderes denken konnte.

Auf dem Weg zum Anwalt fuhr sie an der Schule vorbei und holte Noah ab. Nach all dem, was sie durchgestanden hatten, verdiente er es, dabei zu sein, wenn die gute Neuigkeit verkündet wurde.

»Aber ich verpass die Pause«, sagte Noah. Er saß auf dem Beifahrersitz und ließ zwei Plastikdinos miteinander kämpfen.

»Ich weiß, aber wir werden Neuigkeiten über deinen Daddy hören. Darauf haben wir doch so lange gewartet. Ich möchte, dass du dich an diesen Tag erinnerst, dass du persönlich dabei warst.«

»Ach so.«

»Weil ich niemals aufgegeben habe, Noah. Auch das ist wichtig, selbst wenn es sehr, sehr schwer war.«

Er gab nur Geräusche von sich, die den endlosen Kampf seiner Dinosaurier untermalten.

Vivi Ann schaltete das Radio ein und fuhr weiter. In Belfair, der Stadt am Anfang des Hood Canals, fuhr sie zu Roys Kanzlei, die sich in einem älteren Haus am Ufer befand.

»Da sind wir«, sagte sie und parkte. Ihr Herz raste so, dass ihr leicht schwindelig war, aber sie hatte keine Tabletten genommen, nicht mal eine zur Beruhigung. Ab heute würde sie nie mehr welche nehmen. Es würde nicht mehr notwendig sein, wenn ihre Familie wieder intakt war. Sie half Noah aus dem Kindersitz, ergriff seine Hand und ging über den grasüberwucherten Plattenweg zum Eingang.

Drinnen sagte sie lächelnd zur Empfangssekretärin: »Ich bin Vivi Ann Raintree und habe einen Termin bei Roy.«

»Ja, stimmt«, antwortete die Sekretärin. »Durch diese Tür, bitte. Er erwartet Sie schon.«

Roy saß an seinem Schreibtisch und telefonierte. Als sie eintrat, lächelte er, bedeutete ihr, Platz zu nehmen, sagte noch etwas zu seinem Gesprächspartner und legte dann auf.

Vivi Ann platzierte Noah auf dem Sofa hinter sich und befahl ihm, leise zu spielen; dann nahm sie auf dem Stuhl vor Roys Schreibtisch Platz.

»Sie haben es aber in Rekordzeit hierhergeschafft«, sagte er.

»Ich habe schließlich auch Jahre auf diesen Anruf gewartet. Oder nicht?«

»Ach«, erwiderte Roy und runzelte die Stirn. »Das hätte ich bedenken sollen.«

»Was denn?«

»Was Sie denken würden.«

Vivi Ann spürte, wie sich alles in ihr anspannte. »Sie wollten mir doch sagen, dass seine Berufung gewährt wurde, oder nicht?«

»Eigentlich war es eine Habeas-Corpus-Verfügung, aber es ist anders, als Sie denken.«

Hinter ihr ließ Noah seine Dinos immer lauter gegeneinanderkrachen, aber Vivi Ann hörte kaum etwas außer dem durchdringenden Dröhnen, das plötzlich in ihrem Kopf ertönte. »Wie ist es denn?«

»Tut mir leid, Vivi Ann. Unser Antrag wurde erneut zurückgewiesen.«

Langsam schloss sie die Augen. Wie hatte sie so naiv sein können? Was war bloß los mit ihr? Sie hätte doch wissen müssen, dass es dumm war, auf Hoffnung zu bauen. Sie holte tief Luft, atmete wieder aus und sah ihn an.

Sie wusste, dass sie so ruhig und gefasst wirkte, als wäre dieser erneute Rückschlag nur ein weiteres Hindernis auf ihrem schwierigen Weg. Erst am Abend würde sie zusammenbrechen. Sie hatte jahrelange Übung darin, zu warten, sich zu verstellen, Gefühle zu verbergen. »Könnte ich vielleicht ein Glas Wasser haben?«

»Natürlich. Da drüben.«

Sie stand auf und ging langsam zu der Anrichte, auf der ein Krug Wasser stand. Sie schenkte sich ein Glas ein, dann griff sie in ihre Tasche, holte ein paar Tabletten heraus und schluckte sie, bevor sie sich wieder umdrehte. »Weiß Dallas schon Bescheid?«

»Seit gestern«, antwortete Roy.

Vivi Ann setzte sich wieder und hoffte, dass die Tabletten schnell wirken würden. Sie konnte ihre Gefühle nicht mehr lange ertragen. »Und was jetzt? Wo legen wir Berufung ein?«

»Ich habe alles getan, was in diesem Fall möglich ist. Ich

habe jedes Argument angeführt, jeden Antrag gestellt und jedes Gericht angerufen. Sie wissen, dass ich kein Strafverteidiger mehr bin. Ich habe all dies *pro bono* getan, aber jetzt kann ich nichts mehr tun. Sie könnten sich einen anderen Anwalt suchen und behaupten, ich wäre inkompetent, was ich vielleicht auch bin – was weiß ich! Wenn Sie das möchten, helfe ich Ihnen dabei.« Er seufzte. »Ich weiß es nicht, Vivi. Ich weiß nur, dass wir jetzt am Ende sind. Es tut mir leid.«

»Sagen Sie das nicht!« Sie hörte, wie ihre Stimme schrill vor Verzweiflung, scharf vor Zorn wurde, und bemühte sich lächelnd, ihren Tonfall abzumildern. »Seit Jahren höre ich das von allen Seiten. Ich will es nicht mehr hören. Wir brauchen Sie, Roy, um seine Unschuld zu beweisen.«

Roy senkte den Blick.

Doch Vivi Ann hatte etwas darin gesehen, was sie beunruhigte. »Roy? Was ist denn?«

»Nichts. Ich hatte nur ... ein vertrauliches Gespräch mit Dallas. Diese Woche, endlich.«

»Aber Sie wissen doch, dass er unschuldig ist, oder? Das haben Sie mir immer wieder versichert.«

»Dazu kann ich wirklich nichts mehr sagen.«

Jetzt bekam sie Angst. Wollte Roy etwa andeuten, dass Dallas ein Geständnis abgelegt hatte? Sie erhob sich und blickte auf ihn herunter. »Ich ertrage diesen Unsinn nicht, Roy. Setzen Sie mir keine dummen Ideen in den Kopf.«

Langsam hob er den Kopf und sah sie traurig an. »Sprechen Sie mit Dallas, Vivi Ann. Ich habe dafür gesorgt, dass Sie ihn morgen besuchen dürfen.«

»Und das war's dann? Mehr haben Sie nicht für mich, nach all den Jahren?«

»Es tut mir leid.«

Sie wirbelte herum, ging zu Noah, packte seine Hand und zerrte ihn aus dem Büro, die Stufen der Kanzlei hinunter bis zum Wagen.

Den ganzen Weg nach Hause spielte sie die Szene immer wieder in ihrem Kopf durch, versuchte, sie zu verändern, abzumildern. Als sie bei Aurora angekommen war, schob sie Noah zu ihrer Schwester und sagte: »Ich kann mich heute Abend nicht mit ihm befassen.«

Sie hörte, wie Aurora ihr etwas nachrief, sie aufforderte zurückzukommen, aber sie achtete nicht darauf. Die Angst lauerte wie ein riesiges schwarzes Ungetüm am Rand ihres Bewusstseins, und sie wollte nur noch fort, vor ihren Gefühlen fliehen.

Als sie schließlich zu Hause war, knallte sie die Tür hinter sich zu und marschierte zum Arzneischränkchen. Sie warf mehrere Tabletten ein – viel zu viele, aber das war egal, Hauptsache, es half – und spülte sie mit Tequila hinunter.

Dann kroch sie ins Bett, zog sich die Decke über den Kopf und versuchte, weder an Dallas noch an Noah noch an die Zukunft zu denken. Denn sonst würde sie sich im Nichts auflösen. So lag sie da, benommen, benebelt, und starrte aus dem Fenster auf die Ranch, bis es dunkel wurde; danach starrte sie ins Nichts, bis sie ein Teil davon war und gar nichts mehr wahrnahm.

Am nächsten Morgen fühlte sie sich wie ein altes, vertrocknetes Stück Leder. Trotzdem kletterte sie aus dem Bett, ging unter die heiße Dusche und fuhr dann zum Gefängnis.

»Vivi Ann Raintree möchte Dallas Raintree besuchen«, sagte sie förmlich, obwohl sie mittlerweile hier schon bekannt war.

Die Frau am Empfang – heute war es Stephanie – lächelte. »Ihr Anwalt hat heute einen richtigen Besuch arrangiert.«

»Wirklich? Das hat er mir gar nicht gesagt.«

Normalerweise wäre sie außer sich vor Freude gewesen. In all den Jahren hatte sie Dallas nur selten ohne die trennende Plexiglasscheibe besuchen dürfen. Aber jetzt wusste sie, warum ihr dieser Besuch gestattet worden war. Es war Roys Abschiedsgeschenk an sie, ein Zeichen dafür, dass sie am Ende angelangt waren.

Sie ging zum Metalldetektor. Kaum war sie hindurch, sagte ein großer Wachmann in Uniform schroff: »Hier entlang.« Er stempelte ihre Hand und gab ihr ein Namensschild, das sie sich um den Hals hängen musste.

Sie folgte ihm durch einen breiten grauen Gang. Die Türen öffneten und schlossen sich automatisch, schwangen langsam auf und gingen mit einem lauten Klacken hinter ihnen zu. Mit jeder neuen Tür, die geöffnet wurde, schien der Lärm lauter zu werden, bis Vivi Ann wirklich im Gefängnis war, dort, wo die Häftlinge untergebracht waren.

Endlich führte der Wächter sie in einen Raum am Ende des letzten Ganges.

Er war klein und hatte weder Fenster noch Kabinen. Gegenüber der Tür stand ein weiterer Wächter. Ohne sich zu bewegen oder ihr auch nur zuzunicken, nahm er ihre Ankunft zur Kenntnis.

In der Mitte des Raums stand ein großer, durch jahrelangen Gebrauch mitgenommener Holztisch. Ein paar Plastikstühle waren darangeschoben. Sie ging zum Tisch, setzte sich, rückte nah an den Tisch und wartete. Die Wanduhr zeigte an, wie die Minuten verstrichen.

Endlich summte eine Tür im hinteren Teil des Raums und schwang auf. Der Wachmann drehte sich leicht, um sie im Blick zu behalten.

Dallas kam hereingehumpelt; er trug Ketten an Hand- und Fußgelenken, die an seiner Taille verbunden waren.

Vivi Ann stand auf und wartete. Sie konnte es kaum fassen, dass sie sich nach all den Jahren wieder so nahe waren.

Er schlurfte zu ihr. Sie nahm ihn in die Arme, drückte ihn fest an sich und spürte, wie dünn und knochig sie beide geworden waren.

»Das reicht«, sagte der Wächter. »Setzen Sie sich.«

Widerstrebend ließ Vivi Ann ihn los. Dallas ging unbeholfen zur gegenüberliegenden Seite des Tischs und setzte sich.

Er lehnte sich auf seinem Stuhl zurück und streckte die Beine aus. Seine Haare waren mittlerweile so lang, dass sie ihm fast bis über die Schulter reichten.

Sie holte das neueste Foto von Noah aus ihrer Tasche und gab es ihm. Es zeigte ihren Sohn, der mit einem großen Westernsattel auf Renegade saß und in die Kamera winkte. »Du solltest ihn reiten sehen. Eines Tages wird er so gut mit Pferden umgehen können wie du.«

Als Dallas das Foto nahm, zitterte seine Hand. »Wir tun uns nicht gut, Vivi.«

»Sag das nicht. Bitte.«

»Ich habe versucht, gut genug für dich zu sein.«

Sie schluckte hart. »Was hast du Roy erzählt?«

»Das ist nicht mehr wichtig.« Er war so reglos, als atmete er nicht mehr, was aberwitzig war, weil sie keuchte wie ein Läufer nach einem Sprint und kaum Luft bekam.

»Weißt du, was ich am meisten an dir geliebt habe, Vivi? Dass du nie gefragt hast, ob ich sie umgebracht habe. Nie.«

Sie ging zu ihm, zog ihn in die Arme und küsste ihn, weil sie ihn spüren wollte, aber sie schmeckte nur ihre eigenen Tränen. »Versuch nicht, mir zu sagen, dass du es getan hast, Dallas. Ich würde dir nicht glauben. Und wag es ja nicht, aufzugeben. Wir stehen das gemeinsam durch. Wir müssen weiterkämpfen.«

»Zurücktreten«, forderte der Wächter und kam auf sie zu.

Durch ihre Tränen hindurch sah Vivi Ann, dass Dallas lächelte. Es war dasselbe leichtsinnige, herausfordernde, sexy Lächeln, das er ihr vor vielen Jahren, an ihrem ersten Abend im Outlaw, zugeworfen hatte. »Du hättest Luke heiraten sollen.«

»Nicht«, flüsterte sie.

Der Wachmann schloss die Tür auf und führte Dallas hinaus.

Als sie den Blick senkte, sah sie das Foto von Noah immer noch auf dem Tisch liegen, und da wusste sie, dass er aufgegeben hatte.

Der September ging in den Oktober und dann in den November über, und Vivi Ann fuhr Samstag für Samstag zum Gefängnis und meldete ihren Besuch an. Dann saß sie allein in ihrer Kabine und sah zu, wie Minute für Minute ihr Leben verstrich.

Dallas kam nie mehr zu ihr heraus. Ihre wöchentlichen Briefe wurden ungeöffnet zurückgeschickt. Im Dezember, auf den Tag genau sechs Jahre nach seiner Verhaftung, schickte er eine Karte, auf der stand: *Schenk Noah meinen Wagen und sag ihm die Wahrheit.*

Die Wahrheit.

Sie wusste nicht mal, was er damit meinte. Welche Wahrheit? Dass seine Eltern sich geliebt hatten oder dass ihre Liebe sie zerstört hatte? Oder wollte er, wie Roy, damit andeuten, dass er den Mord an Cat gestanden hatte? (Niemals würde sie ihrem Sohn das sagen, und sie würde es auch nicht glauben.) Sie wusste es nicht. Sie wusste nur, dass sie jenseits von Gut und Böse war.

Es war schon schlimm gewesen, ihn all die Jahre im Gefängnis zu besuchen. Aber ihn nicht zu besuchen war noch schlimmer. Sie hatte gedacht, es könnte nicht mehr schlimmer werden. Bis zum heutigen Tag.

Dann war die Post gekommen. Als sie den großen, braunen Umschlag vom Gefängnis sah, hatte sie ihn aufgerissen und gedacht: *Gott sei Dank.*

Antrag auf Auflösung der Ehe.

Noch nie hatte etwas so weh getan. Nicht mal Moms oder Clems Tod. Nichts.

Sie ging schnurstracks zum Arzneischränkchen, warf wahllos Pillen ein und spülte sie mit Tequila hinunter. Dann kroch sie ins Bett, schloss die Augen und betete zu Gott, dass sie nicht träumen würde.

»Mommy. Ist es noch nicht Zeit?«

»Mommy?«

Sie hob mühsam den Kopf vom Kissen.

Noah stand an ihrem Bett. »Wir müssen zu Sam fahren, hast du das vergessen?«

»Was?«

Seine Miene verdüsterte sich, wie so oft in letzter Zeit. »Die Party fängt um drei Uhr an. Die anderen Mommys wissen das.«

»Oh!« Sie schob die Decke beiseite und taumelte aus dem Bett. Ganz langsam, denn ihr Kopf dröhnte und sie ging wie auf Watte, bewegte sie sich zur Dusche, aber ihre Hände waren so gefühllos, dass sie nicht mal den Wasserhahn drehen konnte. Also fuhr sie sich mit den Fingern durch ihr ungewaschenes, strähniges Haar und band sich einen losen Pferdeschwanz. Es dauerte eine Ewigkeit, sich anzuziehen; sie konnte sich kaum konzentrieren, ihre Finger zitterten, und sie musste ständig um ihr Gleichgewicht kämpfen. Aber endlich hatte sie sich eine alte Jogginghose, ein Flanellhemd und ihre Cowboystiefel angezogen. »Gehen wir, kleiner Mann«, sagte sie und versuchte zu lächeln. Dabei fiel ihr auf, wie undeutlich sie sprach.

»Wo ist das Geschenk?«

»Wie?«

»Es ist sein *Geburtstag*, Mom.«

»Ach ja.« Sie ging unsicher durchs Haus und wünschte nur, der Nebel in ihrem Kopf würde weichen. Auf der Küchentheke fand sie ein fast neues Halfter (was zum Teufel machte das hier?) und wickelte es in die Comicseite einer alten Zeitung. »Hier. Er hat doch ein neues Pferd bekommen, nicht wahr?«

»Das ist ein blödes Geschenk.«

»Entweder das oder gar keins.«

Er seufzte. »Na schön.«

Im prasselnden Regen gingen sie zum Wagen.

Sie brauchte ziemlich lange, um ihn im Kindersitz anzuschnallen, und danach war sie schweißgebadet. Ihre Hände zitterten und waren so glitschig, dass sie kaum das Lenkrad festhalten konnte.

Der Regen trommelte gegen die Windschutzscheibe und lief in breiten Rinnsalen herunter, so dass die Scheibenwischer kaum mithalten konnten.

Vivi Ann gab Gas. In der Stadt versuchte sie sich nur auf die Straße zu konzentrieren. Sie sah so gut wie nichts. Alles um sie herum war wässrig und verschwommen, so substanzlos wie das letzte Mal, als sie Dallas im Gefängnis besucht hatte ... als sie ihn geküsst und angefleht hatte, sie und ihre Liebe nicht aufzugeben ... an diesem Tag war sie auch in den Regen gegangen und –

»Mommy!«

Sie blinzelte und versuchte, sich zu konzentrieren. Sie war auf der Gegenfahrbahn; ein Wagen kam laut hupend auf sie zugerast.

Sie riss das Steuer herum und spürte, wie der Wagen zur Seite ausbrach und über den Fußgängerweg bretterte. Sie trat auf die Bremse, aber es war zu spät, oder sie bremste zu heftig. Der Wagen schlitterte über eine nasse Rasenfläche und krachte gegen einen Baum. Ihr Kopf schlug so hart gegen das Lenkrad, dass sie kurzzeitig die Orientierung verlor. Sie nahm den metallischen Geschmack von Blut in ihrem Mund wahr.

Dann hörte sie Noah schreien.

Das schrille, hysterische Kreischen schien von weit weg zu kommen. Etwas ganz tief in ihrem Inneren reagierte darauf mit Schmerz, aber ihr Kopf konnte damit nichts anfangen.

»Mommy!«

Mit zitternden Händen löste sie ihren Gurt und schnallte Noah ab. Er stürzte sich in ihre Arme und schmiegte schluchzend seinen Kopf in ihre Halsbeuge.

Langsam, ganz langsam nahm sie ihn in ihren Armen wahr und begriff, was gerade passiert war. Sie presste ihn an sich und sog seinen kindlichen Geruch ein. So lange hatte sie sich vor ihrem Sohn verschlossen, war vor ihm zurückgeschreckt, aber jetzt strömte ihre Liebe zu ihm zurück wie eine Sturzflut, in der sie zu ertrinken meinte. »O mein Gott«, schluchzte sie. »Es tut mir so leid …«

Unter Tränen sah er zu ihr auf und schniefte. »Alles in Ordnung, Mommy?«

»Es wird alles in Ordnung kommen, Noah. Das verspreche ich.«

Vivi Ann legte den Rückwärtsgang ein, um den Wagen von dem sehr in Mitleidenschaft gezogenen Baumstamm zu lösen. Der Motor heulte auf, aber der Truck bewegte sich rückwärts und rollte vom Bürgersteig herunter.

Als Vivi Ann weiterfuhr, zitterte sie am ganzen Körper, aber sie versuchte es vor ihrem Sohn zu verbergen, der schon wieder mit seinen Dinos spielte, als wäre nichts geschehen. Doch er würde sich daran erinnern, das war gewiss.

Sie fuhr zur Geburtstagsparty und drückte ihn zum Abschied so fest an sich, dass er sich fast gewaltsam von ihr befreite.

»Ich hab dich lieb, Noah«, sagte sie und fragte sich, wann sie sich das letzte Mal getraut hatte, dies zu sagen.

»Ich dich auch, Mommy.«

Langsam richtete sie sich auf und sah ihm nach, als er zur Haustür ging. In einem anderen Leben – einem, das sie sich früher erträumt hatte – wäre sie Hand in Hand mit ihm gegangen und hätte sich zu den anderen Müttern gesellt, um Spiele zu organisieren und Kuchen auszuteilen.

Aber jetzt stand sie hier, allein und abgeschnitten von ihrem eigenen Leben.

Das musste aufhören.

Sie ging zurück zu dem rauchenden, verbeulten Truck und stieg auf den Fahrersitz.

Ironie des Schicksals: sie auf dem Fahrersitz. Jahrelang war sie nur Beifahrer gewesen, aber was sollte sie tun? Was *konnte* sie tun? Die Antwort schien ihr zu fern und ungeheuer, um sie zu erfassen.

Nur eins wusste sie genau: Sie brauchte Hilfe. Sie schaffte es nicht mehr allein.

Und Winonas Haus war direkt gegenüber.

Sie stieg aus dem Wagen, ging zum Grundstück ihrer Schwester und blieb an dem weißen Zaun stehen. Der Regen prasselte auf sie nieder und trübte ihre Sicht, aber was sie jetzt tun musste, war glasklar. Noah verdiente eine bessere Mutter.

Schließlich seufzte sie tief auf und ging zu Winonas Haustür.

»Winona? Ihre Schwester Vivi Ann möchte Sie sehen.«

Auf diesen Satz hatte Winona so lange gewartet, dass sie sofort von ihrem Stuhl hochschoss und fast vergaß, Lisa zu sagen, sie solle sie hereinbitten.

Unsicher und ängstlich, aber voller Hoffnung überlegte sie, was sie sagen sollte. Als Vivi Ann jedoch die Tür öffnete und eintrat, war Winona so verblüfft, dass ihr die Worte fehlten.

Vivi Ann weinte nicht, sie schluchzte. Tränen liefen ihr über das bleiche, schmerzverzerrte Gesicht, und ihre Schultern zuckten.

Ohne lange zu überlegen, ging Winona zu ihr und breitete die Arme aus.

Vivi Ann wich zurück, taumelte zur Couch und ließ sich darauf sinken.

Winona nahm auf dem Sessel gegenüber Platz. Steif und

aufrecht saß sie da und wagte kaum zu atmen. Dieses eine Mal musste sie den Mund halten und nicht als Erste sprechen. Es war eine Qual. Sie hatte ihrer Schwester so viel zu sagen, jahrelang hatte sie ihre Worte wie Schätze gehütet und poliert, bis sie glänzten wie die Scherben am Strand, die ihre Mutter so geliebt hatte.

Das Schweigen schien sich endlos auszudehnen. Dann sagte Vivi Ann leise: »Heute habe ich Noah und mich fast umgebracht.«

»Was ist passiert?«

»Das ist unwichtig.« Sie wandte den Blick ab. Ihr stumpfes, strähniges Haar hing ihr im Gesicht; aus ihren blutunterlaufenen Augen quollen Tränen. »Ich würde alles geben, um von hier zu verschwinden, aber ich weiß nicht, wohin.«

»Renn doch nicht weg«, bat Winona. »Wir sind deine Familie. Noahs Familie. Wir können das zusammen durchstehen.«

»Dallas wird nicht mehr aus dem Gefängnis kommen. Du hattest recht. Und jetzt will er sich von mir scheiden lassen.«

»Ich hatte in vielerlei Hinsicht unrecht, Vivi«, erwiderte Winona. Das waren die Worte, die sie viel zu spät aussprach.

»Ich weiß, du hältst mich für verrückt, weil ich ihn liebe, und du hasst mich, weil ich Luke weh getan habe, aber ich brauche deinen Rat, Win.« Da endlich sah Vivi Ann auf.

»Ich hasse dich nicht, weil du Luke weh getan hast«, entgegnete Winona seufzend. »Ich hab dich gehasst, weil er dich geliebt hat.«

Vivi Ann runzelte die Stirn und wischte sich die Tränen aus den Augen. »Was?«

»Seit ich fünfzehn war, habe ich Luke Connelly geliebt. Das hätte ich dir sagen sollen.«

Es dauerte eine ganze Weile, bis Vivi Ann wieder etwas äußerte, und dann kamen ihre Worte so langsam heraus, als müsste sie einzeln nach ihnen suchen. »Du hast ihn geliebt.

Jetzt ergibt wohl alles einen Sinn. Wir Greys«, sagte sie, »haben nicht viel Glück in der Liebe, nicht wahr? Was mache ich denn jetzt, Win?«

Winona wusste schon seit Jahren die Antwort auf diese Frage. Sie hatte gewartet, dass sie ihr gestellt würde, und ihre Antwort schon hundertmal vorformuliert. Aber erst jetzt begriff sie, wie grausam die Wahrheit war, und konnte sie nicht über die Lippen bringen.

»Sag's mir«, bat Vivi Ann, und an dem Schmerz in ihrer Stimme erkannte Winona, dass Vivi die Antwort schon wusste; sie brauchte nur die Hilfe ihrer großen Schwester, um sie anzunehmen.

»Du musst Dallas vergessen und dich endlich um deinen Sohn kümmern. Und diese Pillen bringen dich um.«

»Noah verdient eine bessere Mutter als mich.«

Da endlich ging Winona zu Vivi Ann, nahm ihre Schwester in die Arme und ließ sie sich ausweinen. »Du kommst darüber hinweg, versprochen. Wir alle werden dir helfen. Eines Tages wirst du dich sogar neu verlieben.«

Vivi Ann sah auf, und in ihrem Blick lag eine Traurigkeit, die Winona bodenlos vorkam. »Nein«, sagte Vivi Ann schließlich, »das werde ich nie mehr.«

Teil 2

Danach

Ich möchte euch zeigen, was echter Mut ist, damit ihr nicht meint, ein Mann mit einem Gewehr in der Hand wäre mutig. Mut ist, wenn man schon vorher weiß, man hat im Grunde keine Chance, es aber trotzdem angeht und bis zum Ende durchsteht, ganz gleich, was kommen mag.

Atticus Finch, aus Harper Lee
Wer die Nachtigall stört

Achtzehn

2007

Es gab Orte, die sich mit der Zeit veränderten, und andere, die immer gleich blieben. Seattle zum Beispiel hatte sich in den letzten zehn Jahren fast bis zur Unkenntlichkeit verändert. Die Kombination aus Internet-Start-ups und Designer-Cafés hatte die einst leger gekleideten, Natur liebenden Einwohner dieser großen, schönen Metropole in moderne Städter verwandelt. Mittlerweile war Baulärm allgegenwärtig; gigantische orangefarbene Kräne wachten wie riesige Raubvögel über der sich ständig ändernden Skyline. Jeden Tag stieß ein neuer Wolkenkratzer in den grauen Himmel. Restaurants mit ambitionierter Fusion-Küche und unaussprechlichen Namen säumten die Straßen und schufen aufstrebende charakteristische Viertel, wo es vorher nur Gebäude und Straßenschilder gegeben hatte. Die berühmte Space Needle und der einst so bekannte Smith Tower sahen jeden Tag kleiner und älter aus und waren nicht mehr die stolzen Zwillingsmasten der Stadt, sondern nur noch ihre Buchstützen.

Auch Vivi Ann war erwachsen geworden. Mit neununddreißig hatte sie ihre jugendliche Energie und Zuversicht fast ganz verloren. Ein paar Mal im Jahr, wenn sie sich besonders einsam, rastlos und unruhig fühlte, fuhr sie nach Seattle.

Mit einem stichhaltigen Vorwand – einer Auktion für Reitbedarf oder einem Pferd, das zum Verkauf angeboten wurde – und einem zuverlässigen Babysitter versuchte sie, Trost in dunklen Bars zu finden, aber wenn sie sich von einem

Mann nach Hause begleiten ließ – was selten genug geschah –, fühlte sie sich am Ende noch schmutziger und unglücklicher als vorher.

Und immer kehrte sie nach Oyster Shores zurück, wo sich nie etwas änderte. Natürlich wurden neue Häuser gebaut, und die Grundstückspreise waren gestiegen, aber noch war dieses Fleckchen Erde relativ unbekannt. Als Bill Gates ein paar Jahre zuvor sein Sommerhaus am Ufer des Hood Canal mit seinem vergleichsweise warmen Wasser errichtet hatte, hatten die Einheimischen befürchtet, andere Millionäre würden es ihm nachtun und ihre alten, bequemen Villen zugunsten riesiger McMansions am Ufer abreißen. Das war auch geschehen – und geschah noch –, aber nur zögerlich.

Viele der alten Geschäfte standen noch, allerdings hatten sie, dank der Sommergäste, schönere Schilder. Es gab ein paar Restaurants und ein paar Bed & Breakfast mehr, und neuerdings auch ein Kino mit drei Sälen, aber ansonsten war nicht viel dazugekommen. Auf der Main Street schmückten immer noch Blumenkästen die Straße, und am Shore Drive hingen Blumenampeln an den Straßenlaternen.

Im Grunde war die größte Veränderung in Water's Edge vorgegangen. Die Ranch war erfolgreicher, als sich Vivi Ann je hätte vorstellen können. Sie hatte jetzt zwei Vollzeitkräfte, und die Arena war so gut wie nie leer. Sie war der soziale Mittelpunkt der Stadt geworden, und Vivi Ann hatte Schwierigkeiten, Zeit für ihre Schwestern zu finden.

Jetzt saß sie mit Aurora in ihrer Lieblingsnische im Diner. Um sie herum saßen die üblichen Mittagsgäste, Einheimische, die sich leise miteinander unterhielten. In einer Woche aber war Memorial Day, und dann würde es hier von Touristen nur so wimmeln.

»Ich hab gehört, wir haben einen neuen Banker in der Stadt. Er soll ganz gut aussehen«, bemerkte Aurora und strich sich eine Strähne ihrer neuerdings blonden Haare hinters

Ohr. In den letzten Monaten hatte sie Nicole Kidman zu ihrer persönlichen Mode-Ikone erkoren, was bedeutete, dass sie ihr weizenblondes kinnlanges Haar ganz glatt trug und so dick Sonnencreme auftrug, dass sie auch gegen radioaktive Strahlung geschützt war.

»Ach, wirklich?«, erwiderte Vivi Ann. Sie wussten beide, dass sie das nicht interessierte. »Vielleicht solltest du dich an ihn ranmachen.«

»Es ist jetzt zwölf Jahre her«, sagte Aurora und sah Vivi Ann direkt in die Augen.

Als wüsste sie nicht ganz genau, wie viel Zeit seit Dallas' Verhaftung vergangen war. Es gab immer noch Nächte, in denen sie nicht schlafen konnte, und Tage, an denen sie sich verfluchte, weil sie die Scheidungspapiere unterschrieben hatte. Manchmal, in der Stille der Nacht, fragte sie sich, ob er sie auf die Probe hatte stellen wollen; ob sie ihre Liebe hatte beweisen sollen, indem sie sich weigerte, einfach aufzugeben. »Können wir bitte das Thema wechseln?«

»Natürlich.« Aurora zahlte die Rechnung, und dann gingen sie gemeinsam hinaus in die Sonne. »Danke, dass du mit mir essen gegangen bist.«

»Ach was, ich schwänze nur zu gern. Beim nächsten Mal brezle ich mich auf.«

»Du? Ha!«

»Ich weiß doch, wie sehr du es hasst, mit einer unpassend gekleideten Begleitung gesehen zu werden.«

»Wir leben in einer Kleinstadt. Da ist die Auswahl begrenzt. Wenn ich nicht mit dir ausgehen könnte, müsste ich vielleicht wieder zum Frauenclub und mir anhören, dass es blöd von mir war, Richard ziehen zu lassen. Als hätte ich einfach ignorieren sollen, dass er es mit seiner Sprechstundenhilfe treibt.«

Vivi Ann hakte sich bei ihrer Schwester unter. Auroras hässliche Scheidung war jetzt vier Jahre her, aber keiner wusste besser als sie selbst, wie lange manche Wunden brauchten, um zu heilen. Sie wusste, dass Aurora sich dumm fühlte, weil sie nicht früher die Untreue ihres Mannes bemerkt hatte. »Wie geht es dir denn? Ganz ehrlich.«

»Mal so, mal so.«

»Das kenne ich«, erwiderte Vivi Ann. Auch das wusste sie: dass man nur in begrenztem Maße über etwas reden konnte. Aber irgendwann musste man es loslassen. Und über Auroras Scheidung war schon alles gesagt worden. Also fragte sie: »Wie läuft's bei der Arbeit?«

»Großartig. Ich hätte schon viel früher wieder anfangen sollen zu arbeiten. Schmuck zu verkaufen ist zwar nichts Besonderes, aber damit komme ich unter Leute.«

Vivi Ann wollte gerade etwas dazu sagen, als ihr Handy klingelte. Sie holte es heraus, klappte es auf und meldete sich.

»Vivi? Hier spricht Lori Lewis von der Schule. Noah ist im Büro des Direktors.«

»Ich komme sofort.« Fluchend ließ Vivi Ann das Handy zuschnappen. »Es geht um Noah«, erklärte sie. »Er hat Ärger in der Schule.«

»Schon wieder? Soll ich dich begleiten?«

»Nein. Danke.« Vivi Ann umarmte Aurora kurz und eilte dann zu ihrem neuen Wagen. Sie fuhr drei Häuserblöcke weiter und parkte auf der Straße.

Als sie im Sekretariat angekommen war, sagte sie mit gezwungenem Lächeln: »Hi, Lori.«

»Hi, Vivi«, erwiderte Lori und geleitete sie zum Zimmer des Direktors. Sie öffnete die Tür und erklärte: »Noah ist bei Harding.«

»Danke«, sagte Vivi Ann und ging an der Sekretärin vorbei.

Als sie eintrat, stand Harding auf. Er war ein großer Mann, dessen Bauch fast die Knöpfe von seinem weißen kurzärmligen Hemd sprengte. Die ausgebeulte braune Polyesterhose, die sich unter seinem Bauch spannte, wurde von Hosenträgern gehalten. Er hatte sein fleischiges Gesicht, auf dem sich ein Bartansatz zeigte, in betrübte Falten gelegt und ähnelte damit einem Bassett. »Hallo, Vivi Ann«, begrüßte er sie. »Tut mir leid, dass wir dich herrufen mussten. Ich weiß, dass auf der Ranch momentan viel zu tun ist.«

Sie nickte bestätigend und blickte in die Ecke, wo ihr fast vierzehnjähriger Sohn auf einem Stuhl fläzte. Er hatte ein Bein lässig ausgestreckt. Sein pechschwarzes Haar fiel ihm ins Gesicht und verdeckte eins seiner grünen Augen – die hatte er von ihr geerbt. Ansonsten war er seinem Vater wie aus dem Gesicht geschnitten.

Als sie zu ihm ging, strich er sich die Haare hinter die Ohren, und da sah sie das blaue Auge und den Riss an seiner Wange. »Ach, Noah ...«

Er verschränkte die Arme und starrte aus dem Fenster.

»Er ist in der Mittagspause wieder in eine Prügelei geraten. Erik Jr., Brian und noch ein paar Jungs waren beteiligt. Tad musste zum Arzt und geröntgt werden«, erzählte Harding.

Die Schulglocke läutete, und unmittelbar darauf erzitterte der Boden unter ihnen von den Schülern, die scharenweise in die Klassen zurückströmten. Ihre Stimmen drangen bis ins Büro.

Harding drückte einen Knopf der Gegensprechanlage und sagte: »Bitte schicken Sie Rhonda zu mir.« Dann sah er zu Noah. »Junger Mann, ich verliere langsam die Geduld mit dir. Du bist dieses Jahr schon das dritte Mal in eine Prügelei verwickelt.«

»Ist das jetzt strafbar, wenn man verprügelt wird?«

»Aber mehrere Schüler haben behauptet, du hättest angefangen.«

»Hätte ich mir denken können«, entgegnete Noah verbittert, aber Vivi Ann kannte ihn gut genug, um den Schmerz hinter seiner Wut zu sehen.

Harding seufzte. »Wenn es nach mir ginge, würde ich ihn ein paar Tage vom Unterricht ausschließen, aber Mrs Ivers ist offenbar der Meinung, er verdiente noch eine letzte Chance. Und da es nur noch zwei Wochen bis zu den Ferien sind, werde ich mich ihr anschließen.« Er sah zu Vivi Ann. »Aber du musst den Jungen fester an die Kandare nehmen, Vivi Ann. Bevor noch jemand ernsthaft zu Schaden kommt wie bei –«

»Das werde ich, Harding.«

Hinter ihnen öffnete sich die Tür, und Rhonda Ivers trat ein.

»Du kannst gehen, Noah«, sagte Harding, worauf Noah sofort aufsprang.

Als er sich an Vivi Ann vorbeidrücken wollte, packte sie ihn am Arm und wirbelte ihn zu sich herum. Mittlerweile war er so groß, dass sie sich direkt in die Augen sehen konnten. »Du kommst heute direkt nach der Schule heim. Und nur bei Grün über die Straße. Selbst wenn du zweihundert Dollar findest, du gehst einfach dran vorbei, klar?«

Er riss sich los. »Ja, ja.«

Als er weg war, sagte Harding: »Ich hoffe, du weißt, was du tust, Rhonda.« Dann bedachte er sie beide mit einem durchdringenden Blick und verkündete: »Ihr könnt euch jetzt besprechen. Ich hab Aufsicht.«

Rhonda wartete, bis er gegangen war, und setzte sich dann an seinen großen Metallschreibtisch. Zwischen den unzähligen Papierstapeln wirkte sie zart wie ein Vögelchen. Sie sah noch ganz genau so aus wie zwanzig Jahre zuvor, als sie versucht hatte, Vivi Ann *Beowulf* nahezubringen. »Setz dich, Vivi«, bat sie.

Vivi Ann war es so leid; sie fühlte sich, als hätte sie seit zwölf Jahren einen unsichtbaren Feind nach dem anderen bekämpft. Seit dem Augenblick, als Al Dallas gefragt hatte, wo er Heiligabend gewesen war.

»Wir wissen ja alle über Noahs Hintergrund Bescheid«, setzte Mrs Ivers an, als Vivi Ann Platz genommen hatte. »Und sein Problem. Wir wissen, warum er unglücklich ist und sich so verhält.«

»Sie glauben also, er sei unglücklich? Ich dachte ... ich hoffte, es handelte sich nur um ganz normale Teenagerrebellion.«

Rhonda bedachte sie mit einem mitleidigen Lächeln. »Weißt du, dass sich die anderen über ihn lustig machen?«

Vivi Ann nickte.

»Er braucht einen Freund, vielleicht auch einen Psychologen, aber diese Entscheidung liegt natürlich bei dir. Ich spreche jetzt mit dir, weil er dieses Jahr Literatur nicht bestehen wird. Ganz gleich, wie ich es rechne, er wird die verpassten Stunden nicht nachholen können.«

»Wenn Sie ihn sitzenbleiben lassen, wird sein Problem nur noch größer. Dann denken die anderen nicht nur, er wäre anders, sondern auch noch dumm.«

»So weit bin ich auch gekommen.« Mrs Ivers holte ein großes Notizbuch mit schwarzweißem Einband aus ihrer Tasche und schob es über den Tisch. »Deshalb gebe ich Noah eine letzte Chance, den Kurs abzuschließen. Wenn er den Sommer über dieses Notizbuch mit *ernsthaften* Schreibversuchen füllt, gebe ich ihm die Zulassung zur Senior-Highschool.«

Vivi Ann spürte, wie in ihr Dankbarkeit gegenüber ihrer einstigen Lehrerin aufwallte, über die sie sich oft lustig gemacht hatte. »Vielen Dank.«

»Warte es erst mal ab. Noah wird sich sehr anstrengen müssen. Ich verlange, dass er den ganzen Sommer über acht Seiten pro Woche schreibt. Jeden Montag treffen wir uns, damit ich ihm das Thema der Woche nennen kann. Wir fangen nächste Woche vor der Schule an. Sagen wir: Montag, zehn vor acht in meinem Klassenraum? Ende August werde ich seine Arbeit benoten. Ich lese seine Einträge nur, um sicherzustellen, dass er sie selbst verfasst hat. Habe ich mich klar ausgedrückt?«

»Vollkommen klar.«

Da endlich lächelte Mrs Ivers, wenn auch etwas traurig. »Es ist bestimmt nicht leicht für ihn.«

Die Vergangenheit war in einer Kleinstadt wie der ihren immer präsent, so wie die Erde unter einer dünnen Schicht Schnee. »Nein«, sagte Vivi Ann und nahm das leere Notizbuch. »Es ist nicht leicht.«

Als Vivi Ann auf der Ranch ankam, war es fast Zeit für ihren Nachmittagsunterricht. Sie ging an der Arena vorbei, wo ihr Vater mit ein paar Freunden Lassowerfen übte. Die Arbeiter – die nur tagsüber auf Water's Edge waren und nicht dort wohnten – kümmerten sich um die Schutzwände. Sie winkte kurz, ging ins Büro des Reitstalls und fing an, Flyer für die Cutting-Serie im nächsten Monat zu entwerfen.

In den letzten Jahren war Water's Edge zwar ziemlich erfolgreich, aber im Reitstall hatte sich nur wenig geändert. Die Arena hatte immer noch Reihen von Holztribünen und alte Gatter und Schutzwände für das Lassowerfen; drei große gelbe Fässer waren auf eine Seite gerollt; für den Barrel-Racing-Jackpot am Abend würden sie in die Arena gezogen werden. Im Stall hatten die Pferde den Boxen zugesetzt, wo sie nur konnten, und im Holz tiefe Spuren hinterlassen. In den Ecken hingen große Spinnweben und an den Wänden zahllose bunte Flyer mit Verkaufsangeboten, Unterrichtsstunden, Vereinen und Dienstleistungen von Tierärzten und Hufschmieden. Auch die Rodeotermine waren schon seit langer Zeit gleichbleibend. Vivi Ann führte immer noch mehrere Jackpots pro Monat und einen länger dauernden Barrel-Racing-Marathon durch, gab Reitunterricht und schulte Pferde. Zusätzlich dazu wurde die Arena regelmäßig für verschiedene Vereine und Events vermietet: Jugendgruppen,

Pferdeschauen und Rettungsmannschaften. Einmal im Monat kamen behinderte Kinder zum Reiten. Der einzige Unterschied war nur, dass Vivi Ann nicht mehr selbst an Turnieren teilnahm. Sie hatte es nicht über sich bringen können, Clem zu ersetzen.

Die nächsten vier Stunden arbeitete sie ununterbrochen. Nach Schulschluss tauchte die Jugendgruppe auf, und sie war umringt von Mädchen, die sich immer noch mehr für Pferde als für Jungen interessierten und hingebungsvoll übten, was sie ihnen beibrachte. In ihrer Gegenwart fühlte sie sich wie ein umschwärmter, angebeteter Rockstar. Sie wusste, schon bald wären diese Mädchen erwachsen, würden ihre Pferde verkaufen und den nächsten Schritt tun. Das war hier der Kreislauf des Lebens: Erst kamen die Pferde, dann kamen die Jungen und nahmen ihren Platz ein. Die Mädchen wurden zu Frauen und kehrten viel später mit ihren eigenen Töchtern zurück, und dann fing der Kreislauf von vorn an.

Am Ende des Tages löschte Vivi Ann das Licht in der Arena, sah nach jedem einzelnen Pferd in den Boxen und ging dann hinunter zum Farmhaus, wo ihr Vater auf seinem Lieblingsschaukelstuhl saß. Wie in letzter Zeit üblich, verbrachte er den Abend nach einem langen Arbeitstag auf der Veranda, trank Bourbon und schnitzte an einem Stück Holz.

In den letzten zehn Jahren war er merklich gealtert. Sein zerfurchtes Gesicht war mager geworden, und sein einst wilder Haarschopf war jetzt ein Flaum. Buschige weiße Augenbrauen wucherten über seinen dunklen Augen.

Er war vierundsiebzig, bewegte sich aber wie ein uralter Greis. Er und Vivi Ann sprachen nie über die Ereignisse in der Vergangenheit, über das, was vor Jahren geschehen war und ihre Familie auseinandergerissen hatte.

Sie unterhielten sich nur noch über Alltägliches, und manchmal sahen sie sich nicht mal an; es war, als wäre ein Teil ihres Lebens von einer Eiskruste überzogen und unsichtbar geworden. Aber Vivi Ann hatte die Erfahrung gemacht, dass man nicht immer über etwas sprechen musste, um es zu lösen. Wenn man nur lange und ausdauernd genug so tat, als wäre alles in Ordnung, war es mit der Zeit auch so, zumindest fast.

Auch in der Stadt redete niemand mehr über die Jahre zurückliegenden Ereignisse, zumindest nicht mit Vivi Ann. In stillschweigendem Einvernehmen war man entschlossen, alles zu vergessen.

Unglücklicherweise wurde damit sowohl im Farmhaus als auch in der Stadt auch Noahs Herkunft totgeschwiegen. Zumindest von den Erwachsenen. Ganz offensichtlich beteiligten sich die Kinder nicht an dem Schweigepakt.

»Hey, Dad«, sagte Vivi Ann jetzt, als sie die Veranda hinaufstieg. »Wir brauchen noch Heu. Könntest du bei Circle J anrufen?«

»Ja. Ich hab dem neuen Arbeiter auch gesagt, dass wir noch Phenylbutazon brauchen.«

»Gut.« Sie ging ins Haus, kochte für ihn und die Arbeiter und hielt das Essen im Ofen warm. Die drei Männer konnten in letzter Zeit gar nicht genug bekommen; Vivi Ann kochte zwar im Farmhaus, setzte sich aber nur selten zum Essen dazu. Ihr Leben fand im Cottage statt, mit Noah. Als sie fertiggekocht hatte, kehrte sie auf die Veranda zurück.

Sie wollte schon an ihrem Vater vorbeigehen, da sagte er: »Ich hab gehört, Noah ist heute wieder in eine Prügelei geraten.«

»Ach ja, die Gerüchteküche«, erwiderte sie gereizt. »Hat man dir auch zugetragen, wer angefangen hat?«

Jetzt stand die Vergangenheit deutlich spürbar zwischen ihnen.

»Du weißt doch genau, wer angefangen hat.«

»Das Essen ist im Ofen. Sag Ronny, er soll dieses Mal abspülen.«

»Ja.«

Sie ging quer über den Parkplatz und die Auffahrt (die seit 2003 asphaltiert war) und blieb an der Koppel hinter dem Reitstall stehen. Renegade wieherte, als er sie sah, und hinkte mit seinen geschwollenen, arthritischen Knien mühsam auf sie zu.

»Hey, mein Junge.« Sie rieb ihm über die langsam grau werdenden Nüstern und kratzte ihm die zuckenden Ohren. Plötzlich fragte sie sich: *Träumt er immer noch davon, auf Renegade zu reiten?*

Sie verdrängte den Gedanken und ging weiter zum Cottage. Renegade folgte ihr auf seiner Seite des Zauns langsam und humpelnd, doch am Fuße des Hügels gab er auf, blieb stehen und sah ihr nach.

Sie achtete darauf, nicht zu ihm zurückzublicken, als sie den restlichen Weg zum Cottage zurücklegte. Als sie die Tür öffnete, war ihr sofort klar, dass Noah schon zu Hause war, denn die Holzwände wurden von laut dröhnender Musik erschüttert. Sie holte tief Luft und atmete langsam wieder aus. Sie hatte weiß Gott gelernt, dass Wut nichts brachte.

Vor seiner Zimmertür hielt sie inne und klopfte. Da sie wegen der Musik keine Antwort hören konnte, öffnete sie die Tür und trat ein.

Sein Zimmer war lang und schmal und erst kürzlich angebaut worden. Die Wände waren mit Postern von verschiedenen Bands bedeckt: Godsmack, Nine Inch Nails, Korn, Metallica. In einer Ecke standen ein Computer und ein Fernseher, an den eine Xbox angeschlossen war.

Vielleicht war das das Problem; sie hatte ihm zu viel erlaubt und zu wenig gefordert. Aber sie versuchte immer noch, seinen Verlust auszugleichen.

Er saß mit dem Rücken zu ihr und einem Controller in den Händen auf seinem ungemachten Bett und ließ eine Bikerbraut einem Typen in die Eier treten.

»Wir müssen reden«, sagte sie zu ihm.

Als er weder antwortete noch den Kopf wandte, ging sie zum Fernseher und schaltete ihn aus.

»Verdammt, Mom! Ich hätte fast das Level geschafft.«

»Du sollst nicht fluchen.«

Er sah sie trotzig an. »Wenn das so schlimm ist, sollten du und deine Schwestern vielleicht ein besseres Vorbild sein.«

»Versuch nicht, den Spieß umzudrehen«, erwiderte sie. »Das läuft diesmal nicht. Worum ging es bei deinem Streit?«

»Ach, lass mal nachdenken. Globale Erwärmung?«

»Noah ...«

»Worum soll es schon gegangen sein? Worum es immer geht. Dieser Wichser Engstrom hat mich Indie genannt, und seine Frettchenfreunde haben mit einem Regentanz angefangen. Also hab ich ihm eins auf die Glocke gegeben.«

Vivi Ann setzte sich neben ihn. »Da hätte ich ihm auch eins in sein Pickelgesicht geben wollen.«

Er warf ihr durch seine strähnigen Haare einen Blick zu.

Vivi Ann wusste, dass er sich verzweifelt nach einem Verbündeten sehnte, einem Freund, der ihn unterstützte. Ihr brach es das Herz, dass sie nicht diese Rolle für ihn übernehmen konnte. Früher hatte sie gedacht, sie würden für immer die besten Freunde sein; aber diese naive Vorstellung hatte sie aufgeben müssen. Er war ein Junge ohne Vater; daher brauchte er eine Mutter, die die Regeln bestimmte und durchsetzte. »Jedes Mal wenn du dich mit jemandem prügelst, gibst du ihnen recht.«

»Und wenn schon! Vielleicht bin ich ja wirklich wie mein Alter.« Er schleuderte den Controller gegen die Wand. »Ich *hasse* diese Scheißstadt.«

»Noah.«

»Und ich hasse dich, weil du ihn geheiratet hast. Ich hasse ihn, weil er nicht hier ist ...« Ihm brach die Stimme. Er stand auf und rückte schnell vom Bett ab.

Sie ging zu ihm und wollte ihn wie früher in den Arm nehmen, aber er schob sie weg. Sie starrte auf seinen Rücken, sah, wie zusammengesunken seine Schultern waren, und wusste, wie sehr ihn die hässlichen Bemerkungen auf dem Schulhof verletzt hatten.

»Ich weiß, wie du dich fühlst, glaub mir.«

Er drehte sich um. »Ach ja? Du weißt also, wie es ist, einen Mörder zum Vater zu haben?«

»Ich hatte einen zum Mann«, sagte sie leise.

»Lass mich allein.«

Wieder holte Vivi Ann tief Luft. Sie hatten schon vorher einige Male um den heißen Brei herumgeredet. Sie wusste nie, was sie über Dallas sagen sollte. »Bevor ich gehe, muss ich dir noch die gute Nachricht verkündigen, dass du Literatur nicht bestehen wirst. Das heißt, im September gehst du nicht auf die Highschool.«

Jetzt merkte er auf. »Was?«

»Glücklicherweise ist Mrs Ivers bereit, dir noch eine Chance zu geben. Du darfst in diesem Sommer ein Tagebuch für sie anlegen. Montagmorgen trefft ihr euch vor der Schule und besprecht die Einzelheiten.«

»Ich hasse schreiben.«

»Na, dann viel Spaß bei der zweiten Runde in der Achten.«

Dann ging sie, damit er darüber nachdenken konnte.

Wer bin ich?

Nur eine vollkommen irre Alte wie Mrs Ivers kann einem eine derart bescheuerte Aufgabe aufbrummen. Sie glaubt, es macht mir was aus, wenn ich in Literatur durchfalle. Als würde ich das brauchen, wenn ich mit der Schule fertig bin. Also: zum Teufel mit ihr und ihrer letzten Chance. Ich mach's auf gar keinen Fall.

Ich bin vom Unterricht ausgeschlossen worden. Scheiße!

Wer bin ich?

Wieso glaubt Mrs I., das wäre so wichtig? Ich bin niemand. Das werde ich ihr schreiben. Ach nein, ich muss es ihr nicht schreiben, weil sie mein PRIVATZEUG NICHT LESEN WIRD. Als würde ich ihr abnehmen, dass sie es nur überfliegt, um zu sehen, ob ich nicht von anderen abschreibe. Ja, klar! Glaub ich unbesehen.

Ich sollte es ihr sagen. Vor den Latz knallen. ICH WEISS NICHT, WER ICH BIN.

Woher auch?

Ich ähnele niemandem in meiner Familie. Alle behaupten, ich hätte die Augen meiner Mutter, aber sollte ich jemals so traurig aussehen, kann ich auch gleich Schluss machen.

So lautet meine Antwort, Mrs I. Ich weiß nicht, wer ich bin, aber es ist mir egal. Was schert es mich? Es schert doch keinen in der ganzen Stadt. Meine Mittagspausen muss ich allein verbringen, am Versagertisch. Mit mir spricht sowieso keiner. Wenn ich an ihnen vorbeigehe, lachen sie nur und erzählen sich Scheiß über meinen Vater.

Neunzehn

Winonas Leben war ein Paradebeispiel dafür, dass man Erfolg haben konnte, wenn man eine gute Ausbildung bekam, hart arbeitete und nicht den Glauben an sich selbst verlor. Diese ermutigende Wahrheit führte sie – mit einer Geschichte ihrer Triumphe – Jugendgruppen, Schulklassen und jungen Ehrenamtlichen im ganzen Land vor Augen. Sie glaubten ihr – warum auch nicht? Schließlich war ihr Erfolg für alle Welt sichtbar: Sie wohnte in einer prächtigen, restaurierten viktorianischen Villa, fuhr ein brandneues, bar bezahltes eisblaues Mercedes Cabrio und kaufte und verkaufte regelmäßig Grundstücke in der Umgebung. Sie hatte so viele Klienten, dass sie – sofern es sich nicht um einen Notfall handelte – oft bis zu zwei Wochen auf einen Termin warten mussten. Aber das Beste war, dass ihre Nachbarn sich angewöhnt hatten, sie um Rat zu fragen. Im Laufe der Zeit hatte sich erwiesen, dass sie fast immer recht behielt, und es schmeichelte ihr, dass ihre Ruhe und Sachlichkeit bei Entscheidungsprozessen anerkannt und bewundert wurden. Rückblickend betrachtet, hatte selbst die hässliche Angelegenheit mit Dallas ihrem Ruf genutzt. Letzten Endes hatte man es gutgeheißen, dass sie Dallas nicht vertreten hatte, und Vivi Ann war, genau wie Winona gehofft hatte, wieder zur Familie zurückgekehrt. Jetzt waren sie wieder zusammen; manchmal wurde es zwar schwierig oder alter Groll brach durch, aber sie hatten gelernt, darüber hinwegzusehen, das Thema zu wechseln und weiterzumachen, als wäre nichts.

Insgesamt hatte Winona das Gefühl, der Zusammenhalt in ihrer Familie sei so gut und gefestigt wie bei den meisten und oft sogar noch besser.

Natürlich war nicht alles perfekt. Sie war dreiundvierzig und hatte immer noch keinen Mann und keine Kinder. Letzteres hatte ihr nie viel ausgemacht, höchstens in Träumen, wenn ihre Ungeborenen die Arme nach ihr ausstreckten. Aber es war ihr eben nicht gegeben worden, sosehr sie es sich auch gewünscht hatte. Sie war im Laufe der Jahre mit vielen Männern (und einigen echten Versagern) ausgegangen und hatte sich oft Hoffnungen gemacht. Aber am Ende war sie doch allein geblieben.

Jetzt hatte sie keine Lust mehr, auf das Leben zu warten, das sie sich erträumt hatte, sondern beschlossen, andere Wege einzuschlagen. Ihre Karriere war immer glatt verlaufen, daher würde sie versuchen, hierin ihre Erfüllung zu finden.

Mit diesem neuen Ziel im Hinterkopf stand sie jetzt auf dem Bürgersteig und begutachtete den Stand, den sie gerade aufgebaut und geschmückt hatte. Eigentlich waren es nur vier aneinanderbefestigte Tische, die bis zum Boden mit rotem Tuch bedeckt waren. Dahinter prangte eine riesige, zwischen zwei beschwerten Stangen gespannte Fahne, auf der stand: *Wählt Grey zum Bürgermeister*! Auf dem Tisch lagen Hunderte von Broschüren mit Fotos von ihrem Urgroßvater, der neben einem selbstgemachten Schild mit der Aufschrift *Oyster Shores, Einwohner:* 12 stand. Außerdem konnte man dort eine ausführliche Beschreibung von Winonas politischen Überzeugungen zu jedem denkbaren Thema finden. Mochten andere Kandidaten viel heiße Luft verbreiten: sie nicht. Sie hatte vor, die Wahl kraft ihrer Überzeugungen zu gewinnen. In zwei großen Gläsern warteten Hunderte von Buttons mit der Aufschrift *Wählt Grey*.

Alles war vorbereitet.

Sie warf einen Blick auf ihre Armbanduhr. Es war sieben Uhr sechsundvierzig.

Kein Wunder, dass noch so gut wie niemand zu sehen war. Die Festlichkeiten zum Gründungstag fingen erst gegen Mittag an, und alle Geschäfte hatten noch geschlossen. Winona lehnte sich gegen die Straßenlaterne und ließ ihren Blick über die Straße wandern. Von ihrem Standpunkt vor dem *Sport Shack* aus konnte sie alles von *Ted's Boatyard* bis zum *Bed & Breakfast Canal House* überschauen. Die übliche Dekoration zum Gründungstag war schon überall zu sehen: Fahnen mit Planwagen vor einem schönen blauen Hintergrund, handgemalte Bilder von Pionieren auf den Schaufenstern und blinkende Lämpchen an den Laternenpfählen.

Während sie so dastand, lichteten sich die Wolken, und es wurde etwas heller. Um acht Uhr waren alle anderen Standbesitzer aufgetaucht, hatten Winona im Vorbeigehen gegrüßt und beeilten sich nun, ihre Stände bis zum Mittag aufzubauen. Gegen neun Uhr öffneten auch nach und nach die Geschäfte. Überall auf der Straße hörte man die Glöckchen über den Ladentüren bimmeln.

Die Feierlichkeiten zum Gründungstag hatten schon immer am Montag des Memorial Day begonnen und sich dann eine Woche hingezogen. Jahr für Jahr tauchten dieselben Straßenhändler auf und verkauften ihre immer gleichen Waren: selbstgemachte Marmeladenscones, Churros, selbstgemachte Limonade, Austerncocktails, gegrillte Austern und die sehr beliebten Conestoga-Handpuppen. Den ganzen Tag drängten sich die Leute von Stand zu Stand und aßen und kauften Sachen, die sie nicht brauchten. Wenn es dunkel wurde, baute eine Bluegrass-Band auf dem Parkplatz des Waves Restaurants ihre Instrumente auf, brachte Lautsprecher in Position und spielte allen Besuchern zwischen fünf und fünfundsiebzig zum Tanz auf. Das war der inoffizielle Sommeranfang.

Winona ging die Straße hinunter und kaufte sich einen Milchkaffee. Als sie zu ihrem Stand zurückkam, warteten schon Vivi Ann, Noah und Aurora auf sie. Zweifellos hatte Vivi Ann Angst, ihren jugendlichen Delinquenten allein zu Hause zu lassen.

»Wir wollten dir helfen«, verkündete Vivi Ann lächelnd.

»Das hatte ich gehofft«, erwiderte Winona.

»Gehofft?« Aurora hob ihre perfekt gezupfte Augenbraue. »Für mich hat es sich eher wie ein Befehl angehört. Was meinst du, Vivi?«

»Allerdings, sie hat uns hierherbefohlen.«

»Ich wüsste nicht, wieso, ihr kleinen Miststücke«, sagte Winona grinsend. »Höchstens, weil ihr billige Arbeitskräfte seid.«

Aurora musterte den Stand und runzelte die Stirn. Mit ihren modischen Designerjeans, den hochhackigen Sandaletten und der taillierten weißen Bluse wirkte sie eher wie eine Prominente und nicht wie die Exfrau eines Kleinstadtarztes. »Ich fasse es nicht, dass du um deine Fahne Ausdrucke der amerikanischen Flagge geklebt hast. Rechteckige Formen sind unvorteilhaft für Frauen, das weiß doch jeder. Und dein Slogan: Wählt Grey. Du hast sieben Jahre studiert, und etwas Besseres fällt dir nicht ein?« Sie wandte sich zu Vivi Ann. »Zum Glück muss man als Politiker nicht originell sein.«

»Aber dir wäre natürlich was Besseres eingefallen«, spöttelte Winona.

Aurora dachte demonstrativ nach. Sie zog ihre Stirn in Falten und tippte sich mit dem langen, lackierten Fingernagel des Zeigefingers gegen die Wange. »Hmm ... wirklich ganz schön schwierig, wo du doch ›Win‹ heißt. Was könnte man daraus bloß machen?«

Winona brach in Gelächter aus, sie konnte nicht anders. »Wieso bin ich nicht darauf gekommen?«

»Du hast schon immer den Wald vor lauter Bäumen nicht

gesehen«, erwiderte Aurora. »Erinnerst du dich noch an deine erste Fahrprüfung? Du warst so damit beschäftigt, auf das Stoppschild in der Ferne zu achten und dir auszurechnen, wann du bei deiner Geschwindigkeit anfangen müsstest zu bremsen und den Blinker zu setzen, dass du einfach über eine Kreuzung gefahren bist!«

Das war der Nachteil an Verwandten. Sie waren wie Elefanten, die nie etwas vergaßen. Vor allem keine Fehler, und ein lustiger Fehler war so haltbar und vielfältig verwendbar wie Plastik.

Sie wollte gerade anbieten, allen einen Kaffee zu spendieren, als sie bemerkte, dass Noah ihre Handtasche durchwühlte. »Noah«, zischte sie. »Was machst du da?«

Eigentlich hätte er schuldbewusst dreinblicken müssen, aber so war Noah: Er verhielt sich nie, wie man es erwartete. Stattdessen wirkte er wütend. »Ich brauche einen Stift für meine Hausaufgaben.«

Das wüsste ich, dachte Winona, doch laut sagte sie: »Dein Eifer ehrt dich.« Sie griff nach einem Stift vom Tisch, gab ihn ihm und nahm ihre Tasche an sich.

Die nächsten acht Stunden verteilten sie und ihre Schwestern Broschüren, Buttons und Süßigkeiten. Gegen drei Uhr nachmittags verschwand Aurora für eine halbe Stunde und kehrte mit großen Margaritas in Plastikbechern zurück. Von da an wurde es sehr lustig. Winona wusste nicht genau, wessen Idee es war, doch als das gesamte Werbematerial verteilt worden war und die anderen Stände für den Tag geschlossen wurden, nahmen sie drei mitten auf der Straße Aufstellung, schwangen im Gleichtakt die Beine und sangen: »Can Can Can: Kann man stimmen für Win?«

Danach gingen sie lachend zum Stand zurück, wo Noah wie eine kleine dunkle Regenwolke auf sie wartete.

»Geht's *noch* durchgeknallter?«, fragte er Vivi Ann, der sofort das Lachen verging.

Das ärgerte Winona. Was ihre Schwester nun gar nicht gebrauchen konnte, war ein schlechtgelauntes und schlecht erzogenes Kind, das ihre Gefühle verletzte. »Das Gleiche könnte man *dich* fragen«, sagte sie zu ihm.

»Will jemand noch was trinken?«, fragte Aurora rasch. »Alle? Gut. Komm, Noah. Du kannst mir beim Tragen helfen. Das ist auch eine gute Übung für das letzte Highschooljahr.«

Nachdem sie verschwunden waren, ging Winona zu Vivi Ann, die am Ständer der Fahne stand und auf die belebte Straße blickte. Mitten durch die dichte Menge der Besucher hindurch. Winona wusste, wohin ihre Schwester blickte. Auf die Ecke, wo die Eisdiele und die Einmündung der Gasse zu sehen waren.

Cat Morgans Haus war natürlich längst nicht mehr da; jetzt führte die saubere, gepflegte Gasse zu einem Park, der vom Kiwani's Club angelegt worden war. Aber ganz gleich, wie viele Straßenschilder oder Zeitungsanzeigen auf die Namensänderung hinwiesen: Für die Einheimischen würde es für immer Cats Gasse bleiben.

»Alles in Ordnung?«, fragte Winona behutsam.

Vivi Ann schenkte ihr das Teflon-Lächeln, das sie in den letzten Jahren perfektioniert hatte. »Natürlich. Wieso?«

»Ich hab gehört, dass Noah wieder in eine Prügelei geraten ist.«

»Er sagt, Erik Junior und Brian hätten angefangen.«

»Wahrscheinlich stimmt das auch. Butchies Junge war schon immer ein kleiner Tyrann. Der Apfel fällt nicht weit vom Stamm.«

»Die ersten Male habe ich noch den Zweifel für den Angeklagten gelten lassen, aber mittlerweile weiß ich nicht mehr, was ich mit Noah machen soll. Selbst wenn er nicht anfängt, beendet er es immer mit einer Prügelei, und früher oder später wird dabei jemand zu Schaden kommen.«

Winona legte sich sorgfältig ihre Worte zurecht. Von allen Landminen, die in ihrer Vergangenheit vergraben waren, wurde keine leichter ausgelöst als die über Noahs Probleme.

Die Veränderung war im letzten Jahr eingetreten, und zwar fast auf den Tag genau an seinem dreizehnten Geburtstag. Innerhalb eines Sommers war aus dem mageren, freundlichen Labrador ein launischer und bedrohlicher Dobermann geworden. Leicht reizbar, schwer zu versöhnen. Sein aufbrausendes Temperament sorgte im Ort für Gerede. Manche sprachen bereits von *Gewalttätigkeit* und fügten oft *genau wie bei seinem Vater* hinzu.

Winona war der Meinung, dass zumindest professionelle Hilfe, wenn nicht gar ein Wechsel auf eine Schule für Schwererziehbare vonnöten war, doch Vivi Ann solche Vorschläge zu unterbreiten war heikel. Vor allem, wenn die Vorschläge von Winona kamen. Sie hatten sich zwar versöhnt, doch ihr Frieden war brüchig. Manche Themen waren einfach tabu.

»Es ist doch kein Wunder, dass er Schwierigkeiten hat, mit … bestimmten Sachen umzugehen«, sagte Winona. Wenn möglich, vermied sie es, Dallas zu erwähnen. »Vielleicht braucht er professionelle Hilfe.«

»Das habe ich schon versucht. Er will aber nicht reden.«

»Vielleicht sollte er in einen Sportverein gehen. Das ist gut für ein Kind.«

»Könntest du mit ihm reden? Du weißt doch, wie es war, gehänselt zu werden, oder?«

Winona verspürte Widerstreben. Ehrlich gesagt mochte sie Noah in letzter Zeit nicht mehr. Oder vielleicht war das nicht der richtige Ausdruck.

Sie fürchtete ihn. Ganz gleich, wie oft sie zu sich sagte, dass er nur ein Junge war, der einen Schicksalsschlag erlitten hatte, und dass die Pubertät eben schwierig war, so war sie im Grunde doch nicht davon überzeugt. Wenn sie ihn anblickte, sah sie nur seinen Vater.

Dallas hatte schon einmal fast ihre Familie auseinandergebracht, und sie hatte Angst, dass es seinem zornigen, gewalttätigen Sohn nun gelingen würde.

»Klar«, sagte sie zu Vivi Ann. »Ich rede mit ihm.«

Ich fasse es nicht, dass ich früher den Gründungstag mochte! Es war ein Witz! Als würden mich nicht alle sowieso schon für einen Versager halten, musste ich in Tante Winonas »Wahlkampagnenzentrum« hocken und billige Buttons an alte Leute verteilen.

Als sie mit ihrem dämlichen Affentanz mitten auf der Straße anfingen, hätte ich am liebsten geschrien. Natürlich sind genau da Erik Junior und Candace Delgado vorbeigekommen. Am liebsten hätte ich ihm sein Grinsen aus dem Gesicht geprügelt, und Candace sah aus, als würde ich ihr leidtun.

ICH HASSE ES!

Ich habe es so satt, dass die Leute meinen, sie wüssten etwas über mich, bloß weil mein Dad eine Frau erschossen hat.

Vielleicht hat sie ihn ja auch so angesehen, als wäre er Abschaum. Vielleicht hat er sie deshalb erschossen.

Ich hab versucht, meine Mom danach zu fragen, aber sie sieht dann immer so aus, als würde sie anfangen zu weinen, und sagt, dass das alles jetzt unwichtig ist und nur zählt, wie sehr sie mich liebt.

Falsch.

Sie hat ja keine Ahnung, wie ich mich fühle. Wenn sie es wüsste, würde sie mich zu meinem Vater bringen.

Wenn ich erst mal meinen Führerschein habe, ist das das Erste, was ich tue. Ich werde zum Gefängnis fahren und meinen Vater besuchen.

Ich will nicht mal mit ihm reden. Nur sein Gesicht sehen.

Wahrscheinlich wollen Sie den Grund wissen, stimmt's

nicht, Mrs Ivers? Sie denken, es wäre blöd von mir, einen Mörder besuchen zu wollen, und Sie fragen sich bestimmt, ob ich dafür einen Wagen klauen würde.

Haha.

Sie werden es abwarten müssen.

Im Juni hatte die Jugendgruppe ihr erstes Vortreffen für das alljährliche Stadtfest. Die Mädchen und auch einige ihrer Mütter hatten sich im Cottage eingefunden und saßen auf dem Sofa, auf dem Boden und vor dem Kamin. Der Holzboden war mit großen Bögen Tonkarton bedeckt. Auf jedem Bogen stand ein Gefäß mit Schreibmaterialien: Farbstiften, Linealen, Glitzerstiften, Bastelscheren, Kleber; nach über zwanzig Jahren Erfahrung wusste Vivi Ann genau, was benötigt wurde. Die Welt veränderte sich mit jeder Generation, und Trends kamen und gingen, aber wie Mädchen sich ausdrückten, blieb immer gleich: mit bunten Farben und Glitzerkleber.

Vivi Ann ging im Zimmer herum und platzierte je ein Mädchen vor einem Bogen Tonkarton. »Und los geht's«, sagte sie schließlich. »Beginnt mit dem Namen eures Pferds. Vergesst nicht, es ist seine Box, und es ist wichtig, dass ihr fehlerfrei und ordentlich schreibt. Die Reitstall-Jury wird jedes einzelne Wort lesen.« Sie stieg über die ausgestreckten Beine eines Mädchens und umrundete die eines anderen. Am Esszimmertisch blieb sie stehen. Von hier aus konnte sie durch das alte Milchglasfenster auf den Anbau sehen.

Bei Noah brannte Licht.

Sie entschuldigte sich kurz bei den Mädchen und ging in den neuen Flügel des Cottages. Links von ihr lagen ihr Schlafzimmer und das Bad. Sie wandte sich nach rechts und ging zum Ende des Flurs. Da sie bislang noch keine Zeit gefunden hatte, einen passenden Teppich dafür auszusuchen, knackte das Sperrholz unter ihren Cowboystiefeln.

Sie klopfte an Noahs Tür, bekam keine Antwort und trat ein.

Er saß auf dem Bett, hatte die Knie angezogen, die Augen geschlossen und wiegte sich im Takt der Musik seines iPods. Weiße Kabel schlängelten sich von den Stöpseln in seinen Ohren hinunter zum flachen, silbernen Abspielgerät.

Als sie ihn berührte, zuckte er zusammen und richtete sich auf. »Wer hat dir erlaubt reinzukommen?«

Vivi Ann seufzte. Mussten sie wirklich jeden Tag darüber diskutieren? »Ich habe angeklopft. Du hast nicht geantwortet.«

»Ich hab dich nicht gehört.«

»Weil du zu laut Musik hörst.«

»Wenn du meinst!«

Sie weigerte sich, darauf einzugehen. Stattdessen streckte sie die Hand aus, um ihm wie früher die Haare hinter die Ohren zu streichen, aber er wich zurück. »Was ist bloß los mit uns, Noah? Wir waren doch früher die besten Freunde.«

»Beste Freunde nehmen einem nicht Fernseher und Xbox weg.«

»Du bist vom Unterricht ausgeschlossen worden. Soll ich dich dafür auch noch belohnen? Manchmal müssen Eltern im Interesse ihrer Kinder schwierige Entscheidungen treffen.«

»Ich habe keine Eltern. Ich habe nur dich. Es sei denn, du meinst, Dad würde in seiner Zelle schwierige Entscheidungen für mich treffen.«

»Du bist in letzter Zeit immer so wütend.«

»Wenn du meinst.«

»Sag das doch nicht ständig. Komm schon, Noah, wie kann ich dir helfen?«

»Gib mir den Fernseher zurück.«

»Aha, das ist also deine Antwort. Du prügelst dich in der Schule …«

»Ich hab dir doch gesagt, dass es nicht meine Schuld war.«

»Nein, es ist ja nie deine Schuld, nicht wahr? Dann bist du wohl nur ständig zur falschen Zeit am falschen Ort.«

»Wenn du meinst.« Er starrte sie finster an. »Du weißt anscheinend alles.«

»Eins weiß ich jedenfalls: Du bist ein Mitglied der Jugendgruppe, und als solches solltest du ein Poster für deine Box machen.«

»Wenn du meinst, ich würde dieses Jahr beim Stadtfest auftauchen, bist du verrückt.«

»Dann bin ich eben verrückt.«

Er sprang vom Bett. Sein iPod baumelte an den Kopfhörern und fiel dann klappernd auf den Holzboden. »Ich mach's auf gar keinen Fall.«

»Was willst du denn sonst machen? Den ganzen Sommer in diesem Zimmer hocken und in die Ecke starren, wo dein Fernseher stand? Du treibst keinen Sport, du willst keine häuslichen Pflichten übernehmen, und du hast keine Freunde. Also kannst du genauso gut zum Stadtfest gehen, verdammt noch mal!«

Jetzt wirkte er so verletzt, dass Vivi Ann sich am liebsten entschuldigt hätte. Sie hätte ihm nicht unter die Nase reiben sollen, dass er keine Freunde hatte.

»Ich fasse es nicht, dass du das sagst. Es ist doch nicht meine Schuld, dass ich keine Freunde habe, sondern deine!«

»Meine?«

»Du hast doch einen Indianer geheiratet, der sich als Mörder entpuppte!«

»Ich hab es satt, dass wir ständig darüber streiten müssen, Noah, und ich habe es auch satt, dass du nur hier herumsitzt und in Selbstmitleid badest.«

»Ich werde nicht zum Stadtfest gehen. Reitturniere sind was für Mädchen. Ich krieg schon genug Scheiße zu hören. Da kann ich nicht auch noch gebrauchen, dass Erik Junior mein tolles Pferdeposter sieht.«

»Aber dein letztes Poster war wirklich toll! Es hat allen gefallen.«

»Da war ich *neun* und wusste es noch nicht besser. Aber dieses Jahr werde ich nicht zum Stadtfest erscheinen.«

»Gut, aber du wirst auch nicht den ganzen Sommer hier hocken.«

»Versuch doch mal, mich hier rauszukriegen«, sagte er und steckte sich wieder die Kopfhörer in die Ohren.

Vivi Ann stand da und starrte ihn an. Sie spürte buchstäblich, wie ihr Blutdruck stieg. Es war erstaunlich, wie schnell er sie in Rage brachte. Schließlich schaffte sie es mit reiner Willenskraft, wortlos das Zimmer zu verlassen, auch wenn sie die Tür hinter sich zuknallte. Eine kindische Trotzreaktion, die ihr trotzdem guttat.

Im Wohnzimmer blieb sie kurz stehen. »Ich bin gleich wieder da, Mädels. Arbeitet weiter.«

Sie schnappte sich ein Sweatshirt vom Sofa, verließ das Cottage und ging hinunter zum Reitstall, vor dem unzählige Trucks und Anhänger standen.

In der Arena herrschte geordnetes Chaos. Kinder und Hunde rannten wild durch die Tribünen und jagten die Stallkatzen. Ein paar Frauen und Mädchen ritten in der Arena und übten fliegende Wechsel. Janie, die aus dem College zurück war, arbeitete am Außenrand mit ihrer Stute, und Pam Espinson führte ihren Enkel auf seinem neuen Pony.

Vivi Ann überflog die Menge und entdeckte Aurora auf der Tribüne, von wo sie ihrer Tochter zusah. Sie steckte die Hände in die Hosentaschen und ging zu ihrer Schwester. Um sie herum herrschte ein Gewimmel aus Reitern und Pferden, dröhnte das Donnern der Hufe auf dem Lehmboden. Sie schlängelte sich geschickt durch die Menge und nahm neben Aurora Platz. »Schön, Janie wieder reiten zu sehen.«

Aurora lächelte. »Schön, sie überhaupt wiederzusehen. In letzter Zeit ist das Haus schrecklich leer.«

»Ich beneide dich«, sagte Vivi Ann.

»Wegen Noah?«

Vivi Ann lehnte sich an ihre Schwester. »Gibt es denn kein Lehrbuch zur Erziehung von Teenagern?«

Aurora lachte und legte ihr den Arm um die Schultern. »Nein, aber ...«

»Was, aber?« Vivi Ann wusste, was jetzt kam, und versteifte sich.

»Du unternimmst am besten was, bevor er noch jemanden verletzt.«

»Das würde er niemals tun.«

Aurora sah sie an. Sie sagte nichts, aber beide wussten, dass sie an Dallas dachte.

»Er würde das nicht tun«, wiederholte Vivi Ann, klang aber dieses Mal nicht mehr so überzeugt. »Ich muss nur eine sinnvolle Beschäftigung für ihn finden.«

Der Verkehr auf der First Street war an diesem letzten Schultag mehr als zähflüssig. Zweifellos saßen alle Schulabgänger in diesem Augenblick in ihren Wagen und fuhren hupend und jubelnd durch die Stadt. Winona sah auch ein paar gelbe Schulbusse im Stau und konnte sich denken, wie die müden Busfahrer das fanden.

Wenn sie zehn Minuten früher oder später losgefahren wäre, würde sie nicht hier feststecken. Schließlich hatte sie es nicht so eilig.

Am Hood Canal war jetzt Sommeranfang und außerdem genau der Tag im Juni, an dem die meisten Schulen der Umgegend ihr Schuljahr beendeten. Diese beiden Faktoren zusammengenommen bewirkten einen riesigen Verkehrsstau. Ein großes Wohnmobil nach dem anderen schob sich die enge, gewundene Straße hinunter. Die meisten von ihnen zogen noch ein zweites Fahrzeug: Boote, kleinere Wagen, Fahrräder, Jetskis. Schließlich kam in den goldenen Sommermonaten niemand zum Stubenhocken an den Kanal; sie alle wollten sich im warmen blauen Wasser vergnügen.

Auf dem Highway fuhr sie an Bill Gates' Festung und dem prächtigen Anwesen Alderbrook vorbei, wo Yuppies zu Weinverkostungen, Hochzeiten und Wellnessbehandlungen zusammenkamen.

Neben ihr schlängelte sich der Hood Canal; manchmal verlief die Straße direkt am Ufer, manchmal war sie Hunderte von Metern davon entfernt. Als sie sich schließlich Sunset Beach näherte, fuhr sie langsamer und bog auf den sanft abschüssigen Schotterweg zum Haus ein, das sie erst eine Woche zuvor gekauft hatte.

Ihr neuestes Projekt war ein langgezogener Bungalow aus den Siebzigern, der einst als Sommerhaus für eine große Familie aus Seattle gedacht war. Es gab sechs Schlafzimmer, ein Bad, eine winzige Küche und ein Esszimmer, das bequem in ein Motorboot gepasst hätte. Eine riesige überdachte Terrasse ragte über den Kanal, und rechts davon führten Stufen zu einem siebzig Meter langen Anleger, der vom Vogeldreck weiß gesprenkelt war. Jeder Quadratzentimeter des Gebäudes war entweder verfallen, verwahrlost oder einfach hässlich, aber das Grundstück wog alles auf. Es wurde von riesigen Zedern von der Straße abgeschirmt und von allen Seiten von Rasen umgeben. Vor den Bäumen standen riesige, gerade blühende Rhododendren und unzählige wilde Margeriten. Das achttausend Quadratmeter große Grundstück fiel sanft zu einem Sandstrand ab. Weiß schimmernde Austernmuscheln schmückten das Ufer, durchsetzt von wunderschön blinkenden bunten Scherben. Denn hundert Jahre zuvor war dieser Strandabschnitt ein Müllplatz für Altglas gewesen. Die Zeit hatte den einstigen Müll in einen Schatz verwandelt. Jedes Mal wenn Winona auf diesen magisch bunten Strand blickte, musste sie an ihre Mutter denken und lächeln.

Sie parkte auf dem Rasen, holte eine Cola light aus der

Kühltasche auf dem Rücksitz und überlegte, wie man das Haus umgestalten sollte. Natürlich musste sie sich an den Grundriss halten und es umfassend restaurieren. Heutzutage bekam man sonst kein Haus mehr so nah am Wasser. Allerdings konnte sie den Bungalow um eine Etage aufstocken. Das bedeutete, die untere Etage musste offener gestaltet werden und jedes Zimmer ein Panoramafenster bekommen. Es sollte ein großes Schlafzimmer, ein großes Bad und oben ein Büro geben.

Perfekt.

Sie nahm ihr Hackbratensandwich und ihr Notizbuch mit aus dem Wagen. Dann setzte sie sich auf den Rasen vor dem Haus, aß ihren Lunch und fing an, Pläne zu zeichnen. Sie war so mit dem Grundriss der Zimmer und der Anordnung der Türen beschäftigt, dass sie erst als Vivi Ann ihren Namen rief, bemerkte, dass sie nicht mehr allein war.

Winona drehte sich um. »Hey. Ich hab dich gar nicht kommen hören.«

»Ich wollte dich nicht erschrecken.« Vivi Ann kam quer über den Rasen zu ihr, während Noah vom Beifahrersitz des Trucks stieg. Er machte keinerlei Anstalten, sich zu ihnen zu gesellen, sondern stand nur da, mit hängenden Schultern und entnervter Miene, die Haare im Gesicht, die Hände tief in den Taschen seiner ausgebeulten, zerschlissenen Jeans vergraben.

»Du wolltest dir das neue Haus ansehen?«, fragte Winona. Wie üblich ignorierte sie Noah, so weit es ging. Es machte die Dinge einfacher. »Soll ich dir alles zeigen?«

Vivi Ann überblickte das Grundstück. »Was musst du denn machen, bevor du anfängst, Wände einzureißen?«

»Ah, eine ganze Menge. Es gibt immer Vorarbeiten. Du solltest den Anleger sehen. Es dauert ziemlich lange, Möwendreck von vierzig Jahren wegzuschrubben.«

»Aber das ist doch perfekt!«

»Ich weiß. Ein Anleger bringt noch mal hunderttausend

Dollar zusätzlich zum Wert eines Grundstücks.« Dann runzelte Winona die Stirn. »Das meintest du doch, oder?«

Vivi Ann blickte hinüber zu Noah, der seine schmutzigen Fingernägel studierte, als könnten Goldspäne darunter zu finden sein. »Noah will nicht mehr bei der Jugendgruppe mitmachen und weigert sich, beim Stadtfest zu erscheinen.«

»Ach. Tja. Er ist ein Junge. Ballett wäre auch nichts für ihn.«

»Ich freue mich, dass du Verständnis für sein Problem hast. Mir war das nicht so klar.«

»Natürlich nicht. Du warst seinerzeit hübsch und beliebt. Wenn du Football hättest spielen wollen, hätten die Jungs begeistert zugestimmt. Herrgott, selbst wenn du bei der Abschlussparty gekotzt hättest, hätten die Jungs Schlange gestanden, um dir die Haare zurückzuhalten, und dich nachher immer noch angebetet. Ein Junge wie Noah hingegen muss vorsichtig sein: kein Mathe, keine Computerclubs, kein Schach und auf gar keinen Fall Reiten mit der Jugendgruppe. Er versucht, Freunde zu finden und nicht zu vergraulen.«

»Aber du hast doch gesagt, er sollte nicht den ganzen Tag in seinem Zimmer rumsitzen!«

»Hab ich das gesagt? Ich meine, ich hätte auch gesagt, er bräuchte professionelle Hilfe. Er kommt mir ... wütender als sonst vor.«

»Was er braucht, ist ein Ferienjob. Und zwar nicht auf der Ranch. Wir können uns keinen weiteren Grund, zu streiten, leisten.«

»Eine großartige Idee. Dann wüsste er was mit seiner Zeit anzufangen, und er bekäme Selbstvertrauen und ...« Winona verstummte. »Nein«, sagte sie zu Vivi Ann und schüttelte den Kopf. »Du meinst doch wohl nicht ...«

»Es wäre perfekt. Er könnte den Anleger reinigen. Acht Stunden am Tag, fünf Tage die Woche. Du könntest ihn pro Quadratmeter bezahlen. Ich schätze, wenn du ihn nach Stunden bezahlen würdest, wärst du pleite, ohne dass er irgendwas geleistet hätte.«

»Ich soll ihn auch noch bezahlen?«

»Er wird es kaum umsonst machen. Außerdem bist du reich.«

»Hör mal, Vivi Ann«, erwiderte Winona und senkte die Stimme. »Ich weiß nicht so recht.«

»Sag ihr, du hast Angst vor mir, Tante Winona«, rief Noah. »Sag ihr, dass du mich für gefährlich hältst.«

»Sei still, Noah«, fauchte Vivi Ann. »Natürlich hat sie keine Angst vor dir.« Sie sah wieder zu Winona. »Ich brauche wirklich deine Hilfe. Im Problemlösen bist du doch ganz groß. Aurora hält es auch für eine gute Idee.«

»Du hast schon mit ihr gesprochen?«

»Eigentlich war es ihre Idee.«

Jetzt saß Winona in der Falle. Eine Idee, die von der halben Familie geprüft und für gut befunden war, galt als angenommen. »Aber er muss seine Hose hochziehen – ich habe keine Lust, den ganzen Tag seine Unterhose zu sehen –, und an den Tagen, die er bei mir arbeitet, wäscht er sich die Haare.«

Noah knurrte. Sie wusste nicht, ob das als Zustimmung gemeint war.

Winona ging zu ihm und hörte, wie Vivi Ann ihr folgte. »Was hältst du von acht Dollar pro Quadratmeter?«

»Ist doch ein Hungerlohn.«

Vivi Ann gab ihm einen Klaps auf den Hinterkopf. »Zweiter Versuch.«

»In Ordnung«, grummelte er und schob seine Hände noch tiefer in die Hosentaschen.

Jetzt befürchtete Winona ernsthaft, dass seine Jeans ihm bis zu den Fußknöcheln rutschen würden.

Es war eine schlechte Idee. Der Junge war genau wie sein Vater: ein Unruhestifter. Aber jetzt konnte sie nicht mehr zurück. »Gut. Er hat den Job. Aber wenn er nur einmal – ein einziges Mal – patzt, kümmerst du dich wieder um ihn. Ich bin schließlich kein Babysitter.«

Vivi Ann blickte Noah direkt an. »Wenn du ihn feuerst, macht er beim Stadtfest mit. Verstanden?«

Noah antwortete nicht, aber in seinem Blick loderte reinster Teenagerzorn.

Er hatte verstanden.

Zwanzig

WAS IST MIR WICHTIG?

Noch so eine vollkommen hirnrissige Frage, Mrs I. Haben Sie sich irgendein altes Lehrbuch für Pädagogen geschnappt, um herauszufinden, wie man böse Jungs zum Reden bringt? Ich kann Ihnen sagen, was mir egal *ist. Wie finden Sie das? Egal sind mir Oyster Shores und die Highschool und die anderen in meiner Klasse. Das Ganze ist nur eine riesige Zeitverschwendung.*

Familienessen sind mir auch egal. Übrigens hatten wir gestern mal wieder einen echt tollen Abend im Hause Grey. Es läuft immer gleich ab. Tante Aurora prahlt mit ihren ach so tollen Kindern. Ricky ist der perfekte Collegestudent und Janie das reinste Wunderkind. Grandpa sitzt nur da und sagt kein Wort, während Tante Winona uns erklärt, wie super ihr Leben ist. Kein Wunder, dass Mom früher jeden Tag nur mit einem Haufen Tabletten durchstehen konnte. Aber das darf ich ja gar nicht wissen. Sie halten mich für dämlich. Als hätte ich früher nicht bemerkt, dass sie ständig weinte. Ich hab versucht, ihr zu helfen – das ist meine deutlichste Erinnerung aus meiner Kindheit. Aber sie hat mich entweder abgewehrt oder so fest an sich gedrückt, dass ich kaum noch Luft bekam. Irgendwann wusste ich, wie ihre Augen aussahen, wenn sie Pillen geschluckt hatte, und dann hielt ich mich von ihr fern. Jetzt tut sie so, als wäre alles wieder in Ordnung. Nur weil der Arzneischrank leer ist und sie nie mehr weint.

Mir ist noch was eingefallen, was mir egal ist. Tante Winonas dämlicher alter Anleger. Der ist voller Vogelscheiße, und natürlich bin ich derjenige, der sie abkratzen muss. Sie sollten mal sehen, wie sie mich beobachtet. Als würde ich jede Sekunde explodieren oder mit einem Messer auf sie losgehen. Früher mochte sie mich. Auch das weiß ich noch aus meiner Kindheit. Sie las mir Gutenachtgeschichten vor, wenn Mom aus war, und sah sich Disneyfilme mit mir an. Aber jetzt wahrt sie ständig Abstand und starrt mich an, wenn sie meint, ich würde es nicht bemerken.

Ich glaube, sie hat Angst vor mir. Vielleicht wegen neulich. Ich wurde bei einem Familienessen wütend und hab ein Glas an die Wand geschmissen. Das war an dem Tag, als Erik Junior mir steckte, mein Dad wäre ein Halbblut und ein Mörder. Ich hab's nicht geglaubt, aber als ich nach Hause kam und meine Mom fragte, redete sie zwar endlos, aber ich erfuhr gar nichts.

Und da fragen sich alle, wieso ich immer wütend bin. Was erwarten sie denn, wenn Brian mich ständig Indie nennt und meint, man hätte meinen Dad auf den elektrischen Stuhl bringen sollen?

Am Freitag darauf ließ sich der Sommer zum ersten Mal blicken. Die Sonne spielte mit den Wolken Verstecken und ließ ihr helles Licht über den Rasen huschen, bis sie kurz nach Mittag schließlich herauskam und nicht mehr verschwand.

Winona schrubbte gerade eifrig den Küchenboden, als sie die Wetterveränderung bemerkte. Zuerst dachte sie sich nichts dabei, war eher überzeugt, dass es wahrscheinlich noch regnen würde, und arbeitete weiter. Doch als sie spürte, wie ihr der Schweiß auf die Stirn trat und ihr Hemd am Rücken zu kleben begann, stand sie auf und zog sich die Gummihandschuhe aus. Wenn es draußen wirklich sonnig blieb, musste sie unbedingt mit dem Hochdruckreiniger auf die Terrasse. Hierzulande galt es, sonnige Tage im Juni zu nutzen.

Sie zog sich eine kurze Hose und ein altes, langes T-Shirt an. Während sie ihre Haare zu einem Pferdschwanz zusammenband, warf sie einen Blick aus dem schmierigen Schlafzimmerfenster und sah Noah auf dem Anleger, wo er den Vogeldreck vom alten, verwitterten Holzgeländer kratzen sollte.

Aber ganz ehrlich: Selbst Schnecken kamen schneller voran.

Außerdem hing seine Hose wieder so tief, dass sie von hier aus den Gummibund seiner blauen Boxershorts sehen konnte.

Er arbeitete nun seit fünf Tagen für sie, aber sie sah kaum Fortschritte. Jeden Morgen pünktlich um neun kam er und ging dann ohne ein Wort zum Anleger. Sie hegte keinerlei Zweifel, dass er an den Tagen, die sie in die Kanzlei musste und ihn hier allein ließ, nur untätig herumsaß.

»Es funktioniert nicht. Nicht im mindesten«, murmelte sie und nahm sich eine Rolle Klebeband.

Sie marschierte energisch auf die Terrasse und ließ die Tür hinter sich zuknallen. Es reichte! Sie hatte ihm zwar einen Job gegeben, sie ertrug auch seine mürrische Miene und seine fettigen Haare, und sie tat sogar so, als würde er arbeiten, aber – bei Gott! – sie würde sich nicht ständig seine verdammte Unterhose ansehen!

Sie ging zum Anleger. Da es Ebbe war, federte die steile Treppe zum Steg unter ihren Füßen. Während sie vorsichtig zu ihm hinunterstieg, hielt sie sich krampfhaft am schmutzigen Geländer fest und achtete sorgfältig darauf, nur auf nacktes Holz zu fassen. »Noah.«

Er war so eifrig mit Nichtstun beschäftigt, dass ihre Stimme ihn erschreckte. Er zuckte zusammen und ließ den Metallspachtel fallen. »Herrgott! Warum hast du nicht vorher gerufen?«

»Klebeband ist schon eine ziemlich tolle Erfindung. Man

kann damit alles Mögliche anstellen. Wusstest du das?« Sie zog ein Stück Band in der Länge ihres Arms heraus, riss es ab und klebte es sorgfältig der Länge nach zusammen.

»Ich hab noch nicht darüber nachgedacht, aber wenn du es sagst ...« Er hob den Spachtel wieder auf. »Willst du mir damit vielleicht etwas zu verstehen geben? Ich weiß nicht, irgendwas Lehrreiches? Ansonsten mach ich mich wohl wieder an die Arbeit.«

»Das ist doch ein Witz, und wir beide wissen es. Hier.« Sie reichte ihm den schmalen, langen Streifen Klebeband.

»Was soll das sein?«

»Dein neuer Gürtel. Du musst ihn durch die Schlaufen stecken – das kannst du doch, oder? – und dann einen Knoten binden. Ich will nicht mal einen Millimeter deiner Unterhose sehen.«

»Das ist doch nicht dein Ernst!«

»Seh ich aus, als machte ich Witze?«

»Das trägt man so«, beharrte er störrisch.

»O ja, und du bist der neue Giorgio Armani. Zieh den Gürtel an. Wenn du dich erinnerst, war das eine der Bedingungen dieses lächerlichen Unterfangens, das wir beide als ›Job‹ bezeichnen.«

»Und wenn ich mich weigere?«

Winona lächelte. »Weißt du, was mir am Stadtfest immer gefallen hat? Dass meine Hose, mein Hut und meine Handschuhe zusammenpassten. Sie waren alle in demselben Blau. Deine Mom nannte es Siegerdress. Alle, die ich kannte, haben mich so gesehen: als dicke, fette Blaubeere.«

Noah sagte nichts.

»Ich bin sicher, du wirst in dem Kostüm, das sie sich für dich ausgedacht hat, auch ganz prächtig aussehen. Deine Reitsachen schneidert sie doch immer noch selbst, oder?«

»Gib her«, sagte er und entriss ihr den provisorischen Gürtel. Es brauchte eine Weile, um ihn durch die Schlaufen zu fädeln und strammzuziehen, aber danach war seine Hose bis zur Taille hochgezogen und der Knoten so dick wie eine Kinderfaust. »Ich sehe aus wie ein Vollidiot.«

»Dem kann ich nicht widersprechen. Es könnte ganz hilfreich sein, Hosen zu kaufen, die dir auch passen.«

»Wenn du meinst.«

»Eine sehr nützliche Floskel. Mir ist aufgefallen, dass du sie besonders gern verwendest. Als dein Arbeitgeber allerdings würde ich es bevorzugen, wenn du in ganzen Sätzen mit mir sprechen würdest.«

Er starrte sie finster an. »Wenn du meinst ... Tante Winona.«

»Das ist doch schon mal ein Fortschritt.« Sie wollte ihm gerade noch mal erklären, wie man den Vogeldreck abkratzte, als sie einen Wagen hörte. Sie schirmte mit einer Hand ihre Augen vor der Sonne ab und entdeckte einen großen gelben Möbelwagen, der die Einfahrt zum Nachbaranwesen hinauffuhr. »Ich frage mich, wer da einzieht«, sagte sie. »Da wurde wochenlang renoviert.«

»Erzähl mir doch mal was, was ich noch nicht weiß.«

»So einfach das auch wäre, ziehe ich es doch vor, nach meinen neuen Nachbarn zu sehen.« Sie trat den Rückweg über die steile Treppe und den ungepflegten Rasen an. Alles in diesem Teil des Grundstücks war zugewuchert und hatte fast Urwaldgröße: riesige Rhododendren, in die Höhe geschossener Wacholder und Hecken auf Expansionskurs. Sie spähte durch eine kleine Lücke im Dickicht, um einen Blick auf das Haus zu werfen. Unglücklicherweise stand der Umzugswagen direkt davor. Enttäuscht kehrte sie zu ihrem eigenen Haus zurück und fing an, die Terrasse zu reinigen.

Sie war zur Hälfte fertig und stand nass und verschwitzt in den Pfützen des Hochdruckreinigers, als sie bemerkte, dass ein Mann an ihrer Terrasse wartete und verlegen lächelte. Er war groß und gedrungen, hatte ein angenehmes Gesicht und schütteres Haar. Er trug ein teures Hawaiihemd aus Seide, Khakishorts und Leder-Flipflops. Auf der Stelle wusste sie, dass er ein Sommergast war und hier das verbringen wollte, was die Touristen lächerlicherweise als »Saison« bezeichneten. Wahrscheinlich kam er aus Bellevue oder Woodinville. Kein Wunder, dass er so viel Geld in die Renovierung des alten Shank-Hauses investiert hatte, ohne sich die Mühe zu machen, die Arbeiten zu überwachen. Neben ihm stand ein hübsches, etwa dreizehnjähriges Mädchen mit roten Haaren.

Winona schaltete den Hochdruckreiniger aus und legte die Düse auf den Boden. Dann fuhr ihr durch den Sinn, wie sie aussehen musste: alte Shorts, altes, nasses T-Shirt, feuchte Haarsträhnen, die ihr aus dem Pferdeschwanz gerutscht waren. Sie versuchte, das Bild ihrer dicken, madenweißen Beine zu verdrängen. »Hallo«, grüßte sie und zwang sich zu einem Lächeln. »Sie müssen die neuen Nachbarn sein.«

Der Mann kam mit ausgestreckter Hand auf Winona zu. »Ich bin Mark, und das ist meine Tochter Cissy.«

Winona gab ihm die Hand. Sein Händedruck war fest und selbstbewusst. Das gefiel ihr. »Ich bin Winona.«

»Schön, Sie kennenzulernen, Winona.« Dann holte er tief Luft, atmete wieder aus und blickte sich um. Seltsamerweise musste sie an einen König denken, der sein Reich überblickte. »Es ist wunderschön hier.«

Sie strich sich das verschwitzte Haar aus der Stirn. »Ich kann mich nie an dem Anblick sattsehen.«

»Unvergleichlich – und unvergesslich.«

Winona sah Noah den Anleger heraufkommen und schätzte, dass es Mittag war. Der Junge hatte vielleicht keine Vorstellung von Arbeit, aber mit Pausen kannte er sich aus. Oben an der Treppe blieb er stehen und schlurfte dann langsam, mit hängenden Schultern, den Händen in den Hosentaschen und den Haaren im Gesicht, auf sie zu.

»Ist das Ihr Sohn?«

»Nein«, sagte sie schnell.

Noah warf ihr einen mürrischen Blick zu.

»Das ist Noah. Der Sohn meiner Schwester. Noah, dies sind Mark und Cissy.«

Noah zuckte kaum merklich mit seinem Kinn. »Alles klar?«

Unglücklicherweise klang es eher wie *Aasklar*. Winona unterdrückte den Drang, die Augen zu verdrehen. Mit seiner dreckigen, ausgebeulten Hose und dem provisorischen Gürtel sah er aus wie ein Obdachloser. Seine lächerlich großen Skaterschuhe erinnerten an aufgehenden Hefeteig.

Jetzt würde Mark ganz sicher seine kostbare hübsche Tochter an sich ziehen und zurück in sein Haus eilen.

Doch er sagte: »Cissy und ich wollen gleich das Boot zu Wasser lassen und vielleicht ein bisschen Wasserski fahren. Hätten Sie Lust, sich uns anzuschließen?«

Winona war überrascht. »Ihre Frau –«

»Ich bin geschieden.«

Plötzlich sah Winona ihn in einem völlig neuen Licht. Er war etwa fünf bis zehn Jahre älter als sie, doch sein Lächeln war wirklich nett. »Leider hat Noah keine Badehose dabei.«

»Doch, hab ich an«, erklärte er. »Unter meinem coolen Klebebandgürtel.«

»Du hast eine Badehose an?«

Er zuckte mit den Schultern. »Ich gehe manchmal schwimmen.«

Mark lächelte. »Also abgemacht. Wir bereiten alles vor, dann treffen wir uns an unserem Anleger. Sagen wir: in einer halben Stunde?«

»Ist gut«, war Winona einverstanden. Kaum waren sie verschwunden, stürzte sie ins Haus und betrachtete sich im Spiegel. »Oh Gott.« Es war schlimmer als befürchtet. Sie sah aus wie das Kind von Demi Moore und dem Michelinmännchen: dicke weiße Beine, fleischige Arme, strähniges, krauses Haar, T-Shirt mit Schweiß- und Wasserflecken. Sie eilte unter die Dusche, wusch sich die Haare und rasierte sich Beine und Achselhöhlen. Da sie keine Zeit zum Föhnen hatte, flocht sie ihr Haar zu einem französischen Zopf und schminkte sich.

Dann begutachtete sie ihren einteiligen Badeanzug. Wenn sie ihr Gewicht richtig einschätzte, würde sie kaum hineinpassen. Einfach toll! Der erste alleinstehende Mann seit knapp einem Jahr, der einigermaßen gut aussah, sollte am ersten Tag schon ihren Körper sehen? Dann würde er sich garantiert nie mehr mit ihr verabreden wollen.

»Also kein Schwimmen für dich, mein Dickerchen.« Stattdessen zog sie eine schwarze Caprihose und eine weiße Trägertunika an.

Punkt zwölf Uhr dreißig trat sie mit einer Kühltasche voll Bier, Cola und Leckereien aus dem Haus. Schöne Badesachen mochten ein Problem für sie sein, aber leckeres Essen hatte sie immer.

Noah lungerte am Anleger herum. Sie rief ihn ins Haus. Als er die Küche betrat, verschlug es ihr kurz die Sprache. Er trug nur noch eine blaue, lange Badehose, die ihm tief auf den Hüften saß. Seit wann hatte er derart breite Schultern? Und seine Arme: Sie waren so sehnig und definiert wie bei einem Läufer.

»Setz dich«, sagte sie und wartete ungeduldig darauf, dass er gehorchte.

»Wieso?«

Sie bedachte ihn mit ihrem speziellen Blick.

»Wenn du meinst, Tante Winona.«

»Vielleicht findet sie dich ja ganz süß, wenn du aufhörst, so ein langes Gesicht zu ziehen, und dich nicht mehr hinter deiner Matte versteckst.«

»Meiner was?«

»Willst du nicht, dass sie dich süß findet?«

»Scharf«, erwiderte er und musterte sie argwöhnisch. »Hündchen sind süß.«

»Wenn du meinst. Willst du, dass sie dich scharf findet?«

»Du wolltest doch ›Wenn du meinst, Noah‹ sagen, oder nicht?«

Unwillkürlich musste sie lächeln. »Scharf oder schmuddelig? Wofür entscheidest du dich?«

»Scharf«, sagte er nach längerem Schweigen und setzte sich auf den Stuhl, auf den sie wies.

»Gut.« Sie bürstete ihm energisch, fast brutal die Haare und entwirrte sie, bis sie ihm weich und glatt auf die Schultern fielen. »Deine Mutter hätte nicht zulassen sollen, dass du es so lang wachsen lässt. Aber ich nehme an, es hat ihr gefallen. Ich weiß noch, dass sie früher ...« Dann merkte sie, was sie hatte sagen wollen, verstummte und fasste sein Haar in einem Pferdeschwanz zusammen. »Hier.«

Er blickte zu ihr hoch und fragte leise: »Hast du von Anfang an gewusst, dass er ein Mörder ist? Ich weiß, er hat Mom getäuscht, aber alle sagen, du wärest so schlau ...«

Winona holte tief Luft. Vivi Ann hätte gewollt, dass sie die Frage überging, aber das konnte sie nicht. »Nein. Ich wusste es nicht.«

»Er erlaubt nicht, dass ich ihn besuche.«

»Wahrscheinlich ist das auch das Beste.«

Plötzlich wirkte er sehr jung und verletzlich. »Wieso interessiert es eigentlich niemanden, was ich dazu denke?«

Doch bevor Winona darauf antworten konnte, klopfte es an der Tür, und sie ging öffnen.

Cissy stand da in einem briefmarkengroßen Stringbikini. »Mein Dad lässt ausrichten, dass er fertig ist.«

Noah stand auf und ging auf sie zu.

Winona beobachtete, wie Cissy ihren Neffen ansah. Zwar wusste sie nicht, wie die Jugendlichen es heutzutage ausdrückten, wenn ihnen jemand gefiel – süß, scharf, knackig oder wie auch immer –, aber sie wusste verdammt genau, was es bedeutete, wenn ein Mädchen einen Jungen so ansah. »In welche Klasse kommst du, Cissy?«, erkundigte sie sich.

»In die neunte.«

»Wirklich? Genau wie Noah.« Sie drehte sich zu ihm um und entdeckte, dass seine schmalen Wangen sich röteten. »Dann gibst du dir bei deiner Literaturaufgabe wohl besser etwas Mühe.«

Er wurde noch röter und murmelte etwas.

»Gefällt dir die Schule hier?«, fragte Cissy ihn.

Noah zuckte mit den Schultern. »Sie ist ganz okay.«

»Meine Großmutter meint, ich würde bestimmt leicht Freunde finden, aber ich weiß nicht ...«

»Wer ist denn deine Großmutter?«, fragte Winona. »Habt ihr Verwandte in der Stadt?«

Cissy war so damit beschäftigt, Noah anzustarren, dass sie erst nach kurzer Verzögerung antwortete. »Mein Dad ist hier zur Highschool gegangen. Unsere ganze Familie stammt aus Oyster Shores.«

»Er war in Oyster Shores auf der Highschool? Soll das ein Witz sein, dann müsste ich ihn ja kennen.«

»Wahrscheinlich kennen Sie meine Grandma. Myrtle Michaelian. Sie wohnt auf der Mountain Vista.«

»Ja«, sagte Winona und fragte sich, ob Noah der Name etwas sagte. »Ich kenne Myrtle.«

Im Sommer war es für Vivi Ann am leichtesten. Sie wachte weit vor Tagesanbruch auf und machte sich an die lange Reihe der Pflichten, die sie den ganzen Tag beschäftigt hielten. Es gab Reitunterricht, Pferdetraining und Turniere zu organisieren und abzuhalten, Pferde zu füttern und zu bewegen und das Stadtfest zu planen. Sie arbeitete von morgens bis abends, und das viel zu schnell, um noch über irgendetwas länger nachzudenken. Aber selbst in den hektischsten Zeiten gab es Nächte wie heute, wenn die Ranch still und dunkel dalag und die Sterne am Himmel funkelten und sie unwillkürlich daran denken musste, wie es sich angefühlt hatte, nachts aus ihrem Zimmer zu schleichen und über die Wiesen zu seinem Cottage zu rennen. Wie es sich angefühlt hatte, lebendig zu sein und ein sonniges Gemüt zu haben. Nicht so düster wie jetzt.

»Hey, Renegade«, sagte sie, als sie zur Koppel trat.

Das alte Pferd kam langsam zu ihr getrottet und wieherte leise zur Begrüßung. Sie gab ihm einen Apfel und kratzte ihm die Ohren. »Wie fühlst du dich, mein Junge? Quält dich die Arthritis? Brauchst du ein Schmerzmittel?«

Hinter ihr näherte sich ein Wagen; die Scheinwerfer durchschnitten die Dunkelheit und erschreckten Renegade, der zurückwich.

Vivi Ann drehte sich um und sah, wie Winona und Noah aus dem Wagen stiegen. Sie gingen dicht beieinander und unterhielten sich. Winona sagte etwas und stieß ihn an. Er taumelte leicht zur Seite und lachte.

Vivi Ann traute ihren Augen nicht. Sie wusste nicht, ob sie je gesehen hatte, dass die beiden miteinander sprachen oder gar lachten.

Zur Begrüßung ging sie ihnen entgegen.

»Hey, Mom«, sagte Noah grinsend. Sein Anblick verschlug ihr die Sprache. Er trug Badeshorts und ein ärmelloses T-Shirt, hatte die Haare zu einem Pferdeschwanz gebunden und wirkte vollkommen entspannt. Glücklich. »Ich habe heute Wasserskifahren gelernt. War total cool. Ich hab ziemlich lange gebraucht, um aufzustehen, aber als es endlich ging, war es einfach *klasse*. Stimmt doch, oder, Tante Winona?«

»Ich hab noch nie so ein Naturtalent gesehen. Er ist wie ein Profi über die Kielwelle gefahren.«

Vivi Ann musste lächeln. Einen Augenblick lang war ihre

Welt vollkommen. »Super, Noah. Ich kann's kaum abwarten, es selbst mal zu sehen.«

»Ich schreib was darüber in meinem Tagebuch«, erklärte er. »Danke, Tante Winona. Das war echt toll.«

Vivi Ann sah ihm nach, als er im Haus verschwand, und wandte sich dann zu ihrer Schwester. »Was hast du mit meinem Sohn gemacht? Und wer ist dieser Junge?«

Winona lachte. »Wir hatten wirklich viel Spaß miteinander.«

Vivi Ann schlang einen Arm um ihre Schwester. »Ich spendier dir ein Bier. Komm.«

Sie holten sich jede ein Bier aus dem Kühlschrank und kehrten auf die Veranda zurück. Dann setzten sie sich dicht beieinander auf die Hollywoodschaukel und starrten hinaus auf die stille Ranch.

»Es ist wie ein Wunder, ihn wieder lachen zu sehen.«

»Unter dem ganzen pubertären Gehabe ist er ein ziemlich netter Junge.« Winona verstummte kurz. »Er hat viele Fragen zu seinem Dad.«

»Ich weiß.«

»Dieses Alter ist schon schwer genug, ohne dass man anders aussieht und sich anders fühlt, aber wenn man dann auch noch ständig Bemerkungen über seinen Dad hört … du weißt schon.«

»Ich hab mich immer vor diesem Gespräch gefürchtet, obwohl ich weiß, dass wir es führen müssen. Aber er wird mich fragen, ob Dallas es getan hat.«

»Was wirst du dann sagen?«

»Wenn ich sage, er hat's getan, ist Noah der Sohn eines Mörders. Wenn ich sage, er hat's nicht getan, dann sitzt sein Vater für einen anderen im Gefängnis, und es ist schwer, mit einer solchen Ungerechtigkeit zu leben. Glaub mir: Das weiß ich genau. Also, sag du's mir, Obi-Wan, wie lautet die richtige Antwort?«

Winona dachte darüber nach. »Als ich noch klein war, hat Mom immer zu mir gesagt, ich wäre schön, hätte aber starke Knochen. Ich wusste, dass das nicht stimmte, schließlich hatte ich einen Spiegel. Aber ich wusste auch, dass sie es glaubte, und das war das Entscheidende. Ich wusste, sie liebt mich.« Sie drehte sich zu Vivi Ann. »Gib ihm zu verstehen, dass er ein guter Junge ist, ganz gleich, was die anderen meinen. Sag ihm, dass es unwichtig ist, wie sein Vater war. Wichtig ist nur, wie *er* ist.«

Vivi Ann lehnte sich an ihre große Schwester. Bei Gelegenheiten wie diesen war sie froh, dass sie Winona vor all den Jahren verziehen hatte. »Danke.«

»Gern geschehen. Was mache ich, wenn er *mir* Fragen stellt?«

»Dann solltest du sie wohl beantworten. Vielleicht hilft ihm das.«

Winona starrte auf ihr Bier.

»Okay«, sagte Vivi Ann, als sich das Schweigen zwischen ihnen ausdehnte. »Spuck's aus.«

»Was meinst du?«

»Normalerweise kannst du nie lange still sein. Worüber denkst du nach?«

»Der Mann, mit dem wir heute Wasserski fahren waren, ist Mark Michaelian. Myrtles Sohn. Er hat fünf Jahre vor mir die Schule beendet.«

»Ach.« Vivi Ann trank einen großen Schluck von ihrem Bier.

»Er hat mich gebeten, mit ihm auszugehen. Macht es dir was aus?«

Vivi Ann lehnte sich zurück und stieß sich sanft ab. Die Schaukel bewegte sich langsam vor und zurück.

Um sie herum hörte man die vertrauten Geräusche der Ranch: das ferne Rauschen des Kanals, das Getrappel der Pferde auf den Weiden und das leise Quietschen der Schaukelketten.

»Wenn du es verlangst, sage ich die Verabredung ab«, sagte Winona.

Vivi Ann wusste, dass sie es ernst meinte. Was ihre Vergangenheit betraf, mochte vielleicht alles im Dunkeln verstaut worden sein, aber es war noch da. Und sie alle waren darauf bedacht, es nicht wieder hervorzuholen. Es sollte nicht derselbe Fehler zweimal gemacht werden. »Du hattest seit zwei Jahren keine ernstzunehmende Verabredung. Nicht mehr, seit der Meeresbiologe hier den Sommer verbrachte.«

»Danke für den Hinweis.«

»So hab ich das nicht gemeint. Ich meinte … Na klar, geh mit Mark aus. Meinen Segen hast du.«

»Ehrlich?«

Vivi Ann nickte. »Ehrlich.«

Diese Entscheidung erschien Vivi Ann richtig. Sie fühlte sich, als hätte sie endlich losgelassen.

»Bist du sicher?«

»Ganz sicher. Lassen wir die Vergangenheit ruhen.«

Heute war ein so vollgepackter Tag, dass ich nicht mal Mrs I's bescheuerte Fragen brauche, um etwas zu schreiben. Ich hab das Gefühl, wenn ich nicht alles sofort zu Papier bringe, werde ich es vergessen. Und ich WILL ES NIE MEHR VERGESSEN.

Dabei fing es ziemlich beschissen an. Ich sah einfach nicht, wie sich je etwas ändern sollte. Als ich bei Tante Winona auftauchte, war sie mir gegenüber arrogant wie immer und sah mich an, als hätte sie gerade ein Stück schlechten Fisch gegessen. Ich zog meine Hose so weit wie möglich runter, um sie auf die Palme zu bringen, und das funktionierte offenbar, denn gegen Mittag kam sie mit einem langen Stück Klebeband zum Anleger, das ich als Gürtel benutzen sollte. Eigentlich hätte ich ihr gesagt, sie sollte sich verziehen, aber dann fing sie an, vom Stadtfest und dem Kostüm zu reden, das Mom mir letztes Jahr aufzwang, und da bekam ich es mit der Angst. Ich stellte mir vor, wie Erik Junior, Brian und die anderen Arschlöcher mich mit einer Schar kleiner Mädchen reiten sehen würden, und entschied mich doch lieber für das Klebeband. Danach fühlte ich mich wie ein kompletter Loser, aber daran bin ich ja schon gewöhnt, außerdem sah mich sowieso keiner. Aber ich arbeitete noch ein bisschen langsamer, weil ich weiß, dass sie das auch auf die Palme bringt. Manchmal sehe ich sie oben auf ihrer dämlichen Terrasse stehen, dann beobachtet sie mich beim Arbeiten, und ich kann förmlich hören, wie sie mit den Zähnen knirscht. Am liebsten würde sie mich feuern, aber das Coole ist, dass sie das nicht kann.

Jedenfalls lungerte ich weiter untätig herum, da blickte ich zufällig zum Haus hoch und sah zwei Fremde im Garten mit meiner Tante sprechen. Das fand ich ziemlich komisch, deshalb legte ich den Kratzer weg und ging zu ihnen, obwohl meine Tante es hasst, wenn ich meine Arbeit unterbreche. Als ich näher kam, sah ich, dass der Mann einer von den Typen war, die ihre Haare am besten einfach aufgeben und abrasieren sollten. Er war angezogen wie ein Barmann, aber ich musste ständig das Mädchen neben ihm anstarren.

Sie war das schönste Mädchen, das ich je in meinem Leben gesehen habe. Das Erstaunlichste war, dass sie mich überhaupt nicht so ansah, als wäre ich nur ein blöder Indie. Als ihr Dad uns zum Wasserskifahren mitnahm, wollte sie unbedingt neben mir sitzen und so. Sie erzählte, sie und ihr Dad wären ein Jahr lang durch die Welt gereist und jetzt zurück nach Oyster Shores gekommen. Und sie war ziemlich depri, weil ihre Freunde alle in Minnesota sind. Dann fragte sie mich, ob ich morgen mit ihr abhängen wollte. Ich weiß, sie wird nicht mehr mit mir befreundet sein wollen, wenn sie erst mal den ganzen Scheiß in der Stadt hört und herausfindet, dass keiner mich ausstehen kann. Aber das ist mir egal.

Als wir nach Hause kamen, war Mom so cool, dass ich sogar allein bleiben durfte, während sie mit Tante Winona ins Outlaw ging. Normalerweise erlaubt sie das NIE. Ich glaube, sie hat Angst, ich könnte Crack rauchen oder das Haus abfackeln, aber heute Abend sagte sie, ich würde jetzt erwachsen und hätte gute Entscheidungen getroffen und damit eine Chance verdient.

Meine Mom ist gerade vom Outlaw nach Hause gekommen und hat gelacht und war glücklich. Ich hab sie schon lange nicht mehr so gesehen. Sie hat sich sogar zu mir auf die Couch gesetzt, mir den Arm um die Schultern gelegt und gesagt, es täte ihr leid und sie wäre stolz auf mich. Sie sagte zwar nicht, was ihr leidtut, aber ich wusste, es war wegen meinem Dad und der ganzen verfahrenen Situation, deshalb sagte ich, ich wäre okay. Ich weiß, das war dumm, aber es gefiel mir, als sie sagte, sie wäre stolz auf mich. Es war irgendwie cool.

EINUNDZWANZIG

»Okay, da sind wir. Um was für einen Notfall handelt es sich?«

Winona drehte sich um und sah, dass ihre Schwestern in der Haustür standen. »Um einen Aussehens-Gau. In einer Stunde bin ich mit Mark verabredet, und bis dahin muss ich vierzig Pfund abnehmen und brauche ein neues Outfit. Ein Ganzkörperpeeling wäre wohl auch nicht verkehrt.«

»Tief durchatmen«, sagte Vivi Ann.

»Sie liegt doch nicht in den Wehen. Atmen hat noch nie funktioniert. Ich sage, sie braucht was zu trinken«, erklärte Aurora.

»Sie kann sich doch vor ihrem Date nicht betrinken«, meinte Vivi Ann lachend. »Außerdem ist das in letzter Zeit dein Allheilmittel gegen alles.«

»Beständigkeit ist eine Tugend«, erwiderte Aurora spröde. »Ich bin gleich wieder da.« Sie verschwand und war im Handumdrehen wieder zurück. Dabei hatte sie ihr Beautycase (einen Designerkoffer, mit dem man auf große Fahrt hätte gehen können) und eine hübsche pinkfarbene Tüte von einer Boutique auf der Main Street.

»Was ist das denn?«, fragte Winona. »Ich hab euch doch erst vor einer Viertelstunde angerufen.«

»Aber wir haben mit deinem Anruf gerechnet«, erwiderte Vivi Ann. »Weißt du noch, wie der Banker aus Shelton mit dir ausgehen wollte? Du warst ein einziges Wrack.«

»Und bei dem Lehrer aus Silverdale hast du dich vorher, glaube ich, übergeben müssen«, fügte Aurora hinzu.

»Ja, hat sie.«

Winona ließ sich auf ihr Sofa vom Trödel fallen und bemerkte zum ersten Mal, dass es nach Benzin roch. »Ich bin ein hoffnungsloser Fall.«

Vivi Ann setzte sich neben sie. »Nein. Du machst dir Hoffnungen. Das ist das Problem. Vielleicht ist dieser Mann endlich der Richtige. Dein Neo.«

»Musst du das Wort *endlich* benutzen? Und du weißt genau, dass ich mit den Matrix-Filmen nichts anfangen kann. Sie sind unlogisch.«

»Sie sucht nach Tom Hanks aus *Schlaflos in Seattle*«, sagte Aurora. Sie alle wussten – ohne es je zu erwähnen –, dass Winona immer mutloser in Sachen Liebe geworden war, seit Luke sieben Jahre zuvor geheiratet hatte. Ihr Selbstwertgefühl – was Männer betraf, ohnehin schon immer angeschlagen – tendierte mittlerweile gegen null. »Kommt schon, fangen wir mit der Krisenintervention an. Ricky kommt dieses Wochenende nach Hause, daher will ich noch seine Lieblingsenchiladas machen.«

Winona ließ sich von ihrer Begeisterung und ihrer selbsterklärten Expertise überzeugen. Vivi Ann glättete sorgfältig ihre langen Haare, Strähne für Strähne, bis sie wie seidige Säulen ihr Gesicht einrahmten. Aurora schminkte sie überraschend zurückhaltend: Mascara, rauchig violetten Lidschatten, einen Hauch rosafarbenes Rouge und dezenten Lippenstift, der die Farbe ihrer Augen betonte.

»Wow«, sagte Winona und lächelte ihr Spiegelbild an. »Zu schade, dass er nicht nur mit meinem Kopf ausgehen kann.«

Aurora trat von hinten an sie heran und hielt ihr ein durchscheinendes schwarzes Empirekleidchen mit einem tief ausgeschnittenen Top und einem Crinklerock an.

»Dann sieht man aber meine Arme«, meinte Winona.

»Und deinen Busen«, bestätigte Aurora und zog Winona

das T-Shirt aus, während Vivi Ann ihr aus der Jogginghose half. »Hast du dich rasiert?«

»Ganz blöd bin ich auch nicht.«

»Da bin ich mir nicht so sicher. Hier.«

Aurora streifte Winona das Kleid mit dem Stretchoberteil über den Kopf. Es fiel locker herunter, und Winona drehte sich zum Spiegel und versuchte, sich mit Marks Augen zu sehen: eine große, starkknochige Frau mit einem recht hübschen Gesicht und wabbligen Armen in einem schwarzen Sommerkleid, das viel von ihrem Busen zeigte. Besser konnte sie – ohne Fettabsaugung – wohl nicht aussehen. »Danke, Mädels.«

Aurora musterte sie prüfend. Sie nahm erst einen ihrer langen roten Ohrringe ab und dann den zweiten. »Trag diese. Und versuche, nicht über deine Wahlkampagne zu reden.«

»Wieso?«

»Weil du immer zu sehr ins Detail gehst, und das ist langweilig. Vor allem, wenn du von der Sanierung der Innenstadt anfängst. Vertrau mir. Lass es einfach.«

Winona sah Vivi Ann fragend an. »Stimmt das?«

Vivi Ann grinste. »Allerdings.«

Aurora warf einen Blick auf ihre Armbanduhr. »Es ist Viertel vor sechs. Ich muss los.« Sie umarmte beide und ging.

»Bloß nicht nervös werden, klar?«, sagte Vivi Ann. »Er kann sich glücklich schätzen, mit dir auszugehen.«

»Danke«, sagte Winona und wünschte, sie könnte es glauben. »Noah hat gefragt, ob er bis neun arbeiten darf. Bist du einverstanden?«

»Klar. Ich hole ihn ab, wenn er anruft. In den letzten Tagen war seine Gesellschaft sehr angenehm. Er hat sogar gelächelt. So als wäre er wieder der Junge von früher, vor dem Einschießen der Hormone. Ich glaube, das haben wir zum großen Teil dir zu verdanken.«

»Ich hab doch nichts Besonderes gemacht.«

»Winona Grey wehrt Lob ab? Die Welt, wie sie nicht ist?«

»Sehr komisch.«

Vivi Ann umarmte sie fest, drückte ihr einen Kuss auf die Wange, verabschiedete sich und ging hinaus, wo sie kurz mit Noah sprach und dann davonfuhr.

Auf der Stelle fing Winona an, nervös herumzulaufen wie ein Eisbär im Zoo, der vor dem Zaun läuft und langsam verrückt wird. Sie hasste erste Verabredungen; man machte sich einfach zu große Hoffnungen. Und sie hatte weiß Gott gelernt, dass dieses heikle Gefühl gefährlich war. Jedes Mal wenn sie einen neuen Mann kennenlernte, dachte sie: *Vielleicht ist er der Richtige; vielleicht lässt er mich endlich Luke vergessen.*

»Tante Winona?«

Dankbar für die Abwechslung, blieb sie stehen. »Hör mal, du brauchst heute Abend nicht zu arbeiten.«

»Ich möchte aber. Sonst würde ich doch nur in meinem Zimmer hocken und Xbox spielen.« Er grinste. »Ach, stimmt ja. Meine verrückte Mutter hat mir ja die Xbox weggenommen, als ich vom Unterricht verwiesen wurde.«

»Willst du damit sagen, dass du an einem Samstagabend nichts Besseres zu tun hast, als Vogeldreck abzukratzen?«

»Herrgott, jetzt fühle ich mich wie ein totaler Loser.«

»Tut mir leid.«

Er nickte, rührte sich aber nicht, sondern starrte sie an. Ihr fiel auf, dass er gepflegter wirkte: Sein Haar glänzte und war zu einem Pferdeschwanz zusammengefasst, und sein ärmelloses T-Shirt und die Badeshorts passten ihm richtig. Er trug zwar immer noch die lächerlich großen Skaterschuhe, aber man konnte nicht alle Modeschlachten auf einmal gewinnen.

»Du siehst aus, als wolltest du etwas sagen.«

Er setzte sich auf die Sofalehne. »Was machst du, wenn du jemanden magst?«

»Meistens übergebe ich mich«, sagte sie lachend. Dann

sah sie ihn an. »Ach, das war ernst gemeint. Tja ...« Sie ging zu ihm und setzte sich auf die altmodische Milchkiste, die sie als Sofatisch umfunktioniert hatte. »Da gibt es keine allgemeingültige Antwort, und ich bin auch keine Expertin, aber mir ist Ehrlichkeit und Respekt am wichtigsten. Wenn ich das von einem Mann bekomme, bin ich glücklich.«

»Warst du jemals verliebt?«

Sie war überrascht. Diese Frage hatte ihr schon lange niemand mehr gestellt, auch sie sich selbst nicht, aber nun war sie heraus und hing in der Luft. Wie erwartet tauchte Luke vor ihrem inneren Auge auf, und zwar deutlicher, als es sein sollte. Am liebsten hätte sie ihn einfach vergessen, aber das konnte sie nicht. Er war der eine für sie. Ihr Neo, wie Vivi Ann gesagt hätte. Er war derjenige, an dem alle anderen Männer gemessen wurden. Aber er hatte nie ihre Liebe erwidert. War das nicht erbärmlich? »Ja, vor langer Zeit«, antwortete sie.

»Was ist passiert?«

Am liebsten hätte sie jetzt gelogen und gesagt: »Gar nichts«, oder sich irgendwie herausgeredet, aber als sie den ernsten Blick ihres Neffen sah, fiel ihr wieder ein, was sie wegen Luke gelernt hatte: Lügen und Ausflüchte tendierten dazu, sich auszubreiten; wie eine zu dicke Schicht Dünger konnten sie alles unter sich begraben und abtöten. »Er hat meine Liebe nicht erwidert.«

»Echt Scheiße.«

Winona musste lächeln. »Ja, allerdings. Jetzt ist er verheiratet. Und hat zwei kleine Kinder.«

»Vielleicht denkt er noch an dich.«

»Vielleicht.« Winona stand auf, weil es sie plötzlich drängte, das Gespräch zu beenden. »So. Es ist sechs Uhr, und Mark sollte jede Minute hier sein. Ich schließe nicht ab, falls du mal auf die Toilette musst. Im Kühlschrank ist jede Menge zu essen.«

Es läutete an der Tür.

»Da ist er ja«, sagte Winona nervös. »Also verdufte! Und lass die Finger vom Alkohol«, scherzte sie. Sie sah zu, wie er ging, und kaum war er verschwunden, lief sie zur Haustür und öffnete.

Mark streckte ihr einen Blumenstrauß entgegen. »Ist das vollkommen out? Oder bringen die Männer immer noch Blumen zur Verabredung mit?«

Es beruhigte sie, als sie sah, dass er genauso nervös war wie sie. »Nur die guten. Kommen Sie doch herein, während ich sie in eine Vase stelle. Kann ich Ihnen einen Drink anbieten?«

»Ich trinke nicht.«

Sie drehte sich zu ihm um. »Aus einem besonderen Grund?«

Ohne sie anzusehen, nickte er. »Sind Sie bereit, mit einem trockenen Alkoholiker auszugehen?«

»Ich freue mich darauf.«

Da fasste er sie am Ellbogen und führte sie über ihren ungepflegten Stoppelrasen durch einen frisch geschnittenen Bogen in der Hecke zu seinem wunderschön restaurierten Haus. Wohin sie auch blickte, sah sie exquisite Einzelstücke: einen großen Kamin aus Marmor, der eigens aus Italien importiert worden war; einen vierhundert Jahre alten seidenen Gebetsteppich aus dem Iran, der auf schwarzen Samt aufgezogen und in einen Goldrahmen gesteckt worden war; Lampenschirme aus venezianischem, mundgeblasenem Glas.

Sie folgte ihm hinunter in ein karamellfarbenes Zimmer mit dicken Polstermöbeln, das von einem riesigen Fernseher dominiert wurde. Cissy saß zusammengerollt auf einem Sessel, aß Eiscreme und sah sich einen Film an.

»Hey«, sagte Mark und drückte auf die Pausentaste. Das Bild auf dem Fernseher blieb stehen. Hugh Jackman als Wolverine war mitten in der Luft erstarrt.

Mark küsste sie auf die Stirn. »Ich lasse mein Handy an. Gegen zehn, elf Uhr sind wir wieder da.«

»Ruf mich an, wenn ihr das Restaurant verlasst, dann weiß ich, wann ich mit dir rechnen kann. Sonst gerate ich vielleicht unnötig in Panik.«

Winona lächelte. Genau das hätte sie auch zu ihren Schwestern gesagt.

Mark führte Winona nach oben auf die Terrasse. Dort nahm er einen Sektkühler und eine Decke.

»Machen wir ein Picknick?«, fragte sie.

»Folgen Sie mir.«

Er führte sie zu seinem Anleger und half ihr aufs Motorboot, wo er ihr den Sitz neben dem Steuer anbot.

Sie entfernten sich langsam vom Anleger und tuckerten über das flache, ruhige Wasser. Ab und zu sauste ein Jetskier oder ein Wasserskifahrer an ihnen vorbei und hinterließ eine Heckwelle, auf der sie schaukelten, aber meist war es friedlich. Der Himmel war an diesem wolkenlosen Juniabend leuchtend blau und warf keine Schatten auf das glatte tiefgrüne Wasser.

Winona betrachtete die Häuser am Ufer und stellte fest, dass in den letzten Jahren viele neue und größere dazugekommen waren. Sie fragte sich, wie lange es dauern würde, bis man die Gegend nicht mehr wiedererkennen konnte. Mark steuerte das Boot zu dem langen öffentlichen Anleger der Alderbrook Lodge und machte es neben einer prächtigen, alten Holzyacht namens *The Olympus* fest.

Er half ihr aus dem Boot und bezahlte die Anlegegebühren, dann gingen sie zusammen ans Ufer.

Das kürzlich erst fertiggestellte Alderbrook war eine Wellnessfarm, die auf den Überresten eines einstigen idyllischen Familienanwesens erbaut worden war. Es lag an einem hinreißend schönen Uferabschnitt mit Blick auf den friedlichen Hood Canal und die zackige Silhouette der Olympic Mountains und hatte exquisit eingerichtete Zimmer und Cottages für Gäste. Es war aus Stein, Holz und Glas erbaut und damit ein perfektes Beispiel für den neuen exklusiven Northwestern-Stil.

Im Restaurant bekamen sie einen Tisch am Fenster zugewiesen. Fast von Anfang an unterhielten sie sich zwanglos. Mark erzählte ihr von den faszinierenden Dingen, die er während der einjährigen Weltreise mit Cissy gesehen und erlebt hatte. Er beschrieb ihr so detailliert Thailand, Angkor Wat und Ägypten, dass sie auf einmal am liebsten selbst dort gewesen wäre.

»Das würde ich auch gerne sehen«, sagte sie nach dem Essen, als sie auf großen Adirondack-Stühlen auf dem Rasen des Anwesens saßen. Es wurde endlich dunkler; am Himmel vermischten sich Orange und Pink mit Lavendel. Das Wasser lag reglos und schwarz da. Nur das Klatschen der Wellen am Ufer erinnerte daran, dass es lebendig war.

»Haben Sie je Reisen unternommen?«

»Nein, keine richtigen.«

»Warum nicht?«

Winona zuckte mit den Schultern. »Als meine Mom starb, war ich fünfzehn und musste schnell erwachsen werden. Nach dem Jurastudium kam ich hierher zurück, weil meine Schwestern und mein Dad mich brauchten.«

»Ihre Schwestern können sich glücklich schätzen, Sie zu haben. Als meine Frau mich verließ, hatte die arme Cissy nur noch mich.«

Zu diesem Thema hatte er mehrfach an diesem Abend Anspielungen fallenlassen, es aber nie direkt angesprochen. Sie wollte ihn nach seiner Exfrau fragen, aber es verlief alles so erfreulich, dass sie fürchtete, es zu verderben.

Die nächsten Stunden saßen sie in ihren Liegestühlen, starrten auf das immer dunkler werdende Panorama und unterhielten sich wie alte Freunde. Winona konnte sich nicht erinnern, je eine so schöne erste Verabredung – zum Essen zumal – gehabt zu haben.

Um elf Uhr sagte er schließlich: »Wir brechen wohl besser auf. Ich möchte Cissy nicht zu lange alleine lassen.«

Also war er auch noch ein guter Vater.

»Natürlich«, sagte Winona und lächelte ihn an.

Nachdem sie Cissy kurz angerufen hatten, tuckerten sie langsam unter dem Sternenhimmel zurück und machten dann am Anleger fest. Auf dem Weg zum Haus hielt er ihre Hand, und ihr erster Kuss war genau so, wie sie es sich vorgestellt hatte: zärtlich und fest und voller Sehnsucht. Winonas Leidenschaft, die lange geschlummert hatte, erwachte und erinnerte sie mit Macht daran, dass Küsse nicht genug waren.

Plötzlich zog er sich zurück.

»Was ist los? Es liegt an mir, nicht wahr? Du findest mich nicht attraktiv.«

»Es liegt nicht an dir. Sondern an mir.«

Die übliche Plattitüde. Sie hatte mehr von ihm erwartet – ihr Fehler. »Aha.« Sie seufzte und wandte den Kopf ab.

»Win.« Er fasste ihre Hand und zwang sie, ihn anzusehen.

»Wir müssen kein Drama draus machen. Es ist schon gut. Ich hab's kapiert, glaub mir. Ich dachte nur, wir würden uns gut verstehen.«

»Das ist ja das Problem.«

»Das verstehe ich nicht.«

»Es ist wegen meiner Frau, die ironischerweise auch noch Sybil hieß. Das hätte ich als Zeichen nehmen sollen. Wie auch immer: Ich liebe sie.« Er verstummte, blickte aufs Wasser und flüsterte: »Liebte sie.«

»Und?«

Er zuckte mit den Schultern. »Ich wünschte, ich wüsste, was passiert ist. Deshalb hab ich auch solchen Schiss. Ich dachte, wir wären glücklich. Ich dachte es, bis ich in mein leeres Haus kam und nur einen Zettel fand, auf dem nicht mehr stand als: *Tut mir leid, Mark.* Sie hatte sich in ihren Pilates-

Lehrer verliebt und war gegangen. Einfach so. Cissy und ich fielen aus allen Wolken.«

»Das war bestimmt furchtbar für euch.«

»Schreib mich noch nicht ab. Darf ich das sagen? Ich weiß, ich habe kein Recht, das von dir zu verlangen, aber ich bitte dich trotzdem: Gib mich nicht auf.«

»Glaub mir, Mark. Ich weiß gar nicht, wie man aufgibt.«

»Dann ist es ja gut.«

»Ja, gut.«

»Ich ruf dich an.«

»Du weißt, wo du mich finden kannst«, sagte sie und sah ihm nach, als er ging. Er überquerte die Terrasse und verschwand in der dunklen Hecke, die ihre Grundstücke trennte.

Unwillkürlich fragte sie sich, wie lange sie wohl auf seinen Anruf warten musste.

Gestern Abend hatte ich die beste Zeit meines Lebens. Kaum waren Tante Winona und Mark zu ihrem Date verschwunden, ging ich in den Garten und wartete. Mein Herz klopfte so heftig, dass mir fast schlecht wurde. Ich kann gar nicht beschreiben, was ich fühlte, als ich sie durch die Öffnung in der Hecke kommen sah und wusste, dass sie mit mir zusammen sein wollte.

Ich fragte, ob sie einen Film gucken wollte, aber sie meinte, es wäre ein so schöner Abend, da könnten wir uns doch einfach ins Gras legen und reden. Das machten wir dann auch. Ich holte eine Decke aus Tante Winonas Gästezimmer und breitete sie auf unserem struppigen Rasen aus, während Cissy Cola und Chips aus ihrem Haus holte. Dann legten wir uns nebeneinander auf die Decke und redeten über alles Mögliche.

Es war umwerfend. Sie erzählte, dass ihre Mom eines Tages einfach verschwunden und nie mehr zurückgekommen war, nicht mal anrief und dass ihr Vater deshalb angefangen hätte zu trinken. Als sie das erzählte, fing sie an zu weinen, und ich wusste nicht, was ich machen sollte. Ich wollte das Richtige sagen, aber ich wusste, dass man dazu nichts sagen kann. Vielleicht redet meine Mom deshalb nie über meinen Dad. Manchmal tut die Scheiße einfach weh, so ist das eben.

Sie gab ein leises Geräusch von sich, als ich sie berührte, so als würde ein Reifen Luft verlieren, und ich sah, dass sie jetzt nicht mehr in den Himmel starrte, sondern mich ansah. Sie sagte: »Danke, ich hatte gehofft, du würdest das tun.«

»Und? Was ist mit dir?«, fragte sie später. »Was ist die Geschichte deines Lebens?« Ich weiß, dass sie es früher oder später sowieso zu hören kriegt, deshalb hab ich versucht, es ihr zu sagen, aber ich konnte es nicht. Als ich ihr in die Augen blickte, sah ich, wie sehr sie mich mochte, und das wollte ich nicht kaputtmachen. Also hab ich ihr andere Sachen erzählt. Zum Beispiel, dass Brian und Erik Junior mich ständig nerven und ich manchmal die Beherrschung verliere, weswegen ich ein paarmal wegen Prügeleien vom Unterricht ausgeschlossen wurde. Ich hab ihr sogar erzählt, dass ich manchmal mit dem Streit angefangen habe.

Ich rechnete damit, dass sie genau wie die anderen fragen würde: Was hast du dir bloß dabei gedacht? Als wäre ich ein Idiot. Aber keiner weiß, wie ich mich fühle, wenn Brian mich Indie *nennt. Es ist genau wie damals, als ich mal auf Renegade ritt und wir um eine Ecke bogen und einen Puma sahen. Renegade scheute und stieg so schnell, dass ich Glück hatte, nicht runterzufallen. Genau das passiert, wenn mir Scheiß an den Kopf geworfen wird: Ich scheue. Aber ich weiche nicht zurück, sondern kämpfe.*

Also wartete ich, dass Cissy etwas sagen würde. Ich will nicht, dass sie mich für einen Schisser oder einen Schläger hält. Ich machte mir solche Sorgen, dass ich kaum hörte, als sie sagte: »Ich weiß, wie du dich fühlst.«

»Das Schlimmste ist«, sagte sie, »immer so zu tun, als würde es einem nichts ausmachen.«

Da hab ich sie geküsst. Ohne lange nachzudenken. Ich sah einfach, dass sie anfing zu lächeln, und da wusste ich, wie sie sich fühlt und wie ich mich fühle, und ich küsste sie.

Natürlich kam genau in diesem Moment meine Mom angefahren. Cissy und ich mussten lachen und packten sofort alle Sachen zusammen – ohne dass Mom was davon mitbekam. Sie hupte, als ich mit Cissy auf der Terrasse war. Fast hätte ich gesagt: »Ich liebe dich«, aber weil ich wusste, sie würde mich auslachen, sagte ich einfach: »Bis dann«, und sie wiederholte: »Bis dann.«

Aber als ich schon fast am Wagen war, hörte ich, wie sie meinen Namen flüsterte, und drehte mich um.

»Treffen wir uns morgen«, sagte sie.

»Wo?«

Meine Mom saß im Wagen und winkte mir zu, als hätten wir uns seit einem Jahr nicht mehr gesehen.

»Im Park«, sagte Cissy leise. »Nach dem Mittagessen.«

Es war ganz gut, dass ich mich im Wagen anschnallen musste, denn ich fühlte mich, als könnte ich jeden Moment wegfliegen.

»Du siehst glücklich aus«, stellte meine Mom fest, als sie auf den Highway bog.

Ich schätze, das bin ich auch.

Winona konnte nicht schlafen. Sie machte Licht, schlüpfte in ihren Lieblingsbademantel aus rosafarbenem Frottee und ging in die Küche.

Da nichts im Kühlschrank sie ansprach, kochte sie sich eine Tasse Kräutertee und ging damit hinaus. Sie lehnte sich ans Geländer der Veranda und starrte auf das tintenschwarze Wasser. Über den unsichtbaren Bergen hing der Sichelmond und verströmte kaum Licht. Trotz all ihrer Jahre hier hatte sie vergessen, wie dunkel es am Ufer und zwischen den Bäumen sein konnte. Ohne das leise Rauschen des Wassers am Strand wäre es vollkommen still gewesen.

In der Stille und Dunkelheit fühlte sie sich noch einsamer als sonst. In ihrem Haus in der First Street ging sie oft abends auf die Terrasse. Dort konnte sie von ihrem Rattansofa aus zum Canal House Bed & Breakfast und dem Strandparkplatz sehen. Selbst an einem eiskalten Abend mitten im Winter gab es Licht und Bewegung, und sie war, wenn auch nur von ferne, ein Teil davon.

Aber hier war nichts. Nur unsichtbare Berge, schwarzes Wasser und unerreichbar ferne Sterne.

»Hey, Winona.«

Sie drehte sich um, um zu sehen, wer zu ihr gesprochen hatte, aber sie erkannte die Gestalt erst, als sie auf ihre Holzterrasse trat. »Mark«, sagte sie, wusste dann aber nicht weiter.

»Ich hab durch die Bäume Licht bei dir gesehen.«

»Ich konnte nicht schlafen.«

Er kam näher und trat schließlich in den Lichtkegel, der vom Küchenfenster nach draußen drang. »Ich auch nicht.«

Jetzt sah sie, wie zerzaust und elend er aussah. So als wäre er stundenlang herumgetigert und sich dabei immer wieder mit der Hand durch die Haare gefahren, bis sie nach allen Richtungen abstanden. Sein Hemd war auch falsch zugeknöpft. »Stimmt was nicht?«, fragte sie.

»Mein ganzes Leben stimmt nicht.«

»Das kenne ich.«

»Wirklich?«

»Na klar«, erwiderte sie leise und stellte die Teetasse auf dem Tisch hinter sich ab. »Ich bin dreiundvierzig, Mark. Ich war nie verheiratet und werde wahrscheinlich auch keine Kinder mehr kriegen können. Vielleicht ist dir auch aufgefallen, dass ich ein Problem mit meinem Gewicht habe. Also weiß ich, wie es sich anfühlt, wenn das Leben sich nicht so entwickelt wie erhofft.«

»Es war heute Abend so schön mit dir. Da bekam ich's mit der Angst.«

»Ist schon gut. Wir haben doch Zeit.«

Er schüttelte den Kopf. »Genau das habe ich im letzten Jahr gelernt. Man denkt immer, man hätte alle Zeit der Welt, aber es kann jeden Moment zu Ende sein.«

»Was willst du damit sagen?«

Er trat näher zu ihr. »Damit will ich sagen: Ich will dich, Winona.«

Sie spürte einen Anflug von Erregung, doch so berauschend es auch war, konnte sie sich dem doch nicht völlig hingeben. Auch wenn ihr Körper sich nach seiner Berührung verzehrte, konnte sie ihren Kopf nicht ausschalten. »Du bist noch nicht bereit«, sagte sie.

»Allerdings nicht.«

»Das hättest du auch abstreiten können.«

Er legte ihr die Hand um den Nacken. Seine Finger waren warm und fest. Sie lehnte sich ein winziges Stück zurück, so dass sie sich von ihm gehalten und geborgen fühlte.

»Willst du mich auch?«, fragte er.

Sie spürte seinen warmen Atem an ihren Lippen. Sie wollte die Augen schließen oder den Blick abwenden, um der Wahrheit auszuweichen. Aber sie war so klar und deutlich in seinem Blick zu sehen wie ein Seestern bei Ebbe. Er liebte seine Frau immer noch.

Andererseits war sie schon so lange allein, daher brachte sie es einfach nicht über sich, die Gelegenheit, die sich so überraschend ergeben hatte, verstreichen zu lassen. Sie schmiegte sich enger an ihn und sah zu ihm auf. »Ich will dich.«

Sein Kuss war wie kühles Wasser für ihre verdorrte Seele, und sie trank gierig davon. Als sie sich schließlich voneinander lösten, sah sie ihr eigenes Verlangen in seinem Blick gespiegelt.

»Komm«, bat sie, nahm ihn bei der Hand und führte ihn ins Haus, den Flur hinunter in ihr Schlafzimmer. Ohne Licht zu machen, streifte sie Bademantel und Nachthemd ab und zog ihn ins Bett.

Er küsste sie, bis sie ihn um mehr anflehte, und als er sie liebte, klammerte sie sich mit der verzweifelten Leidenschaft einer Frau an ihn, die viel zu lange allein war. Ihre Erfüllung kam in einer köstlichen Mischung aus Lust und Schmerz, die sie aufschreien, fast schluchzen ließ wegen der Gefühle, die damit aufgerührt wurden.

»Das war großartig«, sagte er danach, lehnte sich gegen die Kissen und zog sie eng an sich.

Sie schmiegte sich an ihn. Sie hatte schon so lange nicht mehr ihr Bett mit einem Mann geteilt, dass ihr erst jetzt wieder einfiel, wie viel Platz Männer einnahmen, wie schwer ihre Beine waren und wie nett es war, wenn einen jemand einfach so auf die nackte Schulter küsste.

Sie unterhielten und küssten sich bis spät in die Nacht, und später liebten sie sich noch einmal. Gegen vier Uhr morgens zog Winona schließlich ihr Nachthemd wieder an und ging in die Küche. Als sie ins Schlafzimmer zurückkehrte, brachte sie ein ganzes Tablett voller Speisen mit: Denver-Omeletts, Toast mit Honig aus dem Umland und frisch gepressten Orangensaft.

Mark setzte sich auf. Das Laken glitt ihm vom nackten Oberkörper.

Sie stieg neben ihm ins Bett.

»Es hat schon lange keiner mehr für mich gekocht«, sagte er und gab ihr einen Kuss.

Die Wahrheit war, dass sie mindestens tausend Rezepte in ihrer Sammlung im Stadthaus hatte. Seit Jahren sammelte sie sie, perfektionierte sie und wartete darauf, sie für jemanden nachzukochen. Jetzt aß sie ihr Frühstück und hörte ihm zu. Er erzählte ihr von den Ländern, die er gesehen hatte, von den Problemen, allein ein pubertierendes Mädchen zu erziehen, und seiner Begeisterung, in Oyster Shores noch einmal ganz von vorn anfangen zu können.

Nach dem Frühstück zog er sie in seine Arme und küsste sie. Als er sie losließ, lagen sie nebeneinander, hatten die Beine miteinander verschlungen und blickten sich an.

»Wieso hast du nie deine Familie besucht, zum Beispiel zu Weihnachten?«

»Ich bin hier mit achtzehn verschwunden. Damals wollte ich nur raus aus der Kleinstadt, wo jeder jeden kennt. Als ich Sybil geheiratet habe, kamen meine Eltern zwar zur Hochzeit, aber danach haben sie uns nie mehr besucht. Und ich konnte Sybil nicht dazu bewegen, Chicago zu verlassen.«

»Hast du manchmal mit deiner Mom geredet?«

»Ja, schon. Warum fragst du?«

Winona formulierte ihre Erklärung sorgfältig. Sie war notwendig, barg aber auch einige Gefahr. »Vor langer Zeit gab es hier im Ort einen Mord. Es war eine ziemlich große Sache.«

»Ich erinnere mich, davon gehört zu haben.«

»Dallas Raintree.« Sie zögerte und sagte dann: »Er war mit meiner Schwester Vivi Ann verheiratet. Deine Mutter hat gegen ihn ausgesagt.«

Mark runzelte die Stirn. »Ja, ich meine mich zu erinnern. Ist das wichtig? Hasst deine Schwester jetzt meine Mutter?«

»Du weißt doch, wie es hier zugeht. Niemand spricht etwas offen aus, aber ich habe gesehen, dass deine Mutter nach der Kirche woanders hingegangen ist, um nicht mit Vivi Ann sprechen zu müssen. Und Vivi Ann hält es auch so.«

»In meinen Augen ist das alles nur unwichtiger Klatsch, und ich wüsste nicht, wieso … Moment mal: Sprichst du von Noahs Vater?«

»Ja.«

»Muss ich mir Sorgen machen, weil Cissy was mit ihm unternimmt?«

»Vor einer Woche noch hätte ich dir geraten, Cissy von ihm fernzuhalten. Er hatte ein paar Probleme in der Schule. Du wirst bestimmt bald davon hören. Einige Leute meinen, er warte nur darauf, Ärger zu machen, aber ich finde, er ist eigentlich ganz in Ordnung.«

»Das reicht mir. Aber wie wäre es jetzt mit ein bisschen Kleinstadttratsch?«

»Was?«

Er küsste ihr Kinn, ihre Wange und dann ihren Mund.

Sie spürte, wie seine Hand über ihren Rücken, ihren Po und dann zwischen ihre Beine glitt.

»Ich hab gehört, Mark Michaelian geht mit Winona Grey ins Bett.«

Sie erschauerte unter seiner Berührung. »Soweit ich gehört habe, schlafen sie aber nicht sehr viel.«

ZWEIUNDZWANZIG

Dies war der beste Sommer aller Zeiten. Cissy und ich haben hundert Wege gefunden, uns davonzuschleichen und miteinander allein zu sein. Sogar an meinem Geburtstag konnten wir unbemerkt miteinander abhängen. Wir wollen nicht verheimlichen, dass wir zusammen sind, aber solange es geheim ist, haben wir unsere Privatsphäre. Es muss sich keiner Sorgen darüber machen, wie viel Zeit wir zusammen verbringen, weil keiner davon weiß, und Mark muss sich nicht überlegen, wie er Cissy beibringt, dass ich nicht gut genug für sie bin. Ich weiß, zum Schulanfang wird sie das alles zu hören bekommen, aber im Moment versuche ich, es von ihr fernzuhalten.

Am vierten Juli war es ziemlich eng. Alle waren mit ihrem eigenen Kram beschäftigt: Mom hatte die Parade und die Wagenwaschaktion der Jugendgruppe, Tante Winona ihre Wahlkampagne, und Mark wartete den ganzen Tag darauf, dass sie endlich fertig war.

Ich nahm mein Geld, das ich den ganzen Sommer gespart hatte, und gab mindestens die Hälfte davon beim Stadtfest aus. Ich spielte so lange, bis ich für Cissy die Riesengiraffe gewann, und auf dem Riesenrad küsste ich sie mindestens zehnmal. Als ich kein Geld mehr hatte, gingen wir auf den Hügel zu den Pferdeställen und unterhielten uns. Das Beste war, dass ich etwa zehn Sekunden vor Mom zu Hause war. Als sie kam, lag ich im Bett und las. Sie meinte, ich hätte ein wirklich cooles Stadtfest verpasst. Dass ich un-

ter der Decke noch vollständig angezogen war, bekam sie gar nicht mit.

Dieser Juli und dieser August waren die beiden besten Monate meines Lebens. Ich hab jetzt keine Zeit, zu schreiben (Cissy wartet im Park auf mich), aber bald schreibe ich …

Mark und Tante Winona wollen übers Wochenende zum Sol Duc Hot Springs Resort und haben uns gefragt, ob wir mitkommen! Wir wissen, dass sie uns nur gefragt haben, um zu beweisen, dass sie nicht ständig miteinander ins Bett gehen. Als wären Cissy und ich blind UND dumm, aber das ist uns völlig egal. Als sie es ankündigten, tat ich so, als würde ich nur Tante Winona zuliebe mitfahren, und Cissy verhielt sich genauso gegenüber ihrem Dad.

Also stiegen wir gestern Abend alle in Marks Escalade. Mark und Tante Winona redeten vorne so viel, dass sie nicht mitbekamen, wie Cissy und ich hinten Händchen hielten. Auf dem Campingplatz grillten wir Hot Dogs und Schoko-Marshmallow-Sandwiches und spielten Karten. Nachts schliefen wir in einem riesigen orangefarbenen Zelt, jeder in seinem eigenen Schlafsack. Das Schlimmste war, dass Cissy etwa drei Meter von mir entfernt lag. Ich konnte sie atmen hören, aber sie weder berühren noch küssen oder auch nur mit ihr reden.

Am Samstag standen wir alle früh auf und frühstückten in der Lodge, was echt cool war. Es gibt dort einen RIESIGEN Swimmingpool mit Wasser aus den heißen Quellen, also hatte er etwa 40° oder so. Man kann im heißen Wasser treiben und sich dann in einen anderen Swimmingpool mit normalem Wasser stürzen, das sich eiskalt anfühlt. Tante Winona und Mark waren so lange in den heißen Quellen, dass ich dachte, sie würden schmelzen. Als sie herauskamen, versuchten sie ständig, sich heimlich anzufassen – als wüss-

ten Cissy und ich nicht genau, was los ist. Sie kamen rüber zum kalten Pool und riefen uns.

Jedenfalls ist Cissy einfach ein GENIE. *Denn sie schwamm direkt zu ihnen und meinte, sie wollte eine Wandertour zu den Wasserfällen unternehmen.*

Ich schwamm zu ihr und jammerte, das sei zu weit weg, mindestens zehn Meilen, obwohl ich wusste, dass das nicht stimmte.

Mark sagte da: »Ach, Noah, geh doch mit Cissy zu den Wasserfällen«, und Cissy stöhnte, aber Tante Winona (die jedes Problem lösen muss) meinte: »Das ist doch eine großartige Idee, Noah. Wenn ihr zusammen geht, ist es sicherer.«

Also konnten Cissy und ich den ganzen Tag Händchen halten und bequem zu den Wasserfällen hochwandern. Die Bäume um uns herum waren gigantisch. Alles war überdimensional: die Felsen, die Pflanzen, die Bäume. Obwohl es ein heißer Augusttag war, gab es auf dem Wanderweg so gut wie kein Sonnenlicht. Weil Cissy kalt wurde, zog ich mein Shirt aus und gab es ihr. Ich fror auch, aber es war mir egal.

Wir merkten schon vorher, dass wir uns den Wasserfällen näherten, denn es war so laut, als würde ein Zug durch die Bäume donnern, der alles erzittern ließ. Wir gingen über eine ziemlich wacklige alte Brücke und wanderten so lange weiter, bis wir die Fälle sahen.

»Echt magisch«, sagte Cissy und nahm wieder meine Hand. Ich küsste sie echt lange, und das war das Coolste überhaupt. Der Boden zitterte, und überall war Sprühnebel, und man konnte sein eigenes Wort nicht verstehen, so laut war es. Aber als wir aufhörten, uns zu küssen, sah ich, dass die Sonne uns beschien – nur uns –, sonst nichts.

Ohne lange nachzudenken, sagte ich: »Ich liebe dich«, aber da fing sie an zu weinen.

»Tut mir leid«, sagte ich und wollte von ihr abrücken, aber sie ließ mich nicht los.

Sie sagte: »Nein, du Idiot, ich weine, weil ich dich auch liebe.«

Sie meint, es ist Schicksal, dass wir uns begegnet sind, und vielleicht hat sie recht. Denn wenn wir uns nicht an den Wasserfällen geküsst hätten, wenn wir uns nicht gesagt hätten, dass wir uns lieben, oder wenn die Sonne nicht direkt auf uns geschienen hätte, vielleicht hätte ich sie dann nicht bei der Hand genommen und in den Schatten einer riesigen Zeder gezogen, und dann hätte ich es vielleicht auch nicht gesehen.

Aber da war es und wartete auf mich. In die zerfurchte Baumrinde war ein perfekt geformtes Herz geschnitzt. Und in dem Herzen standen zwei Initialen und ein Datum.

D. R. liebt V. G. R. 21. 8. 92

Heute war der 20.

Ich setzte mich so schnell auf, dass Cissy fast zur Seite fiel.

»Was ist denn?«, fragte sie.

Ich wollte es ihr sagen, wirklich, aber ich konnte nicht sprechen, nicht mal denken. Mein ganzes Leben hatte ich meinen Alten immer nur als Mörder gesehen. Fast als Bestie.

Aber plötzlich sah ich ihn als Mann, der mit seiner Frau hierhergegangen war, genau an die Stelle, die ich mir für mein Mädchen ausgesucht hatte. Und da bekam ich es mit der Angst.

Was, wenn er gar keine Bestie war? Was, wenn er nur ein Mann war, der eines Tages erschreckt wurde und eine Dummheit machte?

Zum ersten Mal erkannte ich, dass die ganzen Klatschmäuler vielleicht recht hatten, was mich betraf. Vielleicht war ich genau wie mein Vater. Und er war genau wie ich.

»Sieh mal«, sagte Cissy, als sie das Herz entdeckte, »ist das nicht romantisch? Ich frage mich, wer die beiden waren.«

Ich holte mein Handy heraus und machte ein Foto von dem Herzen. Ich weiß nicht, welche Erklärung ich Cissy lie-

ferte. Von da an war ich völlig neben der Spur – ich weiß nicht mal, wie ich es beschreiben soll. Ich saß am Feuer, total durcheinander, und wartete nur darauf, nach Hause zu kommen und meine Mom endlich zu fragen, wie zum Teufel Dallas Raintree gewesen war.

Der schlimmste Tag des Jahres war für Vivi Ann der 21. August. Manchmal sah sie ihn Wochen vorher auf sich zurasen, wie einen alten Truck mit schlechten Bremsen, und manchmal wurde sie in einer völlig normalen Arbeitswoche davon überrascht. Doch das Resultat war immer das gleiche: tiefste, dunkelgraue Depression. Vor Jahren war der Schmerz an diesem Tag noch fast unerträglich gewesen, doch die Zeit hatte ihm etwas von seiner Schärfe genommen. Jetzt war er auszuhalten; diesen Fortschritt konnte sie verzeichnen. Sie hoffte, es noch zu erleben, dass dieser Tag so normal wie jeder andere wurde.

Sie stand spät auf, fütterte die Pferde und Bullen und ging dann zu ihrem Vater, um einen Kaffee zu trinken. Sie besprachen kurz, was getan werden musste, und gingen dann wieder auseinander: er nach Seabeck, um sich eine gebrauchte Mähmaschine anzusehen; sie, um ihre Pflichten zu erledigen. Den Rest des Tages arbeitete sie unablässig, darauf bedacht, immer beschäftigt zu bleiben, um müde zu werden. Als die Sonne endlich unterging, setzte sie sich in ihren Schaukelstuhl auf der Veranda und wagte es, die Augen zu schließen.

Sekunden später war sie schon dort, wo sie sein wollte: tief im Reich ihrer Erinnerungen. In einer Ecke ihres Hirns flüsterte ihr kühler, rationaler Verstand, dass sie eigentlich kein Bedürfnis verspüren sollte, dort zu sein, aber das konnte sie leicht überhören. An diesem einen Tag konnte sie einfach nicht anders.

»Vivi Ann?«, sagte Winona und kam auf sie zu. »Alles in Ordnung?«

»Oh, tut mir leid, ich bin wohl eingedöst«, antwortete

Vivi Ann. Sie stand langsam auf, weil ihr leicht schwindelig war. Erinnerungen waren wie alkoholische Getränke, es gefährdete das Gleichgewicht, wenn man zu schnell zu viel davon bekam. »Wo ist Noah?«

»Ich bin hier.« Noah stieg aus dem glänzend schwarzen SUV.

Mark erhob sich vom Fahrersitz. »Hey, Vivi Ann«, sagte er und umfasste Winonas Hand. »Danke, dass wir Noah mitnehmen durften. Er war ein toller Begleiter.«

»Danke, dass ihr ihn mitgenommen habt. Das war sehr großzügig von euch.«

Mark lächelte. »Wir wollten noch in die Stadt, um Fisch zu essen und danach ein Eis.«

Ich war noch spät in der Eisdiele, zum Arbeiten, als ich Dallas aus der Gasse kommen sah.

»Willst du mitkommen?«, fragte Winona.

Vivi Ann zwang sich, strahlend zu lächeln. »Nein, danke. Mir geht's nicht so gut«, fügte sie dann hinzu.

»Ich glaube, ich bleibe bei Mom«, sagte Noah. »Aber vielen Dank für den Ausflug.« Er ging zurück zum Wagen und sagte etwas zu dem Mädchen auf dem Rücksitz.

Winona ließ Marks Hand los und trat zu Vivi Ann. »Ist wirklich alles in Ordnung?«

An manchen Tagen schätzte es Vivi Ann sehr, dass Schwestern sich so genau kannten. Aber an manchen Tagen – und heute war so einer – machte es sie wütend. Das einzig Gute war, dass Winona sich niemals die Mühe machen würde, darüber nachzudenken, welches Datum sie heute hatten. »Mir geht es gut. Ehrlich. Los, amüsiert euch.«

Sie sah zu, wie ihre Schwester zu dem teuren schwarzen Wagen zurückging und einstieg. Als sie davonfuhren, kam Noah über den Rasen zur Veranda. »Heute ist der einundzwanzigste August«, sagte er. »Hat dieses Datum irgendeine Bedeutung für dich?«

Und Vivi Anns Welt wurde aus den Angeln gehoben.

»W... was meinst du damit?«

»Nichts«, erwiderte er scharf.

Sekunden zuvor war sein Gesicht noch ausdruckslos und hart gewesen, aber jetzt sah sie, dass er nervös war.

»Wir waren oben am Sol Duc«, begann er und trat näher zu ihr. »Ich und Cissy –«

»Cissy und ich.«

Er verdrehte die Augen und sprach weiter. »Wir sind den langen Weg zum Wasserfall hinaufgewandert und haben uns dann eine Weile an einen Baum gesetzt, um ihn anzusehen. Da hab ich ein Herz entdeckt, das in die Baumrinde geschnitzt war.«

»Ein Herz«, wiederholte sie, wagte aber nicht, ihrem Sohn in die Augen zu sehen.

»Darin stand: *D. R. liebt V. G. R., 21. August* 1992.«

Vivi Ann spürte, wie sie innerlich kapitulierte. Sie war es so leid, den Fragen ihres Sohnes auszuweichen. Und er hatte wahrlich jedes Recht, Fragen zu stellen. Sie stützte sich auf ihren Stuhl und ließ sich darauf sinken. Der Schmerz, dem sie unbedingt hatte entkommen wollen, war nun wieder da und nahm viel zu viel Raum ein.

»Mom?«, sagte er, und es klang wie ein Flehen.

Da endlich nickte sie und zeigte ihm zum ersten Mal seit vielen Jahren rückhaltlos, wie sie sich fühlte. »Heute ist unser Hochzeitstag. Dein Daddy hat das Herz in unseren Flitterwochen dort hineingeschnitzt.«

»Du hast ihn noch nie ›dein Daddy‹ genannt.«

»Weil es zu weh tut.«

»Beantwortest du jetzt meine Fragen?«

»Wenn ich kann. Komm, gehen wir ins Haus. Es wird wohl eine Weile dauern.« Sie stand auf, folgte ihm hinein, schenkte sich ein Glas Weißwein ein, setzte sich dann aufs Sofa.

Noah setzte sich ihr gegenüber in einen Sessel. »Erzähl mir von dem Mord.«

»Das ist dir also am wichtigsten? Hmmm. Nun, es wurde eine Frau ermordet – eine Freundin deines Vaters, genauer gesagt. Ich glaube, die Polizei hatte deinen Vater von Anfang an in Verdacht.«

»Hat er es getan?«

Sie hatte sich gegen diese Frage gewappnet, hatte sich über zehn Jahre darauf vorbereitet, doch nun, da sie endlich im Raum stand, wusste sie nicht, was sie sagen sollte. »Dein Dad verlor manchmal die Beherrschung.«

»Wie ich?«

»Nein, das ist nicht zu vergleichen«, widersprach sie entschieden.

»Hat er diese Frau getötet?«, fragte Noah noch einmal.

Sie wusste, er würde nachhaken, bis sie antwortete. Daher seufzte sie und sagte ihm die Wahrheit. »Ich glaube nicht, dass er es war.«

»Hast du ihn geliebt?«

Vivi Ann spürte, wie ihr die Tränen in die Augen traten. Und sie konnte nicht das Geringste dagegen tun. »Aus tiefstem Herzen.«

»Warum hast du dich dann von ihm scheiden lassen?«

»Eigentlich hat er sich von mir scheiden lassen, aber im Grunde willst du doch etwas anderes wissen. Du willst wissen, warum ich … ihn aufgegeben habe.« Selbst nach all der langen Zeit tat es weh, daran zu denken, sich daran zu erinnern, wie sie ihn hatte ziehen lassen.

»Es tat so weh, immer weiterzumachen, Jahr für Jahr, und zu hoffen. Bei jeder schlechten Neuigkeit verlor ich den Boden unter den Füßen. Du erinnerst dich sicher noch an etwas aus dieser Zeit. Ich habe viele Pillen geschluckt und zu viel getrunken. Ich war eine schlechte Mutter. Ich glaube, dein Dad liebte mich so sehr, dass er mich zwang, ihn aufzugeben.

Und nachdem wir dann im Grey Park gegen den Baum gefahren sind – weißt du noch? Da war ich zu Tode erschrocken darüber, was ich dir fast angetan hätte. Ich wusste, ich musste mich lösen und mein Leben leben. *Wir* mussten unser Leben leben. Du und ich.«

»Wie konntest du ihm das antun?«

Sie schloss die Augen. Diese Frage hatte sie niemals losgelassen. Wie oft schon hatte sie sich gewünscht, die Zeit zurückzudrehen und zu sagen: *Nein, Dallas. Ich gehe nicht weg. Ich unterschreibe diese Papiere nicht.* »Es musste einfach sein. Aber ehrlich gesagt glaube ich nicht, dass ich mir das je verzeihen werde.«

Noah stand auf und umrundete den Sofatisch. Er setzte sich neben sie und legte den Kopf in ihren Schoß, so wie früher. Sofort strich sie ihm mit den Fingern durch sein seidiges Haar.

Genau wie das seines Vaters ...

»Hat er mich geliebt?«, fragte Noah so leise und zaghaft, dass sie erkannte, warum er zu ihr gekommen war. Sie sollte nicht sehen, dass er weinte.

»Ach, Noah«, flüsterte sie. »Er hat dich sehr geliebt. Deshalb wollte er dich auch nicht sehen. Es hätte ihm das Herz gebrochen, dich durch Gefängnisgitter sehen zu müssen.«

»Das ist doch feige.«

»Nein, menschlich.«

»Könnte ich ihm einen Brief schreiben?«

»Ich glaube nicht, dass er dir antworten würde. Könntest du das aushalten?«

»Jedenfalls besser, als es gar nicht zu versuchen.«

Früher hatte Vivi Ann auch so gedacht; aber jetzt wusste sie, dass es schlimmer sein konnte, etwas immer wieder zu versuchen, als es aufzugeben. »Na dann. Versuch es. Ich hab dich lieb, Noah. Und ich bin sehr stolz auf dich.«

»Ich hab dich auch lieb, Mom.« Er wischte sich unauffällig

über die Augen, so als meinte er, sie hätte seine Tränen nicht gesehen. »Es war irgendwie cool, weißt du. Das Herz im Baum.«

»Ja«, sagte sie und sah es vor ihrem inneren Auge, »das war es.«

Ich dachte, ich bekäme Antworten auf meine Fragen, wenn wir über Dad reden. Stattdessen habe ich nur noch mehr Fragen. Die ganze Zeit musste ich an das geschnitzte Herz im Baum denken. Ich weiß, wie er sich fühlte, als er es schnitzte, deshalb ist es so, als würde ich einen Teil von ihm kennen. Und jetzt will ich mehr von ihm wissen.

Ich hab versucht, es vor Cissy zu verbergen. Als wir uns das nächste Mal trafen, war es schon Dienstag. Mom gab Reitunterricht, und Tante Winona und Mark waren nach Seattle gefahren. Cissy und ich verbrachten den Tag auf einer großen Decke in ihrem Garten. Ich wollte so tun, als wäre alles wie vorher, aber sie merkte, dass irgendwas nicht stimmte. Ich schätze, durch Liebe kriegt man Röntgenaugen oder so. Ich saß einfach nur da und trank mein Rootbeer, da sagte sie: »Ich weiß, dass du was vor mir geheim hältst, und das gefällt mir nicht.«

Ich erwiderte, das Geheimnis würde ihr auch nicht gefallen, da sagte sie, wenn wir uns wirklich liebten, dürften wir keine Geheimnisse voreinander haben.

»Aber ich liebe dich wirklich«, sagte ich.

»Dann beweise es«, verlangte sie.

Ich hätte auch was erfinden können, zum Beispiel, dass ich durch Literatur falle oder so, aber ehrlich gesagt wollte ich es ihr sagen. »Ich hab Angst«, sagte ich.

»Wovor?«

Ich antwortete, dass sie mich nicht mehr mögen würde, wenn sie die Wahrheit wüsste. Aber da in zehn Tagen die Schule sowieso wieder anfängt, konnte ich es ihr auch gleich sagen. Sonst würden es Brian, Erik Junior und die anderen für mich übernehmen.

Sie sagte, sie möge mich nicht, sondern sie liebe mich, und nichts könne das ändern.

Also erzählte ich ihr alles: dass mein Dad Dallas Raintree und halb weiß, halb Indianer ist, dass er in die Stadt kam und einen Job auf Water's Edge bekam und dass er Mom heiratete, obwohl die Familie dagegen war. Ich erzählte ihr von seiner Unbeherrschtheit und den Prügeleien, in die er ständig geriet. Und ich erzählte, dass er eine Frau umbrachte und dafür ins Gefängnis kam. Danach konnte ich sie nicht mal ansehen. Ich hatte noch nie so viel über meinen Dad geredet, und mir war ziemlich schlecht.

Sie rückte näher auf der Decke zu mir und wollte mich dazu bringen, sie anzusehen, aber ich konnte nicht. Ich starrte nur auf den Kanal, als sähe ich ihn zum ersten Mal. Sie fasste meine Schulter und zog mich hinunter auf die Decke, so dass wir nebeneinanderlagen und uns ansehen konnten.

»Das weiß ich alles«, sagte sie. »Mein Dad hat mir das alles schon längst erzählt. Wusstest du, dass meine Grandma als Zeugin gegen deinen Dad ausgesagt hat?«

Es ist komisch, wie ein Satz einen manchmal kalt erwischen kann. Mein ganzes Leben lang habe ich über meinen Dad nachgedacht und darüber, dass er im Gefängnis sitzt. Ich hab mir vorgestellt, wie er wohl aussieht, wie er hinter Gittern lebt und was er über mich denkt. Aber bevor Cissy das über ihre Großmutter sagte, habe ich nicht ein einziges Mal darüber nachgedacht, wie er ins Gefängnis kam. Wie man bewiesen hat, dass er schuldig ist.

»Glaubst du, er war es?«, fragte sie.

Ich wusste nicht, was ich darauf antworten sollte. Wie auch? Für mich ist mein Dad wie ein Phantom. Jedes Mal wenn ich versuchte, mich an reale Dinge zu erinnern, kam fast nichts – nur ein Paar dreckige Cowboystiefel, ein weißer Hut, mit dem ich früher spielte, eine Stimme, die etwas in einer fremden Sprache zu mir sagte.

»Du solltest ihn besuchen«, sagte sie.

Und so entstand unser Plan.

Am letzten Tag vom Stadtfest räumte Vivi Ann den Reitstall auf, verabschiedete sich von ihrer Jugendgruppe und ging dann hinunter zur geschmückten Hauptstraße.

Aurora wartete schon am Kartenstand auf sie. »Du bist spät dran.«

»Die Mädchen sind gerade erst gegangen. Außerdem haben wir vier Uhr vereinbart. Ich bin also fast noch pünktlich.« Sie stibitzte sich ein Stück Zuckerwatte von ihrer Schwester und stopfte es sich in den Mund.

»Hoffentlich hat Winona uns nicht vergessen«, sagte Aurora und stemmte eine Hand in ihre schmale Hüfte.

»Sie ist verliebt. Wenn man verliebt ist, vergisst man alles andere.«

Aurora sah sie mit gerunzelter Stirn an. »Was ist denn mit dir los? Du wirkst ja fast glücklich.«

»Hast du was daran auszusetzen? Ich habe eine gute Woche hinter mir. Noah und ich haben endlich über Dallas geredet. Das war gut.«

»Wo ist der kleine Tunichtgut denn? Irgendwo Crack rauchen?«

»Was denn, ist Janie schon wieder hier?«

Wider Willen musste Aurora lächeln. »Ich freue mich, dass ihr endlich geredet habt und dass du glücklich bist, aber wo bleibt jetzt Winona, dieses Miststück?«

»Da«, sagte Vivi Ann, als sie Winona und Mark auf sie zukommen sah.

»Hat sie etwa ihren *Freund* mitgebracht? Zu unserem Weiberabend? Das geht ja wohl gar nicht«, entrüstete sich

Aurora und stopfte den Rest der Zuckerwatte in einen Mülleimer.

»Gott sei Dank«, sagte Winona außer Atem, als sie sie erreicht hatte. »Ich hab schon seit über einer Stunde versucht, dich anzurufen, Vivi.«

»Du weißt doch, dass ich am Reitstall keinen Empfang habe. Was ist los?«

Mark trat einen Schritt vor. »Ich kann Cissy nicht finden. Sie sollte eigentlich heute den ganzen Tag zu Hause bleiben. Win und ich wollten nach Seattle, aber weil die Bainbridge-Fähre überfüllt war, sind wir umgekehrt. Als ich nach Hause kam, stand die Haustür sperrangelweit offen, und Cissy war weg.«

»Hast du versucht, sie über Handy zu erreichen?«

»Natürlich«, erwiderte Winona. »Aber sie meldet sich nicht. Außerdem haben wir das hier in ihrem Zimmer gefunden.« Sie streckte die Hand aus und präsentierte einen Streifen Automatenfotos. Darauf sah man Noah und Cissy, wie sie lächelten, lachten und sich küssten. »Das erklärt auch, warum mein Anleger immer noch voll Vogeldreck ist. Die beiden waren den ganzen Sommer zusammen. Ohne Aufsicht!«

Mark sah aus, als müsste er sich gleich übergeben.

»Lasst uns nicht vom Schlimmsten ausgehen«, sagte Aurora, und Vivi Ann hätte sie küssen können für ihren ruhigen, vernünftigen Einwand. »Wir werden sie schon finden. Das ist erst mal das Wichtigste. Danach könnt ihr ergründen, wie weit sie gegangen sind.«

»Wo sollen wir denn suchen?«, fragte Winona.

»Mit Mädchen bin ich früher immer abends in den Park gegangen«, erklärte Mark. »Im hinteren Teil gab es eine Schaukel an einem Baum. Oder ich war am Waldweg draußen an der Abzweigung bei Larsens.«

»Sehr gut«, sagte Aurora. »Ich suche mal im hinteren Teil der Kirmes, vor allem hinter den großen Buden.«

»Ich überprüfe die Hauptstraße und die leeren Pferdeställe und geh dann nach Hause«, schlug Vivi Ann vor. Sie klappte ihr Handy auf, wählte Noahs Handynummer und bekam keine Antwort. Sie hinterließ eine Nachricht und wiederholte dasselbe bei ihrem Festnetzanschluss.

»Ich helfe Vivi Ann«, sagte Winona zu Mark. »Meine Schwestern haben recht. Es besteht kein Grund zur Panik. Wahrscheinlich sind sie nur auf der Kirmes.«

Mark wirkte nicht überzeugt, zwang sich aber zu nicken und verteilte seine Handynummer.

»In einer Stunde treffen wir uns bei dir zu Hause«, erklärte Winona.

Damit gingen sie auseinander.

Winona und Vivi Ann eilten die übervölkerte Hauptstraße hinunter und riefen überall nach Noah und Cissy. Als sie jedes Fahrgeschäft, jede Spielbude und jeden Essensstand abgeklappert hatten, trennten sie sich und gingen den ganzen Weg zurück.

»Keine Chance«, meinte Winona. »Sie könnten überall sein. Wir haben uns doch früher auch vor Mom und Dad versteckt, wenn sie uns auf der Kirmes suchten, weißt du noch? Wir mussten uns nur verkrümeln, sobald wir sie sahen. Was ist, wenn sie das auch machen?«

»Das wäre durchaus möglich, schließlich wollten sie vor uns verheimlichen, dass sie zusammen sind.«

»Sollen wir nicht einfach nach Hause gehen und auf sie warten?«

Vivi Ann dachte darüber nach. »Wie wär's, wenn du zu mir nach Hause gingst? Du könntest sicherstellen, dass sie nicht da sind, und Noah eine Nachricht hinterlassen. Ich würde noch mal hier suchen, aber diesmal unauffälliger.«

»Ist gut.«

Daraufhin durchkämmte Vivi Ann noch einmal alle möglichen Verstecke auf der Hauptstraße und alle leerstehenden

Ställe, fand aber keine Spur von ihnen. Schließlich stieg sie in ihren Wagen und fuhr nach Hause.

Winona wartete schon auf der Veranda auf sie.

Auf der Stelle wusste Vivi Ann, dass es zwar Neuigkeiten gab, aber keine guten. »Hast du was gefunden?«

Winona hielt ein Faltblatt hoch. »Einen Busfahrplan. Noah hat hier in die Ecke *Cissy/13.00* geschrieben.«

»Welcher Bus fährt denn um eins?«

»Das finden wir nie heraus. Der Busverkehr von Mason County ist an den von Kitsap und Jefferson County gebunden. Von Belfair aus kommen sie fast überallhin.«

Vivi Ann rannte in Noahs Zimmer und durchsuchte den Schrank und die Kommode. »Seine Kleider sind aber noch alle hier.«

»Gott sei Dank«, war Winona beruhigt. »Also wollen sie zurückkommen.« Sie klappte ihr Handy auf und rief Mark an, um ihm die Neuigkeiten mitzuteilen. »Er ist gar nicht begeistert«, sagte sie, als sie das Gespräch beendet hatte.

Vivi Ann musste mit ihrer Enttäuschung kämpfen. »Ja. Ich bin auch nicht begeistert.«

»Lass uns doch mal logisch vorgehen. Wir sind ziemlich sicher, dass sie zusammen irgendwohin gefahren sind, und zwar mit dem Bus. Sie müssen geplant haben, vor uns zu Hause zu sein, und Mark hat Cissy erzählt, er wäre gegen neun zurück. Etwa hundert Meter von meinem Strandhaus entfernt ist eine Bushaltestelle, aber wie würde Noah nach Hause kommen? Würde er trampen?«

»Da ich mir nie hätte vorstellen können, dass er den ganzen Sommer heimlich mit einem Mädchen verbringt und ohne Bescheid zu sagen mit einem Bus die Stadt verlässt, kann ich dir jetzt nicht sagen, was er tun würde. Mark hat doch ein Boot, oder?«

Winona nickte. »Wir haben den beiden den Sommer über beigebracht, wie man es fährt.«

»Dann könnte sie ihn in Water's Edge absetzen und innerhalb von zehn Minuten wieder zurück sein.«

»Im Dunkeln? Meinst du, sie könnten so leichtsinnig sein?«

»Musst du das noch fragen? Komm, gehen wir zu Mark nach Hause und warten dort. Dann können wir sie zu Tode erschrecken.«

Vivi Ann, Aurora und Winona fuhren nacheinander vor Winonas Haus vor. Sie parkten auf dem Rasen und gingen durch die Hecke zum Nebenhaus. Dort fanden sie Mark, der unruhig auf seinem teuren Natursteinweg im Garten herumtigerte.

»Schönes Anwesen«, meinte Aurora mit Blick auf den kunstvoll angelegten Garten und die Kupferlampen.

Mark gab nicht mal zu erkennen, dass er ihre Bemerkung gehört hatte, sondern lief weiter hin und her, während er leise vor sich hin murmelte.

»Mark, das ist ein ganz normaler Übergangsritus«, sagte Aurora. »Jedes Kind läuft mindestens einmal von zu Hause weg. Janie ist heimlich zum Tacoma Dome gefahren, um Britney Spears zu sehen. Ich wusste nicht mal, ob ich sie für ihr Wegschleichen oder für ihren schlechten Musikgeschmack bestrafen sollte.«

Mark wandte sich zu ihr. »Meinst du wirklich, das wäre vergleichbar?«

Aurora runzelte die Stirn. »Du hast recht. Mein Kind ist gefahren. Noah und Cissy waren wenigstens klug genug, den Bus zu nehmen. Wenn man es von der positiven Seite betrachtet, haben sie wenigstens kein Auto geklaut.«

»Sie ist erst vierzehn, verdammt noch mal. Wir sollten die Polizei rufen.«

»Jetzt beruhige dich mal«, bat Winona.

Mark riss sich von ihr los und versuchte noch einmal, Cissy über ihr Handy zu erreichen. Als sie sich nicht meldete, marschierte er zur Straße und hielt dort Ausschau. Er stand dort, bis es Abend wurde. Der Himmel färbte sich erst orange- und dann lilafarben.

»Er hat aber schwer an seiner Verantwortung als Vater zu tragen«, stellte Aurora kopfschüttelnd fest. »Er läuft noch eine Furche in den Rasen.«

»Halt den Mund«, entgegnete Winona. »Er hat allen Grund, besorgt zu sein.«

»Ja, aber ... Wenn er so weitermacht, wird ihm noch der Schädel platzen. Hoffen wir nur, dass sie niemals mit Drogen experimentiert. Das würde er nicht verkraften.«

Als Mark zum Haus zurückkam, saß Aurora auf einem schmiedeeisernen Stuhl mit wunderschönem Polster, Winona stand am Obeliskenbrunnen am Gartenweg und Vivi Ann in der Nähe der Hecke. »Es ist zwanzig vor acht«, sagte er. »Ich denke, wir sollten jetzt die Polizei rufen.«

»Innerhalb der nächsten Stunde werden sie kommen«, erwiderte Winona sachlich. »Wenn nicht, rufen wir Al an.«

»Man hat mich mehrfach gewarnt, was für ein übles Früchtchen Noah ist, aber ich dachte mir: Im Zweifel für den Angeklagten. Jetzt sieht man, wohin mich das gebracht hat. Er hat meine Cissy Gott weiß wohin entführt. Ich hab Angst –«

Oben an der Straße kam ein Bus zischend und quietschend zum Stehen und fuhr dann wieder los. Seine Scheinwerfer durchschnitten das Zwielicht.

Vivi Ann trat einen Schritt vor. Sie bemerkte, dass Mark dasselbe tat.

Noah und Cissy waren derart ins Gespräch vertieft, dass sie das Empfangskomitee zuerst nicht sahen. Sie hielten Händchen, hatten die Köpfe zusammengesteckt und schlenderten von der Straße herunter.

»Cecilia Marie Michaelian«, donnerte Mark. »Was *zum Teufel* hast du dir dabei gedacht?«

Wie angewurzelt blieben die beiden stehen.

Winona trat als Erste auf sie zu. »Wir haben uns Sorgen um euch gemacht.«

»Tut mir leid«, sagte Cissy kaum hörbar.

»Es war wirklich unvernünftig von euch, einfach so weg-zulaufen«, fuhr Winona fort. »Wo wart ihr denn?«

Noah holte tief Luft und blickte von Vivi Ann zu Mark. »Wir waren im Gefängnis.«

Einen quälenden Moment lang sagte niemand ein Wort. Man hörte nur, wie das Wasser an den Kiesstrand floss und sich wieder zurückzog.

»Unfassbar«, sagte Mark schließlich. »Ab ins Haus mit dir, Cecilia. Wir unterhalten uns unter vier Augen darüber. Und du«, brüllte er Noah an, »lässt dich nie wieder hier bli-cken, klar?«

»Daddy«, sagte Cissy und stürzte vor. »Es war meine Idee. Ich hab ihn dazu überredet. Bitte, lass –«

»Ab ins Haus«, entgegnete Mark, »auf der Stelle.«

»Mark«, warf Winona ein. »Es war natürlich unvernünf-tig von ihnen, aber –«

»Bist du *wahnsinnig*? Unvernünftig ist es, ohne Helm Fahrrad zu fahren oder bei einem Test die Schule zu schwän-zen. Aber das hier war gefährlich, und es war *seine Schuld*. Cissy«, forderte er energisch, »du gehst jetzt ins Haus. Und Noah, du verlässt verdammt noch mal sofort mein Grund-stück!« Er blickte zu Vivi Ann. »Es tut mir leid. Ehrlich. Aber ich werde es nicht zulassen, dass er meine Tochter in Gefahr bringt.« Daraufhin drehte er sich um, ging zum Haus und scheuchte seine schluchzende Tochter vor sich her. Die Tür schlug hinter ihnen zu.

»Meine Güte«, sagte Aurora, »ein angenehmer Zeitge-nosse.«

»Halt die Klappe, Aurora«, fauchte Winona. Und zu Noah sagte sie: »Was zum Teufel hast du dir dabei gedacht? Und wie konntest du mich den ganzen Sommer über anlügen?

Ich hab dir vertraut. Ich hab Mark gesagt, Cissy wäre bei dir sicher.«

»Ich würde nie zulassen, dass Cissy etwas passiert«, antwortete Noah mit störrischer Miene.

Vivi Ann kannte diesen Gesichtsausdruck: Er schirmte sich gefühlsmäßig von allem ab, ließ jede Vorhaltung an sich abprallen. Nichts, was hier und jetzt gesagt würde, konnte zu ihm durchdringen. »Komm, Noah«, sagte sie. »Fahren wir nach Hause.«

Sie machte sich nicht die Mühe, sich von ihren Schwestern zu verabschieden oder sich auch nur zu bedanken. Sie war zu ausgelaugt und erschüttert, um darauf noch Energie zu verschwenden. Am schlimmsten war, wie enttäuscht sie sich fühlte und wie dumm.

»Sag doch was«, bat Noah im Wagen. »Warum schreist du mich nicht an wie Mark?«

»Das wäre dir wohl lieber!«

Er zuckte mit den Schultern. »Wenn du meinst.«

»Das lassen wir mal, ja? Du weißt, wie ich es hasse, wenn du so tust, als wäre dir alles egal. Wir wissen doch beide, dass *das* nicht dein Problem ist.«

»Aber deins.«

»Auch das kannst du dir sparen, Freundchen. Hier geht es nicht um mich.« Sie bog vom Highway ab und fuhr durch Oyster Shores.

»Ich kann also davon ausgehen, dass du sie liebst«, sagte Vivi Ann ein paar Minuten später.

Noah sah sie an. »Willst du dich über mich lustig machen? Oder mir sagen, ich wäre zu jung, um zu wissen, was Liebe ist?«

»Nein.« Sie fuhr vor dem Cottage vor und hielt. »Liebe ist unverkennbar. Wenn man jemanden liebt, dann weiß man es, und niemand kann einem da reinreden. Aber ich habe auf die harte Tour gelernt, dass Liebe nicht in einem Vakuum existiert, Noah. Die anderen sind nicht unwichtig. Und du hast es gerade richtig in den Sand gesetzt, mein Lieber. Jetzt hat der Vater deiner Freundin kein Vertrauen mehr zu dir. Ich glaube nicht, dass er ihr noch erlaubt, dich zu sehen.«

»Uns kann niemand trennen.«

»Mag sein, aber ich sag dir jetzt, dass du jung bist und dir was vormachst. Denn so wie ich Cissy einschätze, will sie, dass ihr Vater stolz auf sie ist.«

Noah wirkte elend. »Was mache ich denn jetzt?«

»Zuerst erzählst du mir mal, was ihr heute gemacht habt. Um den Rest kümmern wir uns morgen.«

»Wir wollten Dad besuchen.«

Obwohl Vivi Ann sich genau das gedacht hatte, traf diese Eröffnung sie doch wie eine Ohrfeige. »Wollte er dich sehen?«

»Man hat uns erst gar nicht reingelassen. Man muss entweder achtzehn sein oder in Begleitung eines Erwachsenen.«

»Oh.«

»Aber ich will es noch mal versuchen. Ich weiß, dass er mich sehen will.«

Vivi Ann hörte jede Gefühlsnuance in der Stimme ihres Sohnes: Mut, Angst, Wut und, das war das Schlimmste, Hoffnung. Am liebsten hätte sie ihn gewarnt, aber wie sollte sie ihrem Sohn die Hoffnung verwehren?

»Das mit heute tut mir leid. Ich hätte dir von Cissy erzählen sollen. Aber es war einfach cool, es für uns zu behalten.«

Vivi Ann kannte das Gefühl. Sie war die Letzte, die jemandem das Recht auf Liebe absprechen wollte. Sie war einfach zu kostbar, um sie leichtfertig abzutun.

Sie streckte die Hand aus und fuhr Noah durch die Haare. »Ich verstehe, warum du dich so verhalten hast. Vielleicht bin ich daran auch nicht ganz unschuldig. Außerdem ist mir aufgefallen, dass du nicht die Beherrschung verloren hast. Das ist sehr gut.«

»Aber ich hab's versaut.«

Sie bedachte ihn mit ihrem Du-sollst-nicht-fluchen-Blick. »Du hast mich, Mark und Tante Winona angelogen. Du hast mein Vertrauen ausgenutzt. Aber am schlimmsten ist, dass du Mark veranlasst hast, von dir das Schlechteste anzunehmen.«

»Wie soll ich das je wieder in Ordnung bringen?«

»Du warst schlau genug, um deinen Gefängnis-Masterplan zu schmieden. Wenn du dir Mühe gibst, wirst du dir bestimmt auch einen Wiedergutmachungsplan ausdenken können.«

»Das werde ich.«

»Berücksichtige dabei aber, dass du nicht das Haus verlassen darfst, denn bis zum Schulanfang hast du Hausarrest. Du wirst die Ranch nur verlassen, um zur Kirche oder zu Mrs Ivers zu gehen.«

»Aber, Mom …«

»Glaub mir, alles hat seinen Preis, auch Liebe. Das kannst du ohne weiteres auch jetzt schon lernen.«

Dreiundzwanzig

Als ich noch klein war, hatten wir ein altes Pferd namens Clementine's Blue Ribbon. Mom setzte mich immer darauf, wenn sie Unkraut zupfte. Dann stand Clem mit mir auf dem Rücken einfach nur da. Sie folgte mir auch wie ein Hund über die Weide, und manchmal kam sie abends ganz dicht an mein Fenster getrottet und wieherte. Mom sagte, das hieße in der Pferdesprache: Gute Nacht, du besonderer Junge. Eines Tages aber sagte Mom zu mir, Clem wäre jetzt im Himmel. Als ich zu ihrem Stall ging, war er leer.

Damals lernte ich, dass man verlieren kann, was man liebt.

Genau so fühle ich mich auch jetzt. Seit ich meinem Dad geschrieben habe, bin ich – ich weiß noch nicht mal, welches Wort ich dafür verwenden soll. Nicht traurig *und auch nicht* wütend. Leer *vielleicht. Ich gehe jeden Tag zum Briefkasten, aber nie ist etwas für mich da.*

Cissy hat sich auch nicht gemeldet, weder telefonisch noch per E-Mail oder SMS. Es ist, als hätte sie sich in Luft aufgelöst. Ich weiß, was passiert ist. Meine Mom hatte recht. Sie hat sich auf die Seite ihres Dads geschlagen. Das verstehe ich sogar. Aber es tut so weh, dass ich manchmal nicht mal Licht in meinem Zimmer machen oder auch nur aufstehen will.

Ich muss ständig an sie denken. Ich weiß noch, wie sie sich den Plan ausdachte und sagte, dass niemand das Recht hat, mich von meinem Dad fernzuhalten. Die ganze Fahrt zum und vom Gefängnis hielt sie meine Hand. Den ganzen Heimweg meinte sie immer wieder, wie cool es sein würde, wenn ich eines Tages wirklich mit ihm reden könnte.

Sie wusste, wie sehr ich das brauchte.

Vielleicht bin ich das, Mrs Ivers, ein Junge, der etwas braucht, was er nicht kriegen kann. Ich brauche Cissy und ihre Liebe, und ich brauche einen Dad, mit dem ich reden kann.

Was wohl heißt, dass ich im Arsch bin.

Heute hab ich mich an der Highschool angemeldet. Mrs Ivers hat Mom gesagt, ich hätte Literatur mit Bravour bestanden. Was auch immer das heißen mag. Mom ist glücklich und ich wohl auch. Schließlich heißt das, dass ich Cissy am Mittwoch, wenn die Schule anfängt, wiedersehen werde.

Wie soll ich sie ansehen, ohne mich wie ein Depp zu benehmen? Ich weiß, dass Erik Junior sich sofort an sie ranmachen wird. Sie ist derart heiß, dass er bestimmt mit ihr zusammen sein will. Wie soll ich mir das ansehen, ohne Amok zu laufen?

Vielleicht melde ich mich das ganze Jahr krank.

Eigentlich wollte ich nichts mehr in dieses Heft schreiben, das Mrs Ivers mir gegeben hat, aber heute war ein so toller Tag, dass ich nicht eine Sekunde davon vergessen will.

Da stand ich also wie ein totaler Loser an der Fahne, während alle anderen um mich herum sich kreischend begrüßten, weil sie es so cool fanden, sich wiederzusehen. Ich finde, das Schlimmste ist es, in einer Menge allein zu sein. Alle gehören irgendwohin, nur man selbst nicht. Letztes Jahr wäre ich sauer geworden. Ich hätte mich umgeschaut, die grinsenden Schüler gesehen und sie gehasst. Wenn jemand mich schief von der Seite angeguckt hätte, hätte ich ihm den Stinkefinger gezeigt. Es gibt verschiedene Wege, Streit anzufangen. Das weiß ich jetzt wohl.

Jedenfalls stand ich da und wünschte, ich hätte meine alten Lieblings-Vans angezogen und nicht die dämlichen Nikes, die Mom mir aufgezwungen hat. Da sah ich Cissy. Sie stand mit Direktor Jeevers zusammen an der blauen Metalltür, und der Direktor quatschte sie voll. Überall waren Schüler, die lachten, redeten, Hacky-Sack spielten, iPod hörten und telefonierten. Der ganz normale Wahnsinn am Schulanfang.

Trotzdem bemerkte sie mich sofort.

Ich wartete, ob sie lächeln würde. Als nichts kam, haute ich ab, ging einfach zu dem schmalen Gang zwischen der Turnhalle und dem Versammlungssaal, wo es dunkel und still war.

Dort schloss ich die Augen und lehnte mich gegen die warme Steinwand, doch plötzlich hörte ich sie meinen Namen sagen. Eigentlich wollte ich sie mit schroffer Stimme fragen, was sie wollte, nur um cool zu wirken, gleichgültig, aber ich konnte nicht.

»Du hast mir gefehlt«, sagte sie.

Ich weiß nicht mal mehr, was ich gesagt habe. Ich weiß nur, dass ich in der einen Minute noch allein im Dunkeln stand, und in der nächsten Minute war sie bei mir.

SIE LIEBT MICH IMMER NOCH!!!!

Ich fasse es nicht, dass ich daran gezweifelt habe! Sie sagt, es verletzt sie, dass ich so schnell aufgegeben habe. Ich weiß nicht, was ich dazu sagen soll. Wenn man einen Vater hat, der im Gefängnis sitzt, gibt man wahrscheinlich ganz schnell auf. Meine Mom ist, glaube ich, auch so. Aber das soll sich jetzt ändern. Von heute an werde ich jemand sein, der an etwas glaubt. Cissy sagt, dazu muss man sich nur entscheiden, dann wird man es auch.

Dann gab sie mir die Zeitschrift aus Seattle.

Ich wusste sofort, dass das Ärger geben würde.

Winona stand in dem kleinen Bad und spähte zwischen den geometrisch gemusterten Vorhängen hindurch. Von hier aus konnte sie einen Großteil des Gartens sehen – der von der Spätsommerhitze braun und verbrannt war – und zwischen den Bäumen die Mittellinie auf dem Highway.

Sie sah, dass Cissy nebenan an der Einfahrt wartete. Als der gelbe Schulbus vorfuhr und hielt, stieg das Mädchen ein.

Winona verließ das Bad, schlüpfte in die Pantoffeln am Bett und ging zum Nachbarhaus. Sie fand Mark oben im Schlafzimmer.

»Du bist spät dran«, sagte er und legte die Zeitung beiseite.

»Ich bin dick, da kann ich nicht so schnell rennen. Du könntest ja auch zu mir kommen.« Sie kickte die Pantoffeln von den Füßen und kletterte zu ihm ins Bett. Dann schmiegte sie sich an ihn, knöpfte sein Pyjama-Oberteil auf und küsste seine behaarte Brust.

Sekunden später waren sie beide nackt und liebten sich.

Das war ihr Montagmorgen-Ritual, auf das Winona sich die ganze Woche freute. Nach dem Fiasko mit Noah und Cissy hatte Winona schon befürchtet, Mark würde sie verlassen. Er hatte es auch versucht, allerdings verloren sie darüber nie ein Wort. Nach zwei einsamen Wochen war er zu ihr zurückgekommen, und jetzt war es schöner als je zuvor. Sie hatten sich einfach eine Seifenblase erschaffen, wo nur sie zwei existierten und ihre Familien außen vor blieben. Samstagabend, Montagmorgen und Donnerstagnachmittag: Das waren ihre Zeiten. Winona hoffte sehnsüchtig, dass Cissy auch noch Fußball spielen wollte.

Nach dem Sex lagen sie ineinander verschlungen da. Sie küsste seine Achselhöhle, schloss dann die Augen und schlief fast ein.

»Bis Donnerstag ist es noch lange hin«, sagte er.

»Es sind deine Regeln«, murmelte sie. »Ich meine, wir

sagen es Cissy einfach, dass wir noch zusammen sind. Die ganze Heimlichtuerei ist doch albern.«

»Du siehst ja nicht, wie sie sich in letzter Zeit verhält. Sie läuft herum wie ein Zombie. So lange war sie noch nie wütend auf mich. Nicht mal, als ich getrunken habe.«

»Ich habe gehört, Noah benimmt sich auch so.«

»Erwähne diesen Namen nicht in meiner Gegenwart. Letzte Woche hat Cissy meine Mom gefragt, ob sie sich ganz sicher sei, Dallas an jenem Abend gesehen zu haben. Mom hat sich so aufgeregt, dass sie erst eine Tablette nehmen musste, um schlafen zu können.«

»Junge Liebe. Sehr widerstandsfähig, denke ich.«

»Mein Gott: Liebe! Sie sind doch erst vierzehn, viel zu jung, um zu wissen, was Liebe ist.« Er warf die Decke von sich und stand auf. »Ich muss zur Arbeit.«

Als er verschwand, blieb sie noch ein Weilchen liegen und blickte hinaus auf den sonnenbeschienenen Kanal. Schließlich stand sie auch auf, zog sich Nachthemd und Pantoffeln wieder an und folgte ihm ins Bad.

Er legte seinen Rasierer weg. »Dieses Thema wollten wir doch aussparen.«

»Ich weiß. Sehen wir uns Donnerstag?«

»Das möchte ich meinen.«

Die nächsten sieben Stunden konzentrierte sie sich auf ihre Arbeit. Ein Klient nach dem anderen kam zu ihr in die Kanzlei, beschwerte sich meist über andere und übertrug es ihr, Gefühlsverwirrungen zu klären und eine akzeptable Lösung für alle Parteien zu finden.

Ihr letzter Termin endete kurz nach vier, woraufhin sie ihre Pumps abstreifte, ihren marineblauen Blazer auszog und sich die Unterlagen für ihre Kandidatur zur Bürgermeisterin vornahm. Die nächste Bürgerversammlung war für Anfang November angesetzt, und sie hatte vor, alle Konkurrenten mit ihrem fundierten und perfekt durchdachten Plan zur

Führung der Stadt aus dem Feld zu schlagen. Sie fügte gerade einige Argumente zu ihrer Rede hinzu, als die Gegensprechanlage summte.

»Winona?«, meldete sich Lisa durch den kleinen, schwarzen Apparat. »Ihr Neffe Noah Raintree möchte Sie sprechen. Er ist hier.«

»Dann schicken Sie ihn herein.«

Lächelnd betrat Noah ihr Büro. Ein alter, ramponierter Rucksack hing ihm schief von der Schulter. Er hatte sich diesen Sommer so verändert, dass seine Erscheinung sie manchmal verblüffte und sogar mit Stolz erfüllte – bis sie sich wieder daran erinnerte, dass er sie angelogen hatte. »Setz dich, Noah.«

Er nahm ihr gegenüber Platz und ließ seinen Rucksack auf den Boden plumpsen. »Ich brauche einen Anwalt.«

»Was hast du angestellt?«

»Ach, Tante Winona! Warum denkst du immer gleich das Schlimmste von mir?«

»Hast du schon vergessen, dass ich dir vertraut habe? Und dann hast du mich wie eine Idiotin vor meinem Freund dastehen lassen.«

»Ja, na gut. Aber dein Freund ist ein Trottel.«

»Glücklicherweise interessiert mich deine Meinung über ihn nicht. Wieso brauchst du einen Anwalt?«

»Wenn ich dich anheure, bleibt alles zwischen uns vertraulich, stimmt's?«

»Hast du in Politik Gesetzestexte studiert?«

»Als ich Hausarrest hatte, konnte ich viel fernsehen. *Law and Order* ist ziemlich cool.«

»Aha. Also ja: Unsere Gespräche sind strikt vertraulich.«

»Und wenn du meinen Fall übernimmst, musst du dein Bestes geben, richtig?«

»Ich gebe immer mein Bestes. Aber du müsstest mir einen Vorschuss zahlen. Üblicherweise verlange ich zweitausend Dollar.«

Noah holte einen Dollar aus seiner Hosentasche und legte ihn auf den Schreibtisch. »Ich hoffe, es gibt Angehörigenrabatt.«

Sie blickte auf den alten, zerknitterten Dollarschein und dann zu Noah. Worum es auch gehen mochte, es war ihm ernst. Sie wusste, sie sollte ihn eigentlich nach Hause schicken, aber jetzt hatte sie die Neugier gepackt. Es gab kaum etwas, was sie mehr hasste als unbeantwortete Fragen. Also nahm sie den Dollar und legte ihn in die Schreibtischschublade. »Okay, Perry Mason. Schieß los.«

Er holte eine Zeitschrift aus seinem Rucksack und schob sie ihr zu.

Sie las den Titel des Leitartikels. *Seattles Staranwälte.* Darunter sah sie eine Liste der besten Anwälte des Staates, die die Zeitschrift *Seattle* alljährlich aufstellte. »Willst du mir damit zu verstehen geben, dass ich kein hohes Ansehen bei meinen Kollegen genieße? Glaub mir, Noah, wenn ein Anwalt sich in Oyster Shores niederlässt, kennt er genau seinen Platz in der Hierarchie. PS: Er ist ziemlich weit unten.«

»Schlag Seite neunzig auf.«

Sie gehorchte. Neben einer Anzeige für die neuesten Wolkenkratzer der City sah sie das düster gehaltene Foto eines Mannes, der vor einem Gefängniswachturm stand. Der Titel lautete: *Innocence Projekt Northwest versucht, Justizirrtümer zu revidieren.*

»Es geht um DNA-Tests«, bemerkte er.

»Noah«, sagte sie sanft, »das mit deinem Dad ist doch schon lange her. Es ist vorbei.«

»Nein«, widersprach er und reckte trotzig das Kinn. »Bei ihm wurde nie ein DNA-Test gemacht. Mom hat mir das erzählt.«

»Doch, er wurde gemacht.«

»Nein, eben nicht.«

Sie dachte nach und versuchte, sich alle Fakten in Erinnerung zu rufen. »Ach ja. Richtig. Die Spur war zu klein.«

»Vielleicht sind die Tests jetzt besser.«

»Hör mal, Noah …«

»Ich hab dich diesen Sommer ziemlich gut kennengelernt«, sagte er. »*Keine Schlamperei*, hast du immer gesagt, *nichts vergessen*. Weißt du noch? Du hasst es, wenn man seine Arbeit nicht richtig macht.«

Überrascht lehnte sie sich zurück. Sie hätte geschworen, dass er gar nicht zugehört hatte. »Aber dir ist doch klar, dass dein Dad nicht damit einverstanden wäre, oder? Wieso auch? Wenn jemand schuldig ist, will er keinen DNA-Test.«

»Wenn er sich also weigert, den Test machen zu lassen, hab ich Gewissheit, stimmt's?«

Winona spürte, wie sich Druck hinter ihren Augen aufbaute. Plötzlich waren sie auf gefährlichem Terrain gelandet. »Deine Mom und ich hatten … Probleme wegen deines Vaters.«

»Bitte, Tante Winona. Du bist die Einzige, der ich das anvertrauen kann. Wenn du mir sagst, das funktioniert nicht, glaube ich dir. Ich möchte nur von dir hören, ob er mit einem neuen Test eine Chance hätte.«

»Weiß deine Mutter, dass du hier bist?«

»Nein.«

»Ich könnte das nicht vor ihr geheim halten.«

»Das verlange ich auch nicht von dir.«

Sie wusste nicht, wie sie ihm diese Bitte abschlagen sollte. Es war so leicht, einfach nachzufragen, und wenn sie erst die Antwort für ihn herausgefunden hatte, würde er es vielleicht endlich – endlich – ruhen lassen. Das wäre weiß Gott das Beste für Vivi Ann und für Noah. Außerdem wusste sie genau, dass Dallas sich niemals damit einverstanden erklären würde. »Gut. Ich lese den Artikel und sehe die Akte durch. Aber versprechen kann ich nichts.«

Noah lächelte so glücklich, dass sie den Blick abwenden musste. Wie oft und wie lange noch würde Dallas Raintree den Menschen weh tun, denen er am Herzen lag?

Sie sagte noch einmal, und diesmal mit mehr Nachdruck: »Versprechen kann ich nichts.«

Als eine Woche später die ersten Herbstblätter vor ihrem Fenster wirbelnd zu Boden fielen, schloss Winona ihre Bürotür, bat Lisa, keine Anrufe mehr durchzustellen, und machte sich daran, das Gerichtsprotokoll zu lesen, das sie angefordert hatte. Sie zog das siebzehnhundert Seiten umfassende Dokument auf ihren Schoß, setzte die Lesebrille auf, die sie mittlerweile brauchte, und begann mit der langwierigen und mühsamen Aufgabe, sich alle Zeugenaussagen des Prozesses anzusehen.

Es war, als würde sie eine Tür zur Vergangenheit öffnen. Mit den Worten kehrte auch die Erinnerung daran zurück, wie sie im Saal gesessen und sich einen vernichtenden Beweis nach dem nächsten angehört hatte. Wie sie Vivi Ann beobachtet hatte, die sich so bemühte, stark zu bleiben, und wie sie der Staatsanwältin zugehört hatte, die sich so sicher war, das Recht auf ihrer Seite zu haben.

Winona musste sich keine Notizen machen. Es war alles genau so, wie sie es in Erinnerung hatte: die Freundschaft zwischen Cat und Dallas, Vivi Anns Naivität, diese Freundschaft zu dulden, der Zufall, dass Dallas genau an dem Abend hohes Fieber hatte, als Cat umgebracht wurde. Und dann waren da die forensischen Beweise: die in Cats Bett gefundenen Haare, die unter dem Mikroskop mit denen von Dallas übereinstimmten, und seine Fingerabdrücke auf der Waffe. Trotz fehlender DNA-Nachweise hatte es am Ende keinerlei begründeten Zweifel gegeben.

Noah wollte nicht begreifen, dass Dallas weder vorschnell verurteilt worden noch Opfer eines Verfahrensfehlers oder von Polizeiwillkür geworden war. Die Geschworenen hatten ihn aufgrund der überzeugenden Beweise verurteilt. Es war kein provinzieller Justizirrtum. Es war ein auf Fakten und Beweisen basierendes Urteil, wobei Myrtles Augenzeugenbericht sicherlich den Ausschlag gegeben hatte.

Winona las diesen Abschnitt des Protokolls noch einmal, obwohl sie ihn ziemlich deutlich in Erinnerung hatte.

HAMM: »Befindet sich der Ice Cream Shop in der Nähe von Catherine Morgans Haus?«

MICHAELIAN: »Ja, man geht nur weiter den Weg hinunter. Um zu ihr zu kommen, muss man direkt an uns vorbei.«

HAMM: »Bitte sprechen Sie lauter, Mrs Michaelian.«

MICHAELIAN: »Oh. Ja. Verzeihung.«

HAMM: »Haben Sie letztes Jahr an Heiligabend in Ihrer Eisdiele gearbeitet?«

MICHAELIAN: »Ja. Ich wollte eine besondere Eistorte für die Abendmesse machen. Wie üblich war ich spät dran.«

Winona überflog die Stelle.

HAMM: »Haben Sie an diesem Abend irgendjemanden gesehen?«

MICHAELIAN: »Es war gegen zehn nach acht. Ich wollte in Kürze aufbrechen, musste aber noch die Glasur fertigmachen. Da blickte ich auf und sah ... sah Dallas Raintree auf dem Weg auftauchen, der zu Cats Haus führt.«

HAMM: »Hat er Sie gesehen?«

MICHAELIAN: »Nein.«

HAMM: »Woher wussten Sie, dass es der Angeklagte war?«

MICHAELIAN: »Ich sah ihn von der Seite, als er an einer Straßenlaterne vorbeiging, und erkannte seine Tätowierung. Aber ich wusste schon vorher, dass er es war, denn ich hatte ihn schon früher dort abends gesehen. Etliche Male. Das hatte ich auch Vivi Ann erzählt. Er war es. Es tut mir leid, Vivi Ann.«

Winona schob den riesigen Stapel Unterlagen beiseite, stand vom Sofa auf und streckte sich, um die Verspannung in ihrem Rücken zu lösen. »Gott sei Dank.«

Kein DNA-Test würde Dallas Raintree nach all den Jahren noch retten. Der war nur etwas für Unschuldige.

Erleichtert (denn so ungern sie es zugab, so hatte Noah doch einen winzigen Zweifel in ihr gesät, was ihr gar nicht gefiel) ging sie zurück in die Küche und starrte in ihren Kühlschrank. Er war zwar voll, aber nichts sprach sie an. Ein rascher Blick auf die Uhr vom Herd zeigte ihr, dass es acht Uhr war.

Vielleicht sollte sie einen kleinen Spaziergang zur Eisdiele machen. Die Vorstellung von Myrtles berühmter Eistorte hatte ihr Appetit gemacht.

Es war still in der Stadt an diesem frühen Abend. Der Labor Day markierte hierzulande das offizielle Ende des Sommers, zu dem die Touristen zusammenpackten und mit ihren Wohnmobilen nach Hause fuhren. Ohne ihr Gelärme konnte man wieder die Wellen am Ufer und den Wind in den Bäumen hören. Die erste Hälfte des Septembers war die Lieblingszeit der Einheimischen: Es war noch warm, die Sonne schien, und der Kanal gehörte wieder ihnen.

In der Eisdiele bestellte Winona bei der pickligen Aushilfe an der Verkaufstheke ein Stück von Myrtles Eistorte.

Beim Warten stellte sie sich vor, wie Myrtle hier gestanden und durch das Schaufenster geblickt hatte, während sie die Torte mit Glasur versah. Da die Eisdiele etwas erhöht lag, konnte man von hier aus gut den Eingang zur Gasse sehen.

Winona wandte sich dorthin. Eine schwarze schmiedeeiserne Straßenlaterne stand am Eingang der Gasse Wache und warf ihr warmes, goldenes Licht auf den Bürgersteig.

Das Mädchen kam zurück zum Verkaufsfenster und sagte: »Hier bitte, Mrs Grey. Das macht drei Dollar und zweiundneunzig Cent.«

»Miss Grey«, korrigierte sie leise und bezahlte. Als sie ihr Wechselgeld bekommen hatte, wandte sie sich wieder zur Straßenlaterne. Sie stand genau so, dass sie, wie Myrtle, Dallas mühelos hätte identifizieren können. Zwar hatte sie nur sein Profil gesehen, aber das reichte vollkommen, wenn man jemanden gut kannte.

»Ich werde es Noah erklären«, sagte sie zu sich. »Vielleicht gehe ich sogar mit ihm hierher, um es ihm zu zeigen. Dann weiß er, dass ich ihn ernst nehme.«

Sie überquerte die Straße, aß ein Stück von ihrer Torte und dachte noch mal an Myrtles Zeugenaussage.

Ich hatte ihn früher schon dort gesehen.

Ich hab seine Tätowierung erkannt.

Abrupt blieb Winona stehen. Sie drehte sich langsam um und ging den Shore Drive zurück, vorbei am Souvenirladen, am Fischrestaurant, bis zur Eisdiele.

Von diesem Punkt aus hatte Myrtle Dallas von rechts gesehen.

Winona hatte schon immer ein fotografisches Gedächtnis besessen, und als sie Dallas einstellte, war ihr sein Tattoo aufgefallen. Sie hätte schwören können, dass es auf seinem linken Oberarm war.

Bestimmt irrte sie sich. Eine Menge Leute hatten sich die Beweise angesehen: das Team der Staatsanwaltschaft, die Polizei, sogar die Reporter. Ein Detail wie dieses konnte unmöglich übersehen worden sein.

Natürlich wären die Polizei und die Staatsanwaltschaft nicht daran interessiert gewesen, Myrtles Zeugenaussage zu schwächen. Nur das Team der Verteidigung hätte so genau hingesehen. Genauer gesagt: der Verteidiger. Es hatte kein Team gegeben, aber Roy hatte es sicher überprüft.

Sie machte sich auf den Heimweg, aber als sie die Viewcrest erreichte, bog sie nicht in ihren Garten ein, sondern ging am Historischen Museum vorbei weiter Richtung Water's Edge.

Vor der Tür des Cottages hielt sie kurz inne und überdachte noch einmal ihr Vorhaben.

Sie wollte Vivi Ann nur von Noahs Bitte erzählen, wenn es sich nicht vermeiden ließ.

Aber ihr Zweifel hatte sich wieder gemeldet, und jetzt musste sie ihn ausräumen.

Sie klopfte, und Noah öffnete fast sofort.

»Hallo, Tante Winona. Hast du den Artikel gelesen?«

Aus der Küche drang Vivi Anns Stimme. »Wer ist es denn, Noah?«

»Tante Winona«, rief er zurück.

»Ich muss wissen, an welchem Arm Dallas sein Tattoo hatte«, flüsterte sie ihm zu.

»Keine Ahnung.«

»Hey, Win. Was für eine nette Überraschung. Möchtest du einen Tee?«

»Gern.« Sie folgte ihrer Schwester in das kleine, gemütliche Wohnzimmer des Cottages. Die alte, schäbige Holzverkleidung war verschwunden. Stattdessen war alles weiß: die Wände, das Spitzdach, die Zierleisten. Zwei schmale Flügeltüren führten hinaus auf die hintere Veranda und die Weiden dahinter. Die Polstermöbel hatten ein altmodisches Muster in Sonnengelb und Hellblau.

Und jetzt?, fragte Noah lautlos.

Winona zuckte mit den Schultern. *Frag sie.*

Ich?

Vivi Ann brachte ihr eine Tasse Tee. Winona nippte daran, während ihre Schwester Feuer in dem Natursteinkamin machte.

Noah räusperte sich. »Hey, Mom. Ich hab über was nachgedacht.«

»Mach mir keine Angst.«

»Was hältst du eigentlich von Tattoos?«

Vivi Ann trat vom Kamin zurück und drehte sich um. »Ich glaube, es ist allgemein bekannt, dass ich nichts dagegen habe … bei Erwachsenen.«

»Und wenn ich mir eins machen lassen wollte?«

»Dann würde ich sagen: Gerne, wenn du achtzehn bist.«

»Aber mit Zustimmung der Eltern geht es schon ab sechzehn.«

»Verstehe. Hab ich deinen sechzehnten Geburtstag verpasst?«

»Ich plane nur vorausschauend.«

»Ach wirklich?«

»Wenn ich mir wirklich eins machen lasse, will ich es da haben, wo Dad seins hatte. An welchem Arm war es?«

Vivi Ann sah ihn misstrauisch an. »Du hast doch noch nie vom Tattoo deines Vaters geredet.«

»An welchem Arm war es?«

»Warum willst du das wissen?«

»Siehst du, Tante Winona?« Er marschierte aus dem Wohnzimmer, murmelte dabei etwas über die spanische Inquisition und knallte die Tür zu seinem Zimmer hinter sich zu.

»Was zum Teufel sollte das denn?«, erkundigte sich Vivi Ann.

»Wo war Dallas' Tätowierung?«, fragte Winona leise.

»Auf seinem linken Oberarm. Wieso?«

»Du spuckst es jetzt besser aus«, sagte Vivi Ann kurz darauf. Die plötzlich einsetzende Stille lastete gefährlich auf ihnen. »Was soll das hier mit Dallas?«

»Eigentlich geht es um Noah. Vor einer Woche kam er zu mir in die Kanzlei und sagte, er wolle mich anheuern.«

»Steckt er in Schwierigkeiten?«

»Das dachte ich auch zuerst. Deshalb habe ich seinen Fall übernommen. Aber …«

»Was, aber?«

»Es stellte sich heraus, dass es um seinen Vater ging.«

Vivi Ann nickte. »In letzter Zeit ist er geradezu besessen davon. Warum wollte er, dass du das mit dem Tattoo herausfindest? Er hätte mich doch direkt fragen können. Oder hat er Angst, mich zu fragen? Ist es das? Ja, nicht wahr? Er denkt, ich wollte ihm nichts über Dallas erzählen.«

»Er möchte, dass ich vor Gericht gehe und einen neuen DNA-Test beantrage. Die Analysemethoden sind mittlerweile wesentlich genauer. Aber wir beide wissen doch, dass Dallas niemals zustimmen würde«, fügte Winona schnell hinzu.

Es war, als würde man einen Stoß vor die Brust bekommen, wenn man am wenigsten damit rechnete. Vivi Ann stand ganz langsam auf. Sie konnte ihre Schwester nicht mal anblicken, weil es sie ihre gesamte Kraft kostete, nicht wegzurennen. »Ich muss mit Noah reden. Du solltest jetzt gehen.«

»Aber du bist mir doch nicht böse, oder?«, fragte Winona und stand ebenfalls auf.

»Nein, natürlich nicht.«

Beide wussten, dass dies eine Lüge war, wenn auch nur eine Notlüge. Ihre Versöhnung war nur möglich gewesen, weil sie stillschweigend übereingekommen waren, dass Dallas nicht zwischen ihnen stand. Aber jetzt war er wieder da und stand so eindeutig zwischen ihnen, als befände er sich tatsächlich im Raum.

Ohne ein weiteres Wort ging Vivi Ann zu Noahs Zimmer. Sie klopfte mehrmals laut an. Da keine Antwort kam, trat sie einfach ein.

Er saß mit angezogenen Beinen auf seinem Bett, hatte die Augen geschlossen und wiegte sich im Takt der Musik aus seinem iPod. Sie konnte die winzigen Kopfhörer zwar nicht sehen, aber das blecherne Echo der zu laut gestellten Musik hören.

Sie ging zu ihm und tippte ihm auf die Schulter.

Er reagierte wie ein erschrecktes Pferd, scheute vor ihrer Hand zurück, doch sie sah an seinem misstrauischen Blick, dass er sie erwartet hatte. Er zog sich die Ohrstöpsel heraus und warf den iPod aufs Bett.

Sie ging zum Fußende seines Betts und nahm ihm gegenüber Platz. »Du hättest damit auch zu mir kommen können, weißt du.«

»Wie denn?«

»Du hättest einfach kommen und sagen können: ›Mom, es gibt etwas, das ich unbedingt tun muss.‹«

Es dauerte eine ganze Weile, bis er sie ansah und sagte: »Die meisten Kinder erinnern sich daran, dass ihre Mom ihnen Gutenachtgeschichten vorgelesen hat. Ich erinnere mich nur daran, dass ich Klopapier geholt habe, auf deinen Schoß geklettert bin und dir die Tränen abgewischt habe. Ich dachte, es wäre meine Schuld gewesen, weil ich böse war. Aber Tante Aurora erklärte mir, mein Daddy hätte dir das Herz gebrochen, und ich müsste jetzt dir zuliebe stark sein. Damals war ich sechs Jahre alt.«

»Oh, Noah.« Vivi Ann hatte so viel aus dieser Zeit verdrängt; das war letzten Endes notwendig gewesen: Sie hatte vergessen und ihr Leben weiterleben müssen. »Ich wusste nicht, dass du und Aurora darüber gesprochen hattet.«

»Wenn ich Fragen hatte, bin ich zu ihr gegangen. Sie war die Einzige, die mir die Wahrheit gesagt hat. Du hast immer so getan, als wäre Dad tot.«

»Es ging nicht anders.« Mehr brachte sie nicht hervor.

»Aber er ist nicht tot.«

»Nein, ist er nicht.«

»Und ich habe das Recht, ihm helfen zu wollen.«

Fast hätte Vivi Ann gelächelt. Normalerweise sah sie Dallas in Noah; jetzt sah sie sich selbst. »Ich weiß, wie du dich fühlst, glaub mir. Ich hätte es vorhersehen und dir helfen müssen. Verzeih mir, bitte.«

»Du wirst Tante Winona also nicht daran hindern?«

Diese Frage war gefährlich wie eine Unterströmung in ruhigem Gewässer; sie kam so plötzlich und zog sie hinunter, bis sie kaum noch Luft bekam. Die Hoffnung, die notwendig war, um gegen das Justizsystem zu kämpfen, hatte sie fast umgebracht. Am Anfang hatte sie noch an Recht und Gesetz geglaubt. Aber sie war sich sicher, wenn sie es noch einmal versuchte und wieder scheiterte, würde sie untergehen. »Ich würde dich nicht aufhalten. Aber ... ich möchte nicht, dass du dir Hoffnungen machst. Wenn man nicht aufpasst, kann Enttäuschung einen vergiften. Und dein Dad ... ist vielleicht nicht einverstanden mit dem Test.«

»Also glaubst du auch, dass er es getan hat.«

Vivi Ann sah ihren Sohn an. Es schmerzte sie, wie er sich quälte. Leise sagte sie: »Dallas hat noch weniger Vertrauen zur Justiz und wagt noch weniger zu hoffen als ich. Sein ganzes Leben lang hat das System ihn im Stich gelassen. Das ist einer der Gründe, warum er ablehnen könnte.«

Sie wussten beide, was der andere Grund war.

»Aber dann wird es vorbei sein, nicht wahr?«, fragte Noah.

Wenn es eins gab, das Vivi Ann nur zu gut wusste, dann, dass Verluste, genau wie die Liebe, einen Anfang hatten, aber kein wahres Ende. »Ja«, log sie. »Dann ist es wohl vorbei.«

Vierundzwanzig

Auf der langen Fahrt zum Gefängnis ging Winona immer wieder im Kopf durch, was sie zu Dallas sagen wollte. *Ich komme im Auftrag deines Sohnes. An den erinnerst du dich doch – Idiotin*, schalt sie sich. *Du darfst ihn nicht provozieren.*

Ich bin im Auftrag deines Sohnes hier. Er will eine Eingabe vor Gericht machen, um die DNA-Spuren vom Tatort neu analysieren zu lassen. Wenn du an jenem Abend wirklich nicht da warst, bist du doch sicher auch daran interessiert.

Als sie das Gefängnis erreicht hatte, warf sie einen Blick auf die Uhr. Es war Viertel vor zwei. Wenn alles gut lief, würde sie rechtzeitig zum Abendessen bei Mark zurück sein.

Sie fuhr zum bewachten Eingang und sagte ihren Namen in die Sprechanlage. Während sie darauf wartete, eingelassen zu werden, blickte sie auf das düstere graue Gemäuer mit dem Metallzaun und dem Stacheldraht. Sie konnte bewaffnete Wachmänner im Turm erkennen, und als sie durch das Tor auf den Parkplatz fuhr, konnte sie einen unbehaglichen Schauder nicht unterdrücken. Rasselnd schloss sich das Tor hinter ihr.

Sie straffte die Schultern und bemerkte überrascht, wie furchteinflößend auch nur ein Besuch hier war. Wie hatte Vivi Ann es nur geschafft, jahrelang Samstag für Samstag herzukommen?

Sie betrat die Verwaltung und schrak vor dem hohen Geräuschpegel zurück. Obwohl sie nicht viele Menschen sah, vibrierten die Wände vor Lärm. Der Saal kam ihr einschüchternd leer und doch seltsam überfüllt vor.

Am Empfang füllte sie das Formular aus, bekam einen Besucherausweis, verstaute Mantel und Tasche im Schließfach und ging durch den Metalldetektor.

»Normalerweise ersuchen Anwälte um ein privates Treffen mit ihren Klienten«, bemerkte der Wachmann, als er sie den Flur hinunterführte. Das hallende Lärmen wurde lauter. »Sind Sie neu?«

»Es wird nicht lange dauern.«

Schließlich kam er zu einer Tür und schloss sie auf.

Langsam betrat Winona den Raum und war sich ihres teuren Hosenanzugs aus reiner Schurwolle peinlich bewusst. Sie setzte sich auf einen freien Platz, starrte durch die mit Fingerabdrücken übersäte Plexiglasscheibe und achtete sorgsam darauf, nichts anzufassen. Sie konnte die Gespräche um sie herum hören, aber nichts Genaues verstehen. In allen Besucherkabinen pressten Menschen ihre Hände gegen die Scheiben, in dem sinnlosen Versuch, eine Verbindung herzustellen, sich zu berühren.

Endlich ging die Tür auf, und Dallas kam herein. Er trug einen orangefarbenen Overall, der an ihm zu groß wirkte, und alte Flipflops. Seine Haare reichten ihm jetzt bis über die Schultern, und seine Wangen waren eingefallen. Seine dunkle Haut wirkte irgendwie bleicher; doch umgab ihn immer noch eine einschüchternd intensive Aura, eine kaum im Zaum gehaltene Energie, so dass sie unwillkürlich befürchtete, er könnte durch das dünne Plexiglas springen und sie an der Kehle packen.

Er nahm den Telefonhörer und fragte: »Ist mit Vivi Ann alles in Ordnung?«

»Ihr geht es gut.«

»Und Noah?«

Sie hörte, dass er mit seinen Gefühlen kämpfen musste,

sah die Verletzlichkeit in seinen grauen Augen. »Noah geht es auch gut. Er ist der Grund für meinen Besuch. Setz dich.«

»Sag mir erst, ob es sich lohnt, dass ich mich hinsetze.«

»Ich bin hier im Auftrag deines Sohnes. Er will eine Eingabe vor Gericht.«

Dallas warf so heftig den Telefonhörer von sich, dass er gegen die Plexiglasscheibe knallte. Dann drehte er sich um und ging. Der Wachmann hielt ihm die Tür auf, und ohne einen Blick verschwand Dallas in das dumpf dröhnende Innere des Gefängnisses.

»Das darf doch wohl nicht wahr sein«, murmelte Winona. Lange Zeit saß sie nur da, starrte auf die verschmierte Scheibe und wartete auf seine Rückkehr.

Schließlich kam eine Frau zu ihr, berührte sie an der Schulter und fragte, ob sie auf einen Gefangenen warte.

»Nein, jetzt nicht mehr«, antwortete sie und schob ihren Stuhl zurück.

Als Tante Winona vom Gefängnis zurückkam, wartete ich vor ihrer Tür auf sie. Es regnete heftig, und ich war nass bis auf die Knochen, aber das war mir egal. Ich sah, wie sie heranfuhr, aus dem Wagen stieg und den Weg heraufkam.

Sie war an dem dämlichen Nixenbrunnen, als sie sah, dass ich im Regen auf sie wartete.

»Es tut mir leid«, sagte sie.

Ich fragte, was er gesagt, welche Ausreden er angeführt hätte, aber Tante Winona meinte, er hätte darüber nicht mal mit ihr sprechen wollen. Sie sagte: »Ich hab ihm ausgerichtet, was du wolltest, aber da ist er einfach aufgestanden und verschwunden.«

Am liebsten hätte ich geschrien oder geweint oder jemanden geschlagen, aber mir war klar, dass das völlig sinnlos ist. Also dankte ich ihr für ihren Versuch und ging nach Hause.

Als ich dort ankam, regnete es so heftig, dass ich beim

Atmen Wasser in den Mund bekam. Ich öffnete die Haustür und sah meine Mom. Sie saß auf dem Sofatisch und versuchte, ganz ruhig zu wirken, aber ich bemerkte, dass sie sich Sorgen machte. Sie stand auf, kam zu mir und sagte etwas über meine nassen Sachen.

Aber ich brachte nur ein einziges Wort heraus, nämlich »Dad«, und dann brach ich in Tränen aus, wie ein totaler Schlappschwanz.

Sie umarmte mich und sagte immer wieder: »Ist schon gut«, so wie früher, aber jetzt weiß ich, dass das eine Lüge ist. »Ich vermisse meinen Dad«, sagte ich, »obwohl ich verdammt noch mal nicht weiß, wer er ist. Obwohl er ein Mörder ist.«

»Aber er ist nicht nur das«, sagte Mom. Sie sagte, ich sollte mich immer daran erinnern, dass sie ihn und er mich geliebt habe.

Ich antwortete, das würde ich, aber das war auch gelogen. Ich werde mich nicht daran erinnern, dass er mich früher geliebt hat. Genau das nämlich versuche ich zu vergessen.

Der Oktober war eine Folge aus grauen Tagen und kalten Nächten, die immer wieder von Nieselregen begleitet wurden. Die kürzer werdenden Tage waren für Winona angefüllt mit Arbeit, weil sie sich auf die kommenden Wahlen vorbereitete.

Für einen Außenstehenden, einen zufälligen Besucher etwa, hätte Winona gewirkt wie immer. Pünktlich ab acht Uhr morgens saß sie an ihrem Schreibtisch und telefonierte oder besprach sich mit Klienten. In der Mittagspause sah man sie meistens im Diner oder Waves Restaurant, wo sie ein einflussreiches Mitglied der Gemeinde zu einem Arbeitsessen einlud. Nach der Arbeit, wenn es schon dunkel wurde, saß sie gewöhnlich in ihrem Bett und sah sich im Fernsehen Reality-Shows an oder schrieb Werbebriefe. Auf ihren makellos weißen Umschlägen aus Büttenpapier stand: *Stimmen Sie für eine Gewinnerin! Wählen Sie diesen November Winona Grey!*

All das füllte ihre Zeit, dazu kamen die Kirchgänge, die monatlichen Familienessen und ihre Verabredungen mit Mark. Sie konnte sich nicht erinnern, jemals so beschäftigt und so glücklich gewesen zu sein. Sie liebte jedes einzelne Detail, das ihre Zeit und ihre Aufmerksamkeit beanspruchte. Ende September hatten Mark und sie endlich ihre Beziehung bekanntgemacht, und seitdem schien jedermann davon auszugehen, dass es nur noch eine Frage der Zeit war, bis sie heirateten. Selbst Winona begann langsam zu hoffen. Sie hatten sich zwar nicht Hals über Kopf ineinander verliebt, aber sie war alt genug, um die Realitäten zu erkennen. Außerdem hatte sie schon einmal einen Mann aufrichtig geliebt und im Namen dieses unzuverlässigen Gefühls jede Menge Fehler gemacht. Also war es besser, auf Nummer sicher zu gehen. Mit diesem Hintergedanken fand sie sich häufig vor dem Zeitschriftenständer im King's Market mit der neuesten Ausgabe der *Brides* wieder.

Das Einzige, was jetzt noch an ihr nagte, war die Sache mit Dallas.

Ihr ging es gegen den Strich, dass er sie nicht sehen, ihr nicht mal zuhören wollte. Vivi Ann und Noah hatten die ganze Sache fallen lassen, als Winona ihnen von Dallas' Reaktion erzählt hatte. Vivi Ann hatte geseufzt und traurig gesagt: »Das war's dann also.« Selbst Noah hatte es akzeptiert. Er hatte leise »Danke« gemurmelt und war gegangen.

Aber Winona konnte nicht einfach so aufgeben. Einmal die Woche fuhr sie zum Gefängnis – jeden Samstag. Stundenlang saß sie auf ihrem Plastikstuhl vor dem schmutzigen Plexiglasfenster. Woche für Woche glänzte Dallas durch Abwesenheit.

Jedes Mal wenn Winona das Gefängnis verließ, schalt sie sich wegen ihrer Unvernunft und schwor sich, nie wieder zu kommen. Und jede Woche brach sie diesen Schwur.

Sie konnte nicht genau sagen, warum sie so besessen davon war. Vielleicht lag es an dem ominösen Tattoo (gewiss irrte Vivi Ann sich und es war auf seinem rechten Oberarm; etwas anderes schien undenkbar) oder an Noahs Lächeln, als sie den absurden Fall übernommen hatte, oder an Dallas' Frage nach Vivi Ann und seinem Sohn. Vielleicht lag es aber auch an dem, was Vivi Ann nicht gesagt hatte, obwohl sie alles Recht dazu hatte: *Ich hab dich vor zwölf Jahren gebeten, ihm zu helfen.*

Was auch immer es sein mochte: Sie wusste jedenfalls, dass sie erst aufgeben würde, wenn sie eine Antwort von ihm bekommen hatte. Mehr wollte sie nicht, nur ein einfaches *Kommt nicht infrage, Win. Ein DNA-Test ist überflüssig, und du weißt, warum.*

Sie hatte sich genau diese Antwort von ihm schon so oft vorgestellt, dass sie manchmal, wenn sie unruhig aus dem Schlaf aufwachte, meinte, er hätte sie wirklich schon gesagt.

»Okay«, sagte sie laut. »Dann versuchen wir doch mal was anderes.« Sie warf einen Blick auf die Uhr. Es war Donnerstagnachmittag, zwanzig nach vier. In anderthalb Stunden wollte sie mit Mark essen gehen und dann ins Kino. Sie holte ein Blatt ihres Briefpapiers für besondere Gelegenheiten heraus. Unter ihren gedruckten Namen – *Winona Elizabeth Grey, Esquire* – schrieb sie:

Lieber Dallas,

Du hast gewonnen. Ich bin sicher, Du könntest unser kleines Spielchen bis in alle Ewigkeit fortsetzen. Allerdings wirst Du gewiss nicht glauben, dass ich Dich nach all diesen Jahren ohne triftigen Grund besuche. Ich habe offensichtlich wichtige, geschäftliche Angelegenheiten mit Dir zu besprechen. Vor diesem Hintergrund will ich es noch einmal auf diesem Wege versuchen. Du lässt mich wie eine Idiotin dastehen – was Du zweifellos beabsichtigst. Aber es liegt in unser beider Interesse – und mit Sicherheit auch in dem Deines Sohnes –, dass Du Dich bereit erklärst, mit mir zu reden. Ich werde am Mittwoch in der Besuchszeit zwischen 16 und 18 Uhr in Deinem Zellenblock sein. Dies ist mein letzter Versuch, mit Dir zu sprechen.

Herzliche Grüße
Winona Grey

Sie faltete den Brief, steckte ihn in einen Umschlag, klebte eine Marke darauf und brachte ihn schnurstracks zum Briefkasten an der Ecke.

Jetzt hatte sie alles versucht. Nun lag es bei Dallas.

Am Mittwoch räumte Winona sorgfältig ihren Schreibtisch auf und ging dann hinaus zu Lisa, um ihr mitzuteilen, dass sie den Rest des Tages außer Haus sei. »Wenn jemand anruft, sagen Sie ihm, ich hätte einen Termin. Notieren Sie, worum es geht, dann rufe ich direkt morgen früh zurück. Und könnten Sie bitte heute Abend, bevor Sie gehen, die Pflanzen im Wintergarten gießen? Sie sehen ein bisschen schlapp aus.«

»Natürlich.«

Daraufhin ging Winona zum Wagen und fuhr aus der Stadt.

Bei der Vorstellung, dass es heute endlich vorbei wäre, wurde ihr leichter ums Herz. Ihr war erst vor kurzem klargeworden, wie sehr Noahs Anliegen sie belastet hatte. Aber jetzt würde sie diese Last loswerden. Welche Unterlassungssünde sie auch immer beim ersten Prozess begangen hatte: In den letzten sechs Wochen hatte sie dafür gebüßt. Sechs-, siebenmal, wenn sie heute mitrechnete, war sie zum Gefängnis gefahren, hatte auf einen Mann gewartet, der sich nicht blicken ließ, und war dann wieder heimgefahren. Jeder dieser Ausflüge hatte mindestens sechs Stunden ihrer Zeit in Anspruch genommen.

Mittlerweile waren ihr viele Gesichter bei der Zugangsprozedur vertraut, so dass sie, während sie sich eintrug, ihre Sachen einschloss, durch den Metalldetektor ging und sich zum Zellenblock führen ließ, lächelte und hier und da ein bisschen plauderte. So normal war die Routine für sie, dass es sie traf wie ein Schock, als der Officer ihr den Besucherausweis reichte und sagte: »Heute ein privates Treffen, wie? Das ist ja ganz was Neues.«

»Hier entlang. Zu einem der Besprechungszimmer für Anwälte.«

Winona nickte und trat ein. Es war ein kleiner Raum mit einem großen, verkratzten Holztisch und ein paar Stühlen. Die Wände waren in einem hässlichen Braun gehalten; hier und da sah man den Beton unter der abblätternden Farbe. Ein uniformierter Wachmann stand in einer Ecke, hatte die Hände hinter dem Rücken verschränkt und starrte stur geradeaus. Sie nahm unter seinem wachsamen Blick Platz.

Dann ging die Tür auf, und Dallas kam hereingeschlurft. Er hielt den Kopf gesenkt und hatte an Händen und Füßen Ketten.

Er nahm ihr gegenüber Platz und legte die gefesselten Hände vor sich auf den Tisch. »Was will mein Sohn?«

Sie hörte, wie seine Stimme bei dem Wort *Sohn* zitterte. »Ich möchte dir zuerst ein paar Fragen stellen. Darf ich?«

»Als könnte man dich zum Schweigen bringen.«

Ärger regte sich in ihr, und auf einmal fiel ihr wieder ein, wie groß ihre Abneigung gegen ihn gewesen war. Nun, da sie endlich mit ihm sprechen konnte, wollte sie nur noch weg. »Auf welchem Arm ist dein Tattoo?«

Ihre Frage überraschte ihn. »Auf dem linken. Wieso?«

Winona fluchte leise. »Hatte Roy jemanden, der für ihn ermittelte, der die relevanten Orte und Personen aufsuchte und für ihn Nachforschungen betrieb?«

»Du weißt doch genau, dass dafür kein Geld da war. Aber er hat sein Bestes gegeben.«

»Warum hast du nicht vor Gericht ausgesagt?«

»Mein Gott, Win. Das alles ist doch Schnee von gestern. Ich hab wegen meiner Vorstrafen nicht ausgesagt.«

»Aber die Leute wollten deine Version der Geschichte hören.«

»Wollten sie nicht.«

»Dein Sohn möchte, dass ich von dir die Erlaubnis einhole, die DNA-Spuren vom Tatort noch mal neu analysieren zu lassen. Mittlerweile ist das Verfahren wesentlich besser und genauer geworden. Möglicherweise reicht die Spur, um dich zu entlasten.«

»Hältst du mich plötzlich für unschuldig?«

»Ich glaube, der Test würde uns ein für alle Mal Gewissheit geben.«

»Nein.«

»Darf ich annehmen, dass du den Test aus naheliegenden Gründen ablehnst?«

»Nimm doch an, was du willst. Das konntest du schon immer sehr gut.«

Winona beugte sich vor.

»Ich hab die Gerichtsprotokolle noch mal gelesen, Dallas. Myrtle Michaelian hat dich aus der Gasse kommen sehen. Du bist in den Lichtkreis einer Straßenlaterne getreten, und sie hat dein Profil und dein Tattoo gesehen.«

»Aha.«

»Aber das Tattoo, das sie gesehen hat, muss auf dem rechten Arm des Mannes gewesen sein. Er ging von ihr weg.«

»Ja. Und?«

»Das scheint dich nicht zu überraschen. Wieso nicht?«

Wortlos starrte er sie an.

Die Erkenntnis durchfuhr sie wie ein eiskalter Schauer. »Du bist nicht überrascht, weil du an jenem Abend gar nicht da warst. Du hast die ganze Zeit gewusst, dass Myrtle jemand anderen gesehen hat.«

»Fahr nach Hause, Winona. Deine Bemühungen kommen zu spät.«

»Willst du mir damit sagen, dass du es nicht getan hast?« Winona wurde übel bei der Vorstellung.

»Verschwinde, Winona.«

Zum ersten Mal sah sie ihm direkt in die grauen Augen und erkannte, wie sehr sie ihm zusetzte. »Warum wolltest du Vivi Ann nicht mehr sehen?«

Er schob seinen Stuhl zurück und sah zur Tür. »Hast du sie je gesehen, wenn sie eins ihrer misshandelten Pferde zu sich nach Hause holte?«

»Natürlich.«

»Langsam sah sie so aus, wenn sie mich besuchen kam. Ich wusste, dass sie nicht mehr schlafen, nicht mehr essen konnte. Es brachte sie um, an mich zu glauben, und ich wusste, sie würde niemals aufgeben.«

»Also hast du für sie entschieden.« Winona lehnte sich fassungslos zurück. Es war, als würde sie plötzlich etwas in einem Wimmelbild erkennen. Wenn man es einmal identifiziert hatte, fragte man sich, wie man es je hatte übersehen können. Er hatte sich von Vivi Ann scheiden lassen, weil er sie liebte.

»Das hast du gesagt, nicht ich. Ich habe gesagt: Verschwinde. Das alles ist jetzt völlig unwichtig. Vivi Ann konnte ihr Leben weiterleben, und Noah wird es eines Tages auch können. Es ist das Beste, sie einfach in Ruhe zu lassen.«

»Du glaubst, Vivi Ann hätte ihr Leben weitergelebt?« Sie starrte ihn an.

In seinem Blick lag eine Bedürftigkeit, wie sie sie noch nie gesehen hatte. »Nicht?«, fragte er.

»Seit dem Tag, als die Scheidungspapiere kamen, hat sie nicht ein Pferd mehr gerettet. Ich schätze, dazu braucht man eine Zuversicht, die ihr verlorengegangen ist. Im Grunde ist sie selbst jetzt so wie eins dieser Pferde; wenn man ihr in die Augen blickt, sieht man nur Leere.«

Dallas schloss langsam die Augen. »Kein DNA-Test kann mir helfen, Win. Angenommen, der Test ist negativ, dann werden sie nur behaupten, ich hätte vor dem Mord keinen Sex mit Cat gehabt.«

»Aber es besteht eine Chance. Du hast recht, es ist kein schlagender Beweis, weil es noch andere belastende Fakten gibt, aber ich bin sicher, der Prozess wird wieder aufgerollt.«

Als er sie ansah, konnte sie die Verzweiflung in seinen grauen Augen kaum ertragen. »Und das will mein Sohn.«

»Er braucht dich, Dallas. Du kannst dir doch vorstellen, was sie über ihn sagen. Die Kinder von Butchie und Erik hänseln ihn die ganze Zeit. Und er hat dein Temperament geerbt.«

Dallas stand auf und wanderte mühsam und mit klirrenden Ketten um den Tisch. »Es ist gefährlich«, sagte er.

»Nicht wenn du unschuldig bist.«

Da lachte er.

Sie ging zu ihm und trat von hinten an ihn heran. Wenn der Wachmann sie nicht argwöhnisch beobachtet hätte, hätte sie ihn an der Schulter berührt. »Vertrau mir, Dallas.«

Er drehte sich um. »Ich soll dir vertrauen? Das soll wohl ein Witz sein!«

»Ich habe dich falsch eingeschätzt. Das tut mir leid.«

»Du hast mich nicht falsch eingeschätzt, Win, sondern du warst blind vor lauter Eifersucht auf Vivi Ann.«

Sie schluckte hart, weil sie wusste, dass ihr dieser Vorwurf eine lange Zeit nicht mehr aus dem Kopf gehen würde. »Ja. Vielleicht bin ich deshalb heute hier. Als Buße.«

Das schien ihn zu überraschen. »Ich möchte ihr nicht weh tun. Oder Noah.«

»Über Liebe, Verlust und Schmerz weiß ich nicht viel, Dallas, aber eins weiß ich: dass es Zeit für die Wahrheit ist.«

Dallas schwieg eine ganze Weile, dann sagte er: »Ist gut«, und selbst da noch wirkte er unglücklich, und sie wusste den Grund. Er kannte sich mit dem Rechtssystem – und der Liebe – besser aus als sie, und er wusste, welchen Preis man am Ende für trügerische Hoffnungen bezahlen konnte.

Fünfundzwanzig

Die Familie Grey ging im Nieselregen von der Kirche nach Hause. An diesem ersten Sonntag im November wirkte die Stadt trüb und verlassen. Kahle Bäume säumten die leeren Bürgersteige, ihre runzligen braunen Stämme verschwammen im Nebel, der vom Hood Canal heranwogte.

Aus der Ferne erinnerte die Familie mit ihren schwarzen Regenschirmen an eine Raupe, die sich ihren Weg über den Hügel und die lange Schotterzufahrt hinaufbahnte.

Für Vivi Ann war dies immer der schlimmste Teil. Den Sonntagmorgenspaziergang in den Ort, den Gottesdienst und das anschließende gesellige Beisammensein überstand sie ganz gut. Aber wenn sie die Zufahrt hinaufging, musste sie immer daran denken, dass Dallas diese Bäume gepflanzt hatte. Damals waren es winzige, spindeldürre Schösslinge gewesen, die Wind und Wetter noch nicht hatten standhalten müssen; die Erde von Water's Edge hatte sie genährt und groß und stark gemacht. Einst hatte sie sich mit diesen Bäumen verglichen, die hier gepflanzt worden und fest genug verwurzelt waren, um für immer zu wachsen und zu gedeihen.

Als sie das Farmhaus erreichten und ihre Gummistiefel und die regennassen Sachen an der Tür auszogen, war Vivi Anns Stimmung so grau wie das Wetter. Sie war nicht unglücklich oder deprimiert; eher lustlos. Schlecht gelaunt.

Und da war sie nicht die Einzige. Noah schmollte jetzt schon seit Wochen, knallte häufig Türen und zog sich in seine Musik zurück.

Doch all das versuchte Vivi Ann an diesem Sonntagnachmittag zu verdrängen, als sie in die Küche ging, um das Abendessen vorzubereiten.

»Dir ist schon klar, dass die Käse-Sahne-Sauce und der Teig den gesundheitlichen Nutzen des Gemüses zunichtemachen, oder?«, fragte Aurora, als Vivi Ann drei Backformen mit selbstgemachtem Hühnchenauflauf in den Ofen schob.

»Es ist ein Rezept von Paula Deen«, antwortete Vivi Ann. »Da kannst du froh sein, dass weder Mayo noch Sauercreme dazukommen. Außerdem könntest du gut ein paar zusätzliche Pfund gebrauchen.«

»Ich hab mehr zwischen den Zähnen, als sie isst«, erklärte Winona.

»Hahaha«, sagte Aurora und schenkte sich noch ein Glas Wein ein. »Das ist so komisch, dass ich zu lachen vergessen habe.«

Diese Bemerkung stammte aus ihrer Kindheit, und Vivi Ann ertappte sich dabei, dass sie zum ersten Mal seit Tagen lächelte. Sie nahm ihr Weinglas. »Gehen wir auf die Veranda. Das Essen ist erst in vierzig Minuten fertig.«

Sie gingen gemeinsam hinaus und setzten sich. Vivi Ann lehnte sich in dem wackligen weißen Rattanschaukelstuhl zurück, auf dem ihre Mom am liebsten gesessen hatte, stützte die Füße auf das Geländer und blickte auf die Ranch hinaus. Vom Vordach fiel ein silbriger Regenvorhang, der die Sicht trübte und allem eine ferne, substanzlose Aura verlieh. Hier und da klimperten die Windspiele aus Strandscherben und erinnerten an die Lücke in ihrer Familie. Vivi Ann fragte sich auf einmal, wie sie sich alle wohl entwickelt hätten, wenn ihre Mom immer noch da wäre. *Wenn ihr die Windspiele hört, erinnert ihr euch an meine Stimme*, hatte ihre Mom am Abend, bevor sie starb, zu ihnen gesagt. Vivi Ann erinnerte sich kaum noch an ihre letzten Monate, hatte das meiste verdrängt, aber sie wusste noch genau, wie sie drei sich an jenem Abend händchenhaltend um das Bett ihrer Mutter gedrängt hatten und sich bemühten, nicht zu weinen. *Meine Gartenmädchen. Ich wünschte, ich könnte euch heranwachsen sehen.*

Vivi Ann stieß einen tiefen Seufzer aus. Was hätte sie nicht für einen einzigen weiteren Tag mit ihrer Mutter gegeben! Sie stieß ein Windspiel an und lauschte auf das melodische Klimpern. Die nächste halbe Stunde unterhielten sie sich über Belanglosigkeiten; zumindest sie und Aurora.

»Du bist heute so still, Win«, sagte Aurora schließlich.

»Das scheint dich zu überraschen«, erwiderte Winona.

»Es ist wegen Mark, oder?«, fragte Aurora. »Hat er dir schon gesagt, dass er dich liebt?«

Winona schüttelte den Kopf. »Ich glaube, echte Liebe ist sehr selten.«

»Allerdings«, bestätigte Aurora.

Vivi Ann fand es schrecklich, wie verbittert Aurora seit ihrer Scheidung war, aber sie konnte sie verstehen. Liebe konnte einem das Beste nehmen; vor allem verlorene Liebe.

»Du hast die wahre Liebe erlebt, Vivi Ann«, sagte Winona und sah endlich auf. »Dallas und du, ihr habt füreinander alles aufgegeben.«

»Winona«, schaltete Aurora sich leise ein, »was soll das? Hast du was getrunken? Wir sprechen doch nicht –«

»Ich weiß«, erwiderte Winona. »Wir tun so, als hätte es ihn nie gegeben, als wäre er nie ein Teil von uns gewesen. Wenn wir sehen, wie Vivi Ann kämpft, fragen wir sie nach dem Reitstall oder erzählen ihr, was wir gerade lesen. Wenn wir sehen, dass Noah gehänselt und verletzt wird, weil er Dallas' Sohn ist, erzählen wir ihm etwas von Selbstbeherrschung und von dem Klügeren, der angeblich nachgibt. Aber das ist nicht immer so, nicht wahr, Vivi? Warum reden wir eigentlich nie darüber?«

»Jetzt ist es jedenfalls zu spät dazu, Win«, sagte Vivi Ann und zwang sich, ganz ruhig zu sprechen.

»Allerdings«, entgegnete Aurora. »Manche Dinge lässt man besser ruhen.«

»Aber was ist, wenn jemand noch lebt? Soll man ihn dann auch ruhen lassen?«, fragte Winona.

»Lass das, Winona«, bat Vivi Ann. »Was auch immer du dir jetzt in den Kopf gesetzt hast, lass es einfach. Ich hab dir schon vor langer Zeit verziehen, wenn es darum gehen sollte.«

»Das weiß ich«, entgegnete Winona. »Ich glaube, mir war damals gar nicht klar, wie großzügig du dich verhalten hast.«

»Bis du dich selbst verliebt hast, nicht wahr?«, fragte Vivi Ann, der es langsam dämmerte. Ihre Schwester hatte sich endlich verliebt und konnte dadurch besser verstehen, wie tief Vivi Ann verletzt worden war.

Winona holte tief Luft. »Bis ich zu –«

Hinter ihnen knallte die Fliegentür auf. »Der Herd piept, Mom«, rief Noah.

Dankbar für die Ablenkung, sprang Vivi Ann auf. »Danke, Noah. Gut, dann wollen wir mal zu Tisch.« Sie eilte in die Küche und stellte Salat, Maismehlmuffins und Hühnchenauflauf zusammen.

Auf die Minute pünktlich servierte sie das Abendessen und nahm ihren Platz ein.

Am Kopf des Tisches senkte ihr Dad den Kopf zum Gebet, und sie alle sprachen die vertrauten Dankesworte nach.

Erst als Vivi Ann nach dem Gebet die Augen öffnete, bemerkte sie, dass Winona links von ihr stand und einen Stapel Unterlagen an die Brust drückte.

»Zwing uns nicht, schon wieder deine Rede anzuhören«, bemerkte Aurora. »Es ist mein Geburtstagsessen.«

Winona trat so unbeholfen vor, als würde sie geschubst. »Ich bin letzte Woche zum Gefängnis gefahren und habe Dallas besucht.«

Mit einem Schlag wurde es ganz still. Nur Noah fragte laut: »Was?«

Winona reichte Vivi Ann die Unterlagen. »Es ist jetzt offiziell: Freitag habe ich einen Antrag vor Gericht gestellt.«

Vivi Anns Hände zitterten, als sie das Dokument las. »Eine Petition, die DNA-Spuren vom Tatort noch einmal zu analysieren.«

»Er war einverstanden«, erklärte Winona.

Vivi Ann blickte zu ihrem Sohn, und als sie sah, wie er lächelte, hätte sie am liebsten geweint.

»Ich wusste es!«, rief Noah aus. »Wie lange dauert es, bis er nach Hause kommen kann?«

Vivi Ann schob ihren Stuhl zurück und stand auf. »Du glaubst also, dass er unschuldig ist, Winona? Auf einmal? Aber als es drauf ankam, hast du kein Wort gesagt!« Ihr brach die Stimme, und sie taumelte zurück.

Der Vater schlug so hart mit der Hand auf den Tisch, dass Geschirr und Besteck klirrten. »Schluss damit, Winona.«

»Sei still«, rief Aurora zu ihrem Vater. Sie blickte zu Winona auf. »Willst du damit sagen, dass wir uns geirrt haben?«

Winona sah zu Vivi Ann. »Nicht alle von uns. Sie wusste es.«

»Weißt du, wie oft ich von Eingaben, Tests und Petitionen gehört habe, die ihn angeblich retten würden? Ich ertrag das einfach nicht mehr. Sag's ihr, Aurora. Sag ihr, sie soll aufhören, bevor auch Noah so verletzt wird.«

»Das kann doch nicht dein Ernst sein, Mom.«

Aurora stand langsam auf und trat zu Winona. »Tut mir leid, Vivi. Aber wenn nur die geringste Möglichkeit besteht, dass wir uns geirrt haben ...«

Vivi Ann rannte aus dem Zimmer, hinaus auf den Hof. Der Regen schlug ihr ins Gesicht und vermischte sich mit ihren Tränen. Sie rannte so lange, bis sie keine Luft mehr bekam, und ließ sich dann ins nasse Gras fallen.

Sie hörte, wie Winona hinter ihr den Hügel heraufkam.

Selbst im Regen, der auf den Zaun, die Blätter und das Gras prasselte, hörte sie ihr schweres Atmen.

Dann setzte sie sich neben sie.

Vivi Ann rührte sich nicht. Sie konnte nur noch denken, wie sehr sie wieder an all das glauben wollte und wie viel ihr zwölf Jahre zuvor die Unterstützung ihrer Schwester bedeutet hätte. Flüchtig stieg Hass in ihr auf und verging wieder. Langsam setzte sie sich auf. »Es wird nicht klappen, weißt du? Du wirst uns Hoffnungen machen und uns das Ganze noch mal durchstehen lassen, aber am Ende bleibt Dallas, wo er ist, und Noah erlebt, wie leer sich das Leben anfühlen kann.« Ihre Stimme sank zu einem Flüstern. »Also lass es einfach, ja?«

»Das kann ich nicht.«

Vivi Ann hatte mit dieser Antwort gerechnet, trotzdem schmerzte sie. »Warum also hast du es mir erzählt? Was willst du von mir?«

»Deinen Segen.«

Vivi Ann sagte: »Natürlich hast du meinen Segen.«

»Danke, und nur fürs Protokoll: Ich –«

Vivi Ann stand auf und ging einfach fort. Im Cottage schloss sie die Tür hinter sich, ging in die Küche, kippte drei Gläser billigen Tequila und legte sich dann aufs Bett, obwohl ihre Kleider nass und die Stiefel schmutzig waren.

»Mom?«

Sie hatte nicht mal gehört, dass Noah das Haus betreten hatte, aber jetzt stand er neben ihrem Bett.

»Wieso freust du dich nicht?«, wollte er wissen.

Sie wusste, dass sie eigentlich etwas sagen und ihn auf die vernichtende Wirkung enttäuschter Hoffnung vorbereiten sollte. Das war die Aufgabe einer guten Mutter.

Aber ihr war nichts mehr geblieben: kein Rückgrat, kein Geist und kein Herz.

Sie rollte sich auf die Seite, zog die Knie an die Brust, starrte auf ihr Kissen, spürte das stockende Klopfen ihres Herzens und erinnerte sich an alles. Am deutlichsten war ihr im Gedächtnis verblieben, wie sie die Scheidungspapiere unterschrieb. Wie sie ihn dort allein gelassen hatte, ohne jemanden, der an ihn glaubte. Jahrelang hatte sie sich eingeredet, dass es das Richtige war, ihre einzige Möglichkeit, zu überleben, aber jetzt war sie sich nicht mehr sicher. Letzten Endes hatte sie ihn aufgegeben. Ihn allein gelassen, weil es zu schwer für sie gewesen war, bei ihm zu bleiben.

Sie bekam es kaum mit, dass Noah zurückwich, zur Tür ging, sie hinter sich zudrückte und sie mit ihren Erinnerungen allein ließ.

Winona ging ins Farmhaus zurück und ließ eine regennasse Spur hinter sich. Sie stand allein da und sah zu, wie ihre Schwester das Geschirr spülte. Ihr Dad war natürlich in seinem Arbeitszimmer und hatte die Tür hinter sich geschlossen; das Signal der Familie Grey für: *Ich bin sauer und besauf mich deswegen.*

Hinter ihr ging die Tür auf, und Noah kam ins Haus gestürzt.

»Du bist wirklich eine Wucht, Tante Win.« Er lief zu ihr und umarmte sie so heftig, als wäre bereits alles vorbei und sein größter Wunsch erfüllt worden.

Als er sich von ihr löste, veränderte sich seine Miene. »Was ist denn?«

Winona wusste nicht, was sie sagen sollte. Erst jetzt dämmerte ihr die Dimension ihres Vorhabens. Sie betete nur, dass sie das Richtige getan hatte, und zwar aus den richtigen Gründen.

Aurora betrat das Zimmer und sagte: »Ich muss mal mit meiner Schwester reden, Noah.« Sie trocknete sich die Hände an einem Küchentuch ab.

»Aber ich hab jede Menge Fragen«, entgegnete er störrisch. »Und meine Mom liegt einfach nur im Bett. Wie immer!«

»Hab ein bisschen Nachsicht mit ihr. Und jetzt geh.«

Noah zeigte seine Enttäuschung mit einem dramatischen Abgang – inklusive Türenknallen – und verschwand.

Winona warf einen Blick auf die geschlossene Tür zum Arbeitszimmer.

»Hat Dad irgendwas gesagt?«

»Ein verrostetes Rohr gibt mehr von sich als er. Er ist ein gemeiner, erbärmlicher alter Mann, und mir ist völlig egal, was er denkt. Es ist schon schlimm genug, dass es dir nicht egal ist.« Aurora trat zu ihr. »Aber eins möchte ich wissen, Winona: Bist du aufrichtig?«

»Was meinst du damit?«

»Ich hab dich lieb, wirklich, das weißt du. Aber du warst schon immer eifersüchtig auf Vivi Ann.«

Dallas hatte im Grunde dasselbe gesagt. Die Erkenntnis, was andere von ihr dachten, ließ Scham in ihr aufsteigen. Noch schlimmer wurde es dadurch, dass sie wusste, sie hatte es verdient. »Ich habe Angst, er könnte unschuldig sein. Ist es das, was du wissen willst?«

»Und kannst du ihn wirklich aus dem Gefängnis holen?«

»Das weiß ich nicht. Aber ich kann es versuchen.«

»Gott steh dir bei, wenn es nicht klappt, Win. Ein zweites Mal überlebt sie vielleicht nicht.«

»Das weiß ich.«

»Ist gut«, sagte Aurora schließlich. »Wie kann ich dir helfen?«

»Steh ihr bei«, bat Winona. »Sie wird mich für eine Weile nicht sehen wollen, aber ich möchte nicht, dass sie allein ist. Ach, Aurora?«, fügte sie hinzu, als ihre Schwester sich zum Gehen wandte. »Bete für mich.«

»Das soll wohl ein Witz sein. Nach heute Abend bete ich für uns alle.«

Ich weiß nicht, was ich jetzt fühlen soll, und fragen kann ich niemanden. Wie üblich. Ich wünschte, es wäre ein Schultag, dann könnte ich mit Cissy reden. Sie wüsste, was sie sagen müsste.

Alles fing mit dem Familienessen gestern Abend an. Es verlief ganz normal, bis Tante Winona sich nicht zum Gebet hinsetzte. Darüber war Grandpa ziemlich sauer.

Dann gab sie Mom ein paar Papiere und sagte, Dad wäre mit dem DNA-Test einverstanden. Ich fasste es nicht! Am liebsten hätte ich laut gelacht, aber plötzlich war die Hölle los. Grandpa knallte mit der Hand auf den Tisch, und dann flippte Mom völlig aus, und Tante Aurora stellte sich auf Tante Winonas Seite.

Mom schrie etwas zu Tante Winona und rannte raus. Ich dachte, das wäre das Ende, aber jetzt rastete Grandpa total aus. Er stand so schnell auf, dass sein Glas vom Tisch fiel und zerbrach, und er sagte: »Das wirst du nicht tun, Winona. Es reicht.«

Da aber sagte Tante Aurora, er wäre ein gemeiner alter Mann, und dabei sollte er doch stolz auf Winona sein, weil sie in der Lage wäre, einen Fehler zuzugeben, und ihn wiedergutmachen wollte.

Tante Winona versuchte zu erklären, dass sie keine andere Wahl hätte. Gewisse Dinge müsste man einfach tun, weil es richtig wäre. Aber da ging er in sein Arbeitszimmer und schlug die Tür hinter sich zu. Ich rannte hinter Mom her und versuchte, mit ihr zu reden, aber sie rollte sich nur wie eine Schlange auf ihrem Bett zusammen und starrte die Wand an. Und als ich zurück ins Farmhaus ging, warf Tante Aurora mich wieder raus. Sie ließ mich nicht mal meine Fragen stellen. Und Tante Winona sah aus, als wollte sie anfangen zu weinen. Das Ganze ist ein völliges Chaos. Und keiner kümmert sich darum, wie ich mich fühle.

Aber mir ist egal, was sie denken oder sagen, ich werde an meinen Dad glauben, und wenn meine Mom sauer darüber wird, dann soll sie doch!

Am Morgen der Bürgerversammlung wachte Winona weit vor Morgengrauen auf und konnte nicht mehr einschlafen. Eine ganze Zeitlang lag sie nur da und starrte durch die Flügeltür hinaus auf den grauen Novembertag.

Um acht Uhr schlug sie schließlich die Decke zurück und stand auf. Barfuß ging sie nach unten, machte sich einen Kaffee und ging mit dem Becher und ihren Notizen für ihre Rede wieder nach oben.

Die nächsten Stunden las sie immer wieder ihre Aufzeichnungen durch. Sie vergewisserte sich, dass sie alle notwendigen Fakten im Kopf hatte: Voraussagen über die Bevölkerungsentwicklung von Oyster Shores, das langsame Artensterben im Hood Canal, die sozioökonomischen Folgen für die Einwohner, wenn die Lachs- und Nutzholzindustrie weiter einbrach. Sie wollte, dass ihre Mitbürger die Versammlung in dem sicheren Glauben verließen, dass sie ihre Gemeinde leiten konnte. Die Leute sollten sagen, dass sie zweifellos die beste Bürgermeisterin aller Zeiten würde. Das war ihr erstes Ziel. Ihr zweites Ziel war, die beste Bürgermeisterin aller Zeiten zu werden.

Um zwei Uhr tauchte Aurora auf, bewaffnet mit ihrem riesigen Kosmetikkoffer und einem neuen Outfit für Winona. Vivi Ann glänzte durch Abwesenheit.

»Ich könnte es nicht ertragen, dich wieder in einem deiner kastenförmigen, blauen Zweireiher zu sehen.«

»Hey. Die sind teuer.«

»Das ist kaum von Interesse. Sieh mal, ich hab dir diesen schönen Anzug von Eileen Fisher mitgebracht. Der ist zwar feminin geschnitten, wirkt aber trotzdem professionell. Und wie wär's mit einem Halsschmuck, der etwas modischer ist als Grandmas Perlenkette?«

Winona setzte sich ans Fußende ihres Betts. »Ich überlasse mich deinen kundigen Händen.«

»Perfekt.«

»Wie geht's Vivi?«

Aurora begann, Winonas Haare mit einem Lockenstab zu glätten, den sie mitgebracht hatte. »Sie ist still. Hat Angst, glaube ich. Noah ist überzeugt, dass sein Vater schon bald wieder nach Hause kommt.« Sie beugte sich vor. »Du bist dir doch sicher, das Richtige zu tun, oder? Das Gericht wird Dallas' DNA mit den Spuren vom Tatort vergleichen und ihn dann freilassen, wenn sie nicht zusammenpassen, richtig?«

Winona fühlte sich von der Last der Frage fast erdrückt. »Ich weiß nur, dass ich nicht mehr schlafen kann, seit mir der Verdacht gekommen ist, er könnte unschuldig sein. Du hättest mal das Gefängnis sehen sollen ... und Dallas. Er wirkt genauso geschlagen wie Vivi Ann.«

»Ja«, sagte Aurora und kämmte Winonas Haare sanft zurück, um sie mit einer hübschen Spange zu befestigen. »Ich hab mich immer gefragt ... ich meine, er hat Vivi Ann so geliebt. Ich konnte mir nie vorstellen, dass er auch noch was mit Cat hat. Ich hätte damals schon etwas sagen sollen.«

»Aber ich hätte nicht auf dich gehört. Das hätte niemand.«

»Aber es hätte Vivi Ann geholfen, zu sehen, dass sie nicht allein ist.«

Winona dachte darüber nach. Manchmal konnte die Unterstützung eines einzigen Menschen wirklich alles verändern.

In der nächsten Stunde ließen sie das Thema ruhen und unterhielten sich über die Versammlung, die Wahl in der nächsten Woche und die bevorstehenden Ferien. Während Winona noch mal ihre Notizen durchging, beschwerte sich Aurora darüber, dass Ricky nur unregelmäßig und kurz anrief.

Als sie aufbrechen mussten, wusste Winona, dass sie vom

Aussehen her das Beste aus sich gemacht hatte. Aurora hatte ihr Haar geglättet und sie perfekt geschminkt, so dass ihre braunen Augen und ihre blasse Haut betont wurden. Sie hatte ihr eine lose schwingende, burgunderfarbene Jacke mit passender Hose und ein schwarzes Top mit Prinzess-Ausschnitt mitgebracht.

»Bist du bereit?«, fragte sie, als es Zeit war zu gehen.

»Ja, bin ich.«

Sie verließen das Haus und gingen zur Highschool. Dort zogen sie sich bis zum Beginn der Versammlung in die Mädchenumkleide zurück.

»Danke, Aurora«, sagte Winona und umarmte ihre Schwester. »Deine Unterstützung bedeutet mir wirklich sehr viel.«

»Reiß sie vom Hocker, Schwesterherz.«

Winona sah ihrer Schwester nach, als sie die Umkleide verließ, und setzte sich dann auf eine der schmierigen Holzbänke, um ein letztes Mal ihre Notizen durchzugehen. Sie war so tief in Zahlen und Fakten versunken, dass sie aufschrak, als jemand sie holen kam.

»Es ist Zeit, Winona.«

Sie lachte, weil Unruhe und Aufregung sie überkamen. Sie wurde fast albern vor lauter Nervosität. Andererseits war sie so bereit wie noch nie in ihrem Leben.

Vielleicht würde sie danach noch weiter aufsteigen.

Senatorin Grey.

Warum nicht? Sie folgte dem Ratsmitglied hinaus in die Turnhalle, wo Hunderte ihrer Mitbürger auf metallenen Klappstühlen auf dem Basketballfeld saßen. Vor ihnen waren zwei Podien mit Mikrofonen aufgebaut worden.

Als sie eintrat, wurde die Menge still und sah ihr mit ehrfürchtigem Schweigen entgegen. Der Respekt, der ihr entgegenschlug, verlieh ihr Kraft. Sie ging zu einem der Podien und nahm ihren Platz dahinter ein. Kurz darauf betrat ihr

Konkurrent mit großen Schritten die Turnhalle; er lächelte breit wie die Grinsekatze. »Du siehst heute sehr hübsch aus, Winona«, begrüßte er sie und streckte ihr die Hand entgegen.

»Danke, Thad. Aber wie du weißt, ist heute anderes wichtig.«

»Da ich bereits seit acht Jahren Bürgermeister bin, weiß ich wohl besser, was wichtig ist und was nicht. Aber natürlich solltest du trotz deiner Ahnungslosigkeit deine Position vertreten.«

Winona lächelte strahlend und dachte: *Ich kann's kaum erwarten, dir einen Tritt in den Arsch zu versetzen*, sagte aber: »Wir werden ja sehen.«

Wie ein Boxer im Ring ging Thad dann in seine Ecke – auf sein Podium –, während sie blieb, wo sie war. Tom Trumbull, der zehn Jahre zuvor Bürgermeister der Stadt gewesen war, trat zwischen ihnen ans Mikrofon, stellte die beiden Kandidaten vor und erklärte kurz die Regeln für die öffentliche Fragestunde.

»Die erste Frage geht an Bürgermeister Olssen. Thad, Sie haben zwei Minuten für Ihre Antwort, und Winona, Sie haben eine Minute, um dem etwas entgegenzusetzen. Können wir beginnen?«

Erik Engstrom erhob sich sofort. »Bürgermeister Olssen. Wie alle wissen, untersteht die örtliche Polizei dem Bürgermeisteramt. Wie werden Sie in Ihrer Amtszeit dafür sorgen, dass die Bürger sich sicherer fühlen?«

Das war eine lächerliche Frage, die passenderweise von einem Idioten kam, aber sie konnte nichts dagegen machen. Lächelnd überflog sie mit dem Blick die Zuschauer und suchte nach freundlichen Gesichtern. Aurora und Noah saßen ganz vorn; sie nickten ihr ermutigend zu. Vivi Ann und ihr Vater saßen steif und mit starrer Miene daneben. Natürlich waren sie gekommen. Ihr Dad hätte niemals zugelassen, dass Zwist auf Water's Edge nach außen drang. Sonst hätte es Gerede gegeben. Dieses eine Mal war sie dankbar, dass er so viel auf die Meinung anderer Leute gab.

Mark und Cissy saßen, zusammen mit Myrtle, weiter hinten.

»Ihre Antwort bitte, Miss Grey«, sagte Trumbull.

Winona zögerte keine Sekunde. »Die hiesige Polizei braucht finanzielle und moralische Unterstützung, aber was sie ganz sicher nicht braucht, ist noch mehr Druck der Regierung, der ihren Job nur schwerer macht. Als Bürgermeisterin würde ich es mir zur Aufgabe machen, Sheriff Bailor und seine Deputys nach Kräften zu unterstützen, aber nicht ihre Arbeit zu behindern.«

Daraufhin applaudierten Aurora und Noah laut.

Ein nervöser Schauer durchfuhr Winona, als sie den Rest der Zuschauer sah; sie alle saßen reglos da.

Dann stand Myrtle Michaelian auf. »Winona«, begann sie mit stockender Stimme. »Ich wüsste gern, wie du behaupten kannst, die Arbeit der Polizei nicht behindern zu wollen, wenn du ihr Unfähigkeit vorwirfst.«

»Verzeihung, Myrtle. Ich kann dir nicht ganz folgen.«

»Ich habe gehört, du seist auf einmal der Meinung, Dallas Raintree wäre unschuldig. Das heißt aber doch, die Polizei und die Geschworenen waren entweder unfähig oder dumm. Und mich betrachtest du dann wohl als Lügnerin.«

Jetzt begriff sie, was die ernsten Mienen der Zuschauer bedeuteten. Die Neuigkeit von ihrer Petition hatte sich schneller als erwartet herumgesprochen.

Sie holte tief Luft und setzte zu einer Erklärung an, wobei sie ihre Worte mit äußerster Sorgfalt wählte, doch als sie die Menge überblickte, wusste sie Bescheid. Sie mochte ihre Erklärung zwar geschickt formuliert und mit Leidenschaft vorgebracht haben, aber am Ende war sie genauso nichtig wie Seifenblasen, die in der Luft zerplatzten. Niemand hier war daran interessiert, einen Fehler aus der Vergangenheit wiedergutzumachen.

Niemand war an Dallas Raintree interessiert.

Mitten in ihrer Erklärung unterbrach Trumbull sie mit den Worten: »Die Zeit ist um, Winona.«

Und da applaudierte das Publikum.

Sechsundzwanzig

Ein so schlimmes Weihnachten habe ich noch nie erlebt! Wir waren in der Kirche, aber das ganze Gerede über Vergebung und Glaube ist nur ein Haufen Mist. Schließlich spricht kaum noch jemand aus der Stadt mit Tante Winona, dabei versucht sie ihnen doch nur klarzumachen, dass sie sich in Bezug auf meinen Dad vielleicht geirrt haben.

Nicht gerade hilfreich ist, dass er MICH IMMER NOCH NICHT SEHEN WILL. *Tante Winona meint, er will nicht, dass ich ihn hinter Gittern und in Handschellen sehe, aber das ist nur eine billige Ausrede. Ich weiß, es wäre alles einfacher, wenn ich nur von ihm persönlich hören könnte, dass er diese Frau nicht umgebracht hat.*

Ich habe versucht, mit Cissy über all das zu reden, aber auch das klappte nicht so wie früher. Wir reden in der Schule und so, aber ständig werden wir beobachtet, und die anderen tratschen und zeigen mit dem Finger auf uns. Bei der Winterabschlussfeier konnte ich sie nirgendwo finden. Bestimmt hat sie sich versteckt, um nicht mit mir gesehen zu werden.

Das Schlimmste ist, dass ich es verstehe. Ich weiß, wie wütend ihr Dad auf Tante Winona ist. Und Cissy sagt, ihre Grandma weint die ganze Zeit. Das geht mir total auf den Sack! Warum wollen alle unbedingt einen Mörder in meinem Vater sehen? Es ist, als ob die bloße VORSTELLUNG, *er könnte unschuldig sein, alle verrückt macht. Tante Winona sagt, das liegt daran, dass die Menschen an Recht und*

Gesetz glauben müssen und dass wir ihnen Angst machen, aber das ist totaler Schwachsinn.

Ich hab versucht, am Weihnachtsabend nach der Feier bei Grandpa mit Mom darüber zu sprechen. Ich sah, dass sie traurig war und, wie immer, wenn sie was beschäftigt, ganz still wurde und aus dem Fenster starrte, als würde sie auf was warten. Jetzt kann sie doch wieder an meinen Dad glauben, vielleicht sogar hoffen, dass er zu uns zurückkommt. Aber sie tut so, als würde Tante Winona unser Leben ruinieren, bloß weil sie versucht, Dad freizubekommen.

Also habe ich sie heute Abend gefragt: »Warum willst du nicht, dass Dad zu uns nach Hause kommt?«

Aber SIE HAT NICHT MAL GEANTWORTET! Sie ist einfach in die Küche marschiert, als wäre ich unsichtbar. Also bin ich in mein Zimmer gegangen und habe die Tür hinter mir zugeknallt.

Tolle Weihnachten!

PS: Tante Winona hat die Wahl haushoch verloren. Es geht das Gerücht, dass nur Tante Aurora und Mom für sie gestimmt haben.

Vivi Ann hörte Noahs Zimmertür zuknallen. Sie senkte den Kopf und stieß die Luft aus, die sie angehalten hatte.

Das konnte nicht so weitergehen.

Sie richtete sich auf, um die Kraft vorzutäuschen, die sie vor langer Zeit verloren hatte. Dann ging sie durch den Flur zu seinem Zimmer. Noch als sie klopfte und sein gereiztes *Komm rein, ich kann ja sowieso nichts dagegen machen* hörte, fragte sie sich, was genau sie sagen sollte. Sie öffnete die Tür, trat ein und tat so, als betrachtete sie die Poster und Bilder an den Wänden. »Du hast mich gefragt, warum ich nicht will, dass Dallas zurückkommt.«

»Und du hast aus dem Fenster gestarrt.«

Endlich wandte sie sich zu ihm. »Ja. Kann ich mich zu dir setzen?«

»Weiß nicht. Kannst du?«

Sie ging zu seinem Bett, bat »Rutsch rüber« und setzte sich neben ihn. »Weißt du noch, dass es in deinem Zimmer keinen Strom gab, als du ganz klein warst? Dann habe ich hier mit dir gesessen und dir im Licht einer Taschenlampe vorgelesen. Du mochtest *Wintersonnenwende* von Susan Cooper, erinnerst du dich?«

»Beantworte doch einfach meine Frage, Mom.«

Sie lehnte sich gegen das wacklige Kopfende des Betts und seufzte. »Ich hätte nicht zulassen sollen, dass du so viel Zeit mit Win verbringst. Du hast ihre Dobermann-Techniken übernommen.«

»Du brauchst gar nicht schlecht von ihr zu reden. Sie ist die Einzige in dieser beschissenen Familie, der mein Dad wichtig ist.«

»Glaub mir, Noah, mir ist dein Vater auch wichtig.«

»Das ist ja ganz was Neues! Du redest nie von ihm, im ganzen Haus gibt es kein einziges Bild von ihm. Aber ja doch: Er ist dir wirklich wichtig. Du *hoffst* ja nicht mal, dass er aus dem Gefängnis kommt!«

»Du bist jung, Noah, daher ist Hoffnung noch etwas durchweg Positives für dich, und ich freue mich darüber. Wirklich. Aber ich habe im Laufe der Jahre die Erfahrung gemacht, dass Hoffnung trügerisch und gefährlich sein kann.«

»Ach ja? Also gibst du einfach jemanden auf.«

Vivi Ann schloss gequält die Augen. »Das sagt sich so leicht, Noah. Du hast ja keine Ahnung, was Dallas und ich durchgemacht haben.«

»Hast du ihn je gefragt, ob er es getan hat?«

»Nein«, sagte sie leise. »Ich habe ihm geglaubt. Ich habe geglaubt, geglaubt, geglaubt und geglaubt … bis der letzte Berufungsantrag zurückgewiesen wurde und er nicht mehr aus seiner Zelle kam, um mich zu sehen. Damals war ich schon völlig am Boden. Erinnerst du dich noch an den Tag, als wir den Autounfall hatten?«

»Ja.«

»Es hat mich fast umgebracht, darauf zu warten, dass er nach Hause kommt. Ich möchte nicht, dass du das Gleiche durchmachen musst wie ich.«

»Ich muss an ihn glauben, Mom«, sagte er.

»Ein Sohn sollte das auch. Und der Mann, den ich geheiratet, den ich geliebt habe, ist es auch wert. Dieser Mann ist dein Vater, nicht der Mörder, von dem du dein ganzes Leben gehört hast. Aber versuche doch bitte … zu verstehen, warum ich dir in dieser Sache nicht beistehen kann. Ich schäme mich, es zuzugeben, aber ich bin einfach nicht stark genug.«

Noah griff nach ihrer Hand und hielt sie fest. »Aber du warst damals allein. Ich hab doch dich.«

Winona stand am Fenster ihres Strandhauses und beobachtete die Straße. Es war der neunte Januar, ein kalter Tag mit drohenden Wolken, die ein Unwetter ankündigten. Der tiefhängende graue Himmel entsprach ihrer Stimmung und ließ draußen alles blass und öde wirken. Kein vielversprechender Start fürs neue Jahr.

Jenseits der Bäume kam der Schulbus in Sicht und hielt kurz an Marks Einfahrt. Als er wieder losfuhr, stand sie immer noch da und starrte auf den öden, wintertristen Garten. Es war Montagmorgen, und plötzlich überkam sie ein Anflug von Einsamkeit.

In der Nacht zuvor hatte sie stundenlang in ihrem verwaisten Bett gelegen und überlegt, wie sie sich gegenüber Mark verhalten sollte. Sie hatte ihm Zeit gelassen, sich wieder zu beruhigen, weil sie annahm, eines Abends würde er einfach herüberkommen und sich entschuldigen. Aber das war nicht geschehen. Der November war in den Dezember übergegangen, und als das neue Jahr anbrach, war er immer noch nicht zu ihr gekommen. Sie hatte sorgsam darauf geachtet, oft zu Hause zu sein, hatte bis spät in die Nacht ihr Licht angelassen, aber vergeblich.

Am Abend zuvor war ihr zum ersten Mal in den Sinn gekommen, dass er vielleicht auf sie wartete. Schließlich hatte sie einen Fehler gemacht (weil sie ihm nicht von der Petition erzählt hatte, was, wie sie jetzt einsah, falsch gewesen war), also wartete er möglicherweise auf *ihre* Entschuldigung.

Je länger sie darüber nachdachte, desto wahrscheinlicher kam ihr das vor.

Sie zog sich sorgfältig an, warf sich ihren Wollmantel über und machte sich auf den Weg zum Nachbarhaus. Sie zögerte nur kurz, bevor sie den Natursteinpfad hinaufging und an der Tür klingelte.

Kurz darauf öffnete er. Er trug Bademantel und Pantoffeln und hatte noch nasse Haare vom Duschen. »Hey«, sagte sie mit unsicherem Lächeln. »Ich dachte, du wartest vielleicht auf eine Entschuldigung von mir.«

Das Lächeln, auf das sie so verzweifelt gehofft hatte, blieb aus. »Winona«, sagte er ungeduldig, »das haben wir doch schon besprochen. Viel zu oft.«

»Ich weiß, du liebst mich.«

»Nein, ich liebe dich nicht.«

»Aber –«

»Hast du je mit meiner Mutter gesprochen? Hast du sie gewarnt, dass Ärger auf sie zukommen könnte? Sie wird täglich von Reportern angerufen. Sie ist so außer sich, dass sie kaum noch vor die Tür tritt.«

»Ich hab nie behauptet, dass Myrtle im Zeugenstand gelogen hat.«

»Ach, nicht?«

»Es passiert ständig, dass sich Zeugen irren. Ich habe Nachforschungen angestellt …«

»Wie auch immer: Jedenfalls behauptest du, es sei ihr Fehler gewesen, und die ganze Stadt weiß es.«

»Das verstehst du nicht.«

»*Du* verstehst nicht. Mit deinem Kreuzzug stößt du allen vor den Kopf. Erwartest du wirklich, dass wir das einfach so akzeptieren?«

»Ich dachte jedenfalls, *du* würdest es akzeptieren, Mark. Du kennst mich doch. So etwas würde ich doch niemals ohne guten Grund tun. Es ist einfach richtig. Ich hätte es schon vor langer Zeit tun sollen.«

»Genau das ist der Punkt: Ich kenne dich nicht. Offenbar habe ich dich nie gekannt. Leb wohl.« Er trat einen Schritt zurück und schloss die Haustür.

Den ganzen Weg zurück zu ihrem Haus und auf der Fahrt in die Stadt hallte in ihr Marks *Nein, ich liebe dich nicht* nach. Sie wusste nicht, was schlimmer war: die Vorstellung, dass er sie nicht mehr liebte, oder die, dass er sie nie geliebt hatte. Zum ersten Mal seit Jahren sehnte sie sich danach, mit Luke zu reden, sich einfach mit ihm zusammenzusetzen, so wie in ihrer Kindheit, und ihn zu fragen, was mit ihr nicht stimmte, warum niemand sie liebte, warum sie jeden vergraulte. Doch in den Jahren seiner Abwesenheit war ihre Freundschaft eingeschlafen. Er rief nur noch ein-, zweimal im Jahr an, und dann sprachen sie meist über seine Kinder und ihre Karriere.

In der Stadt angekommen, fuhr sie in ihre Garage, ging ums Haus herum und betrat ihre Kanzlei.

Lisa saß schon am Schreibtisch und gab etwas in ihren Computer ein. »Ihr Vater ist im Wintergarten. Er hat schon auf der Frontveranda gewartet, als ich um acht Uhr kam.«

»Danke.« Winona zog ihren Mantel aus und ging in den Wintergarten.

Ihr Vater saß übertrieben gerade in dem antiken weißen Rattansessel an der Flügeltür. Er hatte die Füße nebeneinandergestellt und seine schwieligen, knochigen Hände auf die Oberschenkel gelegt. Sie sah, dass seine Finger auf den ausgebleichten Jeans zitterten. Seine weißen Haare waren dünn und lugten unordentlich unter dem braunen speckigen Cowboyhut hervor. Selbst im Profil war zu sehen, dass er die Zähne fest zusammenbiss.

»Hallo, Dad«, sagte sie und näherte sich ihm.

Er setzte seinen Hut ab, legte ihn auf die Knie und fuhr sich mit der Hand über den Kopf. »Du musst das stoppen.«

Sie nahm auf dem Sofa ihm gegenüber Platz. Sie wusste, jetzt war die Gelegenheit, ihren Standpunkt deutlich zu machen. »Was ist, wenn wir uns geirrt haben?«

»Haben wir nicht.«

»Vielleicht doch.«

»Lass es, Winona. Die Leute reden schon über uns.«

Winona stand auf. »*Nur das* interessiert dich. Die großartigen Greys und ihr kostbarer Ruf. Du würdest lieber einen Unschuldigen im Gefängnis verrotten lassen, als einen Fehler zuzugeben. Du interessierst dich wirklich nur für dich selbst. Das war schon immer so.«

Er stand so langsam und unsicher auf wie immer in letzter Zeit, doch in seinen Augen sah man keinerlei Anzeichen von Schwäche. Der Blick, den er ihr zuwarf, war kalt und finster. »So redest du nicht mit mir.«

»Nein: *Du* redest nicht so mit mir.« Fast hätte sie gelacht, doch sie befürchtete, hysterisch zu klingen. »Weißt du eigentlich, wie lange ich schon von dir hören möchte, dass du stolz auf mich bist?« Ihre Stimme zitterte, als sie das sagte, weil sie wieder schmerzlich ihre Bedürftigkeit spürte, die so viele Jahre zuvor ihren Anfang genommen hatte, dass sie sich kaum noch daran erinnerte. »Aber das wird nie geschehen, nicht wahr? Doch weißt du was? Das ist mir mittlerweile egal. Ich tue das Richtige, was Dallas betrifft, und sollte ich mich irren, kann ich damit leben, aber dann muss ich nicht den Rest meines Lebens darüber nachdenken, ob ich nicht einen großen Fehler begangen habe.«

Damit drehte sie sich um, verließ den Wintergarten und lief hinauf in ihr Schlafzimmer. Dort ging sie zum Fenster, blickte hinaus und sah, wie ihr Vater langsam zu seinem Wagen schlurfte. Ohne einen Blick zurück fuhr er davon.

Siebenundzwanzig

Die Wochen zwischen Winter und Frühling 2008 gehörten zu den regenreichsten von Oyster Shores seit Beginn der Wetteraufzeichnungen. Von Mitte Februar bis Ende März fiel fast ununterbrochen Regen und verwandelte das Land in eine schwammartige, matschige Masse aus Grün und Braun.

Winonas Leben hatte sich innerhalb der vergangenen fünf Monate fast bis zur Unkenntlichkeit verändert. Ihr stiller Kampf hatte unvorhergesehene Folgen.

Sie wusste nicht, wie ihr geschah. Sie war so überzeugt, das Richtige zu tun, dass ihr jede andere Ansicht dazu einfach nur absurd erschien. Wenn auch nur die geringste Möglichkeit bestand, dass Dallas Unrecht widerfahren war, musste dies schlicht und einfach untersucht werden. Wie war es nur möglich, dass die Menschen, die sie ihr ganzes Leben schon kannte, dies nicht einsahen?

Natürlich bekam sie Unterstützung, wenn auch nur stillschweigende. Aurora und Noah kämpften an vorderster Front mit ihr; sie waren ihre Fußsoldaten in dieser Schlacht. Vivi Ann hielt sich abseits – einer der schlimmsten Aspekte in dieser Angelegenheit. Dieser winzige Anflug von Hoffnung hatte ihre Schwester um Meilen zurückgeworfen, so dass sie wie früher lethargisch und orientierungslos war. Ihr Dad war einfach nur stinksauer. Er machte Winona dafür verantwortlich, dass sie sich vor der Öffentlichkeit schämen mussten. Erst letzte Woche hatte er in der Eagles Hall getönt: »Dieses Mädchen muss immer im Mittelpunkt stehen. Dabei könnte man doch erwarten, dass die Familie an erster Stelle steht.«

Dies schmerzte am meisten, tat sie doch all das für Vivi Ann und Noah. Aber nachts, wenn sie in ihrem Bett lag, das ihr ohne Mark noch leerer erschien als früher, wusste sie, dass es bei ihrem Wunsch, Dallas freizubekommen, um Absolution ging. Vielleicht für alle; vor allem aber für sie.

Also schluckte sie alles. Sie ertrug es, dass viele ihrer Freunde und Nachbarn ihre Entscheidung missbilligten, dass ihr Vater sie dafür verachtete und Vivi Ann deswegen Todesqualen ausstand. Diese Last trug Winona bereitwillig, während sie auf die Antwort des Gerichts wartete.

Aber im April wurde das Warten langsam unerträglich. Sie hatte Klienten verloren und verbrachte manchmal ganze Tage mit Recherche in der Universitätsbibliothek von Seattle.

Am Donnerstag, dem dritten April, arbeitete sie in Seattle und fuhr dann gemächlich heim, weil nichts sie nach Hause lockte. Als sie an ihrem Strandhaus vorbeikam, warf sie kaum einen Blick auf das Schild ZU VERMIETEN. Seit der Trennung von Mark verbrachte sie die meiste Zeit in ihrem Stadthaus; ehrlich gesagt fand sie es zu schwierig, in seiner Nähe zu sein, ohne ihn sehen zu dürfen.

Doch anstatt jetzt in ihre eigene Einfahrt einzubiegen, fuhr sie weiter nach Water's Edge. Sie war das Alleinsein leid.

Gerade als Winona aus dem Wagen stieg, hörte es auf zu regnen, so dass ihr im Sonnenschein die Schönheit von Water's Edge wieder einmal bewusst wurde. Die Weiden leuchteten in üppigem Grün, die Zäune waren alle kürzlich schwarz gestrichen worden, und die Bäume an der Zufahrt – Dallas' Bäume – erinnerten mit ihren unzähligen Blüten an rosafarbene Zuckerwatte. Ein paar vereinzelte Blüten schwebten um sie herum. In den letzten zehn Jahren war mit dem Erfolg auch die notwendige Grundsanierung der Ranch gekommen. Mittlerweile war jedes einzelne Gebäude instand gesetzt worden. Der

Parkbereich war mit frischem schwarzem Teer bedeckt. Normalerweise standen dort etliche Trucks und Pferdeanhänger, aber jetzt, in diesem kurzen Intervall zwischen Tag und Nacht, wirkte er verlassen.

Als Winona Licht im Reitstall sah, ging sie dorthin.

Vivi Ann stand allein in der Arena und mühte sich ab, ein großes gelbes Fass in Position zu rollen.

Winona trat in das staubige Innere und rief: »Hey, brauchst du Hilfe dabei?«

»Bleib, wo du bist. Sonst ruinierst du deine Schuhe.« Vivi Ann hievte das Fass an die Spitze eines imaginären Dreiecks, wischte sich den Staub von den Arbeitshandschuhen und kam auf Winona zu. In dem trüben Licht – das vom Staub auf der Deckenbeleuchtung gedimmt wurde – wirkte sie unendlich müde und gleichzeitig unbeschreiblich schön. Die Jahre hatten ihren Tribut von ihr gefordert. Sie war dünner geworden, ihr Gesicht wirkte fast mager, aber selbst die Krähenfüße an ihren Augen konnten ihre Schönheit nicht mindern. Sie gehörte zu den Frauen wie Audrey Hepburn oder Helen Mirren, die in jedem Alter eine Augenweide waren. Früher wäre Winona neidisch darauf gewesen; aber jetzt sah sie mehr als das makellose Gesicht ihrer Schwester: Jetzt sah sie auch den Schmerz in ihren grünen Augen.

»Ist heute Abend Barrel-Racing-Training?«, fragte sie.

»Wie jeden Donnerstag seit fünfzehn Jahren.« Vivi Ann zog ihre braunen Arbeitshandschuhe aus und steckte sie sich in den Gürtel.

Als sie am Reitstall vorbeigingen, fing es an zu regnen. Winona spürte, wie ihr die kalten Tropfen aufs Gesicht fielen und ihre Sicht trübten, aber sie erhöhten nicht ihr Tempo. Sie waren hier aufgewachsen; ein bisschen Regen konnte ihnen nichts anhaben.

Im Cottage streifte Winona Mantel und Pumps ab und setzte sich aufs Sofa im Wohnzimmer. Es war schon lange her, seit Vivi Ann und sie allein in einem Raum gewesen waren. Wahrscheinlich seit Einreichung ihrer Petition. Da Vivi Ann zu viel Angst hatte, darüber zu sprechen, gleichzeitig aber am liebsten ständig darüber geredet hätte, hielt sie sich lieber von Winona fern. Wie schon seit Jahren bekämpfte sie Angst, Sorge und Schmerz mit Arbeit und machte einfach nur stur weiter.

Jetzt starrte sie hinaus in den Regen. Die Fensterscheibe reflektierte ihr Gesicht, aber so verschwommen, dass es aussah, als würde sie lächeln. Das sanfte Plätschern des Regens auf dem Dach ersetzte jedes Gespräch. Winona hätte es dabei belassen können, hätte einfach schweigen und nur dem vertrauten Geräusch lauschen können, aber das hielt sie nicht aus. »Ich hätte Dallas' Fall schon von Anfang an übernehmen sollen, Vivi Ann«, gestand sie. Sie hatte lange auf die Gelegenheit gewartet, das zu sagen.

»Das ist doch längst Vergangenheit, Win.«

»Du sollst wissen, wie leid es mir tut, dass dich die neue Eingabe so aufregt.«

»Aber es tut dir nicht leid, dass du den Fall übernommen hast?«

»Wieso sollte mir das leidtun?«

Da endlich drehte sich Vivi Ann zu ihr um. »Wieso bist du eigentlich immer so verdammt selbstsicher? Selbst wenn du völlig falschliegst?«

»Ich, selbstsicher?« Winona lachte. »Das soll wohl ein Witz sein.«

»Du benimmst dich ständig wie der Elefant im Porzellanladen.«

Winona blickte ihre Schwester an und sah die Verletzlichkeit und den Schmerz in ihren Augen. »Der alles kaputtmacht. Das willst du doch damit sagen, oder nicht?«

»Nein«, widersprach Vivi Ann, aber ihr Blick strafte sie Lügen.

Bevor Winona etwas darauf erwidern konnte, klingelte ihr Handy. Sie holte es aus ihrer Manteltasche und sah, dass der Anruf von ihrer Kanzlei kam. »Winona hier.«

Da sprang die Tür vom Cottage auf, und Noah kam mit nassen Haaren und Kleidern hereingestürzt. Seinen Rucksack schleifte er hinter sich her. »Tante Winonas Auto –«

»Schuhe aus«, sagte Vivi Ann entnervt.

Noah ließ seinen Rucksack fallen und schleuderte die Schuhe von den Füßen; sie flogen ins Esszimmer, knallten gegen die Wand und landeten auf dem Boden. »Gibt's was Neues?«

Winona bat mit erhobener Hand um Ruhe, um zu hören, was Lisa ihr mitzuteilen hatte. »Danke«, sagte sie schließlich und beendete das Gespräch.

»Und?«, fragte Noah.

Winonas Herz klopfte so heftig, dass ihr schwindelig wurde. »Unserer Eingabe ist stattgegeben worden«, erklärte sie und stand vor lauter Nervosität auf. »Die DNA-Spuren vom Tatort werden analysiert.«

Noah jubelte vor Begeisterung. »Ich wusste es! Du hast es geschafft, Tante Winona!«

»Wir haben es geschafft«, erwiderte sie. Sie konnte es kaum glauben.

»Sag's ihm«, forderte Vivi Ann mit einer Stimme, die so kalt und spröde war wie eine dünne Eisschicht. Sie klammerte sich an den Sofatisch.

»Was denn?«, fragte Winona mit gerunzelter Stirn.

»Was noch alles schiefgehen kann. Wag es *ja nicht*, ihn jetzt einfach mit der Vorstellung ins Bett gehen zu lassen, von nun an sei alles nur noch eine Frage der Zeit, und er müsse sich höchstens überlegen, was er zu Dallas sagt, wenn er erst mal wieder da ist.«

Am liebsten hätte Winona ihre zutiefst verletzte Schwester in den Arm genommen und getröstet, so wie früher. Stattdessen sagte sie ganz sanft: »Lass ihn doch seinen Sieg auskosten.«

»Du weißt ja gar nicht, wovon du sprichst. Trotzdem: meinen Glückwunsch«, erwiderte sie. »Dallas hat Glück, von dir vertreten zu werden.« Sie marschierte an ihnen vorbei in ihr Zimmer und knallte die Tür hinter sich zu.

»Einfach nicht drauf achten«, meinte Noah. »In letzter Zeit ist sie entweder wütend oder weint. Einfach erbärmlich. Also: Wenn die DNA nicht mit Dads übereinstimmt, dann müssen sie ihn doch freilassen, oder?«

»So einfach ist das nicht. Aber die Möglichkeit besteht.«

»Du meinst, er müsste trotzdem noch den Rest seines Lebens im Gefängnis bleiben? Selbst wenn es nicht seine DNA ist?«

»Ja«, sagte sie und sah zum Zimmer ihrer Schwester. Mit dieser Entscheidung hatte sich alles verändert. Eine abgelehnte Petition hätte alle auf Start zurückkatapultiert; mit der Zeit hätten sie sich wieder versöhnt, und alles hätte wie früher seinen normalen Gang genommen. Aber jetzt war es anders. Es war der Beginn einer neuen, klar umrissenen Hoffnung. Plötzlich verstand sie jedes Wort, das Vivi Ann ihr an den Kopf geworfen hatte.

Sie hatte dem bis jetzt nicht ihre volle Aufmerksamkeit gewidmet, weil ihre Zwillingsfehler – Ehrgeiz und Selbstgerechtigkeit – sie gegenüber ihrer Umwelt unempfänglich gemacht hatten. Sie hatte sich nur darauf konzentriert, etwas geradezurücken, ihren eigenen Fehler wiedergutzumachen; zu sühnen. Jetzt sah sie, dass Vivi Ann versucht hatte, ihren Sohn zu schützen. Ihre Schwester hatte die ganze Zeit gewusst, dass man eine Schlacht gewinnen, aber einen Krieg verlieren konnte.

In den darauffolgenden Monaten fragte sich Winona oft, wie Dallas es eigentlich im Gefängnis aushielt. Das Warten auf die Testergebnisse war wie ein tropfender Wasserhahn im Hinterkopf. Sie wusste, dass dies Noah genauso an den Nerven zerrte wie ihr. Wie Vivi Ann vorausgesagt hatte, verlor er jeden Tag ein bisschen mehr von seiner Selbstbeherrschung: schwänzte die Schule, verhaute Arbeiten, geriet in Prügeleien.

Aber richtige Sorgen machte sich Winona um Dallas. Sie besuchte ihn regelmäßig jede Woche; doch immer öfter saßen sie einfach nur da, ohne ein Wort zu wechseln. Der April ging in den Mai und dann in den Juni über. Die Touristen kehrten nach Oyster Shores zurück und brachten Lärm, Betriebsamkeit und Geld mit sich, doch hier, im Gefängnis, änderte sich nie etwas. Mochte das Leben außerhalb dieser Mauern noch so strahlend und lebendig sein: Hier drinnen war es immer grau und dunkel.

»Du musst mehr schlafen«, hatte sie bei ihrem letzten Besuch gemahnt. Daraufhin hatte er das einzige Mal an diesem Tag gelächelt.

»Daran hätte ich wohl vor dieser ganzen Sache denken sollen.«

»Hast du Angst?«, hatte sie gefragt.

»Angst ist ein fester Bestandteil meines Lebens«, hatte er geantwortet und sich das schmutzige Haar aus den Augen gestrichen.

Darauf hatte Winona nichts zu sagen. Sie hatte das Gespräch in andere Bahnen gelenkt und das Thema »Hoffnung« im Stillen für tabu erklärt.

Wie grundlegend sich alles innerhalb einer Woche ändern konnte! Das dachte sie an diesem Mittwochnachmittag, als sie sich vom Wachmann zu ihrem Treffen mit Dallas führen ließ.

Im Besuchszimmer trat sie ungeduldig von einem Fuß auf den anderen, weil sie sich vor lauter Aufregung nicht mal hinsetzen konnte.

Endlich ging die Tür auf, und Dallas kam herein. Immer noch waren seine Haare schmutzig und sein Gesicht bleich.

Er bewegte sich so stockend, als schmerzte sein ganzer Körper. Wie immer waren seine Hand- und Fußgelenke gefesselt. »Hey, Winona«, sagte er.

»Du wirkst krank. Brauchst du einen Arzt?«

Das schien ihn zu erheitern. Er lachte, doch dann ging sein Lachen in Husten über. »Es ist Juni. Offenbar bin ich gegen irgendwas hier allergisch. Wahrscheinlich gegen Stacheldraht.«

»Setz dich, Dallas.«

Er erstarrte und warf sein Haar nach hinten. Sie wusste, dass er es nicht mit den Händen aus dem Gesicht streichen wollte, weil er dann die Handschellen sah, die ihn bei der Bewegung behinderten. Einmal hatte er sie gebeten, es für ihn zu tun, und ihre Hand hatte gezittert, als sie sie ausstreckte. Dieses eine Mal hatte sie direkt in Dallas' stahlgraue Augen gesehen und dabei einen Blick auf den misshandelten Jungen von einst erhascht. Sie hatte ihm so zärtlich die Haare hinter die Ohren gestrichen wie noch nie einem Mann. »Ich bleibe lieber stehen«, erwiderte er.

»Wir haben die Testergebnisse. Das Sperma ist nicht von dir.« Sie lächelte und erwartete dieselbe Reaktion von ihm, doch die blieb aus. »Hast du mich verstanden? Die DNA-Spuren vom Tatort stammen nicht von dir.«

»Und?«

»Du scheinst dich gar nicht zu freuen.«

»Vergiss nicht, Winona, dass ich das die ganze Zeit wusste.«

Die Bedeutung seiner Antwort traf sie wie ein Schlag, und einen Moment lang dämmerte ihr, wie sein Leben all die Jahre ausgesehen hatte. Als Unschuldiger im Gefängnis. Mit sanfter Stimme sagte sie: »Ich habe schon im Büro der Staatsanwaltschaft angerufen und darum gebeten, das Urteil zu widerrufen und den Fall niederzuschlagen.«

»Soll das ein Witz sein?«

Winona runzelte die Stirn. »Wenn ich es selbst tun würde, würden sie Einspruch erheben. Wenn wir sie dazu bringen können, sich die neue Beweislage anzusehen und sich unserer Argumentation anzuschließen, dass es sich um einen Justizirrtum handelt, dann könnten wir gemeinsam um einen Freispruch ersuchen. Das wäre ein Volltreffer.«

»Du bist genauso naiv wie Vivi Ann. Ich sag dir, was passieren wird: Sie werden zwar zugeben, dass ich keinen Sex mit Cat hatte, aber weiterhin behaupten, ich hätte sie umgebracht. Vielleicht zaubern sie einen Komplizen aus dem Hut. Aber auf keinen Fall werden sie sagen: *Meine Güte, Winona, gut gemacht!*«

Sie ließ sich auf den harten Stuhl sinken. »Wenn du das glaubst, warum hast du mir deine Einwilligung gegeben?«

»Für Noah«, sagte er nur. »Ich glaube, er ist wie seine Mom. Ich wusste, er würde es unbedingt versuchen wollen.«

»Also hast du Noah und mich die ganze Sache im Glauben an deine Unschuld ankurbeln lassen, und jetzt sagst du nur *Hasta la vista* und verkriechst dich wieder in deine Zelle? Ist das dein Plan?«

»Das ist die Realität, Win. Wenn du dir die Mühe gemacht hättest, Vivi Ann zu fragen, hätte sie dir genau sagen können, was passieren wird. Vergiss nicht, wir haben das alles schon einmal durchgemacht.«

»Ich fasse es einfach nicht. Ich akzeptiere es auch nicht. Du irrst dich.«

»Später«, sagte er leise, »wenn du die ganze Sache hinter dich gebracht hast, könntest du mir einen Gefallen tun.«

»Welchen?«

»Sag Noah, ich war's. Sonst wird er mich nie aus dem Kopf kriegen. Aber das sollte er.«

»Nein. *Auf keinen Fall.*«

Er nickte und sagte: »Danke, Win. Ich meine es ernst. Wenn du Absolution wolltest, so hast du sie dir verdient. Jetzt fahr nach Hause und kümmere dich um meine Familie.« Damit verließ er den Raum.

Sie starrte ihm nach und spürte, wie heißer, ohnmächtiger Zorn in ihr hochkochte.

»Er irrt sich«, sagte sie zu dem Wachmann, der keinerlei Reaktion zeigte. »Ich habe nicht all das auf mich genommen, um am Ende nichts zu erreichen.«

Sie verließ das Gefängnis, ging zu ihrem Wagen und murmelte: »Er ist ein Zyniker. Natürlich geht er nach all dem, was er durchgemacht hat, immer vom Schlimmsten aus.« Sie malte sich bereits aus, wie sie beweisen würde, dass es gute Neuigkeiten waren.

Noah würde begeistert sein.

Sie würde sich auf das Gute konzentrieren. Optimismus war eine Frage der Entscheidung, und nun, da es wirklich darauf ankam, würde ihre Willenskraft sie nicht im Stich lassen.

Sie hatte bereits die Hälfte des Heimwegs hinter sich, als ihr Handy klingelte. Lisa wollte ihr mitteilen, dass die Staatsanwältin gerade angerufen hatte, um einzuräumen, dass Dallas in jener Nacht keinen Geschlechtsverkehr mit der Ermordeten gehabt habe, dennoch rücke sie nicht von der Überzeugung ab, dass er wirklich der Mörder war. Daher werde sie noch diese Woche den Antrag stellen, das Urteil aufrechtzuerhalten.

Möglicherweise, hatte die Staatsanwältin am Schluss gesagt, habe Dallas einen Komplizen gehabt.

Vivi Ann war gerade in der Küche des Farmhauses und bereitete einen Schmortopf zum Abendessen vor, als die Nachricht im Fernsehen kam. Sie hörte nur mit halbem Ohr hin, weil sie etwas vor sich hin summte (*Mamas, Don't Let Your Babies Grow Up to Be Cowboys*, obwohl es besser gewesen wäre, sich diesen Song aus dem Kopf zu schlagen), da fiel Dallas' Name.

Langsam drehte sie sich um und stieß mit der Hüfte die Herdklappe zu. Als sie durch das Wohnzimmer marschierte, redete sie sich ein, ihre Fantasie sei mit ihr durchgegangen wie ein Wildpferd, aber als sie den Fernsehraum betrat und den Gesichtsausdruck ihres Vaters sah, wusste sie, dass sie sich nicht verhört hatte.

Ohne ein Wort nahm Vivi Ann die Fernbedienung und drückte den Wiederholungsknopf. Zum ersten Mal war sie dankbar, dass Winona ihren Vater zum Kauf eines hochmodernen Geräts überredet hatte.

Als sie auf *Play* drückte, erschien auf dem Bildschirm der Lokalreporter, der vor dem grauen, bedrohlich wirkenden Gefängnis stand. In der rechten oberen Ecke sah man ein Bild von Dallas – sein erkennungsdienstliches Foto.

»... Der DNA-Test legt nahe, dass Dallas Raintree nicht der Letzte war, der Sexualkontakt mit dem Opfer Catherine Morgan hatte. Winona Grey, die Vertreterin der Verteidigung, stand nicht für eine Erklärung zur Verfügung, aber Staatsanwältin Sara Hamm ist jetzt hier bei uns.«

Sara Hamm erschien im Bild. Sie wirkte älter und noch ehrfurchtgebietender. »Dies alles sind nur juristische Winkelzüge. Mr Raintrees Verurteilung erfolgte aufgrund unwiderlegbarer und eindeutiger Beweise. Da die DNA-Analyse beim Prozess nicht mal verwendet wurde, hat sie auch nichts mit dem Urteil zu tun. Daher ändert sich durch das Testergebnis nicht das Geringste. Allerdings geht die zuständige Polizei jetzt der Frage nach, ob Mr Raintree in der Nacht des Mordes an Miss Morgan nicht allein war.«

Der Reporter kam wieder in Sicht. »Das war Sara Hamm –«

Vivi Ann drückte auf den Aus-Knopf, worauf der Bildschirm schwarz wurde.

Ihr Vater widmete sich wieder dem Trinken. Die Eiswürfel klirrten, als er sein Glas zum Mund führte.

»Das war's dann wohl«, sagte sie. Sie fühlte sich, als würde etwas von ihr abgezogen. Sie kam sich kleiner, substanzloser vor. Aber das war absurd. Schließlich hatte sie mit nichts anderem gerechnet. Sie war darauf vorbereitet gewesen.

»Gott sei Dank. Er hat uns nur Ärger gebracht.«

»Vielleicht haben wir *ihm* nur Ärger gebracht.«

Dad winkte verächtlich ab. »Er hat die Frau umgebracht, so einfach ist das. Und sein Sohn ist nicht viel besser.«

Diese Bemerkung schockierte Vivi Ann genauso wie seine Ohrfeige vor all den Jahren. Sie starrte den Mann an, den sie einst so geliebt hatte wie Dallas, wie Noah. Es war, als würde sie ihn zum ersten Mal richtig sehen.

Hatte sie sich früher etwas vorgemacht, oder hatte er sich wirklich verändert? War er durch Verlust oder Enttäuschung zu dem geworden, was er jetzt war? Sie wusste, was innere Leere bewirken konnte. »Du sprichst von meinem Sohn. Deinem Enkel.« Sie trat zu ihrem Vater und betrachtete ihn genau. Falten hatten sich tief in sein Gesicht gegraben; seine dunklen Augen wurden von schweren Lidern überschattet. »Als Mom starb, hab ich gesehen, dass du geweint hast«, sagte sie leise und spürte, wie die Erinnerung an diese Nacht Gestalt annahm. »Du warst bei ihr am Bett.«

Darauf sagte er nichts. Da er es weder leugnete noch bestätigte, fragte sich Vivi Ann auf einmal, ob diese Erinnerung, die sie immer für real gehalten hatte, wirklich der Realität entsprach.

»All die Jahre hab ich das für romantisch gehalten, dabei hatte ich die Wahrheit direkt vor Augen. Aurora hat sie als Erste gesehen. Winona versucht, sie zu verdrängen. Aber Vivi Ann, das Dummchen, merkt es erst jetzt. Selbst wenn du geweint hast, hattest du doch einen anderen Grund, als ich dachte. Du hast nicht die geringste Ahnung von Liebe, oder?«

»Wenn du deinen Indianer da meinst –«

»Das reicht«, fauchte Vivi Ann und war überrascht, dass

er von dem Nachdruck in ihrer Stimme zurückzuweichen schien. »Ich verbiete dir, überhaupt von ihm zu reden.«

Noch bevor ihr Dad antworten konnte, sprang die Haustür auf. Sie hörte, wie jemand durchs Haus stürzte und laut ihren Namen rief.

Aurora platzte ins Fernsehzimmer. »Vivi Ann«, sagte sie. »Ich hab gerade die Nachrichten gesehen. Geht es dir gut?«

Vivi Ann sah zu ihrem Vater, und mit diesem flüchtigen Blick fielen die letzten Mauern ihrer Jugend. Zum ersten Mal sah sie ihn nicht nur, sondern erkannte auch, wie er war. »Du tust mir leid«, sagte sie und bemerkte, dass er zusammenzuckte.

Sie ging an ihm vorbei und hakte sich bei Aurora unter. Zusammen verließen sie das Haus und traten hinaus ins rosafarbene Abendlicht.

»Was zum Teufel war denn das?«

»Er ist ein Arschloch«, erklärte Vivi Ann.

Aurora grinste. »Wurde auch Zeit, dass du das merkst.«

»Wieso hab ich das nicht mitgekriegt?«

»Wir sehen nur, was wir sehen wollen.«

Vivi Ann umarmte ihre Schwester und flüsterte: »Danke, dass du gekommen bist.«

»Wie fühlst du dich denn?«

»Ich wusste, dass das passieren würde. Ich hoffte zwar, ich würde mich irren, aber eigentlich wusste ich es.«

»Und Noah?«

Vivi Ann seufzte. »Die Nachricht wird ihn hart treffen. Er hat sich falschen Hoffnungen hingegeben.«

»Was wirst du ihm sagen?«

Der Gedanke an das bevorstehende Gespräch machte ihr Angst. »Ich weiß nicht. Wenn man wartet, sind Worte nur Schall und Rauch.« Sie verstummte, weil sie nicht daran denken wollte. »Ich sag ihm wohl, dass ich ihn liebhabe. Was sonst?«

Ich hatte kaum Zeit, die Neuigkeit zu verdauen, dass Dads DNA nicht mit der vom Tatort übereinstimmt, da machte Tante Winona alles kaputt, als sie uns mitteilte, die Staatsanwaltschaft würde eine Revision anfechten, damit Dad im Gefängnis bleibt.

Ich sagte: »Aber er ist doch unschuldig.«

»Wenn die DNA-Spuren wirklich den Ausschlag für seine Verurteilung gegeben hätten, wäre er jetzt vielleicht freigekommen«, sagte sie, »aber es gab noch jede Menge anderer belastender Beweise.«

Doch es geht trotzdem voran. Tante Winona hat ihren Antrag eingereicht, genau wie die Staatsanwaltschaft, und nächste Woche fahren wir alle zum Gericht, um zu sehen, was sich ergibt, aber eigentlich weiß ich es schon. Tante Winona hat sich mit mehreren Anwälten beraten, die alle dasselbe sagen. Wir sollen es weiter versuchen, uns aber nicht zu große Hoffnungen machen. Die Staatsanwältin hat irgendeiner Zeitung erzählt, Dad hätte die Frau vielleicht aus Eifersucht umgebracht, weil ein anderer sie gevögelt hat.

Sie biegen alles so, wie sie es haben wollen.

Es ist schon komisch, Mrs I. Obwohl Sie das ganze Zeug hier nicht gelesen haben, fühle ich mich trotzdem, als würde ich mit Ihnen reden. Jetzt gäbe ich alles für eine Ihrer dämlichen Fragen wie: »Wer bin ich?« Oder: »Was will ich aus meinem Leben machen?« Oder auch: »Wie gewinne ich Freunde?«

Es ist viel leichter, über den ganzen Scheiß in der Schule nachzudenken als über mein richtiges Leben. Ich wünschte, ich könnte mit Cissy darüber reden. Wenn ich mich mit ihr zusammensetze, geht es mir nachher immer besser. Aber ihr Scheißvater hält mich immer noch für einen Terroristen und erlaubt nicht, dass wir nach der Schule zusammen sind. Dadurch zieht sich die Zeit zwischen den Schultagen wie Kaugummi.

Die gute Neuigkeit aber ist, dass ich nicht mehr die

Selbstbeherrschung verliere. Zumindest bis jetzt nicht, weil ich dachte, mein Dad käme aus dem Gefängnis.

Wer weiß, was ich jetzt mache ...

Als ich heute Abend die Pferde fütterte, kam Renegade zum Zaun und stupste mich mit der Nase an, so dass ich hinfiel. Das war echt krass, weil er normalerweise immer Abstand hält und nur zusieht, wie ich ihm Heu hinwerfe. Er ist unser einziges Pferd, das sich nicht viel aus Futter zu machen scheint. Nachdem er mich in die Pfütze gestoßen hatte, brüllte ich ihn an und warf ihm ein Bündel Heu direkt an den Kopf.

Da kam meine Mom zu mir. Ich sagte zu ihr, das Pferd wäre durchgeknallt. Da fragte sie: »Hab ich dir je erzählt, wie ich Renegade gerettet habe?«

»Du hast gesagt, er wäre völlig fertig und ausgehungert gewesen«, antwortete ich. Ich war immer noch sauer auf alles. Auf das Scheißgericht, auf meinen Dad, der mich nicht sehen wollte, und das Pferd, das mich umgeworfen hatte. Auch auf Mom war ich sauer, aus verschiedenen Gründen. Ich schätze, ich war schon ziemlich lange sauer auf sie.

Sie stützte sich mit den Armen auf dem Zaun ab und sah den alten schwarzen Klepper an, als wäre er etwas ganz Besonderes. »Dein Dad konnte dieses Pferd zum Tanzen bringen, wenn er wollte«, sagte sie. »Ich hab nie jemanden gesehen, der besser reiten konnte.«

Ich wünschte, ich könnte beschreiben, wie ich mich da fühlte. Es war, als hätte ich als Allererster die neue Generation eines Videospiels gesehen. Ich sagte: »Das hast du mir noch nie erzählt.« Darauf sie: »Es gibt einiges, das ich dir hätte sagen sollen.«

Sie erzählte, dass ich als kleiner Junge jeden Morgen so lange geweint hätte, bis mein Dad mich hochnahm. »Er hat dir etwas zugeflüstert«, sagte sie. »Ich wusste nie, was, aber du hast darauf gewartet.« Mom lächelte, als sie erklärte, jeder hätte mich früher als »Daddykind« bezeichnet, und ihrer Meinung nach sei ich das bis heute.

Ich sagte: »Ich glaube, er kommt nicht frei.« Da nickte Mom nur, also fragte ich sie, ob sie das die ganze Zeit gewusst habe. Sie antwortete, so etwas könne man nie mit Sicherheit wissen, aber sie sei stolz, dass ich es versucht hätte.

»Wieso fühle ich mich dann so schlecht«, fragte ich, »wenn ich das Richtige getan habe?«

Da legte Mom den Arm um mich und sagte, das Leben sei eben manchmal so.

Wir standen ziemlich lange da und starrten auf Renegade, der noch nicht einen Schritt Richtung Heu gemacht hatte.

»Wieso rührt er sich nicht?«, fragte ich schließlich. »Wieso ist er so verrückt?«

»Er hat sehr lange darauf gewartet, dass Dallas nach Hause kommt.«

Es war total komisch, aber als Mom das sagte, war es, als hätte ich das schon gewusst, und als ich das Pferd direkt ansah, bemerkte ich so etwas wie Traurigkeit in seinen Augen.

»Deshalb ist er so verstört«, sagte Mom leise. »Warten fordert seinen Tribut.«

Da sagte ich, ich wünschte, ich könnte aufhören zu warten.

»Ich auch, mein Kleiner«, erwiderte Mom. »Ich auch.«

Achtundzwanzig

Winona war ein Wrack. Die letzten vierundzwanzig Stunden hatte sie ununterbrochen gearbeitet: Gerichtsprotokolle gelesen, ihre Argumente wieder und wieder geprüft und sich auf den Tag vorbereitet, der durchaus der wichtigste ihres Lebens werden konnte.

Noch einen Monat zuvor wäre sie vollkommen sicher gewesen, dass der Tag gut enden würde. Ihre Zuversicht entsprang der Überzeugung, dass die Welt in vorhersehbaren Bahnen verlief und dass Resultate auf der Basis von Ursache und Wirkung vorausgesehen werden konnten.

Jetzt wusste sie es besser. Die hartnäckige Weigerung der Staatsanwaltschaft, das Urteil aufheben zu lassen, hatte Vivi Anns Überzeugung bestätigt. Man hatte sogar das absurde Argument vorgebracht, Urteile müssten zwingend endgültig sein – als wäre Verlässlichkeit irgendwie wichtiger als Gerechtigkeit. Vielleicht gab es wirklich so etwas wie die absolute Wahrheit, aber ganz gewiss konnte nicht eine einzelne Partei sie für sich pachten. Bei ihren Nachforschungen für Dallas' Fall hatte sie gelesen, dass mehr als hundert Häftlinge in den vergangenen Jahren wegen neuer DNA-Analysen freigekommen waren ... allerdings noch mehr eben nicht. Diese unglücklichen Menschen befanden sich allzu oft in der gleichen Position wie Dallas: Die DNA-Spuren gaben weder zwingend Ausschlag für die Schuld noch für die Unschuld des Angeklagten. Es erschütterte und beschämte Winona, wie unflexibel Staatsanwaltschaft und Polizei werden konnten, wenn erst einmal über die Schuld eines Angeklagten entschieden worden war. Oft konnten selbst vielfache schlagende Beweise sie nicht umstimmen, und sie kämpften mit absurden, fadenscheinigen Argumenten immer weiter dafür, dass Unschuldige noch Jahrzehnte in Haft verblieben.

»Atmen«, befahl Aurora neben ihr.

»Ich kipp gleich um.«

»Nein, tust du nicht. Jetzt atme«, wiederholte Aurora etwas sanfter, während sie sie zu dem langen, niedrigen Tisch auf der linken Seite des Gerichtssaals führte. »Viel Glück«, flüsterte sie, dann war sie fort.

Winona setzte sich und blickte mit glasigen Augen auf die gelben Notizzettel, die Kisten mit Akten und die Stifte vor sich. Ein aufgeklappter Laptop starrte ihr mattschwarz entgegen. Sie hörte, wie der Saal sich füllte. Sie hätte sich gern umgedreht und einen Blick riskiert, wusste aber, dass sie dann nur noch nervöser werden würde. Zu viele ihrer Freunde und Nachbarn würden kommen; sie wollten beruhigt werden, Gewissheit finden, dass das System funktionierte.

Dann hörte sie, wie eine Tür geöffnet wurde und Ketten klirrten. Stille senkte sich über den Saal.

Endlich stand Winona auf und drehte sich um.

Zwei Wachmänner führten Dallas zu ihr. Er trug den neuen blauen Anzug, den sie für ihn gekauft hatte, und hatte seine Haare zu einem losen Pferdeschwanz gebunden. Trotz der Ketten, die seine Handgelenke zusammenhielten und seine Schritte verkürzten, wirkte er kämpferisch. Es lag an seinen grauen Augen. Sie sah, wie er die Menge überflog, bis er Vivi Ann entdeckte; erst dann wurde sein Ausdruck etwas sanfter.

Vivi Ann stand aufrecht und mit gestrafften Schultern da, aber als sie Dallas sah, schien ihre Kraft sie zu verlassen. Nur Aurora und Noah, die sie fest in ihre Mitte genommen hatten, schienen zu verhindern, dass sie langsam zu Boden sank.

Dallas schlurfte mit klirrenden Fußfesseln zu Winona und nahm auf dem Stuhl neben ihr Platz. »Sie sieht ...« Seine Stimme erstarb. »Und Noah ... mein Gott!«

»Soll ich sie herholen, damit ihr euch sprechen könnt? Ich bin sicher –«

»Nein«, sagte er kaum hörbar. »Nicht so.«

Winona berührte seine Hand. Als er zusammenzuckte, wurde ihr bewusst, wie lange es her sein musste, dass jemand versucht hatte, ihn mit einer Berührung zu trösten.

Dann kam der Richter mit großen Schritten in den Saal und nahm am Richtertisch Platz. »Setzen Sie sich«, bat er, setzte seine Brille auf und überflog die vor ihm liegenden Unterlagen. »Dies ist im Fall Dallas Raintree die Anhörung der Verteidigung, die den Antrag gestellt hat, das Urteil aufzuheben und die Anklage abzuweisen.«

Sara Hamm erhob sich. »Das ist korrekt, Euer Ehren. Ich bin Sara Hamm und vertrete den Staat.«

»Was sagt die Verteidigung?«, fragte der Richter.

Winona ließ Dallas' Hand los und stand auf. »Winona Grey für die Verteidigung von Dallas Raintree. Wie Sie aus der Eingabe ersehen können, gründet unser Antrag auf neuem Beweismaterial, insbesondere auf der Analyse der DNA-Spuren, die am Tatort gefunden wurden. Beim Prozess ...«

Fast eine Stunde lang legte sie ihr Anliegen dar und brachte dabei sowohl moralische Gründe als auch Präzedenzfälle vor. Abschließend sagte sie: »Was unser Rechtssystem Dallas Raintree angetan hat, ist ein Zerrbild von Gerechtigkeit. Es ist Zeit, einen alten Fehler wiedergutzumachen und Mr Raintree freizusprechen.«

Im Saal brach Unruhe aus. Alle redeten gleichzeitig.

Der Richter forderte unter Einsatz seines Hammers Ruhe. Dann blickte er Sara Hamm an. »Was sagt die Staatsanwaltschaft, Miss Hamm?«

Die Staatsanwältin stand auf und wirkte im Gegensatz zu

Winona vollkommen ruhig. »Euer Ehren, die Beweisführung in diesem Fall ist eindeutig und zwingend. Das Ergebnis der DNA-Analyse hat keinerlei Einfluss auf das Urteil und kann daher auch nicht zum Freispruch für den Angeklagten führen. Wäre dies der Fall, hätten wir uns dem Antrag der Verteidigung angeschlossen. Der Staat hat kein Interesse daran, Unschuldige in Haft zu lassen. Ganz im Gegenteil! Aber in diesem Fall haben die Geschworenen Dallas Raintree auf Grundlage *aller* Beweise und ohne begründeten Zweifel für schuldig befunden. Lassen Sie mich die einzelnen Beweise noch einmal durchgehen.«

Fast zwei Stunden lang schwang Sara Hamm ihre Beweiskette. Am Ende blickte sie zum Richter und sagte: »Sie sehen, Euer Ehren, 1996 wurde der richtige Mann verurteilt. Daher ersucht die Staatsanwaltschaft darum, das Urteil aufrechtzuerhalten.«

Winona hatte einen ausgetrockneten Mund. Es kostete sie sichtlich Kraft, schweigend zuzusehen, wie der Richter die Plädoyers durchlas.

Schließlich blätterte er die letzte Seite um und blickte auf. »Ich sehe keinen Grund, mich noch zu beraten. Die Fakten und Argumente erscheinen mir klar. Der Antrag der Verteidigung wird abgelehnt. Der Gefangene muss wieder in Haft.« Donnernd ließ er seinen Hammer niedergehen. »Der nächste Fall.«

Wieder brach Unruhe im Gerichtssaal aus.

Winona saß wie betäubt da.

»Netter Versuch«, sagte Dallas. »Sag Vivi –«

Doch da waren schon die Wachmänner da und führten ihn ab. Sie hörte Noah etwas rufen; wahrscheinlich versuchte er, sich durch die Menge zu drängen, aber es war zu spät.

Langsam drehte sie sich um und sah, dass Vivi Ann Noah im Arm hielt. Beide weinten.

Winona sank auf ihren Stuhl und starrte benommen zum

Richtertisch. Sie hörte, wie sich hinter ihr der Saal leerte, hörte die Stimmen der Besucher, die sich gegenseitig *Ich wusste es* bestätigten. Sie wusste, Aurora würde jetzt verwirrt und hin- und hergerissen sein in dem Wunsch, jeder ihrer Schwestern zu helfen. Aber am Ende würde Vivi Ann wohl deutlicher ihre Hilfe brauchen, und Aurora würde sich für sie entscheiden. Was auch richtig war.

»Du warst großartig.«

Sie sehnte sich so verzweifelt nach Trost, dass sie offenbar fantasierte und meinte, seine Stimme zu hören. Ohne große Erwartungen sah sie nach links.

Da stand Luke und hielt ihr mit kaum merklichem Lächeln die Hand hin. »Komm.«

Dreißig Jahre zuvor hatte er genau dasselbe gesagt und damit ihre Freundschaft begründet. *Es wird leichter*, hatte er damals gesagt, und diese Worte waren ihr Treibholz gewesen, das sie über Wasser hielt. Jetzt war er wieder da, gerade als sie einen Freund brauchte. Sie nahm ihre schwere Aktentasche und bat Luke, ihr bei den Kisten zu helfen. Eine knappe Stunde brachten sie schweigend die unzähligen, jetzt nutzlos gewordenen Notizen und Akten zurück, die sie in dem Versuch, Dallas freizubekommen, angehäuft hatte. Danach ging sie mit ihm zu ihrem Haus, mixte zwei Drinks und trat hinaus auf die hintere Veranda, wo er auf der Hollywoodschaukel saß.

»Willst du darüber reden?« Das war seine erste Frage, kaum dass sie beide bequem saßen.

»Da gibt es nicht viel zu reden. Vivi hatte recht. Am Ende habe ich allen nur weh getan.« Sie blickte kurz zu ihm. »Jetzt wirst du wohl sagen, dass ich schon immer so war.«

»Nein.«

Etwas in seiner Stimme, Traurigkeit vielleicht, überraschte sie. »Warum bist du hergekommen, Luke?«

»Ich dachte, du bräuchtest einen Freund.«

Sie sah ihm an, dass das noch nicht alles war. »Und?«

Da lächelte er. »Und ich brauchte auch einen.«

»Probleme mit deiner Frau?«

»Exfrau.«

Winona runzelte die Stirn. »Seit wann?«

»Seit drei Jahren.«

»Und du hast mir nie davon erzählt? Wieso nicht?«

»Es war mir peinlich. Schließlich hab ich dir doch mal gesagt, sie wäre meine Seelenverwandte.«

»Mehr als einmal, um genau zu sein.«

Er lächelte so schuldbewusst wie ein kleiner Junge, der auf frischer Tat ertappt worden war. »Meine Seelenverwandte hatte wohl Hummeln im Hintern. Sie ging eines Tages einkaufen und kam nie mehr zurück. Letzte Woche haben wir die Scheidungspapiere unterschrieben. Das Schlimmste daran ist, dass sie nicht mal die Mädchen sehen will.«

»Oh, Luke. Wie geht es ihnen denn?«

»Nicht besonders. Mit vier und sechs ist so was schwer begreiflich, und sie fragen ständig, wann ihre Mom zurückkommt. Vielleicht ist es nicht gut, in einem Haus mit so vielen Erinnerungen wohnen zu bleiben.«

»Oder in einer solchen Stadt«, erwiderte Winona und fragte sich, wann sie wohl aufhören würde, an Dallas zu denken, wenn sie über den Shore Drive oder nach Water's Edge fuhr. Sie lehnte sich zurück und blickte in ihren Garten. Im Zwielicht des anbrechenden Abends schimmerte alles silbrig und schien leicht unwirklich. »Vielleicht solltest du Vivi Ann mal besuchen. Sie könnte jetzt eine Schulter zum Anlehnen brauchen.«

»Ich bin deinetwegen hier«, sagte er leise, und plötzlich stand ihre Vergangenheit mit all ihren Höhen und Tiefen zwischen ihnen. Er nahm ihre Hand. »Ich war heute sehr stolz auf dich.«

»Danke«, sagte sie und war überrascht, wie viel dieses einfache Lob ihr bedeutete. Bei den vielen Enttäuschungen und schmerzlichen Gefühlen, die sie in der letzten Zeit verursacht hatte, hatte sie vergessen, wie wichtig es war, dass sie aus den richtigen Gründen gehandelt hatte. Unglücklicherweise schmerzte dadurch alles nur noch mehr.

Ich konnte nicht mal mit ihm sprechen. Alles geschah so schnell. In der einen Minute saßen wir noch da und hörten uns die ganzen Lügen an, die das Miststück über meinen Vater verbreitete, und dann war es schon vorbei, und Dad wurde in Handschellen abgeführt.

Mom sagte: »Keine Angst, Noah, du wirst das überstehen, versprochen.« Aber wie soll ich vergessen, dass er ganz allein da drinsitzt?

Meine Mom hatte recht. Ich wollte, ich hätte das Ganze gar nicht erst losgetreten. Es tut einfach zu weh.

»Wie geht es ihr?«, fragte Winona.

»Du kennst doch Vivi. Sie ist noch stiller als sonst und geht kaum noch vor die Tür. Ich hab gehört, dass Noah wieder Ärger in der Schule hatte.« Aurora hörte auf, eine Vitrine zu dekorieren. »Aber sie werden es schon überstehen. Es ist doch erst eine Woche her. Irgendwann wird es ihr wieder bessergehen.«

Winona musste sich abwenden, so berührte sie der verständnisvolle Blick ihrer Schwester. Müßig strich sie durch den leeren Laden und tat so, als betrachtete sie die hübschen Waren: mundgeblasene Windspiele, Perlmuttohrringe, Buntglasbilder vom Hood Canal und den Bergen.

»Vielleicht können wir sie überreden, am Wochenende mit uns ins Outlaw zu gehen«, meinte Aurora und trat zu ihr.

So würde der Heilungsprozess wohl aussehen: Sie würden ihre alte Routine wiederaufnehmen, und irgendwann wäre alles vergessen. Zumindest fast. »Klar.«

Hinter ihnen ertönte das Messingglöckchen über der Tür. Aurora stieß Winona an, woraufhin diese sich umdrehte.

Da stand Mark, neben einer Vitrine mit Perlen aus dem Hood Canal. Er sah genauso aus wie immer, breite Schultern, schütteres Haar, Freizeitkleidung, und irgendwie überraschte das Winona. Bei den Umwälzungen in letzter Zeit hatte sie das Gefühl, sie alle müssten auch anders aussehen.

Sie sah ebenfalls Überraschung in seinem Blick und rührte sich nicht, lächelte nicht mal. Unbehagliches Schweigen erfüllte den winzigen Geschenkartikelladen, und dann kam Mark mit verlegenem Lächeln auf sie zu.

Sie ging ihm entgegen, zwang sich zu lächeln und sagte: »Hey, Mark.«

»Ich wollte dich anrufen. Du warst nie mehr am Strandhaus.«

»Ich will es vermieten.«

»Aha.« Er blickte kurz zu Aurora und dann wieder zu ihr. »Können wir reden?«

»Sicher.«

Sie bemerkte Auroras neugierigen Blick, zuckte mit den Schultern und folgte Mark zur Tür.

Es war ein prächtiger Tag. Sie schlenderten den Shore Drive hinunter zum Park und setzten sich an einen freien Picknicktisch. Normalerweise hätte Winona das Schweigen nervös mit Small Talk überbrückt, doch in den vergangenen Monaten hatte sie ein, zwei Dinge über Worte gelernt. Manchmal musste man warten, um die wirklich wichtigen zu hören.

»Ich war im Unrecht«, sagte er schließlich. »Ich meine immer noch, du hättest meine Mutter und mich vorwarnen sollen, aber ich hätte wissen müssen, dass du nicht anders handeln konntest.«

»Es hat aber zu nichts geführt.«

Anscheinend wusste er nichts darauf zu sagen, also schwieg er.

»Ich weiß deine Aufrichtigkeit zu schätzen«, sagte sie.

»Wenn es dich tröstet, so ist meine Mom immer noch sicher, dass er es war.«

»Aber ich bin mir sicher, dass er es nicht war. Allerdings weiß ich, dass deine Mom nicht gelogen hat. Bitte richte ihr das aus. Ich glaube nur, dass sie sich geirrt hat.«

»Das macht es zwar auch nicht besser, aber ich werde es ihr sagen.«

Winona nickte. Da sie nicht wusste, was sie noch sagen sollte, stand sie auf. »Na gut, ich –«

Er fasste sie an der Hand. »Ich vermisse dich. Meinst du, wir könnten noch mal von vorne anfangen?«

Das verblüffte Winona. Sie wandte sich zu ihm, blickte ihn direkt an und sah den Mann, den sie früher gemocht hatte, den sie hatte lieben wollen. Aber sie hatte ihn nie geliebt. Diese unerwartete Erkenntnis war irgendwie befreiend. Sie hatte wahre Liebe gesehen, und zwar in dem Blick, den Dallas und Vivi Ann tauschten, und jetzt wusste sie, dass sie genau das wollte. Nie wieder würde sie sich mit weniger zufriedengeben. »Nein«, sagte sie und bemühte sich, alle Schärfe aus ihrer Stimme zu nehmen. »Wir haben uns nicht geliebt«, fügte sie hinzu. »Aber wenn du möchtest, können wir Freunde bleiben.«

Er lächelte und wirkte sogar etwas erleichtert. »Freunde mit kleinen Extras?«

Winona lachte, weil es sich so gut anfühlte, begehrt zu werden, und so aufbauend, leiser zu sagen: »Ich glaube nicht.«

Winona starrte auf den neuesten Fall über Unzulässigkeit von Haaranalysen vor Gericht und fragte sich, ob das für eine Berufung reichen würde.

Da summte die Gegensprechanlage.

»Winona? Vivi Ann möchte zu dir.«

Winona seufzte. »Schicken Sie sie herein.« Sie stand auf, ging zum Fenster und blickte hinaus. Der Garten spiegelte den Wandel der Jahreszeiten. Intensive Herbsttöne hatten die hellen Sommerfarben abgelöst. Die Petunien wirkten welk und ausgedünnt, und die Rosen waren wild in die Höhe geschossen. Der Sommer war vorbei, und sie hatte es nicht mal bemerkt.

Eigentlich hatte sie seit ihrer Niederlage vor Gericht gar nichts mehr mitbekommen. Ihre Besessenheit hatte nicht nachgelassen, sondern eher noch zugenommen. Ihr wollte einfach nicht das Bild von Dallas in seiner Zelle aus dem Kopf. Ihre allwöchentlichen Besuche trugen ein Übriges dazu bei. Dallas hatte wirklich alle Hoffnung aufgegeben – wenn er sich überhaupt je erlaubt hatte zu hoffen.

»Hey, Win.«

»Ironie des Schicksals, dass mein Spitzname ›Win‹ ist, findest du nicht auch?«, sagte sie, ohne ihre Schwester anzusehen. Sie hätte ihr Büro aufräumen sollen. Jetzt sah Vivi Ann die vielen aufgeschlagenen Akten und die Berge mit Haftzetteln versehener Notizen.

»Ist das alles für Dallas?«, wollte sie wissen.

Winona nickte. Lügen, Ausreden und Beschönigungen hatte sie aufgegeben. »Gerichtsprotokolle, Polizeiberichte, Zeugenaussagen.« Sie wusste, dass sie den Mund halten sollte, aber das war das Problem bei fixen Ideen: Man konnte sich einfach nicht mehr beherrschen. »Das ist alles. Ich hab es so oft gelesen, dass ich schon nichts mehr sehe. Es wimmelt nur so von Fehlern: das Tattoo, die unzureichenden Ermittlungen, die überstürzte Urteilsfindung, Roys absurd schlechte Verteidigung, die fehlende DNA-Analyse – aber nichts davon hat juristische Relevanz. Obwohl es wirklich von ausschlaggebender Bedeutung ist.«

»Ich weiß.«

»Du hast es die ganze Zeit gewusst.«

»Ich hab ihn einfach nicht aufgegeben«, sagte Vivi Ann leise. »Jahrelang habe ich an einen glücklichen Ausgang geglaubt.«

Da endlich sah Winona ihre Schwester an. »Ich habe versagt. Bei ihm, bei Noah, bei dir.«

»Du hast nicht versagt«, entgegnete Vivi Ann. »Manchmal können wir die, die wir lieben, einfach nicht retten.«

Winona wusste nicht, wie sie mit einer solchen Realität leben sollte; sie wusste nur, dass ihr nichts anderes übrigblieb. »Wie geht es Noah?«

»Nicht gut. Er schwänzt ständig die Schule. Letzte Woche hat er seinem Naturkundelehrer den Mittelfinger gezeigt.«

»Mr Parker?«

»Wem sonst?«

»Klar. Ich erinnere mich, dass Aurora das auch mal gemacht hat.«

»Ich werde mit ihm reden.«

»Was willst du ihm denn sagen?«

»Dass ich nicht aufgebe.«

»Meinst du, das ist es, was er braucht?«

»Was würdest du denn sagen? Gib auf? Leb dein Leben und lass deinen Dad in der Zelle verrotten?« Kaum hatte Winona das ausgesprochen, wusste sie, dass sie zu weit gegangen war. »Tut mir leid, ich hab's nicht so gemeint.«

»In letzter Zeit tut dir alles leid.« Vivi Ann seufzte schwer. »Meinst du nicht, ich würde liebend gerne die Uhr zurückdrehen und wieder mit ihm zusammen sein?«

»Doch, ich weiß.«

»Einerseits bin ich froh, nicht im Gericht mit ihm geredet zu haben. Wie könnte er mir je verzeihen?«

»Er liebt dich«, sagte Winona.

Vivi Ann zuckte zusammen, steckte den Schlag aber wie ein Profiboxer weg. »Er ist da drinnen, und du, Noah und ich sind hier draußen. So ist es eben. Und so wird es bleiben.«

Winona wusste, was jetzt kommen würde, und schüttelte den Kopf, als könnte sie damit die nächsten Worte abwehren.

»Ich bin gekommen, um dir das zu sagen, was du einmal

zu mir gesagt hast: Es ist Zeit, loszulassen. Der DNA-Test war eine gute Idee. Du hast es versucht und bist gescheitert. Wir beide wissen, dass es für Dallas eigentlich schon vor Jahren vorbei war. Es ist ganz gleich, wessen DNA am Tatort gefunden wurde.«

»Ich kann nicht …«, setzte Winona an, verstummte jedoch plötzlich. Sie sah Vivi Ann an. »Was hast du da gerade gesagt?«

»Es ist Zeit, loszulassen. Es ist ganz gleich, wessen DNA es war.«

»Ach, du meine Zeit«, sagte Winona und eilte zu ihrem Schreibtisch, wo sie ihre Unterlagen durchforstete, um den Bericht des Testlabors zu finden. Als sie die Akte schließlich fand, nahm sie Vivi Ann in die Arme und gab ihr einen dicken Kuss. »Du bist ein Genie!«

»Was –«

»Ich muss los. Danke für deinen Besuch. Sag Noah, ich besuche euch dieses Wochenende.«

»Hast du mir überhaupt zugehört? Ich versuche, dir zu helfen.«

»Und ich versuche, dir zu helfen«, erwiderte Winona und rannte aus dem Büro.

»Gus hat mir erzählt, Noah wäre zu nichts zu gebrauchen«, sagte der Vater an einem kühlen Septembermorgen zu Vivi Ann, als sie gemeinsam auf der Veranda standen. Gerade ging die Sonne auf und ließ das Metalldach des Reitstalls silbern aufblitzen.

»Er hat noch Probleme, alles zu verarbeiten. Er hat wirklich geglaubt, Winona würde Dallas freibekommen.«

»Ach, Winona«, sagte ihr Dad, und Vivi Ann hörte den bitteren Unterton in seiner Stimme. War der eigentlich schon immer da gewesen, wenn er von seiner ältesten Tochter sprach? Je mehr Vivi Ann von ihm mitbekam, desto mehr zog sie sich von ihm zurück. Manchmal vergingen Tage, ohne dass sie miteinander redeten. Sie war nicht wütend auf ihn, eher im Gegenteil. Aber nun, da sie seine Verbitterung gesehen hatte, war es schwer, darüber hinwegzugehen.

Als sie aufblickte, sah sie Noah aus ihrem Cottage kommen. Er strebte mit seinem lässigen Gang, der sie immer an Dallas erinnerte, den Hügel hinauf. Ihr Sohn hatte einen Wachstumsschub hinter sich. Seit seinem fünfzehnten Geburtstag konnte er auf sie herabsehen – wenn er sie denn überhaupt ansah. Oben auf dem Hügel angekommen, ging er zur Koppel und stützte sich auf den Zaun.

Renegade wandte den Kopf zu ihm und wieherte, rührte sich aber nicht, obwohl Noah ihm eine Karotte hinhielt.

»Ich habe noch nie gesehen, dass ein Pferd etwas zu essen ablehnt«, bemerkte ihr Dad.

»Ein Herz kann gebrochen werden«, erwiderte Vivi Ann. Mitleid mit ihrem Sohn überkam sie, weil sie wusste, was er jetzt brauchte … und sie es ihm nicht geben konnte. Keine Mutter sollte sich so hilflos gegenüber ihrem Kind fühlen. Sie stieß sich von der Wand ab und ging zur Treppe.

Es war Zeit, Noah das zu sagen, was sie auch Winona gesagt hatte.

»Ich nehme mir einen Tag frei, Dad.«

»Und dein Reitunterricht?«

»Den sage ich ab. Es sind ohnehin nur ein paar Stunden.« Ohne auf seine Erlaubnis zu warten, murmelte sie einen Abschiedsgruß und ging durch das taunasse Gras den Hügel hinauf. Als sie Noah erreicht hatte, steckte sie sich ihre Arbeitshandschuhe in den Gürtel.

»Wie sollen wir ihm begreiflich machen, dass Dad nicht zurückkommt?«

Vivi Ann strich ihrem Sohn über das seidige schwarze Haar. »Ich glaube, wenn Renegade das wüsste, würde er sich einfach hinlegen und sterben.«

»Ich kann es ihm nachfühlen.«

Vivi Ann stand da mit ihrem Sohn und starrte auf den Rappen. Die weißen Narben waren mit den Jahren verblasst und nur noch zu erkennen, wenn man genau hinsah. So ist das mit Narben, dachte sie: Sie verblassen, verschwinden aber nie ganz. »Hol deine Jacke. Wir fahren.«

»Aber die Schule fängt doch erst in anderthalb Stunden an.«

»Ich weiß. Hol deine Jacke.«

»Aber –«

»Ich melde dich für heute ab. Willst du mir wirklich widersprechen?«

»Auf keinen Fall.«

Nach einer Viertelstunde fuhren sie dann los.

»Das ist echt cool, Mom«, sagte Noah, als sie an der Highschool vorbeikamen.

Die nächsten zweieinhalb Stunden sprachen sie nur über Belangloses: die Ranch, eine Stute, die kurz vor dem Fohlen stand, Noahs Referat über den Bürgerkrieg.

Erst als Vivi Ann vom Highway abfuhr und auf die langgezogene Straße hinauf zum Olympic National Park einbog, schien Noah Notiz von seiner Umgebung zu nehmen. Er richtete sich auf und blickte sich um. »Das ist doch die Strecke nach Sol Duc.«

»Ja, genau.«

Noah wandte sich zu ihr. »Das will ich nicht, Mom.«

»Ich weiß. Ich bin auch davor geflüchtet, aber manchen Dingen muss man einfach ins Auge blicken.«

Als sie an der Lodge ankamen, war es gerade kurz nach neun. An diesem Morgen Mitte September war der Parkplatz fast leer.

Sie parkte den Wagen, stieg aus und zog ihre Windjacke an. Zwar schien momentan die Sonne, doch sie wollte tief in den Nationalpark, wo das Wetter jederzeit umschlagen konnte.

Noah rührte sich nicht vom Wagen, sondern sah zu, wie sie auf seine Seite kam. »Ich kann da nicht hoch.«

Vivi Ann fasste ihn bei der Hand – wie sie es schon längst hätte tun sollen. »Komm.« Sie zog an seiner Hand und spürte, wie er sich einen winzigen Augenblick widersetzte und dann nachgab.

Sie wanderten den von riesigen Zedern gesäumten Weg hinauf in eine Welt urzeitlicher Lebendigkeit. Alles hier war üppig grün und überdimensional. Tiefer und tiefer wand sich der Weg in den Wald und brachte sie in ihre Vergangenheit zurück.

An den Wasserfällen waren sie ganz allein: Mutter und Sohn. Nicht wie früher: Mann und Frau. Das Donnern der herabstürzenden Wassermassen erfüllte die Luft genau wie der Wasserstaub, der eisig ihre Wangen benetzte und ihre Sicht trübte.

Noah stand am Geländer und blickte zu den Wasserfällen.

Vivi Ann legte einen Arm um ihn. »Er liebte das hier, genau wie du.«

Noah antwortete nur mit einem kurzen Nicken. Sie wusste, er fürchtete, seine Stimme würde ihn im Stich lassen, wenn er etwas sagte.

Sie streckte die Hand aus: Sofort glitzerten Wassertropfen wie Diamanten auf ihrer Haut. »Er hat das *skukum lemenser* genannt. Starke Medizin.« Sie berührte mit ihren nassen Fingerspitzen die Schläfe ihres Sohnes, als hätte sie in Weihwasser gefasst. »Ich hätte dir so viele Dinge über ihn und sein Volk erzählen sollen. Aber ich hab nie genug von ihm erfahren. Vielleicht könnten wir das gemeinsam angehen. Zum Beispiel ins Reservat fahren.«

Er drehte sich zu ihr und rieb sich die Augen – sie wusste nicht, ob er Tränen oder Wassertropfen wegwischen wollte. Dann ging er zu dem schattigen Platz unter der riesigen Zeder.

Vivi Ann hatte sich während der stundenlangen Fahrt

darauf vorbereitet, doch jetzt, als es so weit war, bekam sie Angst. Sie folgte Noah und setzte sich neben ihn. Der Wasserfall klang wie eine Armee, die durch die Bäume donnerte. Genau wie früher. Von den Ästen tropfte das Wasser.

D. R. liebt V. G. R. 21. 8. 92. Sie starrte auf die geschnitzte Botschaft in der Baumrinde und erinnerte sich an jedes Detail dieses Tages. An das Mädchen, das an Liebe und Happy Ends glaubte. Sie war stark und selbstbewusst gewesen, weil sie den Mann, den sie liebte, geheiratet hatte, obwohl alle Welt gegen ihn war. Dieses Mädchen hätte genau wie ihr Sohn für den DNA-Test gekämpft und den Mut gehabt, an die Wahrheit zu glauben. »Du hattest recht, und ich hatte unrecht, Noah. Vor seinem eigenen Herzen kann man nicht weglaufen. Das war mein Fehler.«

»Ich weiß, warum du dagegen warst, dass Winona und ich die ganze Sache wieder aufrollen. Ich verstehe es jetzt.« Noah lehnte sich gegen den Baum. »Er kommt nie wieder raus, oder?«

Vivi Ann legte ihm die Hand auf die Wange. Im Gesicht ihres Sohnes sah sie ihren Mann. »Nein, Noah. Er kommt nie wieder frei.«

Neunundzwanzig

Die meiste Zeit ihres Lebens war sich Winona ihrer intellektuellen Überlegenheit sicher gewesen. Auch wenn sie Gewichtsprobleme hatte oder Angst, nie einen Mann zu finden, der sie wirklich liebte, und auch wenn sie sich vergeblich um die Anerkennung ihres Vaters bemühte, wusste sie seit frühester Kindheit, dass sie in ihrer Umgebung die Klügste war.

Doch diese Gewissheit war in letzter Zeit, neben vielem anderen, geschwunden. Jetzt überdachte sie zwanghaft jede ihrer Handlungen, stellte sie infrage, grübelte, was sie übersehen, wieso sie alles vermasselt hatte. Es setzte ihr zu, dass der Richter an jenem Tag vor Gericht von ihren Argumenten nicht mal genügend berührt worden war, um eine Revision des Verfahrens in Betracht zu ziehen.

Ihr ganzes Leben lang hatte man ihr nachgesagt, sie würde wie eine Dampfwalze unbeirrt auf ein einmal gesetztes Ziel zusteuern.

Aber in diesem Jahr hatte sie etwas über Vorsicht gelernt. Und Demut. Sogar Angst. In manchen Nächten fragte sie sich, ob dies ihr neues Leben war; ob von nun an Vorsicht und Angst ihre ständigen Begleiter sein sollten. Wie sollte sie damit zurechtkommen, wenn sie ihre alte Sicherheit nicht mehr wiederfand?

Jetzt saß sie in ihrem Wagen und starrte durch die regennasse Windschutzscheibe auf das Bezirksgericht. Der einzige Farbfleck im allgemeinen Grau war die amerikanische Flagge, die schlaff am Mast hing. Alles sah verschwommen aus im Dunst, der von der Straße aufstieg. Bei diesem Wetter wirkten selbst die Herbstfarben matt und trist.

Winona griff nach ihrer Aktentasche. Sie umklammerte den Ledergriff, stieg aus dem Wagen. Mit jedem Schritt hatte sie stärker das Gefühl, in feindliches Gebiet vorzudringen. Sie versuchte, etwas von ihrem einstigen Selbstbewusstsein zu aktivieren, doch es war so flüchtig wie der Nebel um sie herum.

Am Empfang sagte sie: »Ich bin Winona Grey und möchte zu Sara Hamm. Wir haben um zehn Uhr einen Termin.«

Die Empfangsdame nickte und unterzog Winona einer Reihe von Sicherheitsmaßnahmen, die mittlerweile selbst im entlegensten Bezirksgericht Normalität waren. Sie gab ihr einen Besucherausweis, schickte sie durch den Metalldetektor, ließ sich zweimal den Ausweis zeigen und begleitete sie zum Büro der Staatsanwältin.

Es wirkte kühl und sachlich – keine Pflanzen in hübschen Übertöpfen, keine Familienfotos auf dem Schreibtisch. Ein großes Fenster gab den Blick auf den Parkplatz frei.

Aber Winonas Aufmerksamkeit galt nur der Frau hinter dem Schreibtisch.

Die Jahre hatten Sara Hamm kaum etwas anhaben können. Sie war groß und dünn und wirkte so drahtig wie eine Langstreckenläuferin. Winona schätzte, dass sie unter Stress eher zu Laufschuhen als zu Süßigkeiten griff.

»Miss Grey«, sagte sie und schob ihren Stuhl vom Schreibtisch zurück. Er rollte geräuschvoll über den Hartholzboden. »Das ist aber eine Überraschung! Ich hätte nicht erwartet, noch mal von Ihnen zu hören.«

Winona setzte sich. »Ich danke Ihnen, dass Sie mich so kurzfristig empfangen, obwohl ich bei unserer ersten Begegnung kaum einen guten Eindruck auf Sie gemacht haben dürfte.«

Diese Äußerung schien Sara zu erstaunen, denn ihre perfekt gewölbten Augenbrauen zogen sich leicht zusammen. »Im Gegenteil. Ich fand Ihre Leidenschaft sehr beeindruckend, auch wenn sie in diesem Fall fehlgeleitet war. Sie sind seine Schwägerin, da war nichts anderes zu erwarten. Aber dürfte ich Sie fragen, warum Sie den Fall nicht von Anfang an übernommen haben, da er Ihnen offensichtlich so am Herzen liegt?«

»Kurz gesagt hatte ich damals kaum Erfahrungen im Strafrecht.«

»Und jetzt sind Sie erfahrener?«

Kein Wunder, dass diese Frau so erfolgreich war: Sie sah alles. »Nein«, erwiderte Winona. »Welchen Eindruck hatten Sie damals von der Verteidigung?«

»Solide.«

»Wohl kaum, und wir beide wissen das.«

»Wollen Sie den Verteidiger deswegen belangen? Das dürfte schwierig werden, da er im Grunde nur nicht während des Prozesses einschlafen darf. Und selbst das ist noch nicht mal sicher.«

»Ich weiß«, seufzte Winona. »Glauben Sie mir, ich bin jedem möglichen Revisionsgrund nachgegangen.«

»Und die DNA war Ihre aussichtsreichste Möglichkeit.«

Winona war sich nicht sicher, ob das als Frage gemeint war. Möglicherweise. Jedenfalls war nun der Zeitpunkt gekommen, ihre Karten offenzulegen. Sie wappnete sich innerlich und sagte: »Ich glaube nicht. Dass es die beste Chance war, meine ich.«

Wieder zuckten die Augenbrauen kaum merklich. »Ach, nicht?«

Winona versuchte, so unauffällig wie möglich tief Luft zu holen. *Bitte lass mich das Richtige tun, auf die richtige Art und Weise.* Als sie den Anwälten des *Innocence Project*s ihre neue Information zukommen ließ, hatten sie ihr geraten, die Sache vorsichtig anzugehen. Falls sie Sara Hamm überzeugen konnte – und zwar restlos –, wäre ein gemeinsamer Antrag die beste Möglichkeit, Dallas' Urteil aufzuheben. Jedes andere Vorgehen würde Widerspruch provozieren, und Winona wollte keinen neuen Kampf gegen die Staatsanwaltschaft, wenn es sich irgendwie vermeiden ließ. »Ich möchte Ihnen zunächst darlegen, was ich glaube. Roy war im besten Fall ein nutzloser Verteidiger. Er hat nie jemanden angeheuert, der den Tatort besichtigte oder Nachforschungen betrieb. Sonst hätte er die Unstimmigkeit in der Zeugenaussage von Myrtle Michaelian bemerkt. Sie erklärte, sie hätte an jenem Abend Dallas' Tätowierung gesehen, aber das kann nicht sein. Denn sein Tattoo ist am linken Arm –«

»Das haben Sie alles bereits dargelegt, Miss Grey. Ich muss es nicht noch mal hören.«

»Ich weiß. Ich möchte nur, dass Sie es im Hinterkopf behalten. Zusätzlich zu dem Fakt, dass die DNA-Spuren nicht von Dallas stammten. Wir beide wissen, dass die Sache mit den Haarproben wissenschaftlich nicht haltbar ist. In den vergangenen zehn Jahren gab es unzählige Präzedenzfälle dazu. Wenn es zu einem neuen Prozess kommt, könnte ich es mit Sicherheit ausschließen lassen.«

»Zu einem neuen Prozess? Ist mir irgendetwas entgangen? Das alles ist doch schon geklärt und erledigt. Das Gericht hat das Urteil bestätigt.«

Winona griff in ihre Aktentasche und holte einen Ordner heraus. Sie schob ihn zu Sara hinüber. »Aber das hier ist neu.«

Sara schlug den Ordner auf und las das oberste Dokument. »Ein zweiter Antrag, das Urteil aufzuheben und den Fall abzuweisen? Und Sie haben dieses Büro mit aufgeführt? Meinen Sie etwa, ich würde mich diesem Antrag anschließen? Sie träumen wohl, Miss Grey.«

»Lesen Sie weiter«, entgegnete Winona. »Bitte.« Ihre letzte und beste Chance – vielleicht ihre einzige – bestand darin, diese Frau zu überzeugen. Wenn die Staatsanwaltschaft sich einverstanden erklärte, dass das Urteil aufgehoben und der Fall abgewiesen würde, dann würde das Gericht dem stattgeben.

Sara blätterte die erste Seite um und blickte abrupt auf. »Seit wann haben Sie diese Information?«

Winona wusste genau, wovon die Staatsanwältin sprach. Es war das Testergebnis, auf das sie fast einen Monat gewartet hatte. »Seit gestern.«

»O mein Gott!«, sagte Sara.

»Mir fiel ein, dass ich nur hatte testen lassen, ob die DNA-Spuren mit denen meines Klienten übereinstimmen. Was, wie Sie wissen, nicht der Fall ist. Ich war so unerfahren, dass ich meinte, mit diesem Ergebnis einen Freispruch erwirken zu können. Vor etwa einem Monat dann unterhielt ich mich mit meiner Schwester. Seiner Frau. Wie auch immer, sie machte eine Bemerkung über die DNA, und da wurde mir klar, dass ich nie hatte prüfen lassen, zu wem die DNA gehörte. Also schickte ich die Spuren zur nationalen Datenbank, und es ergab sich, dass sie zu einem Mann namens Gary Kirschner passten, der gegenwärtig eine neunjährige Haftstrafe im Spring-Creek-Gefängnis in Seward absitzt. Wegen Vergewaltigung. Als wir erst einmal den Namen hatten, überprüften wir noch einmal die Waffe. Wegen der nicht identifizierten Fingerabdrücke, verstehen Sie?«

»Natürlich«, sagte Sara mit gerunzelter Stirn.

»Es stellte sich heraus, dass die Fingerabdrücke ebenfalls von Gary Kirschner stammten.«

»Warum hat man seine Fingerabdrücke 1996 noch nicht gefunden?«

»Weil er bis dahin noch nicht erfasst war. Er war ein Vagabund. Ein Drogensüchtiger, der auf dem Weg nach Norden durch ein paar Städte in der Umgebung kam. Und bevor Sie fragen: Dallas Raintree hat Gary Kirschner nie kennengelernt.«

Sara starrte auf die Dokumente und las sie noch einmal durch. »Ich muss ein paar Nachforschungen anstellen. Wir wollen doch keine übereilte Entscheidung treffen. Möglicherweise dauert das eine Weile.«

Winona stand auf. »Vielen Dank, Miss Hamm.«

Sara nickte nur und las weiter.

Winona verließ allein das Büro.

An diesem Wochenende gibt's die große Halloween-Party auf Water's Edge. Yippee! Ich hoffe, Sie kriegen meinen Sarkasmus mit, Mrs I. Dabei lesen Sie das Tagebuch doch gar nicht mehr. Es ist schon komisch. Ich schreibe immer noch für Sie. Warum eigentlich? Ich schätze, dies ist auch so eine Ihrer großen Lebensfragen. Vielleicht werde ich sie Ihnen eines Tages stellen.

Jedenfalls kam ich direkt nach der Schule nach Hause, um zu helfen. Andere wären vielleicht sauer darüber gewesen, aber diese anderen haben auch Freunde. Wenn man keine Freunde hat, ist es vollkommen in Ordnung, nach der Schule direkt nach Hause zu gehen. Es gibt nichts Schlimmeres als die zehn Minuten nach dem Klingeln der Schulglocke. Dann bilden sich die Grüppchen, und man ist sehr einsam, wenn man allein dasteht.

Aber mich interessiert nur Cissy. Heute hat sie mich fast angelächelt, mir ist beinahe das Herz stehen geblieben. Ich weiß, es ist Irrsinn, aber manchmal denke ich, sie liebt mich immer noch.

Als ob das noch eine Bedeutung hätte: Schließlich hat sie zu viel Angst vor ihrem dämlichen Vater. Aber wen interessiert das überhaupt?

Als es an der Tür klingelte, telefonierte Winona gerade mit Luke. »Oh, großartig. Da kommt Besuch«, sagte sie sarkastisch. Sie hatte gerade darüber lamentiert, wie lange die

Staatsanwältin für ihre Entscheidung brauchte. Da er der Einzige war, mit dem sie darüber reden konnte, übertrieb sie es manchmal. Das war kaum überraschend. Überraschend war höchstens, dass er sie trotzdem weiterhin anrief. Den ganzen September und Oktober saß sie fast jeden Samstagabend auf der Veranda oder vor ihrem Kamin und tauschte sich mit ihm über ihr Leben aus. Sie hatten schnell wieder zu ihrem alten, ungezwungenen Ton zurückgefunden.

»Hab Geduld«, bat Luke, wie schon seit Wochen. »Es ist erst Oktober. Sie wird schon noch anrufen. Ganz bestimmt.«

»Das Warten bringt mich um«, entgegnete sie. »Tatsächlich nehme ich zum ersten Mal seit der sechsten Klasse ab. Wenn ich Glück habe, werde ich noch hübsch, während Dallas in seiner Zelle verrottet.«

»Du warst schon immer hübsch, Win.«

Wieder klingelte es. »Klar«, murmelte sie. »Deshalb hast du dich auch in meine Schwester verliebt, während ich direkt danebenstand. Hör mal, Luke, ich muss auflegen. Ich ruf dich später zurück.«

»Okay, aber ich mach mir Sorgen um dich, nur fürs Protokoll.«

»Das bedeutet mir viel. Ehrlich«, erwiderte sie. Dann fügte sie hinzu: »Ich muss Schluss machen. Ruf mich morgen Abend an.« Noch bevor er antworten konnte, legte sie auf und eilte zur Tür. »Nur die Ruhe! Ich komme ja schon.« Als sie die Tür aufriss, erblickte sie ihre Schwestern vor sich. Aurora sah aus, als hätte sie sich für eine Wanderung durch die Tundra angezogen: Jeans, Winterstiefel, Parka mit Kunstpelzfutter. Sie hatte Handschuhe an und trug eine große silberne Thermoskanne. Vivi Ann stand neben ihr und hielt die Tassen.

»Du kommst jetzt mit. Aber zieh dich warm an«, verkündete Aurora.

»Nein, lieber nicht«, sagte Winona. In letzter Zeit war sie

in Gegenwart ihrer Schwestern zu nervös, um sich normal zu verhalten.

»Sie ist nur verwirrt«, erklärte Aurora und warf Vivi Ann einen vielsagenden Blick zu. »Wie so oft in letzter Zeit. Ich sagte: Du kommst jetzt mit. Zieh dich an.«

»Was ist in der Thermoskanne?«

»Irish Coffee. Und jetzt beeil dich.«

»Gut. Aber ich nehme mein Handy mit«, beharrte Winona. Seit ihrem Besuch bei Sara Hamm hatte sie ihr Telefon nie länger als zehn Minuten unbewacht gelassen.

»Für wen hältst du dich? Condoleezza Rice?«, murmelte Aurora.

Winona ließ sie im Hausflur stehen und ging sich umziehen. Fünf Minuten später kam sie in alten Jeans, eisblauen Thermostiefeln, einem irischen Strickpullover und ihrem Mantel wieder nach unten. Ihre Handtasche (mit dem Handy) hatte sie über die Schulter geworfen.

»Wo ist Vivi Ann?«, fragte sie Aurora, als sie die Treppe hinunterkam.

»Im Bad.« Aurora winkte sie zu sich und flüsterte: »Schnell.« Kaum stand Winona vor ihr, fügte sie hinzu: »Los, spuck's aus.«

»Was denn?«

»Du gehst uns seit Wochen aus dem Weg. Ich kenne dich doch. Das heißt, du hast es immer noch nicht aufgegeben.«

»Was denn?«, fragte Winona, um Zeit zu gewinnen.

»Bring mich nicht dazu, dir weh zu tun.«

Winona holte tief Luft. »Ich habe neue Beweise gefunden und warte darauf, ob sie relevant sind.«

»Und wenn das der Fall ist?«

»Dann könnte er freikommen.«

»Und wenn nicht, bleibt er, wo er ist«, sagte Aurora und verschränkte die Arme. »Gott sei Dank hast du es ihr nicht gesagt. Ihr seelisches Gleichgewicht ist mehr als gefährdet.

Aber wage es nicht, mich da rauszuhalten. Ich will euch doch helfen.«

Winona umarmte ihre Schwester. »Danke.«

Gerade als sie sich voneinander lösten, kam Vivi Ann zurück. »Okay«, sagte sie, »gehen wir.«

Winona folgte ihnen zu Auroras Wagen und setzte sich auf den Beifahrersitz. Jetzt war sie froh, das Haus verlassen zu haben. Sie konnte sich kaum noch daran erinnern, wann sie das letzte Mal etwas nur zum Spaß gemacht hatte. »Wohin fahren wir?«

Aurora bog in die Zufahrt zur Ranch ein.

»Das ist also unser toller Ausflug? Picknick zu Hause?«

Aurora parkte in der Einfahrt. Dann holte sie eine Decke, zwei kleine Päckchen und einen Radiorecorder aus dem Kofferraum. Die drei liefen los: am Reitstall mit der Halloweendekoration und der automatischen Führanlage mit dem falschen Spinnennetz vorbei.

Winona wusste sofort, wohin es ging. Zu einer kleinen Anhöhe hinter Renegades Koppel, einer Rasenkuppe unter einem riesigen, alten Erdbeerbaum. Von hier aus konnte man einen Großteil der Ranch, den stillen Kanal und die fernen Berge sehen. Ganz in der Nähe verlief ein Flüsschen mit Lachsen, das je nach Jahreszeit mehr oder weniger Wasser führte und auch die Strömung änderte, aber, wie alles auf Water's Edge, trotzdem immer gleich blieb.

Aurora legte eine Decke auf die Wiese, und dann machten sie es sich darauf gemütlich, wie so oft in ihrer Kindheit. Der Erdbeerbaum breitete seine kahlen Äste schützend über ihnen aus; vor dem sternbedeckten lavendelblauen Himmel wirkten sie wie ein schwarzes filigranes Netz. Unter ihnen, in einer dunklen Senke, lag das kleine Fleckchen Erde, das einst der Garten ihrer Mutter gewesen war. Da keiner von ihnen den Mut aufgebracht hatte, ihn einzuebnen oder neu zu bepflanzen, war er einfach zugewuchert.

»Hier waren wir schon eine Ewigkeit nicht mehr«, stellte Vivi Ann fest, schenkte den heißen Kaffee mit Schuss in ihre Becher und verteilte ihn.

»Wir sind Schwestern«, verkündete Aurora mit gewichtiger Stimme. »Manchmal müssen wir daran erinnert werden.« Sie griff nach den beiden Päckchen, die sie mitgebracht hatte. »Die hier sind für euch.«

Winona nahm die kleine Schachtel und legte sie auf ihren Schoß. Dann öffnete sie sie und starrte auf das Geschenk. Es war zusammengelegt und leicht verheddert, aber sie wusste sofort, was es war. Ihr Magen zog sich zusammen. Langsam hob sie das Windspiel hoch. Es bestand aus einer Reihe atemberaubend schöner, schimmernder Muscheln, die mit fast unsichtbarem Silberdraht zusammengehalten wurden. Als sie es auseinanderzog, klingelte es leise und melodisch.

Vivi Anns Windspiel hingegen bestand aus winzigen mundgeblasenen Buntglasscherben. Selbst im Zwielicht schimmerte das Glas in intensiven Farbtönen.

»Wunderschön«, sagte Winona und dachte daran, wie sie drei das letzte Mal am Bett ihrer Mutter gestanden und sich gegenseitig Kraft gespendet hatten. *Bleibt zusammen*, hatte ihre Mutter geflüstert und das einzige Mal während ihrer langen Krankheit geweint. *Meine Gartenmädchen …*

»Wir sind Schwestern«, wiederholte Aurora. »Ich wollte euch nur daran erinnern. Ganz gleich, was geschieht und wofür wir uns entscheiden« – hier warf sie Winona einen Blick zu –, »wir bleiben zusammen.«

Winona stieß mit ihren Schwestern an und trank einen Schluck. Dann griff sie in ihre Handtasche, holte ein Foto heraus und zeigte es ihren Schwestern. Das Bild zeigte ihren Vater, gut aussehend und lachend, der ihre Mom besitzergreifend im Arm hielt.

Aurora und Vivi drängten sich an sie und betrachteten das Foto wie ein archäologisches Fundstück, was es in gewisser

Hinsicht auch war. Winona hatte oft den Verdacht gehabt, dass ihre Mom Fotos von sich aus den Alben entfernt hatte, wenn sie darauf zu dick, zu alt oder zu müde aussah. Sie konnte nicht wissen, dass ihr nur noch so wenig Zeit mit ihrer Familie blieb.

Aber nicht ihre Mom fesselte ihre Aufmerksamkeit, sondern ihr Dad. Auf dem Foto wirkte er attraktiv und lebendig. Glücklich.

»Ich kann mich nicht erinnern, dass er je so war«, sagte Winona.

»Ich auch nicht«, bestätigte Aurora.

»Aber ich«, erwiderte Vivi Ann leise. Fast klang es, als würde sie es bedauern. »Seht ihr, wie er sie anschaut?«

»Warum liebt er *uns* nicht so?« Winona sprach die Frage aus, die sie alle bewegte. Aber natürlich gab es darauf keine Antwort.

»Wo hast du das Foto her?«, wollte Aurora wissen.

»Du hättest Staatsanwältin werden sollen«, murmelte Winona. »Dir entgeht auch gar nichts.«

»Außer der Affäre meines Mannes«, entgegnete Aurora und trank einen Schluck. »Ich hab der Frau sogar Muffins gebracht, als sie krank war.«

Vivi Ann legte Aurora den Arm um die Schultern. »Er war ein Wichser.«

»Und ein Langweiler«, ergänzte Winona.

»Und ein Glatzkopf, nicht zu vergessen«, fügte Aurora hinzu und lächelte. Sie nippte noch mal an ihrem Becher. »Also, woher hast du das Foto?«

»Von Luke.«

Darauf sagte keine etwas. Winona verstand, warum. Luke war wie ein verbotener Teich im Märchen: verlockend zwar, aber unter der Oberfläche gefährlich.

Aurora schwieg und überließ Vivi Ann bewusst das erste Wort.

Winona hätte es ihr gleichtun und ebenfalls warten sollen, aber das Schweigen setzte ihr zu sehr zu. »Er ist nach der Anhörung zu mir gekommen, weil er in der Zeitung davon gelesen hatte und dachte, ich könnte einen Freund brauchen.«

»Er ist ein freundlicher Mensch«, sagte Vivi Ann endlich und sah Winona an. »Liebst du ihn immer noch?«

Winona wusste nicht, was sie darauf antworten sollte. »Verglichen mit dir und Dallas ...« Sie zuckte mit den Schultern, weil sie nicht weiterwusste.

»Das ist doch kein Wettkampf«, sagte Vivi Ann und berührte sie am Arm. »Liebe ... ist einfach, was es ist.«

»Es ist sowieso zu spät. Wir haben unsere Chance verpasst. Vielleicht hatten wir auch nie eine. Ich weiß es nicht.«

Vivi Ann sah sie tieftraurig an. »Sag nie, es sei zu spät. Wenn es nur die geringste Chance gibt, Win, dann ergreift man sie. Trotz all meines Unglücks wegen Dallas bin ich doch froh, ihn geliebt zu haben.«

Winona stellte ihren Becher ab, legte sich auf die Decke und starrte durch die kahlen Äste auf die Milchstraße. »Ich habe Angst«, sagte sie leise. Sie konnte sich nicht erinnern, das jemals laut ausgesprochen zu haben. Sie hatte immer befürchtet, ihre Schwäche würde verstärkt, wenn sie sie nur zugäbe, aber jetzt war sie darauf angewiesen, dass ihre Schwestern ihr halfen.

»Die Angst tötet den Geist«, erklärte Vivi Ann, und Winona nahm trotz der Dunkelheit wahr, dass sie lächelte.

»Na, großartig. Ich lege meine Seele bloß, und du kommst mir mit diesem bescheuerten Filmzitat.«

Vivi Ann lachte. »Stimmt, aber *Der Wüstenplanet* ist ein großartiger Film. Legendär. Außerdem stimmt es. Mit Angst kann man nicht durchs Leben gehen.«

»Musst du gerade sagen«, bemerkte Aurora.

»Touché«, erwiderte Vivi Ann.

»Was würdest du tun, wenn du die Zeit zurückdrehen

könntest und eine zweite Chance mit Richard bekämst?«, fragte Winona.

»Darüber habe ich oft nachgedacht«, sagte Aurora und zog die Knie an die Brust. »Aber selbst in meinen einsamsten Stunden kann ich nicht leugnen, dass ich Richard einfach nicht genug geliebt habe. Ich möchte das, was Vivi hatte, und wenn ich das nicht kriege, dann bleibe ich lieber allein. Ab jetzt gibt's für mich keine Kompromisse mehr.«

Winona schloss die Augen und lauschte auf die Geräusche, die sie seit ihrer Kindheit begleiteten: die Pferde, die auf den Weiden trabten; die Wellen, die ans Ufer spülten; das Rauschen des Lachsgewässers. Zum ersten Mal empfand sie Dankbarkeit, dass hier alles so konstant und vorhersehbar war. In ein, zwei Monaten würden die Orcas wieder zum Hood Canal kommen und ein paar magische Wochen lang das vorherrschende Thema im Ort sein. An der Uferstraße würden immer wieder Wagen einfach anhalten und ihre Insassen hinausstürzen, um die schwarzweißen Riesen beim Auftauchen und Spielen zu beobachten. Später, wenn der Frühling käme, würden die Frösche zurückkehren und nachts so laut quaken, dass man halb schlafend zum Fenster taumeln würde, um den Lärm auszusperren.

An einem Ort wie diesem wusste man immer, was einen erwartete, und wenn man vorsichtig war und genau hinschaute, konnte man die eigene Zukunft so deutlich sehen wie die Vergangenheit.

»Ich konnte einfach nie aufhören, ihn zu lieben«, gestand Winona. Sie musste all ihren Mut dazu zusammennehmen, aber als es heraus war, war sie froh.

»Ja«, sagte Vivi Ann. »So ist die Liebe. Aber du hast Glück. Du musst nur den Hörer in die Hand nehmen und ihn um ein Date bitten. Im schlimmsten Fall lehnt er ab.«

»Ja, was hast du zu befürchten?«, bekräftigte Aurora.

Winona stellte sich vor, wie sie das Risiko einging und um

eine Verabredung bat; unwillkürlich musste sie an eine Zeit denken, in der sie nicht mutig genug war, Vivi Ann ihre Gefühle zu gestehen. Diese Unterlassung hatte alles zwischen ihnen verändert und ihre gesamte Beziehung gefährdet.

Aber jetzt tat sie es doch schon wieder, oder nicht? Obwohl sie bessere Gründe hatte, verbarg sie schon wieder die Wahrheit vor ihrer Schwester. »Du weißt, dass ich dich liebhabe, Vivi, nicht wahr? Ich will dir nie wieder weh tun.«

»Das weiß ich. Und glaub mir, nichts, was Luke und dich betrifft, könnte mir weh tun.«

Winona setzte sich auf. »Aber was Dallas betrifft –«

Aurora stieß sie mit dem Ellbogen an. »Ende des Themas ›Männer‹. Heute Abend geht's nur um uns.« Sie schenkte frischen Irish Coffee nach, dann hoben sie ihre Becher. »Auf uns.«

Dann lehnten sie sich aneinander und saßen eine Ewigkeit schweigend auf der Decke, die einst auf dem Bett ihrer Großmutter gelegen hatte. Schließlich schlug Winona vor: »Vielleicht sollten wir Moms Garten neu bepflanzen.«

»Ja«, stimmten Aurora und Vivi Ann wie aus einem Mund zu. »Es ist Zeit«, fügte eine von ihnen hinzu. Winona wusste zwar nicht, welche es war, doch sie nickte.

»Es ist Zeit.«

ICH HÄTTE NIE GEDACHT, DASS SICH DAS LEBEN SO SCHNELL ÄNDERN KANN!

Ich muss kurz meinen Stift hinlegen, weil meine Hand so zittert. So, Folgendes ist passiert: Ich werde alles aufschreiben, damit ich NIE AUCH NUR EINE SEKUNDE VERGESSE!

Gestern war ein ganz normaler, stinklangweiliger Schultag, und Mom weckte mich zeitig. Glücklicherweise, denn wir frühstückten gerade in der Küche, als Tante Winona zu uns kam. Sie trat einfach ein, ohne anzuklopfen oder so, und sagte: »Ich muss mir heute meinen Neffen ausleihen.«

»Aber heute ist Schule«, protestierte Mom, »und in zwei Tagen ist die Halloween-Party. Ich brauche bei allen möglichen Vorbereitungen seine Hilfe.«

Tante Winona sagte: »Tu mir den Gefallen. Dann schulde ich dir was.« Mom verdrehte wie immer die Augen und sagte: »Du schuldest mir schon so einiges. Aber gut, nimm ihn mit. Er schwänzt ohnehin ständig die Schule.«

Damit hatte ich frei, einfach so. Tante Winona musterte mich und meinte: »Geh duschen und zieh dir eine Hose an, die passt. Ich will deine Unterwäsche nicht sehen.« Ich wollte schon widersprechen, aber da hob sie die Hand und meinte: »Bitte, dann bleib hier und geh zur Schule.«

Also hab ich mich »nett angezogen«.

Wir stiegen in Tante Winonas Wagen und fuhren los. Die ganze Strecke am Hood Canal entlang löcherte ich sie mit Fragen nach unserem Fahrtziel, aber sie wollte nicht damit rausrücken, obwohl ich sah, dass sie es am liebsten verraten hätte. Die ganze Zeit lächelte sie.

Ich war so mit Fragen beschäftigt, dass ich nicht mal merkte, als wir vom Freeway abbogen. Und dann sah ich das Schild zum Gefängnis.

»Ist das dein Ernst?«, fragte ich. Vorher hatte ich sie die ganze Zeit lachend aufgezogen, aber als ich das Schild sah, gefror mir das Blut in den Adern.

»Ich wollte nicht, dass du es deiner Mom sagst. Nur falls was schiefgeht«, antwortete Tante Winona. Sie warf mir einen Blick zu. »Bis zur letzten Minute kann immer was schiefgehen. Das hab ich lernen müssen.«

»Wie ist das möglich?«, fragte ich. Mehr fiel mir nicht ein.

»Ich hab die DNA-Spuren noch mal testen lassen. Dadurch fanden wir heraus, wer in jener Nacht wirklich in Cats Haus war. Es war nicht dein Dad«, sagte sie. »Also hat sich die Staatsanwaltschaft meinem Antrag auf Freilassung angeschlossen.«

»Morgen«, sagte sie, »werden sich alle Zeitungen daraufstürzen, daher bringe ich dich heute zu ihm, weil euch in nächster Zeit ständig Kameras folgen werden.«

»Aber was ist mit Mom?«, fragte ich.

»Keine Sorge«, antwortete Tante Winona. »Aurora wird sie den ganzen Tag beschäftigen, das Tor zur Ranch geschlossen halten und das Telefon ausstöpseln. Ich möchte nicht, dass deine Mom davon erfährt, bis er wirklich freikommt. Nur für alle Fälle. Noch eine Enttäuschung würde sie nicht verkraften.«

Wir fuhren vor dem Gefängnis vor, und es war noch genau so, wie ich es in Erinnerung hatte: grau und hässlich. Am Parkplatz hielten wir und stiegen aus. Im Wachturm ging ein Mann mit Gewehr hin und her.

»Ich hab meinen Schülerausweis nicht dabei«, sagte ich plötzlich. »Darf ich ihn dann überhaupt besuchen?« Noch bevor Tante Winona antworten konnte, ertönte ein Summen, und das große schwarze Tor ging langsam auf.

Ich durfte ihn besuchen. Meinen Dad. Er kam mit einem riesigen Wachmann aus dem Gefängnis; er trug schwarze Levi's, die ihm zu groß waren, und ein zerknittertes schwarzes Hemd. Wie lang seine Haare waren, sah ich nicht, weil er einen Pferdeschwanz hatte.

Ich ging auf ihn zu und starrte in sein Gesicht, das meinem so ähnlich ist.

»Noah«, sagte er, und da wurde mir klar, dass ich noch nie zuvor Dads Stimme gehört hatte.

»Du bist wirklich da«, sagte er, und dann fing er als Erster an zu weinen. Er sagte etwas, das ich nicht verstand, aber es klang sehr vertraut. Auf einmal wusste ich, dass er das früher immer zu mir gesagt hatte, als ich noch ein Baby war. Das, was meine Mutter nicht verstanden hatte. Es gehörte nur Dad und mir.

»Das bedeutet in der Sprache meiner Mutter: Reitet wie

der Wind«, *erklärte er. »Mein Gott«, sagte er dann. »Als ich dich zurückließ, warst du ein Baby, auf dem Arm deiner Mutter. Und jetzt steht ein Mann vor mir.«*

Dann zog er mich in seine Arme und sagte: »Ich hab dich vermisst, junger Mann.«

Dreissig

Es gab buchstäblich noch hundert Dinge bis zur Halloween-Party am Freitag zu tun. Ohne Noah würde Vivi Ann höllische Mühe haben, um alles rechtzeitig fertigzubekommen. Nach dem Frühstück ging ihr Dad den Traktor aus dem Offenstall holen, und die Arbeiter machten sich ans Füttern der Bullen.

Aurora tauchte gegen Mittag auf und folgte Vivi Ann einen Großteil des Tages, obwohl sie keine besondere Hilfe war. Dann saß sie mit ihr auf der Veranda, bis es dunkel wurde. Das weiße Geländer war mit bunten Muscheln, Kieseln und Scherben geschmückt; Generationen von Frauen und Kindern der Familie Grey hatten ihr Territorium mit Schätzen vom Kanalufer markiert. Vivi Ann hatte noch die letzte rosafarbene Muschel, die ihre Mutter ihr geschenkt hatte. Sie trug sie zwar nicht mehr ständig bei sich, aber sie wartete immer hier, auf dieser Veranda, auf sie.

Die nächsten Stunden saßen sie auf der Veranda, plauderten, lachten und schwiegen auch dann und wann. Eigentlich war an diesem Tag die ganze Ranch erstaunlich ruhig gewesen, nicht ein Wagen war die Zufahrt heraufgefahren, nicht ein einziger Anruf gekommen. Gegen neun schließlich warf Aurora einen Blick auf ihre Armbanduhr und sagte: »Tja, ich schätze, wir haben hier lange genug rumgesessen. Ich fahr jetzt mal.«

Als Aurora verschwand, ging Vivi Ann wieder ins Haus, um Noah anzurufen. Als ihr Telefon kein Freizeichen von sich gab, entdeckte sie nach kurzer Untersuchung, dass das Kabel ausgestöpselt war. Verärgert schloss sie es wieder an und rief Noah auf seinem Handy an. Erst nach einer ganzen Weile meldete er sich.

»Hey, Mom. Ich habe schon versucht, dich anzurufen.«

»Ich weiß. Tut mir leid. Irgendwie war das Telefon ausgestöpselt. Bist du schon auf dem Heimweg? Morgen ist Schule.«

»Äh. Ich ... habe den ganzen Tag Tante Winona geholfen, den Speicher auszuräumen, und wir sind immer noch nicht fertig. Könnte ich bei ihr übernachten? Sie bringt mich dann morgen zur Schule.«

»Ich möchte sie mal sprechen.«

Winona kam ans Telefon. »Ich bin wirklich hier, und alles ist in Ordnung. Morgen würde ich ihn pünktlich zur Schule bringen.«

Am liebsten hätte Vivi Ann abgelehnt und verlangt, dass ihr Sohn nach Hause kam, aber da der Grund ihre Einsamkeit war, sagte sie: »Na gut. Sag ihm, ich hab ihn lieb.«

»Aber sicher.«

Danach rollte sie sich auf dem Sofa zusammen, steckte sich Kopfhörer in die Ohren und stellte die Lautstärke ihres iPods hoch. Als ihr schließlich die Augen zufielen, ging sie ins Bett. Es war ein komisches Gefühl, allein zu Hause zu sein. Sie hörte lauter unbekannte Geräusche. Zum ersten Mal stellte sie sich vor, wie es sein würde, wenn Noah erwachsen und aus dem Haus wäre. Wie still es dann hier im Cottage sein würde.

Sie seufzte und nickte ein.

Einige Zeit später wurde sie von einem steten *Pa-dumm, Pa-dumm* geweckt. Es war ein gedämpftes, gleichmäßiges Geräusch, wie etwa ein Schaukelstuhl auf festgestampfter Erde. Oder ein Mann, der in der Dunkelheit ritt.

Dallas. Sie gab sich ihren Erinnerungen hin und ließ sich von ihnen in eine andere Zeit ziehen.

Dann erkannte sie, dass es kein Traum war. Das Geräusch

war real. Sie schrak auf, warf die Bettdecke zurück, stand auf und griff nach dem Bademantel am Fußende. Sie streifte ihn über, zog den ausgefransten Gürtel zu und ging angestrengt lauschend durch das stille Cottage.

Schließlich öffnete sie die Flügeltür, trat auf die Veranda und schloss die Tür hinter sich. Ein perlweißer Vollmond hing über den fernen Bergen und warf sein helles Licht über die Ranch. Die Felder wirkten wie Flicken aus nachtblauem Samt.

Der Mond beschien auch den Mann, der sein Pferd ohne Sattel und Zaumzeug ritt.

Jetzt verlor sie den Verstand; nach all den Jahren schnappte sie einfach über.

Sie ging zum Geländer der Veranda und kümmerte sich nicht darum, ob sie verrückt wurde. Im Grunde genoss sie die Wahnvorstellung. Von hier aus sah sie nur sein weißes T-Shirt, das wie im Schwarzlicht leuchtete. Renegade war in der Dunkelheit kaum zu sehen, aber sie bemerkte, dass er sich so fließend und geschmeidig bewegte wie in seiner Zeit als Champion. Noch ein Zeichen für ihren Wahnsinn: Renegade war wieder gesund. *Natürlich*.

Sie wollte zwar bleiben, wo sie war, doch wie an einem Abend vor sechzehn Jahren konnte sie der Versuchung einfach nicht widerstehen. Als sie über die Veranda ging, knarrte das Holz unter ihren Schritten.

Sie lief die sanft geneigte Wiese hinunter und achtete darauf, nicht im taunassen Gras auszurutschen, bis sie am Zaun der Koppel ankam.

Sie glitten an ihr vorbei, ritten einen Kreis in der Koppel, und dann waren sie auf einmal vor ihr und hielten an. Renegades Schnauben schien in einem Umkreis von Meilen der einzige Laut zu sein; selbst der Kanal schien vor lauter Erwartung ganz still zu werden.

»Vivi«, sagte Dallas, und als sie seine Stimme hörte,

musste sie sich am Zaun festklammern, um nicht den Boden unter den Füßen zu verlieren.

»Du bist nicht wirklich hier ...«

Sie verstummte. Sprechen erforderte mehr Substanz, als sie gegenwärtig zu haben schien; sie fühlte sich, als würde sie die Worte irgendwie aus Regionen holen, die zu schwinden drohten.

»Doch, das bin ich.«

Er ließ sich von Renegade gleiten und nahm sich die Zeit, ihm die Ohren zu kraulen und über die Nüstern zu streichen. Dann kam er langsam auf Vivi zu, duckte sich unter dem Zaun hindurch und stellte sich vor sie.

Zum ersten Mal seit Jahren war keine schmutzige Scheibe zwischen ihnen und niemand, der ihre Bewegungen beobachtete. Dallas sah älter und trauriger aus; die Falten auf seinem Gesicht wirkten wie eingeätzt und mit einem dicken dunklen Marker nachgezogen. Plötzlich wurde der Schmerz in ihr so akut, dass sie sich ihm einfach hingab. »Ich hab dich allein da drinnen gelassen. Ich weiß, das wirst du mir nie verzeihen. Ich kann es mir ja selbst nicht verzeihen, aber ...«

Er trat näher zu ihr, strich ihr mit der Hand über die Wange und den Nacken. Dann zog er sie an sich.

Sie spürte, wie sie in seinen Armen zum Leben erwachte. Sie klammerte sich an ihn, weil sie Angst hatte, ihn loszulassen und dann, wenn sie nur einmal blinzelte, zu entdecken, dass sie sich alles nur eingebildet hatte.

Sie berührte sein Gesicht und wischte ihm mit den Fingerspitzen die Tränen ab. »Dallas«, sagte sie. »Wein doch nicht!«

Da hob er sie in seine Arme, trug sie den rutschigen Hügel hinauf über die Veranda in das Cottage, das einst ihr geheimes Liebesnest und dann ihr Heim gewesen war. Jetzt war es ihm fremd geworden, doch ihr Schlafzimmer lag immer noch da, wo es früher war, und dorthin trug er sie und stieß mit einem Fuß die Tür auf.

Er legte sie aufs Bett und kniete sich neben sie. Mondlicht schien durchs Fenster und sammelte sich auf den weißen Laken. Sie richtete sich auf, um ihm entgegenzukommen, weil sie plötzlich das verzweifelte Bedürfnis hatte, ihn auszuziehen. Hektisch streifte sie ihm das T-Shirt ab und knöpfte seine Hose auf; er löste ihren Gürtel und schob ihr den Bademantel von den Schultern und dann von den Armen, so dass er eine weiche Unterlage für sie bildete.

Sie berührten sich mit einer Verzweiflung, die sich in einem Jahrzehnt des Wartens und Hoffens aufgebaut hatte. Ihr Atem wurde stockend und keuchend, ihre Wangen glänzten von den Tränen des anderen, während sie entdeckten, wie mühelos ihre Körper schon immer zueinandergefunden hatten. Und als er schließlich in sie eindrang, rief sie seinen Namen, den sie für so viele lange und leere Jahre zurückgehalten hatte.

Winona, Aurora und Noah saßen am Spieltisch in Winonas Hobbyzimmer und spielten eher halbherzig Karten. Die meiste Zeit redeten sie natürlich über Vivi Ann und Dallas, aber die Karten halfen ihnen, ruhiger zu bleiben. Sie waren alle so aufgeputscht, dass sie sich kaum konzentrieren konnten. Winona hatte gerade vergeblich versucht, den finalen Stich zu machen, als ihr Handy klingelte.

Alle warfen die Karten hin, und Winona riss sich das Handy ans Ohr. »Hallo?«

»Hey, Winona. Verzeihung, dass ich so spät anrufe.«

Als Winona die Stimme ihrer Immobilienmaklerin hörte, seufzte sie.

»Hi, Candace.« Noah und Aurora ließen sich auf ihren Stühlen zurücksinken. »Was kann ich für dich tun?«, fragte Winona und versuchte, sich ihre Enttäuschung nicht anmerken zu lassen. Zwar hatte sie nicht wirklich damit gerechnet, noch heute Abend von Vivi Ann zu hören, aber trotzdem …

»Ich habe gerade den Anruf eines Arztes bekommen, der

dein Strandhaus mieten will. Er ist gerade dort und möchte es sehen. Normalerweise würde ich ja alles stehen und liegen lassen, aber die Kinder sind schon im Bett. Und da wir kaum Interessenten dafür haben …«

»Ich fahre hin«, sagte Winona. Genau das brauchte sie jetzt: etwas, um sich abzulenken. »Danke.« Sie beendete das Gespräch, entschuldigte sich kurz bei Noah und Aurora und ging zum Wagen.

Die lange Fahrt durch die Dunkelheit kam genau richtig. Während sie die vertrauten Straßen entlangfuhr und die Landschaft im hinreißend silbrigen Licht des Vollmonds betrachtete, ging sie im Geiste noch einmal den Tag durch. Es war zweifellos der beste Tag ihres ganzen Lebens gewesen. Nie würde sie auch nur eine Sekunde davon vergessen: weder Dallas' Umarmung und seinen leisen Dank noch den Gesichtsausdruck, den Noah gezeigt hatte, als er zum ersten Mal seit Jahren seinen Vater sah.

Sie bog auf ihre Schotterzufahrt ein und parkte neben einem großen blauen Pick-up. Sie war in Gedanken noch bei Dallas, als sich neben ihr im Schatten etwas bewegte und dann auf sie zukam.

Luke.

Plötzlich war er da und trat zu ihr.

»Was machst du denn hier?«, fragte sie. »Du musst doch nicht mein Haus mieten.«

»Nein. Ich wollte dich nur allein sehen. Ich war den ganzen Tag unterwegs.«

Sie begriff nicht. »Ich hab doch gesagt, ich würde dich morgen anrufen, nach…«

»Als du mir erzähltest, was du für Vivi Ann und Dallas getan hast, konnte ich nur noch daran denken, mit dir an meiner Seite zu leben.«

Sie runzelte die Stirn und trat einen Schritt zurück. Sie wollte ihn nicht falsch verstehen und zu viel Bedeutung in seine Worte und seinen Blick legen. »Ich war immer an deiner Seite, Luke. Selbst als es unangemessen war.«

»Aber ich war nicht an deiner Seite, nicht wahr?«

»Nein.« Genau das war es, was nicht zwischen ihnen gestimmt hatte. Sie staunte, dass er – und nicht sie – es erkannt hatte.

»Das tut mir leid«, sagte er schlicht.

Sie wusste nicht, was sie darauf erwidern sollte. Sie hatte Luke – und sich selbst – schon vor langer Zeit verziehen. »Das alles ist doch längst verjährt, Luke.«

Da überwand er die letzte Distanz zwischen ihnen, und als er sie anblickte, sah sie ihr ganzes gemeinsames Leben in seinen Augen, alles, was sie beide ausmachte – Dinge, die geschehen, und Dinge, die nicht geschehen waren –, und in diesem einen Blick sah sie auch, dass nicht nur sie sich verändert hatte. »Glaubst du, es gibt eine zweite Chance?«

»Natürlich.«

Da nahm er ihre Hand, wie so oft in schwierigen Augenblicken ihres Lebens. »Möchtest du meine Töchter kennenlernen? Sie haben schon viel von dir gehört.«

»Wann können wir denn zu ihnen?«

Winona hatte mit dieser Frage gerechnet. Tatsächlich hatte sie gewusst, dass ihr Neffe dies am nächsten Morgen als Allererstes fragen würde. Noch lächelnd vom Abend zuvor, legte sie ihm den Arm um die Schultern. »Bald.«

»Mein Dad ist cool, findest du nicht?«, meinte Noah. Winona hatte im Verlauf der letzten vierundzwanzig Stunden gesehen, wie dieser Junge von innen heraus zu strahlen anfing. Der mürrische und verschlossene Querulant war völlig verschwunden; stattdessen sah sie einen jungen Mann, der schwierige Zeiten hinter sich hatte, aber jetzt seinen Platz fand. Ein junger Mann, der nun wusste, dass zwar Schlimmes passieren, aber das Gute doch immer gewinnen konnte.

Das hatte Winona ihm geschenkt.

»Danke, Tante Win«, sagte Noah, als hätte er ihre Gedanken gelesen. Aber das überraschte sie kaum. In den letzten Tagen wusste sie auch, was er dachte.

»Nein, ich danke dir, Noah.« Sie wandte sich zu ihm und blickte ihn an. »Ich habe deinen Eltern gegenüber einen Fehler gemacht. Den größten Fehler meines Lebens. Bis du mit deinem alten, zusammengeknüllten Dollarschein kamst, dachte ich, eine Entschuldigung würde vollkommen ausreichen. Mehr könnte ich nicht tun. Aber du hast mir die Möglichkeit gegeben, meinen Fehler wiedergutzumachen. Also, danke dafür.«

Gegen neun Uhr kam der erste Anruf von einem Reporter. Winona sagte: »Kein Kommentar«, und legte auf, aber als kurz darauf das Telefon erneut klingelte, wusste sie, dass es mit ihrer Privatsphäre nun erst mal vorbei wäre. Sie ging ins Gästezimmer und weckte Aurora, die sich bis spät in die Nacht Winonas Ergüsse über Luke angehört hatte. »Komm, Schwesterchen. Zeit, zu gehen. Die Neuigkeit ist raus.«

Als Noah ein paar Minuten später mit sauberen Kleidern und gewaschenen, ordentlich gekämmten Haaren die Treppe herunterkam, wusste sie, dass es Zeit zum Aufbruch war. »Fahren wir zu Dad, um es ihm zu erzählen.«

Aurora stöhnte. »Lieber heirate ich noch mal Richard.«

Winona lächelte, scheuchte sie aber zum Wagen. Die Fahrt zur Ranch verging im Nu, und wie befürchtet, erwarteten sie am geschlossenen Tor zur Ranch bereits die Reporter.

»Privatbesitz«, sagte Winona mahnend, als sie das Tor öffnete, hindurchfuhr und wieder hinter sich schloss.

»Was wird Grandpa sagen?«, fragte Noah kurz darauf, als sie aus dem Wagen stiegen.

»Er wird sich freuen«, antwortete Winona, um Hoffnung bemüht.

Aurora lachte.

Sie gingen die Stufen zur Veranda hinauf, klopften an und gingen hinein.

Dad saß auf dem Sofa im Wohnzimmer. Als sie eintraten, sah er sie mit schmalen Augen an. »Ist es wahr?«, fragte er zornig.

»Dallas ist gestern aus dem Gefängnis entlassen worden. Er ist jetzt bei Vivi«, erklärte Winona.

Dad holte tief Luft und stieß sie geräuschvoll wieder aus. »Gott! Was werden die Leute sagen?«

»Dass wir einen Fehler gemacht haben«, erwiderte Winona.

»Und dass Winona ihn wiedergutgemacht hat«, sagte Aurora und drückte ihr die Hand.

»Wiedergutgemacht? Findest du etwa, dass wir jetzt besser dran sind?«

Mit dieser Reaktion hatte Winona gerechnet. »Was ich getan habe, war gut, Dad. Das weiß ich, ob du es nun billigst oder nicht. Und jetzt werden wir als Familie zum Cottage hochgehen und Dallas zu Hause willkommen heißen.«

Ihr Vater saß nur da und sagte kein Wort, ballte nur immer wieder die Fäuste. Sie sah, wie er vor Zorn die Lippen zusammenpresste, sah aber auch, dass sie zitterten und dass er seinen Töchtern nicht in die Augen blicken konnte. Und zum ersten Mal in ihrem Leben sah sie ihn so wie Vivi Ann: als einen Mann, der nicht im mindesten seine Gefühle zeigen konnte.

Sie ging zu ihm und kniete sich vor ihn hin. Ihr ganzes Leben lang hatte sie sich in seiner Gegenwart schwach gefühlt; aber jetzt wusste sie, dass sie von ihnen beiden die Stärkere war. Vielleicht war das schon immer so gewesen. »Komm mit, Dad. Wir sind die Greys, und nur das zählt. Zeig uns, wie du wirklich bist, wie du früher warst.«

Er sah sie nicht an, vielleicht konnte er es nicht. Stattdessen stand er auf, ging in sein Arbeitszimmer und knallte die Tür hinter sich zu. Sie musste sie nicht öffnen, um zu wissen, dass er jetzt an seinem üblichen Platz am Fenster stand und auf seinen Garten, sein Land starrte, während er sich einen Drink machte, obwohl es erst früh am Morgen war.

Brach er innerlich zusammen, oder lachte er? Bedeutete es ihm etwas, dass er bestimmte Dinge nicht sagte oder tat? Oder war ihm alles gleichgültig? Tragischerweise wusste sie das nicht, würde es wahrscheinlich auch nie erfahren. Nur er allein wusste, was er fühlte oder nicht fühlte. Sie wusste nur, dass sie dieses eine Mal Mitleid mit ihm empfand. Er hatte sich entschieden, eine einsame, abgeschiedene Insel zu sein. »Gehen wir«, sagte sie und tauschte einen vielsagenden Blick mit Aurora. »Er hat sich entschieden.«

Die ganze Nacht liebten Vivi Ann und Dallas sich, machten sich wieder miteinander vertraut und sprachen darüber, wie Winona sie gerettet hatte. Als endlich die Sonne über einem kornblumenblauen Himmel aufging, setzten sie sich in ihrem Nest aus Laken auf und sprachen über das, was wirklich wichtig war.

»Noah ist ein toller Junge geworden, Vivi. Du hast Großartiges bei ihm geleistet. Wir waren gestern den ganzen Tag zusammen.«

»Nein, ich war eine schreckliche Mutter«, widersprach Vivi Ann leise und schämte sich erneut, wie sie ohne Dallas zusammengebrochen war.

»Nicht«, sagte er. »Wir haben schon genug Zeit verloren. Keine Selbstvorwürfe mehr. Meinst du, ich könnte mich nicht ohrfeigen, weil ich dich bei deinen Besuchen einfach hab sitzenlassen? Ich war so gottverdammt versessen darauf, edelmütig zu sein.«

»Aber ich hab trotzdem irgendwann aufgegeben.«

Er sah sie lächelnd an, strich ihr das schweißfeuchte Haar aus der Stirn und küsste sie noch einmal. »Ich habe auch kapituliert. Aber all das ist jetzt nicht mehr wichtig.«

Sie wollte ihn etwas fragen, aber da klopfte es an der Tür.

»Das wird Dad sein«, sagte Vivi Ann. »Er fragt sich bestimmt, wo zum Teufel das Frühstück bleibt.«

Sie stieg aus dem Bett, zog sich den Bademantel an, ging zur Haustür und öffnete sie.

Da stand ihre ganze Familie vor ihr und lächelte sie an. Das heißt: fast die ganze Familie. Ihr Vater fehlte. Das schmerzte ein wenig und erinnerte sie an das, was sie lieber vergessen hätte: eine Beziehung, die beendet war oder nie bestanden hatte. Selbst das wusste sie nicht.

»Hey, Mom«, begrüßte Noah sie und lenkte ihren Blick wieder auf die Menschen, die vor ihr standen.

Sie blickte zuerst zu Winona und floss über vor lauter Liebe zu ihr. »Du bist meine Heldin«, sagte sie und verlor ein kleines bisschen die Fassung. Sie umarmte sie heftig und flüsterte: »Danke.« Als sie sich wieder von ihr löste, hatten beide Tränen in den Augen.

Dallas trat neben sie und schlang besitzergreifend den Arm um ihre Taille. Als wäre dies der Auslöser gewesen, kamen alle zueinander und umarmten sich unter Tränen. Als sie sich schließlich wieder voneinander lösten, stand Vivi Ann überraschenderweise auf einer Wiese, hielt die Hand ihres Mannes und blickte unter Tränen auf ihre Familie – die Greys – und das Land, das sie prägte. Von ihrem Platz aus konnte sie im fahlen Herbstlicht die riesigen Nadelbäume hinter dem Cottage sehen, die ihre Wurzeln tief in den fruchtbaren Boden getrieben hatten. Sie blickte zu den sanft geschwungenen Weiden, die wieder grün würden, wenn die Frühlingssonne zurückkäme. Unter dem Reitstall lag das Haus, in dem sie aufgewachsen war, ein Mädchen unter Mädchen, das immer gewusst hatte, wohin es gehörte. Das würde sie weitergeben, nicht nur an ihren Sohn, sondern auch an ihren Mann, der bis jetzt nicht wusste, dass er hierher, an diesen Ort, zu diesem Land gehörte. Dies würde ihr Geschenk an ihn sein, das, was eine Generation an die nächste überlieferte: das Wissen, dass nicht Landmarken oder Zäune die Grenzen eines Zuhauses anzeigten. Wichtig war nur, wer man war, ob man in schwierigen Zeiten zusammenhielt und wen man in seinem Herzen bewahrte.

Wahrscheinlich wissen Sie nicht mal, dass Sie mich mit Ihren albernen Fragen gerettet haben, Mrs I.

Wer bin ich? Das war die entscheidende Frage. In der neunten Klasse wusste ich nicht, wer ich war oder wer ich sein wollte. Und ganz sicher wollte ich auch nicht danach fragen. Aber jetzt will ich das.

Als mein Dad nach Hause kam, hat sich alles verändert. Kaum kamen wir nach Water's Edge zurück, tauchten alle möglichen Leute auf. Zuerst Myrtle und Cissy Michaelian und ihr Dad.

Erst standen wir einfach nur da. Es war komisch, ein bisschen wie Wer hat Angst vorm schwarzen Mann? *Sie am Wagen und wir am Reitstall. Dann ging Myrtle zu meinem Dad und sagte: »Ich glaube, ich habe mich geirrt.«*

»Ist schon gut«, sagte er kaum hörbar.

Ich sah, wie viel es Cissys Großmutter bedeutete, dass er ihr verzieh. Und zum ersten Mal in meinem Leben spürte ich, wie es sich anfühlt, stolz auf meinen Dad zu sein.

Dann ging Dad zu Cissy und sagte: »Du bist also das Mädchen, das mein Sohn liebt.«

Cissy nickte, musste weinen und sagte: »Das hoffe ich doch.«

»Du hast alles in Gang gesetzt«, sagte Dad. »Danke dafür.«

Danach kam Cissy zu mir und küsste mich, und es war, als wäre das Ganze nicht passiert. Aber es war passiert, und ich war froh und dachte bei alldem: Das bin ich.

Ich bin ein Grey und ein Raintree, und ich gehöre hierher, zu diesem Land, das mir nie wichtig war. Und zu diesem Ort, der ganz anders ist, als ich dachte. Es gibt zwar manche, die nichts von mir oder Dad halten – und vielleicht wird sich das auch nie ändern –, aber das ist in Ordnung. Weil wir nämlich aneinander glauben und zusammen sind. Es kamen noch viele andere, um meinen Dad willkommen zu heißen. Nur Grandpa natürlich nicht. Ich war ziemlich wütend darüber, aber als ich was zu Dad sagte, lächelte er irgendwie und sagte: »Ich versteh's schon. Lass dem alten Mann ein bisschen Zeit.« Also versuch ich's.

Als am Abend alle wieder gingen und nur noch Mom, Dad und ich in unserem Haus waren, sah ich aus dem Fenster und bemerkte, dass Renegade zu uns hochstarrte. Dad kam dazu, legte den Arm um mich und sagte: »Ich habe jede Nacht an dich gedacht, Noah. Jede Nacht.«

Dann kam Mom zu uns und fragte: »Was machen meine Jungs denn hier so allein?«

»Wir warten auf dich«, antwortete ich, weil mir nichts anderes einfiel.

»Das ist jetzt vorbei«, erwiderte Mom. »Diese Familie hat lange genug gewartet. Wer will jetzt Karten spielen?«

Und Dad sagte: »Ja, es ist Zeit, meinem Sohn Poker beizubringen.«

Seinem Sohn.

Da endlich hatte ich die Antwort und wusste, wer ich war.

Dank

Wieder einmal danke ich Kany Levine für seine großen und kleinen Hilfen in rechtlichen Angelegenheiten.

Dank auch an Holly Bruhn, weil sie all meine komischen Fragen zu Pferden beantwortet und das Manuskript auf Fehler geprüft hat. Ich schulde dir was.

Des Weiteren danke ich Andrea Cirillo und dem tollen Team in der Jane Rotrosen Agency. Wie hätte ich ohne eure Hilfe und Ermutigung nur durchgehalten?

Danke für alles auch dem wunderbaren Team bei St. Martin's Press.

Und zuletzt danke ich den verschiedenen Innocence Projects im ganzen Land, die Fall für Fall für die Gerechtigkeit kämpfen. Ich ziehe meinen Hut vor euch.

Kristin Hannah

Immer für dich da

Roman

Deutsche Erstausgabe

ISBN 978-3-548-28106-3
www.ullstein-buchverlage.de

Als die schüchterne Kate und die coole, hübsche Tully einander mit vierzehn zum ersten Mal begegnen, ahnen sie noch nicht, dass daraus eine Freundschaft fürs Leben entstehen wird. Jahrelange Trennung, unterschiedliche Lebenswege, Männer: nichts kann Tully und Kate auseinanderbringen. Doch dann kommt es zu einem schlimmen Streit, in dem alte Wunden aufreißen. Es herrscht Funkstille – bis den Freundinnen klar wird, wie kurz das Leben sein kann …

»Das bewegende und lebensechte Porträt einer dauerhaften Freundschaft. Ein fesselnder Roman.« *Booklist*

UB521